D1097908

Das Abendland · Neue Folge 14

Forschungen zur Geschichte europäischen Geisteslebens

Herausgegeben von Eckhard Heftrich

Eckhard Heftrich

VOM VERFALL ZUR APOKALYPSE

Über Thomas Mann

Band II

Vittorio Klostermann · Frankfurt am Main

CIP-Kurztitelaufnahme der Deutschen Bibliothek
Heftrich, Eckhard: Über Thomas Mann / Eckhard Heftrich. – Frankfurt am Main :
Klostermann Bd. 2. Vom Verfall zur Apokalypse. – 1982. (Das Abendland ; N.F., 14)
ISBN 3-465-01535-5 kart. – ISBN 3-465-01536-3 Gewebe
NE: GT

© Vittorio Klostermann · Frankfurt am Main 1982
Satz und Druck: Otto KG · Heppenheim/Bergstr.
Alle Rechte vorbehalten · Printed in Germany

INHALT

VORWORT

In 'Leiden und Größe Richard Wagners' sagt Thomas Mann, es sei „ratsam einzusehen, daß der Künstler, auch der in den feierlichsten Regionen der Kunst angesiedelte, kein absolut ernster Mensch ist, daß es ihm um Wirkung, um hohe Vergnüglichkeit zu tun ist und daß Tragödie und Posse aus ein und derselben Wurzel kommen. Eine Beleuchtungsdrehung verwandelt die eine in die andere; die Posse ist ein geheimes Trauerspiel, die Tragödie – zuletzt – ein sublimer Jux". Als dieses geschrieben wurde, war Hitler schon fast obenauf. Ein Jahrzehnt danach begann Thomas Mann das nachdenkliche Kapitel über den Ernst des Künstlers um seinen ernstesten Beitrag zu vermehren, den 'Doktor Faustus'. Doch wird durch diesen Roman nicht die ambivalente Ansicht von Tragödie und Jux aufgehoben, wie sie einst am Beispiel Wagners, und übrigens im Zusammenhang mit Nietzsche, geäußert worden war. Im Frühjahr 1943 überspielt Thomas Mann die mit dem Abschluß der Josephs-Tetralogie drohende Leere noch mit der Moses-Novelle, aber dann wird er sich der „Neuheit und Fragwürdigkeit der Lage bewußt". So lautet der Tagebuch-Eintrag vom 17. März 1943, und hier ist auch der alte „3-Zeilen-Plan des Doktor Faust" bereits erwähnt. Am folgenden Tag war bereits die „Novelle" skizziert. Drei Tage später – die Gedanken sind „auf den Faust-Stoff gerichtet" – schiebt sich, durch eine Erwähnung von Katia Mann angeregt, ein „anderer Gedanke" dazwischen: die Hochstapler-Memoiren wieder aufzunehmen. Zwar wird „die Idee, die aus der 'Künstler'-Zeit stammt, für überaltert und überholt durch den Joseph" betrachtet, aber sie überwältigt ihn doch, wie die unterm 21. März notierte Skizze der „Einheit des Lebens" beweist. Zwei Tage später hält die Beunruhigung durch den Krull noch an, trotz fortgesetzter Faust-Studien, und erst am 10. April 1943 fällt bei der „Wiederlesung der Vorarbeiten" zum Hochstapler mit der „Einsicht in die innere (Einsamkeits-)Verwandtschaft" der beiden Stoffe die Entscheidung für den tragischen: dieser scheine, „wenn verwirklichungsfähig, der mir heute angemessenere". Warum, das wird nicht gesagt. Der Krieg und die Greuel des

7

Hitlerregimes (unterm 10. April 1943 ist bereits die „Abschlachtung der Juden" festgehalten) mögen bestimmend gewesen sein.

Und doch hätte auch jetzt schon und nicht erst nach dem 'Doktor Faustus' die Entscheidung für die Wiederaufnahme der Hochstapler-Geschichte fallen können. Denn das Resumé vom 21. März 1943, das den „großen Bogen" vom 'Tod in Venedig' bis zur Moses-Novelle spannt, endet: „Revolution und Exil, die Erschütterungen und Geduldsproben zweier großer Kriege, in immer neuer Arbeit durchgehalten, – und nun reizt mich der Trotz, die Unberührbarkeit, Unbeirrbarkeit, zurückzugreifen auf das, worüber soviel Sturm und Mühe, Zeit und Leben hinweggegangen, und ein Beispiel innerlich heiterer Treue zu sich selbst, spöttisch überlegener Ausdauer zu geben mit der Durchführung des vor Alters abgebrochenen epischen Capriccio."

Der Titel des vorliegenden Bandes bedeutet nicht, daß Thomas Mann einseitig unterm Blickwinkel des Verfalls gesehen wird. Er weist nur darauf hin, daß hier die Interpretationen solcher Werke und Themen gesammelt wurden, die eher auf die Seite der 'Tragödie' als auf die des 'Juxes' gehören. Deshalb wird dieser Band von einer Auslegung des 'Doktor Faustus' so beherrscht, wie beim früheren ein Interpretationsversuch des 'Zauberberg' dominierte. Eine sehr vorläufige und knappe Skizze des 'Faustus'-Kapitels wurde schon 1975 beim Münchener Symposion zu Thomas Manns hundertstem Geburtstag vorgetragen und unter dem Titel 'Doktor Faustus: Die radikale Autobiographie' veröffentlicht (In: 'Thomas Mann 1875–1975', Vorträge in München-Zürich-Lübeck, Frankfurt 1977). Einige Abschnitte dieses Vortrages konnten übernommen werden. Die Charakterisierung des Romans als einer radikalen Autobiographie ist seither von anderen Autoren wie ein anonymer Topos benutzt worden, was immerhin für die Evidenz dieser Formel spricht.

Der von Thomas Mann selbst in der 'Entstehung des Doktor Faustus' unter der Hand angebotene Schlüssel des Geheimnisses der Protagonisten Leverkühn und Zeitblom wurde jetzt noch gründlicher benutzt, als es im Rahmen eines Vortrages möglich war. Daß es sich auch hier um eine sehr alte Idee Thomas Manns handelt, zeigt eine andere geheime Identität, deren Aufdeckung für die hier vorgelegte Interpretation von 'Buddenbrooks' leitend wurde. Und wie die Beziehung von Hanno und Kai derjenigen von Zeitblom und Leverkühn, so korrespondiert die Freiheit der Kunst, die das Fatum des Verfalls aufhebt, der Rechtfertigung der Kunst im Alterswerk.

Nicht erst im 'Tod in Venedig' oder im 'Zauberberg' orientiert sich Thomas Mann an mythologischen Mustern, vielmehr ist das mythopoetische Verfahren schon in 'Buddenbrooks' zu beobachten. Die Zeitkrankheit der falschen Unmittelbarkeit, die dann im 'Doktor Faustus' als die gefährliche Rebarbarisierung in Gestalt mythischer Usurpation diagnostiziert wird, ist schon in der Verfallsgeschichte der bürgerlichen Kaufmannsfamilie vermieden; nicht erst Joseph wird mit dem Schema spielen, bereits dem Erzähler von 'Buddenbrooks' gelingt dies. Was hier in der Unbefangenheit einer doch schon meisterhaften Jugend sich zu entfalten beginnt, ist jene ganze Welt, die wir im Rückblick als die Einheit von Thomas Manns Lebenswerk zu konstatieren vermögen. In nuce ist diese Welt schon vor 'Buddenbrooks' vorhanden. Um dies zu zeigen, wird außer brieflichen Äußerungen jene Erzählung vom 'Kleinen Herrn Friedemann' herangezogen, die Thomas Mann zur Zeit ihrer Entstehung als einen Durchbruch empfand und deren er noch im Josephsroman gedenkt. Da er dort die Linie von Friedemann über Aschenbach zur Liebestragödie von Potiphars Weib zieht, hätte es nahegelegen, den Interpretationen dieses auf Verfall und Untergang konzentrierten Bandes eine solche der venezianischen Novelle hinzuzufügen. Daß dies nicht geschah, hat seinen Grund in der Scheu, einen seit Jahrzehnten malträtierten Text ein weiteres Mal zu behandeln. Auch der Philologe braucht, wenn er sich ans Werk begibt, eine gewisse Unbefangenheit, sonst bringt er den verborgenen Glanz der Texte nicht zum Leuchten. Da diese zweite Naivität im Falle des 'Tod in Venedig' sich nicht einstellen wollte, wurde auf ein eigenes Kapitel verzichtet. Doch ist, wie das Register verrät, die Erzählung auf andere Weise vielfach präsent.

Im Falle des 'Zauberberg', dessen Behandlung der Titel unseres Bandes ja ebenfalls verlangt, stellt sich das Problem anders, nachdem vom Verfasser vor sieben Jahren eine umfangreiche Auslegung des Romans publiziert wurde. Hier bot sich mit der werkimmanenten Interpretation des 'Vorsatzes', der in 'Zauberbergmusik' nur nebenbei berührt wurde, die Möglichkeit zu einer sinnvollen Ergänzung. Überdies berührt die Analyse der Tagebücher von 1918–1921 beständig die Thematik des Romans, den Thomas Mann in jener Zeit wieder aufnahm. Diese Journale sind nicht nur in psychologischer und politischer Hinsicht von außerordentlicher Bedeutung, sie bieten auch wertvolle Materialien zum Verständnis des 'Doktor Faustus'.

Der innere Zusammenhang der Kapitel ist also offenkundig. Dennoch sind sie so abgefaßt, daß sie auch als einzelne gelesen werden können. Sie werden hier alle zum ersten Mal publiziert.

Die im früheren Band sehr knapp gehaltene Auseinandersetzung mit der Sekundärliteratur wurde noch stärker reduziert. Gäbe es keine anderen Gründe, so würden allein die hohen Druckkosten ausreichen, um zu äußerster Sparsamkeit anzuhalten. Und zu Konzessionen, die letztlich auf eine prophylaktische Kollegen- oder Rezensentenbestechung hinauslaufen, war der Verfasser schon in jüngeren Jahren nicht bereit.

DIE WELT IN DER NUSS

THOMAS MANNS ANFÄNGE

Aneignung und Muster

Die erst 1975 bekanntgewordenen Briefe des jungen Thomas Mann an Otto Grautoff gehören zu den wichtigsten Dokumenten der Frühzeit.[1] Der lübeckische Schulfreund, durch das geschäftliche Unglück seines Vaters deklassiert, erlernte in der Provinz den Buchhandel, nachdem er mit dem späteren 'Buddenbrooks'-Dichter das Schülerelend geteilt hatte, das dann als Hannos winterliches Leiden in die Weltliteratur einging. Dem armen Buchhändlerlehrling, der auch Poet werden wollte, berichtete „Thomas Mann" – so sind die meisten Briefe wirklich unterzeichnet – ziemlich ungehemmt und manchmal bis zur Herablassung intim, was ihm vom südlicheren Leben in München oder Rom mitteilenswert erschien. Nicht der poetische Ehrgeiz des einstigen Schulgenossen garantierte Grautoff das begehrte Interesse des jungen Thomas Mann, sondern die gemeinsame Vaterstadt, die zu dieser Zeit noch nicht eine sich verklärende Vergangenheit oder gar eine geistige Lebensform war, sondern die ungelöste und nicht zu verdrängende bittersüße Erinnerung, der Stachel im Fleisch. Was wäre aus Napolione Buonaparte ohne Ajaccio geworden? Im Herbst 1898 erzählt der aus Italien wieder nach München Zurückgekehrte, daß er fleißig an 'Buddenbrooks' arbeite. Standbildern gleich preist er seine sehr unterschiedlichen Heroen: „denn Du weißt, daß neben dem Träumer Iwan Sergewitsch Turgenjew noch immer wie zur Zeit, als Doctor Bäthge mich zu erziehen versuchte, der Sieger Napoléon (übrigens neu eingerahmt) auf meinem Schreibtisch steht, – und da giebt es mancherlei Hoffnung und Stolz und Ehrgeiz…"[2] Vier Jahre zuvor, 1894, heißt es zwar einmal: „das *nicht* nach Lübeck"[3], aber wahrscheinlich meint dies auch hier schon: das alles *noch* nicht nach Lübeck!

Schon im Juli 1897 weiß der junge Schriftsteller aus Rom zu melden: „Seit einiger Zeit ist es mir, als hätte ich die Ellenbogen frei bekommen, als hätte ich Mittel und Wege gefunden, mich auszusprechen, auszudrücken, mich künstlerisch auszuleben, und während ich früher eines Tagebuchs bedurfte, um, nur fürs Kämmerlein, mich zu erleichtern, finde ich jetzt *novellistische*, öffentlichkeitsfähige Formen und Masken, um meine Liebe, meinen Haß, mein Mitleid, meine Verachtung, meinen Stolz, meinen Hohn und meine Anklagen – von mir zu geben... Das begann glaube ich, mit dem 'Kleinen Herrn Friedemann'".[4] Einen Monat später kündigt er an, daß er nächstens einen Roman zu schreiben beginnen werde, „der etwa 'Abwärts' heißen" solle.[5] So wird 'Buddenbrooks' angekündigt, und ein schöner Zufall liegt darin, daß am Anfang des Briefes „meine Notiz über 'Wagner in Rom'" erwähnt ist: zwei Jahrzehnte später wird das in die Schilderung der Wagner-Passion eingearbeitet, als der unpolitische Betrachter Einkehr hält durch die Besinnung auf die drei großen Namen Schopenhauer, Wagner, Nietzsche. Im Brief vom August 1897 bedankt sich Thomas Mann zwar für die Zusendung der Lübeckischen Anzeigen, die ihn von Anfang bis Ende interessiert hätten, kritisiert dann aber das Deutsch-Provinzielle und skizziert mit ein paar Strichen das Gegenbild einer europäischen Kultur. Wie Rußland und Spanien in dieser Skizze mit auftauchen, das verrät, daß die Ideenwelt des 'Zauberberg' als Keim schon da ist, obwohl sich gerade erst Lübeck in die Welt der 'Buddenbrooks' zu verwandeln beginnt.

Die Dokumente der Frühzeit, zu denen außer Briefen und Notizbüchern auch die ersten Skizzen und Novellen als psychologische Zeugnisse zu zählen sind, zeigen dem heutigen Leser, daß die ganze Welt Thomas Manns schon in der Nuß seiner Anfänge steckt. Um beim bedeutungsvollen Zufall der Grautoff-Korrespondenz zu bleiben: da läßt sich der „wundervolle alte Fontane" als ein früher Lehrmeister ausmachen, bei dem gewiß schon jene Verbindung geahnt wurde, die Thomas Mann dann im Fontane-Essay von 1910 auf die Formel bringen sollte: „Mythus und Psychologie".[6]

Das Muster der produktiven Aneignung von Literatur zeichnet sich deutlich ab. Schon 1895 erhält Grautoff einen Rat, hinter dem nicht nur gönnerhafte Anmaßung steckt: „Deine Lectüre (Göthe, Shakespeare) ist sehr gut. Du solltest überhaupt viel mehr ältere Sachen kennen. Das Modernste ist heute die Reaktion".[7] Zwar scheint der noch nicht Zwanzigjährige da seinerseits auch nur das Modernste nachzuplappern, wenn er hinzufügt: „Weißt Du, daß Bahr jetzt auf die Klassiker schwört?! Und der ist l'homme de tête und hat immer die richtigen Instinkte für den letzten und kommenden Zeitgeist." Aber wie später immer, wenn Thomas Mann dem Zeitgeist frönt, steckt auch schon in diesem Tribut mehr als die übliche Tendenz-Anfälligkeit von Schriftstellern. Denn Goethe, das bedeutet, wie sich selbst noch aus der sporadischen Dokumentation der Briefe an Grautoff erschlüsseln läßt, vor allem Faust II und der große, königliche, sichere und klare Mensch der Eckermann-Gespräche.[8] Shakespeare aber meint Hamlet. Weiß man, daß vom monologisierenden Thomas Buddenbrook über Tonio Kröger bis zum Nietzsche-Essay der späten Zeit Hamlet eine der wichtigsten Figuren in Thomas Manns Mythologie ist, so versteht man auch, warum er 1900 aus München dem Jugendfreund mitteilt: „Der ’Hamlet’ von gestern Abend liegt mir noch in allen Nerven, Sinnen, Gedanken, Gliedern. Höchstens an Wagnerabenden habe ich sonst einen so tiefen Eindruck aus dem Theater mit fortgenommen. Ich bin so persönlich berührt und getroffen wie wohl noch [nie] von der Bühne aus".[9]

Während Thomas Mann die Lektüre von Goethe und Shakespeare dringlich empfiehlt, stellt er Ibsens grandiose ’Wildente’ gegen das „Webergeheul des Herrn Hauptmann".[10] Ibsen contra Hauptmann bedeutet, über den aktuellen Anlaß hinaus, daß innerhalb der Gegenwartsliteratur Partei ergriffen wird gegen den jüngsten Naturalismus zugunsten des vorangegangenen psychologisch-symbolischen Realismus. Damit rückt Ibsen schon hier in die Nähe Wagners. Auch zeichnet sich bereits ab, was dann fünf Jahre später als das Kompositionsgeheimnis von ’Buddenbrooks’ umrissen wird: „Die eminent epische Wirkung des *Leitmotivs*. Das *Wagnerische* in der Wirkung dieser wörtlichen Rückbeziehung über weite Strecken hin, im Wechsel der Generationen. Die Verbindung eines stark dramatischen Elementes mit dem epischen Dialog."[11] So analysiert Thomas Mann den eigenen Roman, dem Jugendfreund die Stichworte für eine erwünschte Rezension diktierend.

Immer wieder ist vom Modethema des Fin de siècle, der Dekadenz, die Rede. Wenn Thomas Mann aber einmal direkt von „uns Verfallsmenschen" spricht[12], handelt es sich nicht ums allzu Persönliche, sondern um Literatur. Auch beim Verfall hört die Gemeinsamkeit mit dem Jugendfreund dort auf, wo der Dilettantismus anfängt, also bei der Verwechslung von Literatur und Leben. Gegen diesen Dilettantismus braucht Thomas Mann nicht erst Bourget oder Nietzsche zu bemühen: „Auf solche Weise kann man leben, solange man noch gesund genug ist, um sich in seiner Décadence zu gefallen und damit zu kokettieren. Wenn mir aber die Sache über den Kopf wächst und Ohnmachten meine Sinne umfangen, so habe ich mich zu beeilen, eine gesunde Lebensweise zu

13

beginnen. Es ist jetzt bei Gott nicht Deine Sache, Novellen zu dichten, sondern Deine Nerven zu stärken, was nicht ohne einen geregelten Schlaf geschehen kann".[13] Aus dieser Forderung spricht nicht der Hochmut eines Snobs, der schon wieder die Attitüde des gesunden Bürgers derjenigen des kränklichen Bohemiens vorzieht, sondern die Einsicht, daß es zur gültigen Gestaltung der innerlichen Verfallsbedrohtheit der Disziplin bedarf. Auch begegnet schon hier, was dann der Fünfundsiebzigjährige als seine Abneigung gegen das direkt Autobiographische resümieren wird.[14] Als er Grautoff im Juli 1897 schreibt, warum der 'Kleine Herr Friedemann' eine Epoche in seiner Entwicklung bedeutet, hat er vergessen, daß er dasselbe schon ein Vierteljahr zuvor mitgeteilt hatte. Die Wiederholung verrät, wie wichtig ihm diese Erkenntnis war: „Seit dem 'Kleinen Herrn Friedemann' vermag ich plötzlich die diskreten Formen und Masken zu finden, in denen ich mit meinen Erlebnissen unter die Leute gehen kann".[15]

Hätten wir keine anderen Dokumente, so ließe sich doch allein aus diesen Briefen ein Bild des jungen Thomas Mann rekonstruieren. Allerdings taucht der Name, dem zweifellos die größte Bedeutung zukommt, kaum auf: Nietzsche. Mit der Unvollständigkeit der Korrespondenz dürfte das nicht zu erklären sein, eher mit dem präzeptoralen Verhältnis und der Neigung Thomas Manns, bei aller epistolarischen Mitteilsamkeit immer noch mehr zu verschweigen als zu verraten. Will man nicht annehmen, daß er bei Grautoff eine ebenso große Vertrautheit mit Nietzsche voraussetzte, wie er sie offenkundig schon sehr früh besaß, so darf man vermuten, daß er sich damit vergnügt hat, Nietzsche zu zitieren oder auf ihn anzuspielen, ohne den Namen zu verraten.[16]

So lassen sich bereits hier die meisten der durch die Wiederkehr in späteren Werken als Muster erkennbaren Komponenten ohne gewaltsame Rückinterpretation ausfindig machen:

Das Autobiographische ist immer gegenwärtig, aber es erscheint als das indirekt Autobiographische, da nicht nur die Erfahrungen, sondern selbst die Erlebnisse dem Eigengesetz der Kunst unterworfen werden, also formbares Material sind.

Dichtung ist für Thomas Mann eine mit höchstem artistischem Verstand hervorgebrachte mythopoetische Kunst. Von Beginn an geht er in den Spuren, auf die er in der Literatur stößt.

Der von der Zeit vorgegebene psychologische Realismus wird schon

14

früh so gehandhabt, wie er von den großen Realisten immer gehandhabt worden ist: als psychologisch motivierte Symbolkunst.

Dem entspricht eine Verknüpfungstechnik, deren Analogie zu Richard Wagners Kompositionskunst sich nicht in einer nur oberflächlichen Leitmotivik erschöpft.

'Der kleine Herr Friedemann': ein Modell

'Der kleine Herr Friedemann' ist die Titelgeschichte von Thomas Manns erstem Buch, einem schmalen, 1898 erschienenen Sammelband. Im Hinblick auf die Jugendlichkeit des Verfassers ist die 'Friedemann'-Novelle eine starke Talentprobe. Aber niemand konnte vermuten, daß schon unmittelbar darauf mit 'Buddenbrooks' dem Autor eine epische Leistung gelingen würde, wie man sie allenfalls in der Lebensmitte eines begabten Schriftstellers erwarten darf.

Nicht nur aus Gründen der Kürze sieht sich der Novellist zu Pointen gezwungen, die die Abhängigkeit vom forcierten Maupassant verraten; so auch beim 'Tobias Mindernickel' im selben oder bei 'Luischen' im nächsten Novellenband. Doch dienen noch die grellen Effekte der frühen Novellen bereits einer Kompositionskunst, mit der sich ein subtiler artistischer Wille ankündigt. Um ihn zu beweisen, braucht man keineswegs den knappen 'Friedemann' als eine konsequente 'Lohengrin'-Parodie zu interpretieren, wie es waghalsig versucht worden ist, auch wenn der romantischen Oper Wagners, die Thomas Mann immer hoch geschätzt hat, bereits hier schon und nicht erst in 'Buddenbrooks' eine wichtige Funktion zukommt.[17]

Zahlenmystische Spielereien waren im Fin de siècle beliebt. Auch in dieser Hinsicht erwies sich das Ende des Jahrhunderts als Spätfolge der Romantik, sogar bei denen, die dem theosophischen Mystizismus, in dem ein Teil des romantischen Erbes primitivisiert wurde, skeptisch gegenüberstanden. Thomas Mann hat von der Möglichkeit, mit Hilfe von Zahlen der formalen Unterteilung geheimnisträchtige Symbolik zu verleihen, ein Leben lang Gebrauch gemacht. Vom Ernst, mit dem ein Mallarmé auf die Kabbalistik setzte, ist Thomas Mann freilich durch eine Welt getrennt. Dafür spricht allein schon, daß er die Kapiteleinteilungen und Bezifferungen meist erst nachträglich vornahm. Doch ließ auch eine solche nachgetragene Zutat immerhin noch Raum, bei nicht allzu esoterisch gehandhabtem Gebrauch sich selbst und dem entdeckungswilligen Leser die höhere Stimmigkeit der Komposition zu beweisen. In der 'Friedemann'-Geschichte scheint zum ersten Mal ein Spiel versucht, dessen Vollendung dann im 'Doktor Faustus' vorgeführt wird. Was sich nämlich der Erwartung als Unstimmigkeit, als scheinbare Enttäuschung präsentiert, enthüllt sich bei genauerer Betrachtung als hintersinnige Absicht. 'Der kleine Herr Friedemann' ist in fünfzehn Kapitelchen unterteilt. Könnten es nicht wenigstens vierzehn, also zwei mal sieben sein? Es sind aber vierzehn, wenn man nur jene zählt, die direkt von Johannes Friedemann handeln. In einem einzigen Kapitel, dem sechsten, taucht er nicht direkt auf. Daß dieses Kapitel, so betrachtet, nicht zählt, obwohl gerade hier erscheint, was zu Friedemanns Untergang führt, unterscheidet es von den vierzehn übrigen. Dadurch erhält die Komposition selbst etwas von jener schillernden Zweideutigkeit, wie sie der weiblichen Schicksalsfigur eignet.

Aber zum Schicksal konnte die schöne Gerda von Rinnlingen für den kleinen Friedemann nur werden, weil dreißig Jahre zuvor bereits das Fatum gesprochen hat. Davon kündet der erste Satz der Novelle: „Die Amme hatte die Schuld".[18] Weil die Amme so alkoholsüchtig ist, daß sie sogar den Kochspiritus säuft, fällt der Säugling vom Tisch und wird zum Krüppel. Alkoholismus ist ein beliebtes Thema der naturalistischen Literatur, weil sich daran die dominierenden Theorien vom Milieu und der Vererbung in ihrer gegenseitigen Bedingtheit demonstrieren lassen. In die Art dieser Demonstration kann je nach Neigung und Engagement auch die Anklage gegen die Gesellschaft mit eingeschlossen werden, deren als Ausbeutung entlarvte falsche Ordnung die Ursache für den verhängnisvollen Zirkel ist, in dem sich die Opfer samt ihren Nachkommen bewegen. Im 'Kleinen Herrn Friedemann' findet sich keine Spur von solcher Anklage, obwohl von Schuld die Rede ist. Doch Schuld ist da nur ein traditionelles, schöneres Wort für Verursachung. Die Trinkerin, die „stumpfsinnig daneben" steht, während der Säugling am Boden wimmert, ist kein individuelles, verantwortliches Wesen: „ehe Ersatz für sie eingetroffen war, ehe man sie hatte fortschicken können, war das Unglück geschehen" (77). Auch ein Dachziegel kann einen zum Krüppel machen, doch taugt dafür eine betrunkene Amme noch besser, und nicht nur, weil es sich um einen Säugling handelt, sondern weil diese Frau in ihrem Stumpfsinn die Parodie aller mythischen Dienerinnen des Fatums ist. Nachdem sie buchstäblich ihre Schuldigkeit getan hat, kann sie aus der

Geschichte verschwinden, wir hören nur noch die Schwestern des Säuglings wehklagen und die Mutter „in ihrer Herzensangst" laut beten, indessen der Arzt, wie es sich für die bürgerliche Karikatur eines Auguren gebührt, kein Unheil prophezeit, sondern auferlegt, das Beste zu hoffen. Anlaß zur Hoffnung ist gegeben, denn des Säuglings Blick zeigt „durchaus nicht mehr den stieren Ausdruck ... wie anfangs" (77).

Auf die Spuren, die Nietzsche, vor allem mit seiner Analyse der asketischen Ideale, in der kleinen Geschichte hinterlassen hat, wurde bereits mehrfach hingewiesen.[19] Schon 'Friedemann' verrät also die für den späteren Thomas Mann so typische Art, Nietzsches Entlarvungspsychologie sich dienstbar zu machen, ohne je die Absicht dieser Entlarvung zu berücksichtigen. Sie gilt bei Nietzsche der Umwertung. Deren Voraussetzung ist die Setzung des Willens zur Macht als eines Prinzips, was zu den bekannten Mißdeutungen im Sinne einer existenzialistischen oder gar biologistischen Lebensphilosophie geführt hat. Erst der spätere Thomas Mann wird sich, indem er den für ihn brauchbaren von dem mit schreckensvollem Erbarmen abgewehrten Nietzsche unterscheidet, eine Auslegung schaffen, die es ihm erlaubt, das Dreigestirn Schopenhauer-Wagner-Nietzsche wenigstens für den Himmel seiner Jugend zu retten. Das ist keine nachträgliche Verfälschung, sondern nur eine Verdeutlichung dessen, was wir in dieser Jugend selbst als die unreflektierte Praxis beobachten können. Der Erzähler verfährt gleichzeitig mit Nietzsche *und* Schopenhauer so, wie Wagner seinerseits mit Schopenhauer verfuhr. Nicht ohne Grund, das heißt mit identifizierender Sympathie, hat Thomas Mann später Wagners Schopenhauer-Interpretation, und das heißt ja, dessen Schopenhauer-Adaption übernommen.[20] Schon im 'Friedemann' wird deutlich, daß da ein von Wagner Faszinierter Nietzsche nach Bedarf mit der Brille des artistischen Schopenhauerianers liest.

Die Voraussetzung von Nietzsches Entlarvungspsychologie ist die Umkehrung von Schopenhauers Erlösung verheißendem Mitleidsdogma, was wiederum nicht denkbar ist ohne jene von Nietzsche für absurd erklärte Abwertung des Lebens. In 'Buddenbrooks' wird der Senator in der Stunde seiner folgenlosen Erleuchtung auf philosophisch groteske, aber künstlerisch effektvolle Weise Schopenhauer mit Nietzsche vermengen. Schon im 'Friedemann' zieht Thomas Mann aus solcher Vermischung die stärkste Wirkung. Es handelt sich freilich weder hier noch in 'Buddenbrooks' um eine bewußte, auf Wirkung erpichte Anwendung philosophischer Theoreme. Was Thomas Mann im Licht des einen wie

17

des andern Sterns aufleuchten läßt, sind immer nur seine eigenen Erfahrungen. Erfahrung ist die unverwechselbare Art, wie einer die jedermann begegnenden Materialien des Lebens und des Geistes, die Erlebnisse also, sich aneignet, indem er sie in die Kunst transferiert. Wann immer Thomas Mann dergleichen theoretisch darzulegen, geschweige zu begründen versucht hat, ist er gescheitert. Nur im Figurenspiel konnte ihm gelingen, in der Schwebe und im Zweideutigen zu halten, was, sich selbst anheimgegeben, zum unvereinbaren Widerspruch auseinandertreten mußte.

Wegen der eigenen Art der Aneignung berührt der Philologenstreit über den Beginn des sogenannten Nietzsche- oder Schopenhauer-Einflusses samt dem Problem, welcher von beiden Philosophen da zuerst anzusetzen wäre, nicht das produktive Zentrum. Aus der späteren Schaffenszeit Thomas Manns gibt es genügend Beispiele dafür, daß selbst tertiäre Quellen, etwa Buchrezensionen einer Tageszeitung, ihm denselben Dienst zu leisten vermochten wie originäre Texte. Der schöpferische Aneignungs- und Verwandlungsprozeß dürfte von Anfang an derselbe gewesen sein. Von der ersten Nietzsche-Lektüre an ist Schopenhauer, allein schon wegen dessen Omnipräsenz beim renegatischen Jünger, auch beim jungen Poeten allgegenwärtig, und von Nietzsche hätte er, selbst wenn er ihn nicht schon sehr früh gelesen hätte – was sicher der Fall war –, doch soviel läuten hören, daß er ihn bei jeder Schopenhauer-Lektüre bereits mithören mußte; von Wagners Schopenhauerei ganz abgesehen! Da Thomas Mann nicht auf der Suche nach einer Ersatzreligion war, also nicht nach einem Glauben hungerte, den er für wahr halten konnte, sondern in den geistigen Erregungen die künstlerischen Anregungen suchte, verfuhr er mit den für Wahrheiten ausgegebenen Philosophemen mit jener Freizügigkeit, deren Lizenz allein in der Kunst liegt.

Schopenhauer erklärt wie Nietzsche das Leben für grausam, nur daß solche Grausamkeit bei beiden eine entgegengesetzte Wertung einschließt und infolgedessen zu gegensätzlichen Folgerungen verleitet. Die Rolle, die dem Erkennenden zukommt, ist bei beiden nicht unverwandt, und noch in der Abkehr von Schopenhauer hat Nietzsche, im Gegensatz zu seinen Verdächtigungen Wagners nach dem Abfall, dem Verfasser der 'Welt als Wille und Vorstellung' jene Haltung des zur Einsamkeit berufenen wie verdammten Philosophen nicht abgesprochen, die eine besondere Art von Tapferkeit verlangt. Schopenhauer und Nietzsche, diese beiden Künstlerphilosophen, haben sich zugeteilt, was sie der Innung bestritten und was sie selbst an die Seite der romantischen und nachromantischen modernen Künstler brachte: den existenziellen und ästhetischen Adel des geistigen Exils. Den platteren Wertherismus des modernen Künstlers hat der junge Thomas Mann zwar als modische Attitüde durchschaut und mit Hilfe von Nietzsche wie Bourget als Dilettantismus zu erkennen vermocht. Aber indem er diese Form der Dekadenz parodierte – in Paolo Hoffmann, Christian Buddenbrook oder Spinell etwa –, hat er sich die Freiheit geschaffen, aus dem Widerstreit von Geist und Leben die Moralität des bürgerlichen Künstlertums entstehen zu lassen. Sein bleibender Name für diese Freiheit lautete: Ironie. Um sich als Kunst zu entfalten, bedarf solche Ironie einer mittleren Kühle. Sinkt die Temperatur zu sehr ab, gerät die Ironie als vermeintlich pure Objektivität in den Grenzbereich des Zynismus. Davon zeugen die öfter an Maupassant erinnernden frühen Novellen. Erhöht sich die Temperatur zu sehr, weil die Flamme vom Oxygen des eigenen Gemüts genährt wird, droht die Sentimentalität: so im 'Tonio Kröger', wo die Outcast-Leiden gerade noch vor der Trivialität bewahrt bleiben, weil die Schwärmerei in der Jünglingssphäre gehalten wird und eine vom Eros unverwirrte Künstlerin den Klagen des Zerrissenen vor dem ideellen Hintergrund der Schillerschen Antithese des Naiven und Sentimentalischen ironisch Paroli bietet.

Die Geschichte eines sensitiven Krüppels

Ein namenloses Wesen verursacht in 'Friedemann' den unglücklichen Zufall, der dem hilflosen Kind zum Schicksal wird. Die Berufsbezeichnung 'Amme' klingt in diesem Zusammenhang höhnisch, und damit ist eine Klangfarbe des Textes bestimmt, die am Ende wieder dominieren wird. Wenn der Arzt, der hier nicht zu heilen, sondern nur zu diagnostizieren hat, von der Hoffnung auf das Beste redet, weiß der Leser bereits, daß es da nichts zu hoffen, sondern eben nur abzuwarten gilt, „wie im übrigen sich die Sache entwickeln werde". Sache ist das rechte Wort, wenn es sich um Unkorrigierbares, um Fatalität handelt.

Die Idylle der behüteten Kindheit in einer verkleinerten Buddenbrook-Welt, mit der das zweite Kapitel beginnt, ist Schein. Die Epitheta der Schilderung entstammen einer klassizistisch entschärften Romantik, sind also anachronistisch und klingen falsch: die süßlichen Dreiklänge sind die ersten Zeichen, mit denen sich ankündigt, daß die Sache sich zum Schlimmsten entwickeln werde: „Hier saß er oft in seiner Kindheit am

Fenster, vor dem stets schöne Blumen prangten, auf einem kleinen Schemel zu den Füßen seiner Mutter und lauschte etwa, während er ihren glatten, grauen Scheitel und ihr gutes, sanftmütiges Gesicht betrachtete und den leisen Duft atmete, der immer von ihr ausging, auf eine wundervolle Geschichte"(78). In den Märchen, die da erzählt werden, gibt es keine Grausamkeiten und Schrecken, das Trauma des Sturzes wird nicht aufgearbeitet. Wohl aber wird, um der „Sache" willen, ein Narkotikum eingeflößt und so das Opfer von früh an präpariert. Zu diesem Narkotikum gehören die Blumen ebenso wie der Duft der Frau, aber auch die Hinterwelt, die hier auf das passende Format religiösen Kitsches heruntergebracht ist: „Oder er ließ sich vielleicht das Bild des Vaters zeigen, eines freundlichen Herrn mit grauem Backenbart. Er befand sich im Himmel, sagte die Mutter, und erwartete dort sie alle."

Nur zum Schein auch wird die Idylle am Fenster fortgesetzt mit der Idylle im kleinen Garten. Mit seinem Walnußbaum ist dieser Garten ein Topos im Frühwerk Thomas Manns. Es wird sogleich gründlich dafür gesorgt, daß daraus weder ein familiäres Paradiesgärtlein noch gar ein ins Bürgerliche reduzierter epikureischer Garten werde. Dient doch die ganze Szenerie dazu, den kleinen Johannes nicht nur als verkrüppeltes Kind, sondern als einen äffischen Krüppel vorzuführen. Gerade noch, daß die tierische Gattungsbezeichnung *nicht* gebraucht wird! Das Bild drängt sich um so deutlicher auf: „... und wie er so mit seiner spitzen und hohen Brust, seinem weit ausladenden Rücken und seinen viel zu langen, mageren Armen auf dem Schemel hockte und mit einem behenden Eifer seine Nüsse knackte".[21] Der Erzähler konstatiert nicht nur, daß dieser Nüsseknacker so „einen höchst seltsamen Anblick" bot, womit das Wort Affe gerade noch vermieden wird; der Schilderung geht vielmehr voraus: „Er war nicht schön". Doch respondiert diesem Beginn des letzten Abschnittes dessen Ende: „Obgleich sein Gesicht so jämmerlich zwischen den Schultern saß, war es doch beinahe schön zu nennen". Mit dieser Dissonanz wird angekündigt, wovon dann die weitere Geschichte handelt. Der grausame Zufall hat nicht irgend einen Beliebigen getroffen, sondern einen, der auch ohne dieses Unglück sich von den gewöhnlichen, plumpen, häßlichen Leuten unterschieden hätte. Die Verkrüppelung allein hat ihn nicht zum Sensitiven gemacht. Wohl aber wird das Schicksal, wenn es ein zweites Mal trifft, ihn bei seiner durch das Unglück gesteigerten Sensitivität packen.

Daß nicht die Geschichte eines sensitiven Spätlings, sondern die eines

20

sensitiven Krüppels erzählt werden soll, wird im dritten Kapitel deutlich. Die Friedemanns sind eine vorweggenommene Kreuzung des Buddenbrookschen Hauptstammes mit der Gottholdschen Nebenlinie. Friedemanns gehören zwar „zu den ersten Kreisen der Stadt", aber mangels Vermögen und weil sie „ziemlich häßlich" sind, haben die drei Mädchen, Gottholds vorweggenommene Töchter also, „leider noch nicht" geheiratet. Was von Thomas Mann schon bald im Roman mit allen Nuancen als Hauptthema vorgeführt werden wird, daß eine Familie keine Chance mehr hat, ist hier ein winziges Nebenthema. Es dient zum Heraustreiben des eigentlichen Themas, daß die Hauptfigur keine Chance hat, obwohl das Unglück sich dreißig Jahre Zeit lassen wird. Wären die Mädchen schön, so fänden sie auch ohne ein großes Vermögen Ehemänner. Der Sohn bräuchte weder schön zu sein noch reich, als tüchtiger Kaufmann könnte er es auch mit einem einfachen Mädchen weit bringen, vielleicht sogar eine reiche Braut bekommen. Ihm aber wird, als Ausdruck einer zarteren Seele, jene Schönheit des Gesichtes verliehen, die er nicht gebrauchen kann und die seinen Schwestern fehlt. Ohne die feineren Züge, denen die musische Neigung korrespondiert, würde die Frau, die ihn dann in den Tod treibt, ihm nicht ihr fatales, zweideutiges Interesse entgegenbringen. Dies alles wird am Ende des dritten Kapitels noch nicht gesagt, doch ist die Konstellation schon so festgelegt, daß sich nun alles nach der Art einer analytischen Tragödie entwickeln kann.

Zu Beginn des dritten Kapitels ist Johannes siebenjährig, fast ein Jahrzehnt wird gerafft, damit in der zweiten Hälfte des Kapitels erzählt werden kann, wie dem Sechzehnjährigen bei der ersten erotischen Betroffenheit demonstriert wird, daß auch hier zu gelten habe, woran er sich „von jeher" gewöhnen mußte: „für sich zu stehen und die Interessen der anderen nicht zu teilen" (79). Für diesmal gelingt es ihm, den scharfen Schmerz hinunterzuwürgen. Mit der Kürze, wie sie die kleine Form verlangt, und mit der Vereinfachung, wie sie die reduktive Übersetzung der Genealogie des asketischen Ideals ins Novellistische bedingt, wird am Ende des nur zwei Seiten langen Kapitels gezeigt, was Nietzsche als die Umbiegung des Willens zur Macht in den Machtwillen des Verzichts beschreibt, dem ebenso die Hinterwelt ihre Entstehung verdankt wie das kleine Glück mit seinen Ersatzbefriedigungen: „Er verzichtete, verzichtete auf immer. Er ging nach Hause und nahm ein Buch zur Hand oder spielte Violine, was er trotz seiner verwachsenen Brust erlernt hatte" (80).[22]

Auch der philologisch unbefangene Leser wird bereits hier spüren, daß mit solchem Verzicht nicht die immerwährende Ruhe gewonnen werden kann. Und da von der Erwartung einer Belohnung im Jenseits nicht die Rede ist, wächst die Spannung, wie der Verzichtende sich hienieden auf die Dauer denn einrichten werde. Damit ist aber nicht nur die Neugierde geweckt, sondern es regt sich ein noch unbestimmtes Mitleid, das durch die Furcht genährt wird, es könne leicht etwas Schlimmes geschehen, wenn das Opfer aus der zeitweiligen, durch solchen Verzicht erkauften Ruhe gerissen wird. Der philologisch ausgerüstete Leser erkennt, welches Spiel mit der Schopenhauerschen These von der Kunst als dem zeitweiligen Quietiv des Lebens nun anhebt, wenn im vierten Kapitel minimalisierter Nietzsche vorgeführt wird.[23] Da genießt Friedemann den Schmerz über den Tod der Mutter und beutet ihn aus als erstes starkes Erlebnis; da preist er das Leben an sich als etwas Gutes, weil es ihm gelingt, wegen des Verzichts auf das größte Glück die kleineren Freuden zu genießen, die die Natur bietet, nebst denen, die die Bildung in Form von Musik und Literatur gewährt. Wenn der kleine Herr Friedemann dann gar ein Epikureer genannt wird, darf sich der philologische Leser über die Unbefangenheit wundern, mit der Thomas Mann da durch die Nennung Epikurs buchstäblich seine Quelle preisgibt: den sechsten Abschnitt der Abhandlung über die asketischen Ideale.[24] Zwar sollte man dem jungen Thomas Mann nicht unterstellen, er habe vor allem mit so gebildeten Lesern gerechnet. Aber die Vorstellung, die Aufdeckung der Quellen seiner Anregung könnte ihm schaden, hat ihn offenbar auch nicht geschreckt. Er wird ein Leben lang die schon hier zu beobachtende Mischung von Raffinement und Naivität im Umgang mit den sogenannten Quellen nicht verlieren.

Von der allgemeinen künstlerischen Lizenz abgesehen, auf die er zählen konnte, durfte er sich durch die Haltung vieler Kritiker und ebenso vieler nachfolgender akademischer Literaturverwalter ironisch bestätigt fühlen. Sie warfen ihm zwar immer wieder seine Intellektualität und mangelnde Originalität vor, und noch die dürftigsten Angriffe auf den 'Doktor Faustus' wurden mit der anachronistischen These bestritten, derzufolge dieser Erzähler, weil er nie etwas erfunden habe, nur ein Literat, aber kein Dichter sei; doch blieben zahlreiche Quellen jahrzehntelang unbenannt und wohl auch unerkannt, bis man sie schließlich in den Materialsammlungen des Autors selbst entdecken konnte.

Im Josephs-Roman wird nicht nur, wie schon in den früheren Büchern, mit den unterschiedlichen Möglichkeiten des Leserverständnisses gespielt, vielmehr wird da dieses Spiel eigens beim Namen genannt und in der dem Riesenwerk angemessenen Breite durchgeführt, doch nicht auf Kosten der Ungebildeten. Denn es widerfährt nicht nur einem Leser, der den geheimen, esoterischen Sinn zu erkennen vermag, sein ohnehin nie bestrittenes Recht, vielmehr wird auch der schlichte Leser als ein rechter Zuhörer des Märchenerzählers ganz ernst genommen. Für klassisch in der Bedeutung des Geglückten und Gelungenen – was nicht immer, und zumal nicht in der Moderne mit dem Vorbildlichen im Sinne des Musterhaften und Nachahmbaren verwechselt werden darf –, für klassisch galt Thomas Mann nur ein Werk, bei dem der anspruchsvolle Kenner so gut wie der naive Leser auf seine Kosten kommen kann. Ob Dante, Cervantes, Goethe, Schiller oder Richard Wagner, an allen bewunderte er jene höhere Volkstümlichkeit, die bereits Schiller in seiner Bürger-Rezension als die wahre und seltene Popularität idealisiert hat. Thomas Mann hatte den Ehrgeiz zu solcher Popularität, und der Erfolg konnte ihm schon zu Lebzeiten beweisen, daß die Leistung dem Wunschziel nahekam. Den heutigen Verächtern bleibt nur, ihren Grimm über die Langlebigkeit dieses Werkes in der Behauptung zu verstecken, außer den naiven Lesern bemühten sich nur noch die Gelehrten darum, also diese Thomas-Mann-Philologen, die ohnehin nichts von der lebendigen Literatur verstünden...

Die wirkliche Lehre Epikurs hat wenig mit dem zu tun, was schon im Altertum, zumal aber vom Anbruch der christlichen Ära bis heute unterm Namen dieses Philosophen geschmäht wurde. Danach ist ein Epikureer ein Mensch, der den Genuß als einziges Ziel des Lebens anerkennt und infolgedessen bei der Erlangung seiner Genüsse weder auf die Moral noch auf die Menschen Rücksicht nimmt. Diese Verkehrung der wahren Lehre Epikurs war möglich, weil der Philosoph nicht nur die Erlangung der individuellen irdischen Glückseligkeit als möglich zu beweisen versuchte, sondern diesen Weg mit der Freiheit von Götterfurcht und Todesangst verknüpfte und daher nicht Verzicht oder gar Askese, sondern Maß und Vernunft zur Regulierung der erstrebten Lust empfahl. Nur die so gewonnene Lust könne die wahre, da dauernde sein. Sie setzt Selbstzucht, Beherrschung und Verzicht auf bloß illusionäre Lust voraus. Thomas

Mann konnte, selbst wenn er weder eine Philosophiegeschichte noch ein Konversationslexikon zu Rate gezogen hätte – und letzteres tat er auch schon in seiner Jugend gern –, der Unterschied nicht verborgen bleiben zwischen dem landläufigen Verständnis von Epikureismus und der historisch beglaubigten Lehre. Denn der echte Epikur ist noch erkennbar in jenem, der von Nietzsche als der 'Epikur' Schopenhauers zitiert wird, und zwar gerade, um den Scheincharakter des sogenannten ästhetischen Zustandes aufzudecken, der nach Schopenhauers Behauptung, die Nietzsche entlarven will, der geschlechtlichen Interessiertheit entgegenwirke.[25]

Es ist müßig, darüber zu spekulieren, ob am Ende hier der Keim für die Erfindung der Friedemann-Novelle gesehen werden kann. Der Widerstreit von Geist und Leben ist eine Konstante Thomas Manns. Ein Untergang im Trivialen wäre ihr sicher gewesen ohne den Kunstverstand, der die Verbindung dieser, letztendlich juvenilen, Simplizität mit großen Mustern erzwang. Von der zugrunde liegenden Erfahrung gilt, was Nietzsche im erwähnten Abschnitt über die Philosophie Schopenhauers bemerkt und was schon den jungen Autor auf ambivalente Weise gereizt haben dürfte: es sei „niemals außer acht zu lassen, daß sie die Konzeption eines sechsundzwanzigjährigen Jünglings ist; so daß sie nicht nur an dem Spezifischen Schopenhauers, sondern auch an dem Spezifischen jener Jahreszeit des Lebens Anteil hat".[26]

Die großen Muster hat Thomas Mann in Schillers Antithese des Naiven und Sentimentalischen sowie in Nietzsches antagonistischem Kräftestreit des Apollinischen und Dionysischen gefunden. Beide Muster ließen sich um so leichter ineinanderspielen und -spiegeln, als nicht nur Nietzsches Gegensatzpaar sich schon von Schiller herschreibt, sondern der Gegensatz im einen wie im andern Fall dazu dient, die Bewußtseinslage des für modern erklärten Künstlers zu symbolisieren. Doch ist Thomas Mann kein Bildungspoet, der Literatur produziert nach der Art jener Dirigenten, die immer nur Kapellmeistermusik komponieren. Das verrät schon das novellistische Experiment, in dem das Apollinische zwar als die Täuschung des epikureisch-schopenhauerischen ästhetischen Zustandes vorgeführt wird, doch so, daß auch ohne die Kenntnis des Bildungshintergrundes die erzählte Geschichte sich erschließt. Selbst einem Leser, der noch nicht einmal die landläufige Bedeutung des Wortes Epikureer kennt, wird aus dem Text heraus deutlich, was damit gemeint ist und welche Funktion diesem Epikureismus zukommt. Und es bedarf auch nicht der Erkenntnis, daß sich in Friedemanns an den „neueren Erscheinungen des

In- und Auslandes" gebildetem literarischem Geschmack die neuromantische Fin-de-siècle-Literatur und wohl auch die Novellistik des älteren Bruders gespiegelt hat.[27] Denn selbst ohne solche Kenntnisse wird der Leser begreifen, warum sein Erfinder den kleinen Herrn Friedemann den „rhythmischen Reiz eines Gedichtes" auskosten und die „intime Stimmung einer fein geschriebenen Novelle" (81) auf sich wirken läßt. Der Leser soll wissen, was „die Leute wohl nicht" wußten, „die ihn auf der Straße mit jener mitleidig freundlichen Art begrüßten, an die er von jeher gewöhnt war": daß er „das Leben zärtlich liebte" (82). Es ist jenes Leben, das aus dem selbstgenügsamen Genuß von Natur und Kunst besteht.

Eine Helena des Fin de siècle

Der Friedemannsche Epikureismus ist Genuß um des Genusses willen. Wiederum ist es zwar hilfreich, aber nicht unbedingt zum Verständnis nötig, zu wissen, daß hier die l'art-pour-l'art-Gesinnung nicht des Künstlers, sondern des stimmungssüchtigen Dilettanten parodiert und dies noch mit der Parodie des echten Epikureismus verschränkt wird.[28] Worauf es ankommt, kann auch der naive Leser erkennen: daß der Genuß von Natur und Kunst ein Ersatz ist. Nur ein Ersatz kann so zärtlich geliebt werden, und nur ein Ersatzleben kann so dahinfließen, wie es der Erzähler dem kleinen Herrn Friedemann dahinfließen läßt: „ohne große Affekte, aber erfüllt von einem stillen und zarten Glück" (82). Wiederum braucht man die im Medium der Ironie gebrochenen Nietzsche-Reflexe nicht zu erkennen, um zu ahnen, daß dieses Glück, von dem es heißt, Friedemann habe es sich zu schaffen gewußt, nur ein trügerisches sein kann.

Das gilt auch für den Beginn des nächsten Kapitels: „Die Hauptneigung aber des Herrn Friedemann, seine eigentliche Leidenschaft, war das Theater." Natürlich steht auch hier Nietzsches Entlarvung der falschen großen Affekte, des histrionischen Narkotikums des alten Zauberers Wagner, im Hintergrund. Doch genügt die textimmanente Steigerung, um dem Leser deutlich zu machen, daß die durch „ein ungemein starkes dramatisches Empfinden" hervorgerufene Theaterpassion Friedemanns nicht im Widerspruch zum selbstgeschaffenen Glück steht, sondern die Krönung seines Ersatzlebens ist.

Schon hier, wo es heißt, daß „bei einer wuchtigen Bühnenwirkung, der

Katastrophe eines Trauerspiels", Friedemanns „kleiner Körper ins Zittern geraten" konnte, wird der Leser bereits zum mitleidenden Zuschauer. Fragt er sich doch, ob das Leben sich mit der ersatzweise geleisteten Passion begnügen und ob die reinigende Affektwirkung ausreichen werde, um jenen „Seelenfrieden" zu sichern, von dem im letzten Satz des Kapitels eigens die Rede ist. Da sehen wir den Epikureer an seinem dreißigsten Geburtstag über die vergangenen und die zukünftigen Jahre meditieren: „'Nun kommen vielleicht noch zehn oder auch zwanzig, Gott weiß es. Sie werden still und geräuschlos daherkommen und vorüberziehen wie die verflossenen'" (83). Spätestens nach dem ersten Satz des neuen Kapitels weiß der Leser, daß dem nicht so sein wird, und daß ihn der Autor nicht ohne Absicht einen im Theater zitternden Friedemann erblicken ließ. Denn dieser Satz spricht von jenem Wechsel, „der alle Welt in Erregung versetzte". Ein neuer Bezirkskommandeur ist gekommen, aber das „Hauptinteresse" nimmt seine Gattin in Anspruch. Daß sie auch Friedemanns Hauptinteresse beanspruchen wird, ist klar.

Der eingeweihte Leser mag sich daran erinnern, daß Nietzsche im genannten Text seine Auseinandersetzung mit Schopenhauer durch die Erörterung der „Kantische(n) Fassung des Problems" beginnt: „'Schön ist, ... was *ohne Interesse* gefällt'".[29] Nach Stendhal hingegen verspreche das Schöne Glück. Schopenhauer habe die Kantische Definition in der allerpersönlichsten Weise interpretiert, daß nämlich die ästhetische Kontemplation der geschlechtlichen Interessiertheit entgegenwirke; er wolle also mit der Huldigung des asketischen Ideals von einer Tortur loskommen.

Wiederum bedarf der Leser dieses Hintergrundes nicht, um zu ahnen, was er nach des Autors Willen zweifellos ahnen soll. Denn es wird ihm ein deutliches Zeichen gegeben. „Gott weiß es", ob noch zehn oder auch zwanzig Jahre des Seelenfriedens bevorstehen, hatte Friedemann meditiert. Daß hier der Name Gottes nicht nur als gedankenlose Redensart im Munde geführt wird, verrät sich sofort: „Gott weiß, infolge welches Umstandes nun ausgemacht Herr von Rinnlingen aus der Hauptstadt hierher gelangte" (84). Es wird nicht lange dauern, bis wir den armen Friedemann zuerst zweimal „völlig ratlos, verzweifelt, außer sich" murmeln hören: „Mein Gott! Mein Gott!" (90 u. 91), um endlich dann „mit einer unmenschlichen, keuchenden Stimme" ein letztes Mal zu stammeln: „Mein Gott... Mein Gott..." (104).[30]

Der Erzähler spart das Wort Schicksal aus und fragt nur rhetorisch nach

dem „Umstand" (84), aber er spart es in Wirklichkeit auf, um es Friedemann selbst in den Mund zu legen, wenn der sich „an jenen Nachmittag
seines dreißigsten Geburtstages" erinnert, „als er, glücklich im Besitze des
Friedens, ohne Furcht und Hoffnung über den Rest seines Lebens
hinzublicken geglaubt hatte" (98). Wie lange das her sei, fragt sich der
Getroffene, und es erscheint ihm eine Ewigkeit, was sich, wie leicht
nachzurechnen, in Wirklichkeit auf weniger als einen Monat beläuft.
Denn im Juni war der Geburtstag, und im Juli ereignete sich der Wechsel,
dessen tiefere Benennung der Erzähler im dreizehnten Kapitel Friedemann überlassen kann: „Da war diese Frau gekommen, sie mußte kommen, es war sein Schicksal, sie selbst war sein Schicksal, sie allein! Hatte er
das nicht gefühlt vom ersten Augenblicke an?" (99).

Der erste Augenblick, in dem der Leser fühlt, daß diese Frau das
Schicksal sei, liegt noch vor jenem Moment, wo es „dem kleinen Herrn
Friedemann zum ersten Male vergönnt war, Frau von Rinnlingen zu
erblicken" (85). Der Erzähler spricht da, im siebenten Kapitel, freilich
nicht vom Augenblick, sondern vom Ort, und kunstvollerweise ent-
täuscht er den Leser, der nicht die Hauptstraße erwartet hat, sondern das
Theater.

Zunächst aber begegnet der Leser der Frau in jenem sechsten Kapitel,
dem einzigen, in dem von Friedemann nicht die Rede ist. Statt dessen
finden wir Henriette Friedemann, die freilich nur einen einzigen Satz zu
sagen bekommt, während Frau Rechtsanwalt Hagenström die Rolle
zufällt, anstelle der Damen das Wort zu ergreifen, die „geradeheraus nicht
einverstanden [waren] mit dem Sein und Wesen Gerda's von Rinnlingen"
(84). Von den Herren heißt es, daß sie verblüfft waren und vorderhand
noch kein Urteil hatten. Das heißt in Wirklichkeit, daß sie von dieser
Erscheinung gänzlich fasziniert sind, sich aber angesichts der entschiede-
nen Reaktion der Damenwelt nicht zu äußern wagen.

Ein scharfäugiger Interpret hat in Gerda die syrische Göttin erkannt,
auch Artemis, Amazone und Melusine, kurz, die „Lebens- und Todes-
göttin... Göttin und instrumentum diaboli".[31] Und doch hat er übersehen, daß die von ihm wohl nicht zu Unrecht ins Mythologische zurück-
übersetzten Epitheta einer weiblichen Schmährede entstammen, in der
der redegewaltigen Hagenström auch noch der Satz zu entschlüpfen hat:
„Liebste, ich bin nicht zungenfertig, aber ich weiß, was ich meine."
Gewußt, was er meint, hat vor allem Thomas Mann, der hier auf eine
Weise, in der schon ein wenig die vertrackte Art seiner Faust II-Zitierung

im zweiten Teil des 'Zauberberg' vorweggenommen wird, die Schluß-
szene des ersten Aktes von Faust II heraufruft: „Die Schöne kommt, und
hätt ich Feuerzungen!" Die Damen, die da Helena hervortreten und sich
Paris zuneigen sehen, haben zwar nicht die biblischen Feuerzungen, die
der Astrolog beruft, wohl aber giftige Zungen: „Seht nur den Fuß! Wie
könnt er plumper sein" – „Wie häßlich neben jugendreinem Bild!" – „Er
glaubt wohl auch, daß er der erste wäre." – „Die Buhlerin! Das nenn ich
doch gemein!" – „Das Kleinod ist durch manche Hand gegangen, / Auch
die Verguldung ziemlich abgebraucht." – „Vom zehnten Jahr an hat sie
nichts getaugt." Mit der dem Thema angemessenen Verkehrung und
Umbiegung findet sich in der Schmährede der Hagenström alles wieder.[32]
Auch das eher zähneknirschend als verächtlich klingende „In solchem Fall
sind alle Männer dumm" fehlt nicht, denn wenn wir auch die Herren nicht
wie jene beim ersten Helena-Auftritt die Schönheit preisen hören, so läßt
uns doch die Hagenström über die männliche Reaktion durchaus nicht im
Zweifel: „Unsere Herren sind jetzt noch wie vor den Kopf geschlagen: Sie
werden sehen, daß sie sich nach ein paar Wochen gänzlich degoutiert von
ihr abwenden." Wie Faust fällt freilich nur einer „aus der Rolle", und ihm
wird kein Mephisto aus dem Souffleurkasten zuflüstern, er solle sich
fassen, wenn er, auf seine Weise, jenen Helena-Hymnus von Faust
variieren wird, der da lautet:

> Du bist's, der ich die Regung aller Kraft,
> Den Inbegriff der Leidenschaft,
> Dir Neigung, Lieb, Anbetung, Wahnsinn zolle.
>
> (6500)

Nicht erst dem Senator Buddenbrook erscheint eine verhängnisvolle
Helena namens Gerda...[33]

Perspektivität und musikanaloge Erzähltechnik

Das Gegenstück zur Schmährede der Hagenström bildet die Schilderung, die der Erzähler selbst im siebenten Kapitel von der befremdlichen
Schönen gibt. Mit der Detailtreue eines realistischen Porträtmalers
beschreibt er Kleidung, Hut, Frisur, Gesichtsschnitt, Hautfarbe. Dennoch wird schon hier, wie später so oft, gerade durch die Exaktheit des
Details ein Grundgesetz des konsequenten Realismus verletzt, demzufolge nur beschrieben werden darf, was innerhalb der Szene glaubhaft im

Sinne der fiktiven Wirklichkeit, also perspektivisch richtig ist. Hier begegnen sich die ihren Jagdwagen eigenhändig lenkende Frau von Rinnlingen und zwei von der Börse kommende Herren, Friedemann und Großkaufmann Stephens. Zwar heißt es eigens, daß sie langsam vorüberfuhr, doch dürften die grüßenden Herren wohl kaum alles gesehen haben, was beschrieben wird: „...und in den Winkeln ihrer ungewöhnlich nahe beieinanderliegenden braunen Augen lagerten bläuliche Schatten. Über ihrer kurzen, aber recht fein geschnittenen Nase saß ein kleiner Sattel von Sommersprossen, was sie gut kleidete" (86). Ob ihr Mund schön war, konnte „man" nicht erkennen, „denn sie schob unaufhörlich die Unterlippe vor und wieder zurück, indem sie an der Oberlippe scheuerte". Es wird noch einige Zeit dauern, bis Thomas Mann die Brüchigkeit dieser bereits anachronistischen auktorialen Erzählhaltung als Bedrohung seines Schaffens empfinden und dann die zugrundeliegende Naivität, auf die er nicht verzichten kann, weil sie der alleinige Ausgleich für seinen kalkulierenden Kunstverstand ist, ironisch einbinden wird.

Dem jungen Autor fehlt zu seinem Glück noch die klare Erkenntnis dessen, was ein halbes Jahrhundert später dann das „glaubenslose Meisterstück" genannt werden wird. Auf diese Formel bringt Zeitblom eine frühe Komposition Leverkühns. Sie dient als ein merkwürdiges Beispiel dafür, „wie ein Künstler sein Bestes an eine Sache zu setzen vermag, an die er insgeheim nicht mehr glaubt, und darauf besteht, in Kunstmitteln zu exzellieren, die für sein Bewußtsein schon auf dem Punkte der Verbrauchtheit schweben".[34] Im Unterschied zum jungen Leverkühn hat der junge Thomas Mann allenfalls eine Ahnung davon. Daher die Simplizität des Parodistischen, die der Naivität eines Erzählens entspricht, das einfach die Gesetze der Perspektivität verletzt, während der spätere Thomas Mann virtuos, also parodistisch, mit ihrer leer gewordenen Konventionalität spielt.

Von Perspektivität darf in diesem Zusammenhang in einer mehr als nur allgemeinen Bedeutung, nämlich im strengeren historischen Sinn gesprochen werden, wie er sich durch die Analogie zur Malerei anbietet. Ist doch die Entwicklung der Erzählhaltung im Roman vom siebzehnten Jahrhundert an vergleichbar mit der Herausbildung, Entfaltung und Traditionalisierung der Perspektivik in der Malerei, vergleichbar noch bis hin zu ihrer neuzeitlichen Überwindung oder Auflösung. Auch hier ist Thomas Mann moderner Traditionalist, das heißt, er versucht das Dilemma, in dem er sich wie alle konservativen, aber dennoch eigenständig-bedeutsamen

Künstler des neunzehnten und zwanzigsten Jahrhunderts befindet, und das sich produktiv weder durch die bloß reaktionäre Konservierung noch durch die Zerstörung der Tradition lösen läßt, in seine spätzeitliche, melancholisch gefärbte Ironisierung der tradierten Formen selbst zu verwandeln. Der 'Doktor Faustus' ist, wie später gezeigt werden soll, auch eine kompliziert chiffrierte Autopoetologie Thomas Manns. Für den Augenblick genügt es zu sehen, wie weit der junge Erzähler noch von einer klaren Erkenntnis, geschweige einer Lösung des Problems entfernt ist. Wann immer es jedoch als der Widerstreit von realistischem Beschreibungspostulat und vorgegebener Symbolfunktion auftaucht, entscheidet er sich kurzerhand für die Dominanz der Funktion, ohne auf die Stimmigkeit der Perspektive Rücksicht zu nehmen. Die symbolische Funktion, die das eigentliche Geheimnis der Komposition ausmacht, verlangt die musikanaloge Entwicklung der Motive, ihr signalartiges Auftauchen und ihre handlungsbestimmende Wiederholung, und um der damit geforderten Konsequenz willen wird auch die Perspektive verletzt. Es hieße Thomas Manns eigentliche Leistungen verkennen, wollte man solche Verletzungen zu jenen Brechungen hochstilisieren, die in der modernen Literatur um der Polyperspektivität willen vorgenommen werden. Sowenig man diesen Autor durch den Nachweis seines Traditionalismus entwerten oder gar erledigen kann, sowenig wird man seiner Bedeutung gerecht, wenn man ihm eine Modernität andichtet, die er nicht hat, die er aber auch nicht braucht, wenn es gilt, ihm einen hohen Rang unter den Prosaautoren des zwanzigsten Jahrhunderts zuzuteilen.

So ist es nicht nur Unbekümmertheit oder gar Unbeholfenheit, die dem Leser den überscharfen Blick auf Gerdas Nasenrücken und Augenwinkel beschert samt der dann unperspektivischen Reflexion über ihren Mund. Was die Sommersprossen betrifft, so verraten sie am ehesten, wie groß bei Thomas Mann von Anfang an die nie ganz überwundene Neigung zu einem akademisch-pedantischen Detailnaturalismus war. Ihm selbst war für die Erschaffung seiner Welt in der Kunst und durch die Kunst das tatsächliche Objekt so sehr vonnöten, daß er, um ein extremes Beispiel zu nennen, eine Unterschriftenfälschung Felix Krulls erst dann zu beschreiben vermochte, als ihm ein zufriedenstellendes Vorbild gelungen war, von dem er die Description abnehmen konnte. Thomas Mann hat sich selbst eher zu den Ohrenmenschen gezählt. Das Verfahren, exakt nach präzisen Bildvorlagen zu arbeiten, spricht paradoxerweise gerade für die Richtigkeit dieser Selbsteinschätzung. Ein dichterischer Augenmensch wird, wie das Beispiel Kafkas zeigt, solcher Vorlagen nicht bedürfen, um einen keineswegs geringeren, wohl aber tiefer reichenden Exaktheitsgrad seiner Bilder zu erreichen.[35]

Sollte die wohlkleidende Nasensattelpigmentierung aber ein Zeichen für eine wenn nicht burschikose, so doch jugendliche, ja zwischen dem Jungfräulichen und dem Jünglingshaften spielende Unbekümmertheit sein, welches Zeichen zudem, als Gegensatz zu der von Morbidität kündenden Augenverschattung, auf die Gespaltenheit der Figur hinwiese, so wäre es überflüssig, weil andere Zeichen dasselbe verraten, aber weniger penetrant, und damit auf eine der beabsichtigten rätselhaften Zweideutigkeit angemessenere Weise. So etwa die ruhelose Unterlippe, die Gerda übrigens mit der Rosza des 'Felix Krull' gemeinsam hat. Lenkt die Dame „die beiden schlanken Pferde in eigener Person, während der Diener mit verschränkten Armen hinter ihr" sitzt, weil sie nervös ist, oder ist sie nervös, weil dieser Sport sie, aller Lässigkeit zum Trotz, anstrengt? Oder bewegt sie gar die Lippe wie eine Lefze? Schließlich lenkt sie nicht irgendeinen Wagen, auch nicht einfach nur eine leichte Kutsche, sondern einen Jagdwagen. Man wird es in Anbetracht solcher Signale nicht einfach dabei bewenden lassen, daß, dem realistischen Dogma zufolge, der Echtheitsgrad einer vorgestellten Welt von der Genauigkeit abhängt, mit der ihr Inventar beschrieben, also auch bezeichnet wird. Um so weniger, als die Wagenlenkerin, noch ehe sie mit einem leichten Kopfnicken den grüßenden Herren respondiert, die Peitsche senkt. Mit dieser Geste erst kündigt sich der spätere Meister des mythopoetischen Realismus an. Und wenn man von ihm auch manchmal behaupten möchte wie Nietzsche von Wagner, daß er das „unhöflichste Genie der Welt war (Wagner nimmt uns gleichsam als ob--, er sagt ein Ding so oft, bis man verzweifelt – bis man's glaubt)"[36], so gilt doch von Thomas Mann ebenfalls, daß er wie Wagner über die Kunst der knappen Andeutung verfügt. Weder Wagner noch Thomas Mann gehören zu denen, die einen Einfall zerreden müssen, weil sie selten einen haben.

Kein Wort darüber, wohin die gesenkte Peitsche zeigt, während die Wagenlenkerin langsam vorüberfährt, „indem sie rechts und links die Häuser und Schaufenster betrachtete" (86). Aber weil dann auf ebenso sparsame Weise gezeigt wird, daß und wie tief die Begegnung den kleinen Herrn Friedemann getroffen hat, braucht eben nicht eigens gesagt zu werden, daß die Peitsche auf ihn weist. Als der Wagen auftauchte, hat der Großkaufmann Stephens gesagt: „Der Teufel hole mich, wenn dort nicht die Rinnlingen dahergefahren kommt." Der Teufel gerät ins Spiel, wie durch Friedemanns Redensart bereits Gott hineingekommen ist. Dem entspricht die gegensätzliche Art der Betroffenheit. „Sie" – also die Rinnlingen! – „hat eine Spazierfahrt gemacht und fährt nun nach Hause." So der eine. Der andere, vor sich auf das Pflaster niederstarrend, sieht „plötzlich" den Großkaufmann an und fragt: „Wie meinten Sie?" Worauf Herr Stephens „seine scharfsinnige Bemerkung" wiederholt. Später werden die beiden noch einmal zusammen genannt. Beim Sommerfest im Hause Rinnlingen sitzt Friedemann „auf einem schönen Sammetkissen am unteren Ende der Tafel neben der nicht schönen Gattin des Gymnasialdirektors, nicht weit von Frau von Rinnlingen, die von Konsul Stephens zu Tische geführt worden war" (100).

Das herkömmliche retardierende Moment, ohne das keine Spannung und folglich auch keine Katastrophe, am allerwenigsten eine längst erwartete, sich kunstvoll ereignen kann, hat Thomas Mann später mit höherer Weihe versehen, indem er es in Analogie zur Musik den Vorhalt nannte und solchen Vorhalt gar mit der Ironie gleichsetzte. Den vom Anblick getroffenen Friedemann unmittelbar in der Reflexion vorzuführen oder ihn gar sofort der nächsten Begegnung zuzuführen, wäre ein handwerklicher Schnitzer, wie er auch dem ganz jungen Thomas Mann nicht unterläuft. Er hat statt dessen die geforderte Verzögerung auf eine so einfache wie überraschende Weise buchstäblich, nämlich als wirkliche Handlung, durchgeführt. Denn schon im nächsten Kapitel – „Drei Tage später" (86) – hat das Dienstmädchen dem heimkehrenden Herrn Friedemann zu vermelden, daß oben, bei den „Damen", die Rinnlingens zu Besuch sind. Der Erzähler schickt ihn stracks die Treppe hinauf und gibt ihm schon den Türgriff in die Hand, um ihn dann „plötzlich" innehalten und kehrtmachen zu lassen. „Und obgleich er vollkommen allein war, sagte er ganz laut vor sich hin: 'Nein. Lieber nicht. –'" (87) Bald schon werden wir ihn „leise vor sich hin" sagen hören: „Mein Gott! Mein Gott!" (90) Dann wird es auch an der Zeit sein, sehr viel breiter auszuführen, was jetzt noch mit zwei Sätzen präludiert werden kann: wie er am Schreibtisch sitzt, mit einer Zeitung in der Hand, die er nach einer Minute wieder sinken läßt. Beim Essen sitzt er dann auf drei Notenbüchern. Wir haben die böse Steigerung als das schöne Sammetkissen bereits kennengelernt. Jetzt reden die Schwestern beim Essen vom Besuch der „neuen Oberstleutnants" und davon, daß sie übermorgen diesen Besuch erwidern möchten. Die Frage, ob er mitgehen wolle, hatte er „ganz überhört und aß mit einer stillen und ängstlichen Miene seine Suppe. Es war, als ob er irgendwohin horchte, auf irgendein unheimliches Geräusch" (87). Daran wird sich der Leser wieder erinnern, wenn Friedemann bei Rinnlingens geklingelt hat und warten wird: „Nun war es entschieden, und es gab kein Zurück. Mochte alles seinen Gang gehen, dachte er. In ihm war es plötzlich totenstill" (94). Das aber wird erst „übermorgen" sein, und dazwischen liegen nicht weniger als drei Kapitel.

Die musikalische Satzlehre kennt nicht nur den vorbereiteten und den freien Vorhalt, sondern auch den freien doppelten oder gar den mehrfach vorbereiteten, vom unaufgelösten zu schweigen, mit dem die nach- und neu-romantischen Komponisten chromatisch dissonierend schwelgten. Die Kunst des mehrfachen poetischen Vorhalts beherrscht bereits der Verfasser des 'Friedemann', die Spannung wird durch den sich steigernden Wechsel von Höhepunkten und vermeintlichen Entspannungen konsequent auf die Katastrophe hingetrieben, von der man zwar längst weiß, daß sie, nicht aber, wie sie eintreffen wird.

Nach allem, was der Leser bereits über Friedemanns Theaterpassion erfahren hat, überrascht es nicht mehr, daß der Autor die eigentliche Begegnung des Berührten mit der Frau an diesen Ort des Scheins verlegt. Und es schmeckt schon fast nach Routine, nach allzu sicherer Beherrschung der Kniffe, wie nun der Anfang des sechsten Kapitels zu Beginn des neunten wieder aufgenommen wird. Der Wechsel in der Bezirkskommandantur versetzte alle Welt in Erregung. Als man im Stadttheater den 'Lohengrin' gibt, sind „alle gebildeten Leute" anwesend. Wenn die hier versammelte Gesellschaft gebildet genannt wird, tendiert die Ironie zum Sarkasmus. Denn a l l e Augengläser – es heißt sogar eigens „im Parkett wie auf den Rängen" – richteten sich auf die Loge, in der „zum ersten Male Herr von Rinnlingen nebst Frau erschienen" ist. So gafft nur der Pöbel, worunter man ja, mit Schiller zu reden, „s.v.v. nicht die Mistpantscher allein, sondern auch und noch vielmehr manchen Federhut, und manchen Tressenrock, und manchen weissen Kragen zu zählen Ursache" hat.[37] Etwas aufdringlich ist freilich auch der Autor, wenn er alsbald nicht nur den kleinen Herrn Friedemann in dieselbe Loge – „seine Loge"! – eintreten läßt, sondern dieser Loge die Nummer dreizehn gibt und diese Unglückszahl auch noch wiederholt.

Unbekümmert wird auch in diesem Kapitel wieder die Erzählperspektive beständig gewechselt, aber nicht mit der Konsequenz, kraft derer in der modernen Literatur die Polyperspektivität an die Stelle der auktorialen Allmacht zu treten vermag. Das ist gerade hier überraschend, weil ansonsten die vom Handlungsort angebotenen Möglichkeiten kunstvoll ausgenützt werden. Gewährt doch das Theater in einer Erzählung nicht nur mehrere gleichzeitige Schauplätze und Abläufe, die ineinander gespiegelt werden können, sondern auch noch den Wechsel wie das Nebeneinander des Öffentlichen und Intimen. Nachdem alle gebildeten Leute ausgiebig die Chance genutzt haben, „das Paar einmal gründlich zu mustern" (88), läßt der Erzähler Friedemann seine Loge dergestalt betreten, daß offen bleibt, wer ihn denn so sieht, die Rinnlingens, die Gaffer oder alle miteinander: in der Tür zurückzuckend, „wobei er eine Bewegung mit der Hand nach der Stirn machte" usw. Daß der junge Autor mit der Perspektive nicht einfach nur etwas nachlässig umgeht, sondern daß hier seine Schwäche liegt, verrät sich gleich zweimal hintereinander. Zunächst heißt es: „Dann aber ließ er sich auf seinem Sessel nieder, dem Platze links von Frau von Rinnlingen". Der aufmerksame Leser überlegt noch, ob dieses ’links’ mit dem Blick aus der Loge heraus gilt oder umgekehrt, weil es für beide Richtungen Anhaltspunkte gibt. Nachdem der Leser ihn, sei es nun rechts oder links von der Dame, bereits sitzen sieht, folgt: „Sie blickte ihn, während er sich setzte, eine Weile aufmerksam an". Es bleibt nicht bei diesen Ungenauigkeiten, die sich durch keine Interpretation wegschürfen lassen. „Als die Ouvertüre begann und Frau von Rinnlingen sich über die Brüstung beugte, ließ Herr Friedemann einen raschen, hastigen Seitenblick über sie hingleiten": hier wird zwar die kompositorische Absicht – die Abfolge der Blicke und der ihnen zugehörigen Objekte – deutlich. Doch schon im nächsten Satz schiebt sich der allwissende Erzähler wieder vor den Blickwinkel Friedemanns: „Sie trug eine helle Gesellschaftstoilette und war, als die einzige der anwesenden Damen, sogar ein wenig dekolletiert".

Hingegen zeigt sich zukünftige Meisterschaft, wenn durch die weitere Schilderung diese Gestalt, die „heute etwas Üppiges" hat, gerade in dem Augenblick zu einem höchst sinnlichen Leben erweckt wird, wo sie zum Bildnis zu erstarren droht. Fühlt man sie doch atmen, und zwar, ohne daß dies eigens gesagt würde, allein durch den Rhythmus der Worte, gleich zweimal ein- und ausatmen: „ihr Busen hob und senkte sich voll und langsam". Wir ahnen, daß der kleine Johannes einst nicht umsonst den „leisen Duft" geatmet hat, der immer von der Mutter ausging (78). Frau von Rinnlingen fällt während der ’Lohengrin’-Aufführung nicht einfach das obligatorische Tüchlein herunter, vielmehr läßt sie „sich ihren Fächer entgleiten", worauf sie dem sich bückenden Friedemann zuvorkommt und den Fächer selbst aufhebt. All dies dient nur dazu, daß er „einen Augenblick den warmen Duft ihrer Brust" atmen muß (89). Wohl möglich, daß Thomas Mann ein paar Jahre später nicht mehr gesagt hätte, daß es sich um eine Provokation der Dame handelt, und daß es ihm auch genügt hätte, anstatt von müssen zu reden, den armen Friedemann den Duft der Brust atmen zu lassen. Ziemlich sicher aber kann man behaupten, daß er auf das „spöttische" Lächeln verzichtet hätte, mit dem sie sich für die überflüssige Bemühung des Krüppels bedankt. Denn unter solcher Eindeutigkeit leidet die für diese Frauenfigur so nötige Zweideutigkeit, auf Grund derer sie allein zu der Rolle taugt, die ihr in der Erzählung zugewiesen ist.

Die Idee der Heimsuchung

Es ist die Geschichte des vergeblichen Versuches, von der Geschlechtlichkeit loszukommen. Daß es sich dabei um mehr als um ein effektvolles und mit reduziertem Nietzsche unterfüttertes Thema handelt, daß es vielmehr um eine den jungen Thomas Mann selbst betreffende Sache geht, verraten die Briefe an Grautoff, und nicht nur an den erwähnten Stellen, wo von der Novelle direkt die Rede ist. Vielmehr wird erst durch weitere, oft nicht einmal mehr ironisch verhüllte Aussagen klar, daß die Rede von den „diskreten Formen und Masken", in denen er seit dem 'Friedemann' unter die Leute gehen könne, ernst gemeint ist, und daß es wirklich Masken für eigene Probleme sind. Wenn dabei immer wieder Nietzsche mit unterläuft, ohne daß der Name fällt oder direkt und erkennbar zitiert wird, so sagt dies nicht nur etwas über die frühe Beschäftigung mit dessen Werk aus, sondern über die nie mehr aufgegebene Art solcher Beschäftigung: es ist die einer gänzlich subjektiven Aneignung, ja Anverwandlung. Ohne sich um Nietzsches mit der Entlarvung verbundene Warnung zu bekümmern, doziert Thomas Mann am 17. Februar 1896 im unverkennbaren Nietzsche-Ton, ja selbst mit einem nicht gekennzeichneten Nietzsche-Zitat etwas ganz anderes, als was Nietzsche gemeint hat. Im 8. Abschnitt der Abhandlung über die Bedeutung der asketischen Ideale wird resümiert, woran die Philosophen bei ihrem asketischen Ideal denken: an den „heitern Asketismus eines vergöttlichten und flügge gewordenen Tiers, das über dem Leben mehr schweift als ruht".[38] Es ist eben da, und hier redet Nietzsche als Wünschender auch pro domo, von einer guten Luft die Rede, „dünn, klar, frei, trocken, wie die Luft auf Höhen ist, bei der alles animalische Sein geistiger wird und Flügel bekommt; Ruhe in allen Souterrains; alle Hunde hübsch an die Kette gelegt". Daraus wird beim Präzeptor des Jugendfreundes eine moralische Epistel: ein langsames, behutsames Schwächen und Ausdorrenlassen des Triebes sei nötig, „wobei alle möglichen intellectuellen Kunstgriffe mithelfen, die einem der Selbsterhaltungsinstinkt suggeriert. Schließlich ist man viel zu sehr homme de lettres und Psycholog, als daß man nicht nebenbei seine überlegene Freude an solcher Selbstbehandlung haben sollte. Irgendwelches Verzweifeln wäre in Deinem Alter unsinnig. Du hast Zeit, und der Trieb zur Ruhe und Selbstzufriedenheit wird die Hunde im Souterrain schon an die Kette bringen."[39]

In der Novelle reißt die ohnehin schon aufs äußerste gespannte Kette in dem Augenblick, in dem Friedemann den warmen Duft der üppigen Frauenbrust atmen muß. Nur eine halbe Minute noch, während derer er mit verzerrtem Gesicht und wuchtig klopfendem Herzen zusammengezogen auf dem Stuhl sitzt, – dann sehen wir ihn auf der Flucht, die ihm doch keine Chance mehr läßt.

Spätestens von hier an wirkt sein Name 'Friedemann' wie Hohn, der Leser begreift, daß der sprechende Name dem Krüppel so anhaftet wie der Buckel. Vermutlich ist bei der Namenswahl bereits die parodierende Verbürgerlichung Wagners mit im Spiel gewesen. 'Wahnfried', wo Wagners Wähnen Friede fand, mag hereingeistern. Und der Unselige, dem in der 'Walküre' durch den eigenen Vater die tödliche Niederlage bereitet wird, heißt, in Umkehrung seines Geschickes, Siegmund. Nach seinem Namen gefragt, gibt er die Antwort:

> Friedmund darf ich nicht heißen;
> Frohwalt möcht' ich wohl sein:
> Doch Wehwalt muß ich mich nennen.[40]

„Er ging, gefolgt von den Klängen der Musik...": daß er von diesen Klängen nicht begleitet, sondern v e r folgt wird, ist bereits zu spüren. Am Ende des Kapitels, ehe Friedemann in einen schweren fieberdumpfen Schlaf verfällt, „flatterten" ein paar Gedichtzeilen ihm durch den Sinn, „die Lohengrinmusik klang ihm wieder in den Ohren, er sah noch einmal Frau von Rinnlingens Gestalt vor sich, ihren weißen Arm auf dem roten Sammet" (91). Keineswegs sind die gleichsam verflatternden Gedichtzeilen mit der Musik gleichzusetzen. Man darf wohl heraushören, daß die Verse als Erinnerung einer nun endgültig dahinschwindenden Scheinwelt epikureischen Glücks von einer Musik überdröhnt werden, die jetzt nicht mehr Höhepunkt des Ersatzlebens ist, sondern Signal für den Einbruch des verdrängten Lebens. Auch eine große, gelbe Rose, deren Duft er „mit geschlossenen Augen" atmet, sagt ihm nur, daß „das... zu Ende" war. Hier haben wir ein frühes Beispiel der quasi musikalischen Verknüpfungstechnik, die der Leser nachvollziehen und das heißt auch, sich bewußt machen muß, wenn ihm die Kunst der Andeutung, der Vorwegnahme als Erwartung und die verheißene Erfüllung in der erkennenden Erinnerung nicht dunkel bleiben soll. „Was war ihm noch solcher Duft?" – Die Assoziation erschöpft sich nicht in der Ergänzung, die sich allzu selbstverständlich einstellt, als daß sie der Erzähler aussprechen und also sagen dürfte: nachdem er den Duft ihrer Brust geatmet hatte. Die Erinnerung muß weiter zurückgreifen. Unter den Beispielen, die im 4. Kapitel für das kleine friedliche Glück standen, waren der Duft einer Blume, der Gesang eines Vogels genannt worden. Hier hat auch der flüchtige Leser noch in Erinnerung, daß wenige Zeilen zuvor, am Ende des 3. Kapitels, Friedemann nach der Beobachtung, wie das angebetete Mädchen sich von dem langen Jungen küssen ließ, auf immer verzichtet hatte: „'Gut', sagte er sich, 'das ist zu Ende.'" (80) Die beiden hatten sich nicht hinter irgendeinem Busch geküßt, sondern hinter einem Jasminstrauch. Vom Duft ist hier noch nicht die Rede, wohl aber im 13. Kapitel. Da sehen wir Friedemann auf einer von Jasmingebüsch umgebenen Bank sitzen. Er kommt vom Antrittsbesuch bei Rinnlingens, und er ist nicht nur zu deren Sommerfest eingeladen, sondern auch aufgefordert worden, mit der Dame des Hauses zu musizieren. Aber er ist jetzt schon soweit, daß der Autor ihm keine Euphorie mehr zumuten muß. „Konnte sie, wenn sie ihn durchschaute, nicht ein wenig Mitleid mit ihm haben?" (98) Und nun atmete der Jasmin „seinen scharfen, schwülen Duft, die Vögel zwitscherten ringsumher". Beim Sommerfest aber trägt Frau von Rinnlingen eine „leichte Toilette, die ihren weißen Hals frei ließ, und eine voll erblühte Marschall-Niel-Rose war in ihrem leuchtenden Haar befestigt" (100). Die synästhetischen Korrespondenzen wird auch ein Leser empfinden, der nicht weiß, daß es sich bei jener Rosensorte um ein ganz besonderes Dekadenz-Produkt handelt. Wurde doch diese Teerose erst in der zweiten Hälfte des 19. Jahrhunderts in Frankreich gezüchtet. Der Stock ist von schlaffem, für Spalierzucht im Gewächshaus geeignetem

37

Zweigbau, während die gelben Blüten als elegant, duftreich und haltbar beschrieben werden.

„Das Wasser glitzerte, der Jasmin atmete seinen scharfen schwülen Duft" (99) –: in dieser Verbindung kündigt sich nicht nur die Katastrophe an, der Leser kann auch schon vermuten, daß dem Wasser beim Untergang eine besondere Rolle zukommen wird. Bis zu welchem Grad das Opfer schon präpariert ist, darüber läßt der Erzähler keine Unklarheit mehr aufkommen: „In einer schlaffen Haltung saß er und sah sie an. Es war nichts Leidenschaftliches in seinem Blick und kaum ein Schmerz; etwas Stumpfes und Totes lag darin, eine dumpfe, kraft- und willenlose Hingabe" (102). Als er aufgefordert wird, sie in den Garten zu begleiten, ist er zwar noch imstande, zu antworten: „Mit Vergnügen, gnädige Frau", aber diese Floskel zeigt nur, daß sich der leere Reflex der Konvention an die Stelle des lebenerhaltenden Abwehrreflexes gesetzt hat. Frau von Rinnlingen führt Friedemann dorthin, „wo der zierliche und duftende Blumengarten zum Park sich verdunkelte". Erst dann folgt die mythologische Zuordnung, und sie wird mit der psychologischen Präzisierung verknüpft: „'Wir wollen die Mittelallee hinuntergehen' sagte sie. Am Eingange standen zwei niedrige, breite Obelisken" (102). Die Obelisken deuten auf Ägypten. Zu den beliebten Exotismen des Fin de siècle gehörte in der bildenden Kunst wie in der Literatur das Spiel mit altägyptischem Dekor; die am Beginn des Jahrhunderts durch Napoleons Feldzug geförderte Mode erlebte am Ende des Saeculums eine Wiedergeburt. Aber Thomas Mann benützt zeitgemäße Requisiten weder hier noch später nur als verzierende Schmuckstücke, sondern gibt ihnen immer eine symbolische Funktion, die sich wiederum durch die Handlungssituation legitimiert. „Wir wollen... hinuntergehen", heißt, daß die Herrin dieses Parks den Gast hinab geleitet, und der Leser ahnt bereits, daß für das Opfer dies der Weg ins Land ohne Wiederkehr ist. Die 'Mittelallee' wird noch genauer beschrieben: „Dort hinten, am Ende der schnurgeraden Kastanienallee sahen sie grünlich und blank den Fluß im Mondlicht schimmern" (103). Durch die Obelisken am Eingang ergibt sich die Assoziation einer Säulenallee, und sie führt zum Fluß, der die Welt der Lebenden von der Welt der Abgeschiedenen trennt. Die ägyptischen Totenstädte lagen auf der anderen Seite des Nils, und die Verstorbenen wurden auf der via sacra ans Ufer gebracht, um auf die andere Seite übergesetzt zu werden. „'Am Wasser', sagte sie, 'ist ein hübscher Platz, wo ich schon oft gesessen habe'" (103). Wenig später, nachdem sie ihm das Bekenntnis über seinen vergeblichen Versuch entlockt hat, seinem „Gebrechen", seinem „Unglück" epikureisch zu entkommen, tröstet sie ihn auf eine fatal zweideutige Weise: „'Ich verstehe mich ein wenig auf das Unglück', sagte sie". Eben hier bringt der Erzähler auf eine unauffällige Weise das andere Ufer ins Bild. Denn auf ihr verlockendes Wort, daß für das Unglück „solche Sommernächte am Wasser" das beste seien, antwortet er nicht, „sondern wies mit einer schwachen Gebärde hinüber nach dem jenseitigen Ufer, das friedlich im Dunkel lag". Dies alles führt dazu, daß der „kleine, gänzlich verwachsene Mensch" dann schließlich „zitternd und zuckend vor ihr auf den Knien" liegt „und sein Gesicht in ihren Schoß" drückt, um endlich, nachdem er schon einen „Klagelaut" ausgestoßen hatte, „der doch zugleich etwas Erlösendes hatte", mit einer „unmenschlichen, keuchenden Stimme" zu stammeln: „'Sie wissen es ja ... Laß mich ... Ich kann nicht mehr ... Mein Gott ... Mein Gott ...'" (104).

Es geschähe nicht nur der weiblichen Figur der Erzählung Unrecht, sondern auch ihrem Erfinder, wenn man auf dem Weg über die psychologisierende Erklärung ins Moralisieren geriete. Die Versuchung liegt freilich nahe, vor allem auch wegen der Reaktion dieser Frau, die „plötzlich, mit einem Ruck, mit einem kurzen, stolzen, verächtlichen Lachen ... ihre Hände seinen heißen Fingern" entreißt, ihn am Arm packt, „ihn seitwärts vollends zu Boden" schleudert, aufspringt und in der Allee verschwindet. Aber selbst wenn man den sich regenden moralischen Abscheu vor dieser weiblich-allzuweiblichen Grausamkeit überwindet, weil man der Frau doch immerhin zugute halten kann, daß ihre erotische Anziehungskraft sie in eine monströse Lage gebracht hat, verfehlt man den Sinn der Szene. Denn man verkürzt dergestalt die Figur um ihre mythologische Komponente, kraft derer sich ihre Individualität in einer Dimension verliert, die jenseits von Gut und Böse liegt. Und was da erscheint, ist noch älter als die schöne, Verderben bringende Helena: es ist die zu den Obelisken und zur Säulenallee passende Sphinx: „Sie wehrte ihm nicht, sie beugte sich auch nicht zu ihm nieder. Sie saß hoch aufgerichtet, ein wenig von ihm zurückgelehnt, und ihre kleinen, nahe beieinanderliegenden Augen, in denen sich der feuchte Schimmer des Wassers zu spiegeln schien, blickten starr und gespannt gradeaus, über ihn fort, ins Weite" (104).

Wie aber erledigt der Erzähler, der sein Opfer von der Pranke dieses Wesens treffen ließ, den Rest? Durch die novellistische Version jenes Satzes, mit dem Nietzsche seine Abhandlung über die Bedeutung der asketischen Ideale beginnen und enden läßt: „lieber will noch der Mensch *das Nichts* wollen, als *nicht* wollen".[41] Der kleine Herr Friedemann vollbringt zum Schluß nämlich einen Willensakt, der physiologisch-realistisch nicht mehr erklärt werden kann; springt er doch nicht einfach in den Fluß, sondern schiebt sich auf dem Bauch vorwärts, „erhob den Oberkörper und ließ ihn ins Wasser fallen. Er hob den Kopf nicht wieder; nicht einmal die Beine, die am Ufer lagen, bewegte er mehr". So lautet die bildhafte Übersetzung von Nietzsches Satz. Doch hielt es Thomas Mann für nötig, eine psychologische, also erklärende Übertragung dieses Leit-gedankens dem Bild voranzustellen: „Was ging eigentlich in ihm vor, bei dem, was nun geschah? Vielleicht war es dieser wollüstige Haß, den er empfunden hatte, wenn sie ihn mit ihrem Blicke demütigte, der jetzt, wo er, behandelt von ihr wie ein Hund, am Boden lag, in eine irrsinnige Wut ausartete, die er betätigen mußte, sei es auch gegen sich selbst ... ein Ekel vielleicht vor sich selbst, der ihn mit einem Durst erfüllte, sich zu vernichten, sich in Stücke zu zerreißen, sich auszulöschen..." (105).

Kaum denkbar, daß Thomas Mann in späteren Jahren dergleichen ganz zustimmend wiedergelesen haben könnte: behandelt wie ein Hund oder irrsinnige Wut, das sind Klischees von jener Art, deren er sich schon bald nicht mehr bedienen wird. Dennoch hat er die Geschichte vom kleinen Herrn Friedemann vor allen andern Erzählungen der Anfangszeit ausge-zeichnet. Als er sich anschickte, die ausführliche und genaue Geschichte der Liebesnot von Potiphars Frau zu erfinden, muß er geahnt haben, daß dieser Teil des Josephs-Stoffes ihm ein Höchstes an Kunst abverlangen werde. Wie in Sorge, ob er auch der Aufgabe dieser subtilsten Verbindung von Mythos und Psychologie gewachsen sein werde, schiebt er in das Vorspiel der Liebestragödie einen verschlüsselten Musenanruf ein. Es wird die Einheit des eigenen schöpferischen Lebens beschworen, und solche Einheit mit jener des Menschheitslebens in eine Analogie gebracht. Der Vergleich wäre eitel geblieben, wenn der Autor der Forderung nicht genügt hätte, die der Geist der Erzählung ihm gerade hier abverlangte. Denn nun galt es, weit über das hinaus zu gelangen, was einmal mit der Geschichte vom kleinen Herrn Friedemann versucht und ein zweites Mal mit dem 'Tod in Venedig' wieder aufgenommen worden war: „Aber beim Beginn unseres geistigen Handelns gleich, da wir in das Kulturleben eintraten, wie einst die Menschheit es tat, unseren ersten zarten Beitrag dazu formend und spendend, stoßen wir auf eine Anteilnahme und Vorliebe, die uns jene Einheit – und daß es immer dasselbe ist – zu heiterem Staunen empfinden und erkennen läßt: Es ist die Idee der Heimsuchung, des Einbruchs trunken zerstörender und vernichtender Mächte in ein Gefaßtes und mit allen seinen Hoffnungen auf Würde und ein bedingtes Glück der Fassung verschworenes Leben. Das Lied vom errungenen, scheinbar gesicherten Frieden und des den treuen Kunstbau lachend hinfegenden Lebens, von Meisterschaft und Überwältigung, vom Kommen des fremden Gottes war im Anfang, wie es in der Mitte war".[42]

Wer freilich, wenn auch nur für einen Augenblick, so unverhüllt unter die Leser tritt, wird, ehe er weiter erzählt, sich rasch wieder der Maske bedienen. Thomas Mann wählt dafür, einen Satz lang, die Mimikry des alten Goethe: „Und in einer Lebensspäte, die sich im menschheitlich Frühen sympathisch ergeht, finden wir uns zum Zeichen der Einheit abermals zu jener alten Teilnahme angehalten".[43]

VOM FATUM DER DEKADENZ UND VON DER FREIHEIT DER KUNST: BUDDENBROOKS

Immer nur eine Geschichte

Trotz aller Bewußtseinsschärfe, die Thomas Mann von früh an aus-zeichnete, hat er ein Leben lang mit der ihm eigenen Naivität Themen aufgegriffen, die bereits fast jedermanns Thema waren. Aber er empfand sie als die seinen und verbrauchte sie in gänzlicher Anverwandlung. Wie alle großen Epigonen gab er solchen Themen eine letzte Form, die eine Erneuerung dann kaum mehr zuläßt. Um die Jahrhundertwende war Dekadenz schon aufs Feuilleton heruntergekommen, die programmati-schen französischen Zeitschriften wie 'Le Décadent' oder 'La Décadence' lagen über ein Jahrzehnt zurück. Um 1900 bot das Fin de siècle bereits die bedrohliche andere Seite seines Doppelgesichts: statt der Verfeinerung und dem Rausch der Nuancenauflösung beginnt die Re-Barbarisierung, die nun nicht mehr in der ästhetizistischen Verherrlichung von Grausam-keit sich Genüge tut, sondern nach der stiernackigen Gesundheit zu schielen anfängt. So kommen jetzt auch die Diagnostiker und Prognosti-ker des absteigenden Lebens, Nietzsche vor allem und Bourget, zu noch größerer Wirkung, weil sie mit der Analyse zugleich die Überwindung des Verfalls angeboten hatten. Man suchte Propheten des aufsteigenden Lebens – aus welch trüben Quellen dessen vermeintlich neue Kräfte auch immer gespeist sein mochten.

Ideologische Griffigkeit hatten die Dekadenztheorien durch die Ver-knüpfung des historischen mit dem biologischen Aspekt positivistischer Observanz erhalten. Das Modell für Dekadenz war seit je der Untergang des römischen Reiches gewesen. Schon für die frühen christlichen Auto-ren, die so lange den Verfall des Weltreiches prophezeit oder kommentie-rend begleitet hatten, war der Niedergang des Imperiums die Folge der moralischen Verkommenheit der Oberschicht. Auch wenn man sich im neunzehnten Jahrhundert anderer Begriffe, wie etwa denen der Evolution durch natürliche Auslese und Degeneration, bediente, blieb man dem alten Modell, entgegen der behaupteten wissenschaftlichen Neutralität, im geheimen doch verhaftet. Da auch der literarische Naturalismus nach Modellen verlangte, suchte man, dem vermeintlichen Fortschritt der Wissenschaft folgend, nicht das historische, sondern das biologische Muster und griff folgerichtig auf den natürlichen gesellschaftlichen Mikroorganismus, die Familie, zurück. Man brauchte nur, was einst aufs römische Reich gemünzt war, mit dem zu verbinden, was jetzt an erbbiologischen und soziologischen Theorien angeboten wurde; auf den Organismus Familie übertragen, ergab sich so das Thema des programmatischen Romans, der mit dem Zwang der Analogie zugleich der Roman der Epoche sein mußte: Histoire naturelle et sociale d'une famille sous le second Empire – so lautet denn auch der Untertitel von Emile Zolas Rougon-Macquart-Zyklus.

Der präzis entworfene Stammbaum dieser 32köpfigen Familie beginnt mit einer Frau, die 1873 im Wahnsinn stirbt. Am Anfang steht 'La fortune des Rougon', der Aufstieg. Doch wirkt hier nicht mehr die alte, unberechenbare Fortuna, sondern die neue als das Urgesetz vom Aufgang und unausweichlichen Niedergang. Das Ende des Zyklus kündet von Auflösung und Zusammenbruch. Damit aber der Verfall dieser Familie, dem der des Zweiten französischen Kaiserreichs entspricht, nicht im puren Pessimismus ende, folgt noch ein Abgesang. Schließlich war dem Ende des Kaiserreichs auch nicht der Weltuntergang, und nicht einmal der Untergang Frankreichs, gefolgt, sondern die Dritte Republik, die für den Republikaner Zola einen neuen, höheren Anfang bedeutete. So kommt jener Doktor Pascal, der dem Leser Hoffnung bietet, ins Ende des Romanzyklus.

Thomas Mann schrieb in späteren Jahren, er habe zur Zeit der Entstehung von 'Buddenbrooks' Zola nicht gekannt. Ob ihn sein Gedächtnis hier nicht getäuscht hat? Zolas Anklage, durch die schließlich die Wiederaufnahme des Dreyfus-Prozesses erzwungen wurde, erschien zu Beginn des Jahres 1898, und selbst nach der Begnadigung von Dreyfus im darauffolgenden Jahr kam nicht nur Frankreich, sondern das intellektuelle Europa bis zur endgültigen Rehabilitierung des Hauptmanns über die Affäre nicht mehr zur Ruhe. Auch wenn man berücksichtigt, wie unentwickelt der politische Verstand Thomas Manns damals war, kann man sich kaum vorstellen, daß nichts von alledem zu seinen Ohren gedrungen und wenigstens auf diesem Umweg sein Interesse am Romanwerk Zolas geweckt worden sein sollte; ganz abgesehen von der in diesen Jahren engen Verbindung zu seinem Bruder Heinrich.

Doch geht es nicht darum, Thomas Mann einen Gedächtnisfehler oder eine Irreführung nachzuweisen, am Ende gar mit einem psychologischen Hintergedanken: war doch der Name Zola später und für lange mit dem Odium des Bruderzwistes behaftet, so daß eine Verdrängung nicht unverständlich gewesen wäre. Mit dem Hinweis auf Zola soll nicht ein möglicher Einfluß behauptet, sondern die Aufmerksamkeit darauf gelenkt werden, daß im endenden Jahrhundert literarische Familiengeschichten dazu prädestiniert waren, Verfallsgeschichten zu werden.[1] Deshalb wäre es müßig darüber zu streiten, ob Thomas Mann, als er später die Entstehungsgeschichte seines ersten Romans erzählte, sich irrte oder bewußt stilisierte, oder ob er am Ende doch nur die simple Wahrheit berichtet hat: „während ich mich eigentlich nur für die Geschichte des sensitiven Spätlings Hanno und allenfalls für die des Thomas Buddenbrook interessiert hatte, nahm all das, was ich nur als Vorgeschichte behandeln zu können geglaubt hatte, sehr selbständige, sehr eigenberechtigte Gestalt an, und ein wenig fühlte sich meine Sorge über dies Wachstum erinnert an das 'Ring'-Erlebnis Wagners, dem aus der Konzeption von 'Siegfrieds Tod' die leitmotiv-durchwobene Tetralogie geworden war".[2] Diese Erinnerung an den Entstehungsprozeß ist überzeugend. Wie bei den späteren Romanen, so verrät auch die Genese von 'Buddenbrooks' jenen selbständigen, gegen die bewußte Absicht sich durchsetzenden Charakter, den „Eigenwillen" des Werkes.[3] Es ist dies nicht eine Art von unabhängigem Geist, der den Geist des Erzählers übermächtigte. Vielmehr bestimmt zu einem Teil wenigstens der Geist der Zeit das Werk. Und dieser literarische Zeitgeist war, unbeschadet aller individuellen Erlebnisintensität Thomas Manns, von Wagners 'Ring' ebenso geprägt wie von den Dekadenztheorien. Das epische Großformat war die eigentliche Herausforderung, auch wenn der Anstoß von Samuel Fischer, also aus der banalen Sphäre des Literaturbetriebs kam, wo schon damals einem jungen Autor am ehesten mit einem Roman der Durchbruch gelingen konnte. Das Großformat, wenn nicht gar der Zyklus, wartete heimlich auf eine Thomas Mannsche Epiphanie, während der materialsammelnde junge Verfasser mit dem Blick auf 'Renée Mauperin' und kurze skandinavische Familienromane – wir wollen es mit ihm glauben – „zweihundertfünfzig Seiten, nicht mehr, in fünfzehn Kapiteln" konzipierte.[4]

Die Rede 'Lübeck als geistige Lebensform', aus der das bekannte Zitat stammt, wurde 1926 gehalten, in der Nachwirkung des 'Zauberberg' also und im Zeichen des offenen Eintretens für die junge Republik. Gegen

Ende nennt sich der zum „Fest städtisch-bürgerlichen Gedenkens" redende, weitgewanderte Künstler einen bürgerlichen Erzähler, „der eigentlich sein Leben lang nur *eine* Geschichte erzählt: die Geschichte der Entbürgerlichung – aber nicht zum Bourgeois oder zum Marxisten, sondern zum Künstler, zur Ironie und Freiheit ausflug- und aufflugbereiter Kunst".[5] Diese Freiheit nahm sich der Debütant nicht nur, indem er das Material der väterlich-lübischen Familie in einen Roman verwandelte, sondern auch mit der Durchbrechung des ansonsten streng eingehaltenen Verfallsgesetzes. Die Freiheit liegt nicht darin, die Hagenströms, die robusten Parvenus, obenauf kommen zu lassen. Ein solches Aufwärts ist ja nur die andere Seite jenes Abwärts, das zum Schicksal der Buddenbrooks werden mußte, weil ihre Zeit um war. Das Gesetz des Verfalls wird vielmehr durchbrochen mit der Erfindung einer Figur, die als einzige bereit und fähig ist zum Aufflug ins Reich der ästhetischen Freiheit, in die Welt der Kunst. Nicht Hannos musikbesessene Mutter ist gemeint, denn sie hat nur ihre festgelegte Rolle in der Geschichte des Verfalls zu spielen, sondern Hannos Freund Kai, der jugendliche Dichter.

Im 'Tonio Kröger' versucht Thomas Mann schon bald nach 'Buddenbrooks', das Ethos des Künstlertums aus der Leistung zu begründen und zugleich durch die Liebe zu rechtfertigen. Ironisiert wird diese Liebe als die Sehnsucht nach den Wonnen der Gewöhnlichkeit. Der sentimentalische Traum des mit Hamlet liebäugelnden Tonio wurzelt in einem naiven Boden, und der Verfasser der Dichter-Erzählung hat sich nicht gescheut, davon im Ton eines Bekenntnisses zu sprechen, das gegen das Artistentum der abenteuernden Verehrer aller menschenverachtenden dämonischen Schönheit gerichtet ist. Feierlich spricht er da und zitiert gar den Apostel Paulus. So früh taucht programmatisch auf, was dann in immer neuen humoristischen oder tragischen Wendungen ein Grundthema bis hin zum 'Doktor Faustus' bleiben wird. Im Norden sitzend schreibt Tonio Kröger als der, der „zwischen zwei Welten" steht, sich also auf jeden Fall in einer schwierigen Lage befindet: „Denn wenn irgend etwas imstande ist, aus einem Literaten einen Dichter zu machen, so ist es diese meine Bürgerliebe zum Menschlichen, Lebendigen und Gewöhnlichen. Alle Wärme, alle Güte, aller Humor kommt aus ihr, und fast will mir scheinen, als sei sie jene Liebe selbst, von der geschrieben steht, daß einer mit Menschen- und Engelszungen reden könnte und ohne sie doch nur ein tönendes Erz und eine klingende Schelle sei".[6] Im 'Doktor Faustus' ist es der gräßliche Tod des engelhaften Kindes Echo, durch den

46

Leverkühns Wahnsinn sich Bahn bricht. Der da glaubt, er habe sich um der Kunst willen dem Teufel verschrieben, hält sich für schuldig am Martertod dieses „Lammes".[7] Hier tönt nach und klingt aus, was einst am Ende von 'Buddenbrooks' zum erstenmal angeklungen war in der für das Frühwerk charakteristischen Art der parodistischen Verwendung religiöser Themen.

Hannos letzte Krankheit

'Buddenbrooks' beginnt mit einer ironischen Paraphrase des Glaubensbekenntnisses und endet mit der skurrilen Bekräftigung des in diesem Bekenntnis enthaltenen Glaubens an das ewige Leben. Doch hat der Erzähler vor dieses Amen etwas eingefügt, was er selbst die „letzte Episode" jenes Dramas nennt, das nicht einfach Hannos Krankheit heißt", sondern „Hannos letzte Krankheit". Sie mußte „in außerordentlich schrecklicher Weise vor sich gegangen sein". Über ihr lag es „wie ein schweres Geheimnis" (758). Nur gedämpften Tones und ohne sich anzublicken, wagt „man" davon zu sprechen. Man – das sind die am Ende noch übrig Gebliebenen, die sich getroffen haben, um von Gerda Abschied zu nehmen. Sie selbst gehört nicht eigentlich dazu, und spräche nicht Frau Permaneder es aus, so würde der Leser sich von alleine wundern, daß Gerda erst ein halbes Jahr nach Hannos Tod für immer nach Amsterdam zurückkehrt: „... aber reise mit Gott, Gerda, und Dank, daß du nicht schon früher reistest, damals, als Thomas starb..." (755).[8] Über Hannos Sterben kann hier geschwiegen werden, denn der Erzähler hat davon gesprochen, und nicht in halben Worten, sondern mit den harten und kalten Sätzen, deren Herkunft aus dem Bereich der Wissenschaft auch jener Leser spüren mag, der nicht weiß, daß Thomas Manns Quelle ein Konversationslexikon war. Es blieb freilich nicht bei einem oberflächlichen, pseudo-realistischen Ausschreiben und Montieren des Lexikontextes; die gewählte Stillage hat ihre kompositionelle Funktion.

Nicht in halben Worten, sondern offenkundig mit allen Einzelheiten rufen sich die zu Gerdas Abschied Versammelten „jene letzte Episode ins Gedächtnis zurück ... den Besuch dieses kleinen abgerissenen Grafen, der sich beinahe mit Gewalt den Weg zum Krankenzimmer gebahnt hatte" (758). So zieht der Erzähler das erinnernde Gerede zusammen, und wir dürfen annehmen, daß hier Tony spricht, nicht ihre Tochter Erika oder Gerda, die Senatorswitwe. Und weder die arme Klothilde noch die drei Damen Buddenbrook aus der Breitenstraße begreifen, was dem Leser mitgeteilt wird: „Hanno hatte gelächelt, als er seine Stimme vernahm, obgleich er sonst niemanden mehr erkannte, und Kai hatte ihm unaufhörlich beide Hände geküßt" (758). Für einen so wilden Ausdruck der Freundschaft brächten selbst anders Geartete als die hier übrig Gebliebenen kaum Verständnis auf, sogar wenn es sich um die Leidenschaft eines weniger verdächtigen Individuums handelte. Dergleichen kommt nicht vor. Den drei Damen Buddenbrook, Onkel Gottholds immer pikierten Töchtern, obliegt es zu fragen: „Er hat ihm die Hände geküßt?" – „Ja, viele Male". Ironisch fügt der Erzähler hinzu: „Hierüber dachten alle eine Weile nach". Bis Tony plötzlich in Tränen ausbricht. Das leitmotivisch auftretende Weinen ist jener erfrischende Gefühlsausbruch, der immer wieder ihr seelisches Gleichgewicht hergestellt hat. Für dieses Mal, und es ist das letzte Mal, geht es um die Liebe zu Hanno, und Tony kann es nicht dulden, daß jemand ihn mehr geliebt haben sollte als sie. Wie ihre Liebe, so steht die Stärke ihres Verlustes außer Konkurrenz. Hatte sie sich, nach dem Tode des Senators und der Liquidation der Firma, nicht eben damit zu trösten verstanden, „daß das Ende der Firma ja nicht geradezu dasjenige der Familie sei, und daß ihr Neffe eben ein junges und neues Werk werde beginnen müssen, um seinem hohen Berufe nachzukommen, der ja darin bestand, dem Namen seiner Väter Glanz und Klang zu erhalten und die Familie zu neuer Blüte zu bringen"? (696) Jetzt aber bleibt selbst für sie nur noch die Verwaltung der Familienpapiere übrig. Man wird einmal in der Woche, wenn man zum Essen zusammenkommt, in diesen Papieren wie in der Bibel lesen, und niemand wird Tony den Ruhm streitig machen, daß sie Hanno geliebt habe wie keiner sonst: „Ihr wißt nicht, wie sehr ich ihn geliebt habe ... mehr als ihr alle ... ja, verzeih, Gerda, du bist die Mutter ... Ach, er war ein Engel ..." (758) Mehr als ihr alle ... Aber nur bei Kais Stimme hatte der sterbende Hanno noch einmal gelächelt, obgleich er sonst niemanden mehr erkannte.

Eine sich steigernde Folge von Sterbeszenen begleitet den Verfall der Familie, gegenläufig zu den immer fragwürdiger werdenden Festen. – Als der Senator seinen häßlichen Tod zu sterben hat, enthüllt sich die Unmenschlichkeit als die andere Seite von Gerdas Schönheit. Ihr „schönes, weißes Gesicht war in Grauen und Ekel ganz und gar verzogen, und ihre... Augen blickten blinzelnd, zornig, verstört und angewidert" (681). Es ist das einer der seltenen Augenblicke, wo der Autor dieses meist schweigende Wesen einmal reden läßt. Aber nicht eine Erschütterte schluchzt, vielmehr vernimmt Frau Permaneder an ihrer Schulter das Flüstern einer Schaudernden: „'Wie er aussah... als sie ihn brachten! Sein ganzes Leben lang hat man nicht ein Staubfäserchen an ihm sehen dürfen... Es ist ein Hohn und eine Niedertracht, daß das Letzte so kommen muß!...'" (681)

Mit dem „Letzten" also hat sie ohnehin gerechnet, nicht anders als Thomas selbst, und mit ihm der Leser, der längst weiß, wie ausgehöhlt der erschöpfte Senator unter seiner Maske von Akkuratesse war. Aber hatte Gerda nach einem Leben des schönen Scheins nicht Anrecht darauf, daß der Gatte, wenn er schon nicht in Schönheit stürbe, so doch zumindest nicht im Schmutz umkäme? Auch Hanno, so schwach er ist, erlischt nicht einfach. Aber da ist es nicht mehr nötig, daß der Erzähler eigens von Gerdas Reaktion spricht, es genügt die medizinische Schilderung des Ablaufs. Deshalb ist hier nicht von Hanno die Rede, sondern vom „Menschen", den der Typhus befallen hat. In der zweiten Woche werde der Ausdruck des Gesichtes dumm. „Der Mund fängt an offen zu stehen". Die schlaffe Hilflosigkeit des Kranken „hat sich bis zum Unreinlichen und Widerwärtigen gesteigert. Auch sind sein Zahnfleisch, seine Zähne und seine Zunge mit einer schwärzlichen Masse bedeckt, die den Atem verpestet" (752). Als Kai sich den Weg zu dem Kranken bahnt, liegt der schon im Sterben, und nichts deutet im medizinischen Bericht darauf hin, daß nach der dritten Woche, wo die Schwäche ihren Gipfel erreicht, „der Geist des Kranken in leere Nacht versunken ist", der Körper „in grenzenloser Unempfindlichkeit" liegt –, nichts deutet darauf hin, daß nach diesem in die dritte Woche fallenden „Zeitpunkt der Entscheidung" (752) der Kranke appetitlicher gewesen wäre. Daß der Autor es dem Leser allein überläßt, die Verbindung zwischen der „letzten Episode" und dem Krankheitsbericht herzustellen, anstatt sich nur wie die Damen Buddenbrook über die Exaltation des abgerissenen Grafen zu verwundern, zwingt dazu, auf andere Weise als die Versammelten über die seltsamen Liebesbezeugungen nachzudenken.

Nur die ersten vier von sieben dem Typhus gewidmeten Abschnitte sind im strengen Descriptionsstil gehalten. Zwar handelt auch der fünfte Abschnitt zum größeren Teil noch von medizinischen Fakten, aber was da fernerhin an therapeutischen Möglichkeiten aufgeführt wird, dient schon dem Übergang vom Medizinischen zum Psychologischen. „Bei gewissen Individuen wird die Diagnose durch besondere Umstände erschwert" (752). Noch ehe durch einen kleinen rhetorischen Trick aus „einem Arzt" der Arzt der Familie Buddenbrook geworden ist („wie, um einen Namen zu nennen, Doktor Langhals"), gibt es für den Leser keinen Zweifel mehr, daß es sich nicht um irgendein Individuum handelt, sondern um Hanno. Denn bei ihm sind ja „die Anfangssymptome der Krankheit, Verstimmung, Mattigkeit, Appetitlosigkeit, unruhiger Schlaf, Kopfschmerzen" schon vorhanden, als er – „der Patient" – noch, „die Hoffnung der Seinen, in völliger Gesundheit" umhergeht. Und der Leser ist sich auch schon über etwas im klaren, worüber der immer noch hypothetische Arzt bis zur Krisis im Dunkel tappt: „Er weiß nicht, ob die Krankheit, die er 'Typhus' nennt, in diesem Falle ein im Grund belangloses Unglück bedeutet, die unangenehme Folge einer Infektion... oder ob sie ganz einfach eine Form der Auflösung ist, das Gewand des Todes selbst, der ebensogut in einer anderen Maske erscheinen könnte" (753). Der Leser weiß es, weil er den Mythos der Dekadenz kennt, demzufolge Hanno längst zu bekennen hatte, daß er sich „vor dem Ganzen" fürchte (743). Und da der Leser auch erfahren hat, wie Hanno, getrieben von einem Willen „zu Wonne und Untergang" (750), sich vor dieser Furcht in die erschöpfende Ausschweifung des musikalischen Phantasierens flüchtete, wird er mit dieser Musik im Ohr selbst dann, wenn er sie nicht als die Rückübersetzung der an Wagner demonstrierten Dekadenzanalyse Nietzsches in erfundene Musik erkennt, sich von keiner Hoffnung mehr täuschen lassen, ob es für Hanno nicht doch noch eine Chance gäbe. Kein Leser sollte sich des Mitgefühls für dieses letzte Opfer des Verfallsgeschickes schämen. Wozu müßte der Dichter eine Welt erschaffen, wenn die Leiden seiner Geschöpfe uns allenfalls zur Erkenntnis, nicht aber zur Gemütsbewegung verhelfen dürften? Auch ist es keine Schande, wenn der Leser dabei ein wenig in die Nähe jener Tony gerät, die über den herzerfrischenden Tränen ihr Gleichgewicht wiederfindet. Thomas Mann selbst hat sich seiner Rührungen bis ins Alter hinein nicht geschämt. Wenn er zur Zeit der Entstehung der Josephs-Romane das Kapitel von Rahels Tod vorlas, kämpfte er Mal für Mal mit den Tränen. Auch den sensitiven Spätling Hanno hat er zwar kunstvoll, aber schwerlich kalten Blutes zu Tode gebracht.

Das einsame musikalische Phantasieren Hannos ist gewiß auch, aber doch nicht nur, die artistische Umschreibung der sexuellen Ausschweifung, als die der junge Thomas Mann, ganz den Anschauungen seiner Zeit verhaftet, die Onanie empfunden hat. Das „Hinsinken von einer Tonart in die andere" (748 u. 749) samt der Auflösung, der Erfüllung, der vollkommenen Befriedigung, der ganze „fanatische Kultus dieses Nichts, dieses Stücks Melodie" führt „endlich, endlich in Ermattung nach allen Ausschweifungen" zu einem leisen Arpeggio in moll, das „sich in Dur auflöste und mit einem wehmütigen Zögern erstarb" (750). Der letzte Satz des Kapitels über den Typhus aber lautet: „... nein, es ist klar, dann wird er sterben. –" Daß dem die mythisierende Hypothese vorangeht, derzufolge der Ruf des Lebens einen in der Nacht seiner Krankheit zum Hades Wandernden erreichen und zur Umkehr bewegen könnte, verstärkt nur die Gewißheit: jener, von dem hier die Rede ist, ohne daß sein Name noch eigens genannt zu werden bräuchte, wird gewiß nicht umkehren, sondern „sich vorwärts" flüchten „auf dem Wege, der sich ihm zum Entrinnen eröffnet hat" (754). Danach ist auch klar, daß die Freundesstimme, die der Sterbende noch einmal erkennend vernimmt, nicht die Stimme des Lebens ist, die ihn zurückruft, sondern die Stimme der Liebe, die Abschied nimmt.

Alles ist nur ein Gleichnis

Wenn die Krankheit das Gewand des Todes sei, helfe keine ärztliche Wissenschaft, denn gegen den Tod ist kein Kraut gewachsen (753). Da der Verfall nur eine sich über Generationen hinziehende Krankheit zum Tode ist, gibt es auch dagegen kein Kraut. Die fortschreitende Willenslähmung wird nicht einfach zu einer allgemeinen Lähmung führen. Das Gesetz der Dekadenz verlangt subtilere Formen der Erschlaffung, weil die Auflösung mit Differenzierungen parallel geht.[9] Die der Erschöpfung abgerungene Haltung, wie sie Thomas Buddenbrook bis zum tödlichen Sturz in der Gosse wahrt, verbraucht nicht nur ihn selbst, sondern sie überfordert auch den Letzten, seinen Sohn, weil dieser Spätling einer Hoffnung Genüge tun soll, die immer nur eine Illusion sein kann. Doch reichen weder die biologischen noch die soziologischen Komponenten zur Erklärung der unerbittlichen Konsequenz, mit der der Mythos vom Verfall hier, getreu nach Nietzsches eher metaphysischer als biologischer Dekadenzlehre, demonstriert wird. Was die Familie, die von der Firma nicht getrennt werden kann, ans Ende bringt, ist ein früh sich vorbereitender Verlust an Instinktsicherheit, der, im Verein mit der Willensschwächung und von immer schärferer Einsicht in das Verhängnis begleitet, dieses

vollenden hilft. Nicht erst, als Thomas Buddenbrook, durch die Einflü-
sterungen Tonys, dieses irregeleiteten Familiengeistes, irritiert, noch
einmal den robusten, von Skrupeln nicht gehemmten Geschäftssinn einer
aufsteigenden Familie nachzuahmen versucht, um daraufhin die doppelte
Niederlage eines geschäftlichen wie moralischen Mißerfolges zu erlei-
den –, nicht erst, als er die Pöppenrader Ernte auf dem Halm kauft, die
dann der kurze Hagel vernichtet, wird die Instinktverirrung deutlich.
Lange zuvor hat sie sich angekündigt, und nicht nur bei ihm, sondern bei
der ganzen Generation. Dort nämlich, wo sich Instinktverirrungen am
verheerendsten auswirken, weil sie nicht mehr das Individuum allein
betreffen: in den Ehen.

Die letzte der vier Romangenerationen wird allein durch Hanno repräsentiert. In der dritten Generation heiraten noch alle vier Geschwister,
und da sie auf je eigene Weise den Verfall zu demonstrieren haben, werden
ihre Partner gegen alle Absicht der Betroffenen zu Mitteln dieses Zwecks.
Auch wenn sich keine andere Gemeinsamkeit zwischen der Gattin von
Thomas, dieser musizierenden Millionärstochter Gerda, und Christians
Frau, der kleinen Theaterprostituierten Aline, feststellen ließe als eben
die, daß beide den Namen Buddenbrook tragen, so rückte solche
Namensgleichheit sie innerhalb der Verfallsgeschichte der Familie näher
aneinander als die bloße Heiratsverwandtschaft, unerachtet dessen, daß
sie sich nie kennenlernen. Frau Permaneders feindseliger Brief an Aline,
in dem sie „in sorgfältig vergifteten Worten die Erklärung" abgibt, daß sie
„weder die Adressatin noch ihre Kinder jemals als Verwandte anzuerkennen gesonnen sei" (695), ist nur die gerade in ihrer Ohnmacht signifikante
Gebärde, die, wie meist, das Gegenteil von dem symbolisiert, was Tony
beabsichtigt. Beim Streit um den Hausrat, Mutters Leiche liegt noch
nebenan, verbietet Thomas dem Bruder Christian, während Gerda „mit
ziemlich spöttischer Miene von einem zum andern" blickt und dann die
beiden „mit verschleierten Augen und einem nicht bestimmbaren
Gesichtsausdruck" beobachtet, „uns mit einer Kurtisane zu verschwägern" (581). Er werde es zu verhindern wissen, er werde Christian für
kindisch erklären und einsperren lassen. Nur wenig mehr als drei Jahre
später ist der Senator tot, und ein knappes Jahr darauf vermählte sich,
„Herr seines Willens", Christian „mit Fräulein Aline Puvogel vor Gott
und den Menschen". Handelte Frau Permaneder mit ihrem Brief also
nicht ganz im Sinne des Verstorbenen? Aber von der Ironie, die darin
liegt, daß sie gezwungen ist, ihr Schreiben „an Frau Aline Buddenbrook

zu Hamburg" zu richten (695), ahnt sie so wenig wie von der nahen Zukunft, in der Aline auf ihre Weise zur Testamentsvollstreckerin des verstorbenen Schwagers wird, indem sie die dauernde Unterbringung ihres Ehemannes Christian in einer geschlossenen Anstalt veranlassen wird; was die Gemahlin „in den Stand" setzt, „unbeschadet der praktischen und ideellen Vorteile, die sie der Heirat verdankte, ihr früheres unabhängiges Leben ohne Rücksicht und Behinderung fortzuführen" (700). So wird, auf der untersten Ebene, parodiert, was auf der höchsten sich durch Gerdas Rückkehr zu ihrem früheren Leben nach Amsterdam vollendet.

Im Streit hatte Christian es vermocht, dem Bruder das Bekenntnis abzuringen: „Ich bin geworden wie ich bin... weil ich nicht werden wollte wie du. Wenn ich dich innerlich gemieden habe, so geschah es, weil ich mich vor dir hüten muß, weil dein Sein und Wesen eine Gefahr für mich ist... ich spreche die Wahrheit" (580). Um ein weniges zuvor hat Senator Buddenbrook „mit Donnerstimme" dem Bruder ein „Schweig!" entgegengerufen: als der es nämlich gewagt hatte, anstatt von dieser „Person" von „Aline" zu reden (576). Ist es wirklich nur Christians abnormer, krankhafter Mangel an Takt, „an dieser Stelle und unter diesen Umständen diesen Namen zu nennen" (576), was Thomas da so aufbringt? Erregt ihn nicht insgeheim Christians Berufung darauf, als „Ehrenmann" handeln zu wollen? „Aber ich habe dir doch gesagt, daß ich Verpflichtungen habe! Das letzte Kind, die kleine Gisela..." – „Ich weiß von keiner kleinen Gisela und will von keiner wissen! Ich bin überzeugt, daß man dich belügt". Er will es nicht wissen! Zwar mag er recht haben zu bezweifeln, daß Christian wirklich der Vater dieses Kindes sei. Und Thomas hat auch Grund, sich ein zweites Mal so zu erregen, daß er „beinahe sinnlos vor Zorn, blaß, bebend und mit zuckenden Bewegungen" reagiert: als Christian nämlich nicht nur auf der Absicht beharrt zu heiraten, sondern auch die Frage bejaht, ob er gedenke, „die vorhandenen Kinder zu adoptieren, beziehungsweise zu ... legitimieren" und sein Vermögen nach seinem Tode „an jene Leute" übergehen zu lassen. Rührt die extreme Stärke dieser Erregung am Ende daher, daß der Senator etwas verdrängt? Und muß ihn nicht auch unbewußt und desto härter treffen, was von Christian in der so unfreiwillig wie gräßlichen Komik gerade als Argument für seinen Heiratswunsch vorgebracht wird: er sehne sich nach einem Heim und nach jemandem, der Mitleid mit ihm habe, wenn er krank sei? Die Adoption bzw. Legitimation und Vermögensübertragung betreffend, lautet Christians Argument: „Ja, das gehört sich doch so" (580).

Im Unterreich des Bewußtseins drängen sich Erinnerungen und Ahnungen ununterscheidbar, weil die Zeit der Seele sich nicht nach Vergangenheit und Zukunft mißt. Was das Mitleid betrifft, so wird Gerda es nicht erst dem sterbenden Senator versagen, sondern schon dem verfallenden. Sie, die nicht altert, sondern die „gleichsam konserviert" erscheint „in der nervösen Kälte, in der sie lebte und die sie ausströmte" (644), beobachtet ihn bereits mitleidlos, als ihn der Gedanke an Selbstmord streift: „fest und spähend" hält sie da ihre Augen auf ihn gerichtet (618). Wenn Christian die Buddenbrooks mit einer Kurtisane verschwägern würde, so steigerte sich die der Familie zugefügte „Blâme" zum Skandal. Was aber dem Senator selbst außer dem todgeweihten Nachkommen aus einer stolzen Ehe schließlich bleiben wird, ist die Entwürdigung, daß er „horchend und lauernd, voll Scham und Gram, niedergedrückt und umhergetrieben" (649), eifersüchtig im eigenen Hause umherschleicht, auf die Stille lauschend, die im Musikzimmer zwischen dem jungen Herrn von Throta und Gerda Buddenbrook herrscht, wenn die orgiastischen Ekstasen der Musizierenden, diese einander „aufschäumend" umschlingenden Harmonien, in „Nacht und Schweigen" hingesunken sind. Der „Geschichte seines Hauses" gedenkend, sagt er sich da, „daß all dies das Ende von allem sei", und es ergreift ihn das Grauen, die Furcht „vor dem heimlichen und dem öffentlichen Skandal" (646).

Christian hat, soweit man bei ihm von einer Wahl überhaupt sprechen darf, zwar die für ihn bequemste Art der Liebe gewählt, aber doch die Liebe. Seine Formel dafür lautet: „Übrigens passen wir ganz gut zusammen. Wir sind beide ein bißchen verfahren..." (580). Nun will er auf seine Weise aus dem Verhältnis machen, was sich doch so gehört. Thomas Buddenbrook hat immer das getan, was sich gehört, von Anfang an und nicht erst nach langer Weile. Aber ist das Ergebnis so sehr anders als bei Christian, wenn man den individuellen Unterschied der Brüder einmal beiseite läßt und nur das Ergebnis an dem mißt, was jeder gewollt hat? Im 'Zauberberg' wird Thomas Mann das Spiel der extremen Entsprechungen gerade durch die Parodie sehr viel weiter treiben als im frühen Roman.[10] Aber eine naive Parodie wird auch im Frühwerk durch Tonys kommentierende und für den Leser vorausweisende Simplizitäten geleistet. Im Mädchenpensionat von Sesemi Weichbrodt unterhalten sich die Backfische, unter ihnen Tony und Gerda, wen sie wohl einmal heiraten werden. Hier verkündet nicht nur Tony, sie werde natürlich einen Kaufmann heiraten, der recht viel Geld haben müsse, „damit wir uns vornehm einrichten können; das bin ich meiner Familie und der Firma schuldig" (90); der Leser ahnt schon hier ihre Heiratskatastrophen. Vielmehr sagt sie da auch noch etwas Verblüffendes, das gerade deshalb so zweideutig wirkt, weil es nur dahergeredet klingt. Gerda konstatiert, sie selber werde wahrscheinlich gar nicht heiraten, sie sehe nicht ein warum. Der Autor hebt dieses „wahrscheinlich" im Druck eigens hervor. Gerda fährt fort, sie habe gar keine Lust zum Heiraten, sie gehe nach Amsterdam und spiele Duos. Heiratet sie aber doch, so kann der Leser erschließen, dann handelt es sich um eine für sie unwesentliche Angelegenheit. So werden wir sie dann auch nach einem einundzwanzigjährigen Intermezzo, das nur für die Buddenbrooks verhängnisvoll ist, nach Amsterdam zurückkehren sehen. Tony findet es „schade", daß Gerda keine Lust zum Heiraten hat: „Höre mal, du solltest zum Beispiel einen von meinen Brüdern heiraten..." Wenn Gerda daraufhin fragt, ob den „mit der großen Nase", also Christian, so wird man sich beim Wiederlesen des Romans leicht daran erinnern, daß sie später gegenüber dem verkommenen Schwager keineswegs jene Antipathie oder gar Verachtung hegt, die man vielleicht bei ihrer kühlen Distanziertheit erwarten könnte, und daß sie niemals für Thomas und gegen Christian Partei ergreift. Wieder wird der Leser durch Tony auf eine wichtige Spur gelenkt. Denn auf Gerdas Frage, ob sie den mit der großen Nase heiraten solle, antwortet Tony: „Oder den anderen, das ist ja gleichgültig..." Die Spur wird vom Autor rasch wieder verwischt, als fürchte er, die kunstvoll arrangierte Natürlichkeit des Dialogs zu überdehnen; läßt er doch Tony fortfahren: „Gott, wie ihr euch einrichten würdet!" (91) Ist es in der Tat nicht gleichgültig, wenn man die Heirat daraufhin betrachtet, was sie für die „Firma" und für die „Familie" letztendlich bringt?

Der Brief, in dem ihr „gehorsamer Sohn T." seiner lieben Mutter aus Amsterdam mitteilt, daß er seine zukünftige Frau gefunden habe („Diese oder keine, jetzt oder niemals!"), enthält noch im nachhinein eine überflüssige und gerade deshalb um so hochmütigere Absage an die Lübecker Partien: „Du wirst wohl niemals angenommen haben, daß ich irgend einen Backfisch aus dem Kreise Möllendorpf-Langhals-Kistenmaker-Hagenström heimführen würde" (290). Der Autor hat unter diese Namen auch jene gemischt, die im Roman für die aufsteigenden Familien stehen. Wie es sich gehört, ist die Amsterdamer Partie glänzend, wovon das Ende des Briefes Mitteilung macht: „mein zukünftiger Schwiegervater ist Millionär". Aber nicht die naive Ungebrochenheit eines Emporkömmlings gibt da der Gewinnfreude Ausdruck. Vielmehr bemüht sich ein schon durch Reflexion gebrochenes Gemüt, mit dem Bekenntnis eine Erkenntnis zu entgiften, auf deren Grund der Ekel lauert: „Ich verehre Gerda Arnoldsen mit Enthusiasmus, aber ich bin durchaus nicht gesonnen, tief genug in mich hinabzusteigen, um zu ergründen, ob und inwiefern die hohe Mitgift … zu diesem Enthusiasmus beigetragen hat. Ich liebe sie, aber es macht mein Glück und meinen Stolz desto größer, daß ich, indem sie mein eigen wird, gleichzeitig unserer Firma einen bedeutenden Kapitalzufluß erobere" (290). Die Ironie des komponierenden Autors läßt Thomas Buddenbrook in eben diesem Brief sein Einverständnis zur Verlobung der Schwester Klara mit jenem schönnamigen Pastor Tiburtius geben, der sich alsbald beim raschen Tod der frommen Klara ein Viertel des mütterlichen Gesamtvermögens erschleichen wird. Davon ist auch in dem späteren Streit der Brüder die Rede, weil Christian ein weiteres Viertel dem „Frauenzimmer und ihren Bastarden in den Schoß zu werfen" droht (581).

Als Thomas Buddenbrooks Braut in Lübeck auftaucht, wird sie literarisch-mythologisch eingeordnet. Ein E.T.A. Hoffmann entsprungener und so mit einem halben Jahrhundert Verspätung in Lübeck auftauchender Literaturenthusiast, der dämonisierende Makler Gosch, nennt sie „Here und Aphrodite, Brünnhilde und Melusine in einer Person". Diese *coincidentia oppositorum* alles Femininen entlockt dem in „ingrimmiger Begeisterung" Schwärmenden den Ausruf: „Welch ein Weib, meine Herren!" (295) Es fehlte gerade noch, daß er, und diesmal um ein halbes Jahrhundert zu früh, sie ein Überweib genannt hätte. Ganz verfehlt wäre es nicht gewesen, denn wenn Gosch auch noch nicht Nietzsche ironisieren darf, so schiebt sich ihm bei anderer Gelegenheit doch der Faust II in die Rede. Und vom Übermenschen Faust zum Überweib Helena wäre es kein großer Schritt gewesen.[11] Auf das Maß der Entstehungszeit des Romans, also aufs Fin-de-siècle-Format ist das herrliche Weib vom Erzähler bereits gebracht, noch ehe der Leser erfahren hat, daß sie Wagnerianerin reinsten nietzscheanischen Geblütes ist. Da schließt sich dann der Ring zu Goschs Exklamation. Das frühe Bildnis, dessen erste Fassung wir als Gerda von Rinnlingen aus der Friedemann-Novelle kennen, wird tatsächlich wie ein gerahmtes Gemälde des Jahrhundertendes gegeben: „Da öffnete sich die Korridortür, und von der Dämmerung umgeben, stand ... in einem faltig hinabwallenden Hauskleide aus schneeweißem Pikee, eine aufrechte Gestalt. Das schwere, dunkelrote Haar umrahmte das weiße Gesicht, und in den Winkeln der nahe beieinanderliegenden braunen Augen lagerten bläuliche Schatten" (304). Das ist unverkennbar eine Allegorie der todbringenden Schönheit. Es habe nur an einem Haar gehangen, so Thomas zur Schwester, daß er nicht geheiratet hätte, weil er es lange Zeit nicht für möglich hielt, auf der Welt eine Passende zu finden. „Aber Gerda's Anblick gab den Ausschlag. Ich sah sofort, daß sie die einzige sei, ausgemacht sie" (303). Wer so wählt, wählt das Verhängnis. Thomas nennt die Auserwählte ein wundervolles Geschöpf. Um die Schwester damit nicht zu kränken, hebt er deren einfacheres Gemüt und ihre größere Natürlichkeit hervor. Doch entschlüpft ihm mit dem konventionellen Kompliment ungewollt ein Bekenntnis: „Meine Frau Schwester ist ganz einfach temperamentvoller". Damit ist Tieferes berührt als nur der Unterschied zwischen Gerdas kühler Distanziertheit und Tonys erheiternder Naivität. Gerda ist im Wortverstand eine *femme fatale,* eine Figur des Fatums also, und da sie zur Zeit des Jugendstils erfunden wird, muß ihre morbide Renaissance-Weiblichkeit noch durch Frigidität gesteigert werden. Der Erzähler verrät nicht, ob Tony begreift, was ihr Bruder da als die Erfahrung der Hochzeitsreise preisgibt: „Daß übrigens auch Gerda Temperament besitzt, das beweist wahrhaftig ihr Geigenspiel; aber sie kann manchmal ein bißchen kalt sein..." Doch für den Leser ist das deutlich genug. Wenn dann Gerda ein „eigenartiges, rätselhaftes, entzückendes Geschöpf", „eine Künstlernatur" genannt wird, und dieses Wesen unter Kopfschmerzen und Migräne leidet, ist bereits erschließbar, daß es sich bei Gerda und ihrer Kunst um das gefährliche Gegenteil von Natur handelt.

Die Natur aber ist Thomas in Gestalt eines einfachen Mädchens bereits begegnet. Diese Anna ist auf ihre Art ein ebenso ungewöhnliches Geschöpf wie die Künstlerin Gerda: Anna „war wunderbar hübsch. Sie war zart wie eine Gazelle und besaß einen beinahe malaischen Gesichtstypus: ein wenig hervorstechende Wangenknochen, schmale, schwarze Augen voll eines weichen Schimmers und einen mattgelblichen Teint, wie er weit und breit nicht ähnlich zu finden war. Ihre Hände, von derselben Farbe, waren schmal" (168). Auch hier traf der junge Buddenbrook eine distinguierte Wahl. Aber da es sich um ein armes Ladenmädchen handelt, ist für Anna, wie es sich gehört, nur die Rolle der heimlichen Geliebten auf Zeit vorgesehen. Von dieser Affäre erfährt der Leser erst, als der junge

Thomas sich von Anna für immer verabschiedet. Vor anderthalb Jahren hat er sie kennengelernt, ein Blumenmädchen, das er für eine Italienerin hielt. Die Nelke, die er ihr damals abgekauft, besitzt er noch immer: „Ich nehme sie mit nach Amsterdam". Das ist gewiß nicht nur eine Phrase, die über die Situation hinweghelfen soll. Es gibt ja soviel Halbes in uns... Vielmehr ist es noch immer die Liebe, die ihn sagen läßt: „Sahen wir uns nicht gleich an den Augen an, was für eine Bewandtnis es mit uns hatte?" (169) Sie hat ihm denn auch alles gegeben, was sie zu geben hatte, der Erzähler läßt daran keinen Zweifel, greift aber nicht zu einem groben Mittel.[12] Es ist fürwahr kein Schillerscher Ferdinand, der da mit seinem Stand auch sein Jahrhundert in die Schranken fordert: „Man wird getragen", das ist alles, was er ihr und sich zum Trost zu sagen weiß. Und sein Lob, daß sie ein kluges Mädchen sei, das niemals etwas von heiraten und dergleichen gesagt habe, ruft keinen Hohn bei ihr hervor und nicht einmal Groll. So braucht Thomas auch den leisen Doppelsinn nicht herauszuhören, der denn doch in ihrer Antwort steckt: „Nein, behüte!... daß ich das von dir verlange..." Verlangen, das weiß sie wohl, könnte sie es nicht einmal, wenn sie ein Kind bekäme. Aber sie sagt nur: behüte!... nicht: Gott behüte! Und der Erzähler läßt sie auch nicht sagen:... daß ich das von dir erwartet hätte, oder:... erhofft hätte. Was der sich verabschiedende Liebhaber ihre Klugheit nennt, ist in Wirklichkeit die Resignation einer arm Geborenen, und das ist denn doch eine andere Art von Schicksalshingabe als jene, von der man getragen wird, und die es einem erlaubt oder gar zur Pflicht macht zu sagen: „ja, ich bin offen gegen dich, beim Abschied" (170). Der Autor braucht hier keine ironischen Mittel einzusetzen, die Situation als solche spiegelt, ohne Thomas zum Schuldigen zu machen, den objektiven Zynismus wider, mit dem die Gesellschaft das Leben und also die Liebe reguliert. Deshalb predigt nicht ein Zyniker, sondern ein Leidender hier der Geliebten und sich selbst die Unterwerfung unter das freilich sehr ungleiche Schicksal. Wäre er weniger hart gegen sich, so würde er jetzt die ewige Prinzentragödie mimen und auch daran glauben: daß er immer nur sie lieben werde, auch wenn er eine andere heiraten müsse.

Der junge Thomas Mann hat Schillers 'Don Carlos' hoch geschätzt, und es hätte ihm wohl einfallen können, den Vorschlag der Eboli, Herz und Diadem zu teilen – denn „Königinnen lieben schlecht" – parodistisch umzukehren und seinem Thomas als Schwur in den Mund zu legen.[13] Aber es hätte schlecht gepaßt, und nicht nur, weil Anna zu klug ist, sondern vor allem, weil Thomas Buddenbrook kein Filou des Gefühls ist. Zwar wird er viel später eine Rolle spielen und zum Schauspieler seiner selbst werden: wenn sein Gesicht schon erschlafft und verfallen ist, zwingt er sich täglich zur Maske. Aber er wird es mit dem Selbstekel des sensitiven Dekadents tun, der weiß, daß die Maske nicht sein Gesicht ist, und dem doch schon die Kraft fehlt, auf diese Maske zu verzichten. Jetzt freilich ist er noch mit sich in Übereinstimmung, weil er die Rolle, die ihm eine mit der Familie identische Gesellschaft vorschreibt, angenommen hat als das Schicksal, das um des Ganzen willen das kleinere Opfer der persönlichen Liebe fordern darf: „Man wird getragen, siehst du... Wenn ich am Leben bin, werde ich das Geschäft übernehmen, werde eine Partie machen..." – Was für die regierenden Fürstenhäuser die dynastische Hochzeit, war ja für Familien von der Art der Buddenbrooks die Partie. – „Ja, ich bin offen gegen dich, beim Abschied... Und auch du... das wird so gehen... Ich wünsche dir alles Glück, meine liebe, gute, kleine Anna!" (170) Womit gemeint ist, daß die mittellose Anna innerhalb der ihr vom Schicksal zugeordneten Klasse den Ehemann finden möge, der ihrer würdig ist. Daß Anna nach oben zwar nicht geheiratet, aber doch geliebt hat, zeichnet sie in den Augen des Patriziersohnes aus: „Aber wirf dich nicht weg, hörst du? ... Denn bis jetzt hast du dich n i c h t weggeworfen, das sage ich dir...!" Da die bürgerlichen Nobeln nicht, wie einst die fürstlichen, das Tugendopfer ihrer niedrig geborenen Geliebten dadurch wettmachen können, daß sie einen ihrer Untergebenen zu der so vorteilhaften wie ehrenwerten Heirat des Mädchens beordern, bleibt als die Abschieds-Morgengabe allein der fromme Wunsch.

Nur indem er bis zum Ende der Szene der Versuchung widersteht, den in der Situation liegenden Zynismus ironisch auszumünzen, kann der Autor mit seines Helden erster Liebe auch diesen selbst für den Leser retten. Am Ende steht dann ein unauffälliges, aber symbolisches Bild: während „draußen", im Licht der untergehenden Wintersonne, ein „zartes, reines, wie auf Porzellan" gemaltes Abendrot den Himmel schmückt und die Leute, vor der Kälte in ihre Mäntel versteckt, vorübereilen, ist es drinnen, wo im Winkel des kleinen Ladens die beiden voneinander Abschied nehmen, warm. Das Treibhaus mit der sexuellen Symbolik der exotischen Blüten, Tempelzone aller heimlichen Liebe, ist eine beliebte Chiffre der Dekadenzliteratur, und dem jungen Thomas Mann dürfte sie zumindest durch eines der mit 'Tristan' verschränkten Wesendonklieder Richard Wagners vertraut gewesen sein. Das Epochenmotiv hat in 'Buddenbrooks' seine passende Verkleinerung wie auch seine Umformung erfahren, die der Leser im Rückblick erkennen kann. Nicht nur steht Annas warme, mit exotischer Schönheit gepaarte Animalität gegen Gerdas Kälte. Anna wird auch fruchtbar sein wie die feuchte warme Erde. Sie heiratet den Sohn ihrer Brotgeberin und führt „auf eigene Hand" das Blumengeschäft in der Fischergrube fort (236). Wir begegnen ihr wieder beim Tod des Senators, und weil ihr Laden seinem Haus gegenüberliegt, verhilft der Tod ihr zu einem Geschäft „großen Stiles". Während sie die Blumenarrangements herbeiträgt, fragt sie einmal, „ob sie nicht ein wenig hinaufdürfe und den Senator sehen?" (689) Die epische Konsequenz ist zwar bei Thomas Mann, nicht einmal beim späteren, je so weit getrieben, wie es bereits Flaubert gefordert hatte: daß die Beschreibung eines Ortes, einer Landschaft, einer Jahreszeit, der Stimmung und Stunde nicht mehr die Schilderung des Erzählers ist, sondern als der Reflex der handelnden oder erleidenden Person ganz integriert und so Teil des Geschehens selbst wird. Aber wenn hier auch noch ein Erzähler nach älterer Manier den aufgebahrten Senator beschreibt,[14] so läßt er eben doch gerade Anna an die Bahre treten und nicht irgend eine der zahlreichen anderen Personen, deren Besuche Frau Permaneder im übrigen liebt: mit unermüdlichem Eifer überwacht sie „die Huldigungen, die man der sterblichen Hülle ihres Bruders darzubringen" sich drängt (690). Anna, hier Frau Iwersen genannt, muß erst von Tony „zum Nähertreten" aufgefordert werden, und eigens wird hervorgehoben, daß es schwer gewesen wäre, den Ausdruck ihrer Züge beim Namen zu nennen. Der Leser, der den ersten Abschied in Erinnerung hat, braucht nicht in ihren von der Schwangerschaft undeutlich gewordenen Gesichtszügen zu forschen, um die Erklärung für diesen zweiten Abschied zu finden: „Schließlich sagte sie 'Ja...', schluchzte einmal – ein einziges Mal – ganz kurz und undeutlich auf und wandte sich zum Gehen" (690). So wird die vor langen Jahren abgebrochene Liebesgeschichte nun zu ihrem sinnfälligen Ende gebracht. Dem Leser wird vor Augen geführt, was der Senator in all den Jahren auch nicht übersehen haben konnte, obwohl davon in der weiteren Erzählung nicht die Rede war: daß Anna eine wahre Tochter der Erde und so ein Symbol der Fruchtbarkeit ist. Auch darin, wie sie vom Leben verbraucht wurde, ist sie das Gegenstück zu Gerda, die neben ihrem verfallenden Mann nicht gealtert ist. Bei der letzten Schilderung von Gerdas kühler Schönheit mag der Leser sich fragen, wie alt diese denn nun 'in Wirklichkeit' sein muß. Vielleicht schiebt sich ihm dabei in die realistische Rechnung die literarische Erinnerung an den Streit um Helenas Alter, der Goethe in Faust II zur poetischen Ironie verlockt hat.[15]

Viel früher schon tut der Leser gut daran, einmal nachzurechnen – dort, wo es beim Tod des Senators von Anna Iwersen heißt: „Sie ging schwer, denn sie war guter Hoffnung wie gewöhnlich" (689). Thomas Buddenbrook stirbt 1875. Annas Verehelichung aber wird unter der Hand mitgeteilt, als Tony in die Familienpapiere einträgt, daß ihre Ehe mit Grünlich rechtskräftig wieder aufgelöst wurde: im Februar 1850![16] Annas beständige Fruchtbarkeit hält demnach 1875 schon volle 25 Jahre an. Die Tatsache als solche ist wichtig, über die Zahl der von ihr geborenen Kinder verlautet nichts. Und es wird auch nicht mitgeteilt, ob nicht den Senator beim Anblick der ewig Schwangeren gelegentlich der Gedanke beschlich, daß dem Verfall seiner Familie vielleicht durch eine Heirat mit Anna Einhalt geboten worden wäre. Über die vom toten Senator Abschied nehmende Anna vermerkt der Erzähler lediglich, ihre „Erscheinung im allgemeinen" sei mit den Jahren ein bißchen gemein geworden, „aber die schmalgeschnittenen schwarzen Augen sowie die malaischen Wangenknochen waren reizvoll, und man sah wohl, daß sie einstmals außerordentlich hübsch gewesen sein mußte" (689). „Gemein" ist hier nicht im abschätzigen Sinn von ordinär zu verstehen, sondern in der älteren Bedeutung von gemeinem Mann oder Volk, und zu den gemeinen Leuten gehört Anna nun, weil sie vom Leben verbraucht und nicht morbid verfeinert wurde.

Es ist eine verzeihliche Narretei, aber doch eine Narretei, wenn der Leser eines Romans darüber nachzudenken beginnt, was alles hätte anders werden können, wenn eine Figur, an deren imaginärem Leben er teilnimmt, sich an der Wegkreuzung der Liebe nicht nach der schließlich vom Autor gewählten Seite, sondern nach der andern gewandt hätte. Keine Kinderei aber ist es, wenn der Leser, anstatt auf seine Weise den Faden des Romans weiterzuspinnen, darüber nachdenkt, warum die Figur von ihrem Erfinder überhaupt vor eine solche Wegkreuzung geführt wurde. Da hat sie sich dann mit einer Freiheit, die der Willensfreiheit sehr ähnelt, welche der Mensch dem allmächtigen Gott gegenüber hat, für jenen Weg entschieden, der vom Ende her als die Entelechie der Figur erscheint. Das Ende ist im Falle der Buddenbrooks die Auflösung, das Erlöschen. Wer unter solchem Gesetz steht, wird an die Wegkreuzung nur geführt, damit er die Richtung wähle, die zum Ende führt. Aber die Wegkreuzung ist nötig, damit das Drama die Erhöhung zur Tragödie erfährt und der fahle Glanz des Verhängnisses auf die Menschen fällt, die in diesem Zwielicht zu lebendigen und wahrhaft leidenden Gestalten werden, anstatt nur wie Puppen an den Fäden des Schicksals zu agieren. Der Zuschauer muß ahnen, ja wissen, daß der Held falsch handelt, wenn er mit ihm fühlen und mit ihm leiden soll.

Zunächst einmal leidet er mehr mit dem armen Mädchen Anna. Denn daß der bürgerliche Kronprinz, den Pflichten seines Standes gemäß, an die zukünftige Partie denkt und daher meint, er müsse der Liebe den Abschied geben, gewinnt ihm nicht eben die Sympathie, auch wenn man ihm den Kummer glaubt. Der hält sich freilich in Grenzen. Man muß ihm diesen Schmerz als einen echten abnehmen, sonst ergreift man einseitig Partei für Anna und wartet nur darauf, daß ihm vom Schicksal heimgezahlt werde, was er dem Schicksal an Tribut leisten zu müssen glaubt, und was doch vor allem von der einzigen Barschaft des Mädchens abgehoben wurde. Aber schließlich will der Autor weder die Bestrafung des reichen Verführers noch den Fall eines großen Hauses vorführen, sondern den Verfall einer Familie. Daher kann er weder einen individuellen noch einen klassenspezifischen Übeltäter gebrauchen. Wohl aber braucht er einen Menschen, der zwar handelt, wie es sich gehört, dessen verfeinertes und den puren Lebenswillen schon zersetzendes Bewußtsein jedoch bereits die moralische Fragwürdigkeit der klassenegoistischen Konvention zu empfinden anfängt. Einem solchen Menschen bewahren wir unsere Teilnahme auch dann, wenn er sich selbst nicht bis auf den Grund zu sehen wagt, weil er sonst auf gefährliche Weise an etwas rühren müßte, was ihn zu der ihm allein noch möglichen Lebensleistung befähigt: an seine Überzeugung von der Pflicht, die ihm als Erben der Familientradition auferlegt ist. Wie könnte er, bei dem schon in der Jugend die Zeichen der Dekadenz unübersehbar sind,[17] anders die Kraft finden, jene Form zu übernehmen und noch eine kurze Zeit weiterzuführen, die ihm nicht nur ein Äußeres ist – wenn auch, ebenso wie das dazugehörige Geld, kein widerwärtig überkommenes Äußeres! Wobei er freilich bei der lebenslang zu leistenden Aneignung dieses Erbes seinen ganzen Willen verbrauchen wird, so daß ihm gegen Ende nur noch bleibt, wegen der inneren Aushöhlung diese Form zu spielen, „die dehors zu wahren", wie die verdächtig früh auftauchende Devise lautet; solange, bis schließlich das Leben durch die Hand des Todes brutal die „dehors" zerschlägt.

Sollte indessen die Neigung des Lesers für Thomas Buddenbrook durch die größere Teilnahme am Schmerz der kleinen Anna doch mehr gelitten haben, als für den langsamen Gang der Erzählung und die für einen so tragenden Helden nötige Sympathie gut wäre, wird alsbald für Ausgleich gesorgt. Zu erfahren ist nämlich, daß Thomas Buddenbrook es sich nicht allzu leicht gemacht hat, und daß ihn zumindest die Vorstellung gestreift haben muß, es mit der Liebe und gegen die Familie zu wagen. Aber wie hätte er das wirklich riskieren mögen, wo ihm so deutlich das klägliche Scheitern eines ähnlichen Versuchs vor Augen stand! Es ist das Beispiel des Onkels Gotthold, an dem sich für einen Buddenbrook ablesen läßt, was geschieht, wenn einer um der vermeintlich großen Liebe willen die Weisheit, ja den Zorn der Familie mißachtet und, anstatt eine Partie zu machen, einen Laden heiratet. Einen Laden heiraten – das ist die Formel, die, wie längst kraft leitmotivischer Wiederholung in des Lesers Ohr, so in Thomas Buddenbrooks Kopf sitzt. Am Beispiel Gottholds ist weniger abschreckend, daß da einer sich mutwillig ums große Erbe gebracht hat und deshalb gezwungen ist, das Glück seiner eigensinnigen Liebe ein Leben lang in kleinen Verhältnissen zu fristen, als vielmehr das Ergebnis dieser trotzigen Liebeswahl: mickrige Töchter, die keiner haben will, jene Damen Buddenbrook aus der Breitenstraße, die Parzen der Unzufriedenheit, die alles bemäkeln oder höhnisch begleiten werden, was als der Verfall des reicheren Zweiges der Familie ihnen selbst zu nicht endender Ersatzbefriedigung verhilft.

An der Leiche seines Onkels Gotthold hält Thomas, in das „tote Gesicht mit den etwas weichlichen Zügen und den weißen Koteletts" blickend, ein Selbstgespräch, und wie durch den Monolog im Drama, so gewinnen wir auch hier einen rück- und vorausweisenden Einblick in das Innere des Helden: „Du hast es nicht sehr gut gehabt, Onkel Gotthold... Du hast es zu spät gelernt, Zugeständnisse zu machen, Rücksicht zu nehmen ... Aber das ist nötig ... Wenn ich wäre wie du, hätte ich vor Jahr und Tag bereits einen Laden geheiratet..." (276). Die Devise „die dehors wahren!" schiebt sich dem Sinnenden in die Gedanken. Zwar ist auch Hochmut im Spiel, aber nicht Anmaßung allein läßt den jungen Buddenbrook dem mißglückten und lebenslänglich, ja über den Tod hinaus zu bezahlenden Befreiungsversuch des Verwandten jede Größe absprechen: „Wolltest du es überhaupt anders, als du es gehabt hast? Obgleich du trotzig warst und wohl glaubtest, dieser Trotz sei etwas Idealistisches, besaß dein Geist wenig Schwungkraft, wenig Phantasie". Den Willen zum Höheren, den er dem Toten aberkennt und sich selber zuspricht, nennt Thomas den wahren Idealismus. Der gilt, wie nach dem freiwilligen

Verzicht auf die erste Liebe zu erwarten war, der geheiligten Institution: der Tote hatte „wenig von dem Idealismus, der jemanden befähigt, mit einem stillen Enthusiasmus, süßer, beglückender, befriedigender als eine heimliche Liebe, irgendein abstraktes Gut, einen alten Namen, ein Firmenschild zu hegen, zu pflegen, zu verteidigen, zu Ehren und Macht und Glanz zu bringen". Das ist schon beinahe die Sprache, die wir später wieder und wieder, und durch den wachsenden Widerspruch zur Wirklichkeit in sich steigernder unfreiwilliger Parodie, aus dem Munde der Schwester vernehmen werden. Dem Mythos vom Verfall einer Familie muß ein interner Familienmythos korrespondieren, denn durch ihn unterscheidet sich eine solche Familie von anderen biologisch-gesellschaftlichen Zweckverbänden.

Nur wenn die höhere Phantasie nicht ausreicht, am Mythos der Familie weiterzudichten, wird in einem aus dem Gefühlsüberschwang stammenden Anfall von Mut die Poetisierung des Daseins in der jungen Liebe versucht. Ein solcher Versuch lebt von Vergänglicherem als von der Tradition. Von der Poetisierung des Daseins hat die Romantik geschwärmt, und es ist nicht ganz abwegig, hier an die Anregungen zu denken, die Thomas Mann durch Georg Brandes erhalten hat. Denn dessen 'Hauptströmungen des neunzehnten Jahrhunderts' entstammt ein wesentlicher Teil des geistesgeschichtlichen Rüstzeugs, das Thomas Mann instand setzte, die verschiedenen Buddenbrook-Generationen mit charakteristischen Zügen der historischen Epochen zu versehen.[18] Poetisieren heißt idealisieren, und wenn diese Tätigkeit nicht eine Sache des kurzen Rausches, sondern ein lebenslanges Geschäft sein soll, bedarf es dazu des beständigen, des stillen Enthusiasmus. Er ist wahrer Idealismus auch und gerade dann, wenn er einem „Firmenschild", einem alten Namen also, gilt. Wer dagegen revoltiert, weiß davon nichts oder will davon nichts wissen. – Es ist folgerichtig, daß der an der Leiche des Onkels monologisierende Thomas von der Phantasie, dem Idealismus und Enthusiasmus schließlich zur Poesie gelangt: „Der Sinn für Poesie ging dir ab, obgleich du so tapfer warst, trotz dem Befehl deines Vaters zu lieben und zu heiraten." Nur der Sinn für „Poesie" kann die Energie aufs höhere Allgemeine, ein „abstraktes Gut", lenken, und gerade das Opfer, das gefordert wird, verhindert, daß die Energie an Minderem verlorengeht. Der gefühlsgerechte Trotz gegen das bürgerliche, für philisterhaft erklärte Familienethos ist nur der kürzeste Weg zur kleinbürgerlichen Krämeridylle, und der ihn wählt, hat keinen echten Hang zum Höheren:

„Du besaßest auch keinen Ehrgeiz, Onkel Gotthold. Freilich, der alte Name ist bloß ein Bürgername, und man pflegt ihn, indem man einer Getreidehandlung zum Flor verhilft, indem man seine eigene Person in einem kleinen Stück Welt geehrt, beliebt und mächtig macht... Dachtest du: ich heirate die Stüwing, die ich liebe, und schere mich um keine praktischen Rücksichten, denn sie sind Kleinkram und Pfahlbürgertum?" (276) Wenn es gilt, die Annahme der bürgerlichen Ethik als eine freie Wahl zu vollziehen, ist es am Platz, die Grundsätze zu rekapitulieren. Nach Generationen tragen die niederen Stände oft nicht nur die Kleider, die einst bei den höheren Mode waren, auch deren Moral wird wie eine Tracht getragen: dort dienen, wohin man von Gott gestellt wurde; sich selbst mit der Welt ehren, für die man die Verantwortung zu übernehmen hat; und wenn die Welt klein ist, so ist man doch König in diesem Reich. Der Abglanz des Gottesgnadentums liegt auch auf den bürgerlichen Firmenchefs und Familienvätern. Und hier gilt es, Bescheidenheit und Stolz, Demut und Würde ins Gleichgewicht zu bringen: „Oh, auch wir sind gerade gereist und gebildet genug, um recht gut zu erkennen, daß die Grenzen, die unserem Ehrgeize gesteckt sind, von außen und oben gesehen nur eng und kläglich sind. Aber alles ist bloß Gleichnis auf Erden, Onkel Gotthold! Wußtest du nicht, daß man auch in einer kleinen Stadt ein großer Mann sein kann?" Hier nun entfernen sich die Gedanken des Jünglings von jenen Vorstellungen, die er noch mit einiger Wahrscheinlichkeit dem Verstorbenen als dessen eigene unterschieben mochte. Denn Onkel Gottholds Traum hatte fürwahr nicht einer Größe gegolten, für die es in Lübeck an Platz gemangelt hätte. So wird denn am Ende des Monologs deutlich, daß es nicht um eine stellvertretende Abrechnung der Familie mit dem Toten geht, ja nicht einmal um die stellvertretende Rechtfertigung dafür, daß man den Ausbrecher für seinen Trotz und seinen Sündenfall aus Liebe so hart bestraft hat. Wohl aber darum, daß Thomas Buddenbrook sich vor sich selbst rechtfertigt, nicht wie Gotthold gehandelt zu haben. Er sucht alle höheren Gründe zusammen, die ihn zum Verzicht auf die Liebe gezwungen haben, und dabei überschreitet er die Grenze, an der Selbstachtung und Stolz zum Hochmut werden. Angesichts eines Toten sollte der Satz, daß alles nur ein Gleichnis auf Erden sei, nicht so zweckdienlich gebraucht werden: ob Gotthold nicht gewußt habe, „daß man ein Cäsar sein kann an einem mäßigen Handelsplatz an der Ostsee"? Dazu gehöre freilich „ein wenig Phantasie, ein wenig Idealismus". Man hört das plötzlich mit anderen Ohren, weil man den Mißklang vernommen hat, durch den das Schicksal sich von weit her bereits ironisch angekündigt, wenn man Thomas Buddenbrook sich nun von dem Toten abwenden und, „ein Lächeln auf seinem intelligenten Gesicht", zur Fassade des gegenüberliegenden gotischen Rathauses blikken sieht.

Alles ist nur ein Gleichnis... Fünfzehn Jahre dauert die *Education sentimentale* des Thomas Buddenbrook, bis ihm der Satz sich in jenes andere Wort verwandelt haben wird, mit dem er seine Unterwerfung unter das Schicksal seiner Familie besiegelt: „Alles hat seine Zeit" (584).

Liebe und Kabale – Das Glied in der Kette

Sowenig der 'Zauberberg' mit all seinem medizinischen Detailrealismus ein Lehrstück über die Tuberkulose-Therapie zu Beginn des zwanzigsten Jahrhunderts werden wird, sowenig ist der Roman 'Buddenbrooks' ein Demonstrationsobjekt biologischer Degeneration. Was im letzten Teil über den Typhus gesagt wird, gilt für alle Verfallssymptome, die sich im Organischen zeigen: es sind nur die zufälligen, wenn auch mit Akribie und leitmotivischer Besessenheit festgehaltenen Erscheinungen einer Erschöpfung, die mehr und anderes ist als nur Schwächung der Lebenskraft. Immer handelt es sich um symbolisierende Mittel, die den Mythos der Dekadenz verdeutlichen sollen. Das gilt vor allem für jene Verfallssymptome, deren Herkunft von Nietzsches ohnehin schon stark mythisierender Dekadenzanalyse unübersehbar ist.[19]

Durch das Grundthema des Werkes ist Tonys Schicksal vorherbestimmt. Sie ist zwar gesünder als die anderen. Noch die von Thomas Mann selten ausgelassene und durch die ganze Literatur des Fin de siècle geisternde Nervenschwäche ist bei ihr auf „Störungen der Magennerven" (375) zurückgenommen. Die Auszehrung der Familie wäre für Tony nicht verhängnisvoll geworden, hätte sie anstatt eines Grünlich ihren Morten heiraten dürfen. Aber sie muß das Los ihrer Geschwister teilen und wie diese den Verfall durch falsches Heiraten vollenden helfen.

Im Geschick der gesünderen Tony wird jene Instinktverkehrung der zweiten Generation sichtbar, die durch die zunächst noch unverdorbene Reaktion der davon direkt betroffenen dritten Generation schon nicht mehr reguliert werden kann. Tonys Eltern, in deren Geisteshaltung sich die Restaurationsepoche widerspiegelt, verfallen mehr und mehr einer kritiklosen schwärmerischen Frömmelei. Selbst die bei den Sonntagschristen ansonsten nie gestörte Verbindung des geschäftlichen mit dem verbürgerlichten christlichen Geist funktioniert da nicht mehr richtig. Aber nicht etwa, weil ein geschärfteres Gewissen der Gelderwerbung und -verwaltung hinderlich geworden wäre, sondern weil das Frömmlertum selbst schon Ergebnis einer Schwächung ist, mit der bereits das Unterscheidungsvermögen und damit die Sicherheit verlorenging. Die Rückneigung, wie Thomas Mann in späterer Zeit gerne das Wort Reaktion übersetzt hat, diese Hingabe an ein romantisch durchsetztes, also gefühliges und nur scheinhaft wiederbelebtes Christentum, mußte schon dem älteren, noch ganz dem achtzehnten Jahrhundert verpflichteten Buddenbrook als ein Rückfall erscheinen. Die Hoffnung des Familiengeistes gilt der Wiederkehr der kräftigeren Tugenden des alten Buddenbrook in der Enkelgeneration, man glaubt allenthalben Ähnlichkeiten zwischen Thomas und seinem Großvater entdecken zu können. Nun teilt zwar die Enkelgeneration, bei allem Respekt vor den Eltern, mit dem Großvater die Kritik an den religiösen Gepflogenheiten des Konsulpaares. Und nicht nur Thomas oder der in diesem Fall durch seine Imitationsgabe ohnehin gefeitere Christian durchschauen den Frömmigkeitsschwindel. Selbst Tony, sonst jedem Einfluß ausgeliefert und Meinungen und Redewendungen wie ein Schwamm aufsaugend, erweist sich in diesem Punkt so unbeeinflußbar, daß sie sicher zu urteilen vermag und in ihrer Kritik an der pastoralen Heuchelei eine Schärfe erreicht, die den mitbetroffenen Eltern als unreife Renitenz erscheint. Und doch reicht diese Immunität nicht hin, die Krankheit zu überwinden, die auch die jüngere Generation schon ergriffen hat. Sobald nämlich die Frömmelei nicht mehr in der allgemeinen biedermeierlichen Form auftritt, sondern als das geheiligte Recht der Familie, erweist sich Tony als besonders anfällig.

Was die Wahrscheinlichkeit einer Handlung und die psychologische Glaubwürdigkeit betrifft, pflegen die ernsthaften Romanautoren zumindest in neuerer Zeit einigermaßen sorgfältig, wenn nicht gar skrupulös zu sein. Sie können nicht, wie es auch viele große Dramendichter getan haben, auf die Wirksamkeit der augenblicklichen Überraschung zählen, dürfen also nicht mit dem Coup rechnen, dessen Effekt für den Erfolg wichtiger ist als die subtile psychologische Unterbauung. Thomas Mann zählt gewiß zu den Erzählern, die durch psychologisches Raffinement hervorstechen. Dennoch verfährt er von früh an mit einiger Unbekümmertheit, wenn es den großen Motivzusammenhang herauszuarbeiten gilt. Auch hier erweist er sich lebenslang als ein guter Schüler Richard Wagners. Beim Schöpfer des 'Ring' hat sich die differenzierteste psychologische Durchdringung und Neugestaltung des mythischen Materials mit einer die Simplizität nicht vermeidenden Deutlichkeit des Handlungseffektes zu einer Einheit verbunden, der musikalisch die Verschmelzung der nuanciertesten Chromatik mit einer die Brutalität nicht scheuenden Eindringlichkeit der motivischen Melodik entspricht. Es ist gewiß nicht jugendliche Unbeholfenheit, nicht Unvermögen oder Neigung zur Kolportage, was den Verfasser von 'Buddenbrooks' im Falle von Tonys Verheiratung dazu gebracht hat, ihre Eltern auf schon fast unwahrscheinliche Weise agieren zu lassen: blind, plump und erpresserisch. Gerade so wird ihr Handeln zur Fatalität.

In einer hinter Fontane oder Flaubert zurückgehenden, fast noch an Balzac erinnernden Manier wird dem Leser zugemutet, es hinzunehmen, daß diese Eltern auf einen Heuchler und Betrüger vom Augenblick seines ersten Auftritts an hereinfallen, obwohl der Erzähler ebenfalls vom ersten Augenblick an gar keinen Zweifel an der Widerwärtigkeit dieses Grünlich aufkommen läßt. Doch riskiert der Autor das, weil er, nachdem er das große Thema vom Beginn des Romans an spielerisch introduziert hat, es nun zum ersten Mal voll ertönen läßt. Denn mit der ersten, von der zweitältesten Generation gewollten und allein zu verantwortenden Heirat des Geschwisterquartetts nimmt der Verfall der Familie seinen nicht mehr umkehrbaren Verlauf. Zur Verdeutlichung dient vor allem die Pervertierung der Tradition. Die geheiligte Überlieferung stellt bei einer Heirat, die ohnehin nur als eine 'Partie' in Frage kommt, die Forderungen der Familie und der Firma immer vor die vermeintliche Anmaßung des Herzens. Legitimiert wird eine solche Forderung gewöhnlich nicht nur durch die Berufung auf den strapazierten moralischen Grundsatz, demzufolge der Egoismus des einzelnen zurückzustehen habe gegenüber dem größeren Ganzen, sondern auch durch die vielberufene Erfahrung, nach der die Begeisterung der ersten Liebe noch weniger lang vorhalte als die vom Geld und den Familien abgesicherte und abgesegnete Bindung. Selbst der Vorteil des Individuums soll so eher durch die Wahl der Familie als durch die eigene garantiert sein. Dem Schema zufolge trifft das bei den aufsteigenden Familien zu; bei ihnen ist eine Tradition erst im Entstehen, weil am Anfang die ohne Sentimentalität geschlossenen Geldehen in der Regel tatsächlich erfolgreich sind: die biologische Substanz garantiert im

Verein mit der seelischen Robustheit, daß es gut und aufwärts geht. Ist aber die Höhe überschritten, beginnt sich alles umzukehren.

Im Falle der Tony Buddenbrook wird diese Umkehrung als die katastrophenträchtige Perversität, also die buchstäbliche Verkehrung der Tradition selbst, vorgeführt, und sie wird um des Effektes willen bis an die Grenze der psychologischen Zumutbarkeit getrieben. Als es vier Jahre nach der Eheschließung zum Bankrott Grünlichs kommt, erfährt der Vater und Lübecker Großhändler Buddenbrook aus dem Munde von Grünlichs feixendem Bankier Kesselmeyer: „Aha, schon vor Jahren, als uns schon einmal das Messer an der Kehle stand... der Strick um den Hals lag... wie wir da plötzlich die Verlobung mit Mademoiselle Buddenbrook an der Börse ausschreien ließen, noch bevor sie wirklich stattgefunden hatte" (228). Und, noch stärker, so daß dem Konsul Buddenbrook das Grauen „den Rücken hinunter" rinnt: „Man legt dem rettenden Herrn Papa recht hübsche Bücher vor, allerliebste, reinliche Bücher, in denen alles aufs beste bestellt ist... nur daß sie mit der rauhen Wirklichkeit nicht völlig übereinstimmen... Denn in der rauhen Wirklichkeit sind drei Viertel der Mitgift schon Wechselschulden!" (229) Es ist sogar noch eine Steigerung möglich, hat doch der Konsul einst 'sichere' Erkundigungen eingezogen: „Aha? Erkundigungen? Bei wem? Bei Bock? Bei Goudstikker? Bei Petersen? Bei Maßmann & Timm? Die waren ja alle engagiert... Die waren ja alle ungemein froh, daß sie durch die Heirat sichergestellt wurden" (229). Die Berufsblamage trifft den Konsul nicht minder hart als der Verlust der Mitgift, er „fühlte in seinem Stolz als Geschäftsmann sich bitter gekränkt und verwand schweigend die Schmach, so plump übers Ohr gehauen worden zu sein" (234).

Plump sind nicht nur die geschäftlichen Schwindeleien, plump ist auch das schmeichlerische Auftreten des Pastorensohnes Grünlich, das sofort Tonys Verdacht weckt: „Woher kennt er meine Eltern? Er sagt ihnen, was sie hören wollen" (97). Darauf hereinzufallen ist so schlimm, wie wenn der Kaufmann Buddenbrook bei der Prüfung der Geschäftsbücher seines zukünftigen Schwiegersohnes diese voller Entzücken „zum Einrahmen" findet (113). Vor diesem Hintergrund werden die Phrasen, mit denen Tony zur Ehe überredet werden soll, nicht nur in ihrer Hohlheit offenkundig, sondern sie wirken als purer Hohn auf die Prinzipien, die mit ihnen verteidigt werden sollen. Es beginnt mit der ewigen Leier: „Du kannst sicher sein, nicht wahr, daß deine Eltern nur dein Bestes im Auge haben, und daß sie dir nicht raten können, die Lebensstellung auszuschlagen, die man dir anbietet" (104). Überzeugt davon, daß es sich bei Herrn Grünlich nicht nur um einen bestsituierten Geschäftsmann handle, sondern auch um einen „vollkommen erzogenen Mann" und einen christlichen und achtbaren Menschen (102), der zwar keine Schönheit sei, – „nein, mein Gott, nein, er ist kein Beau", gesteht sogar der Konsul seiner Gattin ein – „aber immerhin im höchsten Grade präsentabel" (113), irritiert es diese Eltern nicht im geringsten, daß Tony ihn „nicht ausstehen" kann (108): „Einem so jungen Dinge, wie du, ist es niemals klar, was es eigentlich will ... Im Kopfe sieht es so wirr aus wie im Herzen ... Man muß dem Herzen Zeit lassen und den Kopf offen halten für die Zusprüche erfahrener Leute, die planvoll für unser Glück sorgen" (105). So die Mutter, und das Vater-Echo: „Du bist ein kleines Mädchen, das noch keine Augen hat für die Welt, und das sich auf die Augen anderer Leute verlassen muß" (105). Dann wird die Schraube etwas angedreht: die Verbindung, die sich ihr darbiete, sei vollkommen das, was man eine gute Partie nenne (106). Bedenkt der Leser, daß Tony hübsch, jung und reich ist und weder im Kloster noch auf dem Land lebt, so ist er versucht zu fragen, ob denn keiner von den jungen Männern Lübecks, die als präsentabel gelten dürfen, sich je für sie interessiert hat. Aber so fragen hieße, die Wahrscheinlichkeit der Kompositionsabsicht ins Gehege kommen zu lassen, und die schreibt nun einmal einen Schwindler wie Grünlich vor. Darum wird gedroht: „daß sich eine solche Gelegenheit, dein Glück zu machen, nicht alle Tage bietet, und daß diese Heirat genau das ist, was Pflicht und Bestimmung dir vorschreiben" (107).

Der ironische Effekt wird voll erreicht, wenn die Wahrheit gesagt, aber das Gegenteil davon gemeint oder verstanden wird. Als Grünlich bei seiner Werbung nicht weiterkommt, versucht er es mit Kniefall und Todesdrohung, und dabei bekennt er Tony, was es in der Tat mit ihm auf sich hat: „Haben Sie ein Herz, ein fühlendes Herz? ... Hören Sie mich an ... Sie sehen einen Mann vor sich, der vernichtet, zugrunde gerichtet ist, wenn ..." Vor so viel Offenheit bekommt selbst Grünlich, dessen Erschütterung als solche ja echt, wenn auch ganz in seinen Plan eingebaut ist, Angst: gelingt diese Heirat ihm nicht, ist er wirklich vernichtet! So unterbricht er sich „mit einer gewissen Hast", das heißt, er bemäntelt die eigentliche, nackte, nur ihm und seinen Hamburger Gläubigern bekannte Wahrheit ein wenig, obwohl er gewiß sein kann, daß Tony von dieser Wahrheit nicht das Geringste ahnt: „... zugrunde gerichtet ist, wenn ... ja, der vor Kummer sterben wird, wenn Sie seine Liebe verschmähen!

Hier liege ich..." (112). Als Pastorensohn hätte er mit dem drohenden Bankrott im Hintergrund auch sagen können: hier liege ich und kann nicht anders, Gott helfe mir. Alles wiederholt sich vier Jahre später wortwörtlich, wodurch die Szene ins Artistisch-Symbolische hochgetrieben wird.

In derselben ironischen Manier läßt der Autor Grünlich, „mit vor Heiterkeit zitternder Stimme", die ganze Wahrheit im Übermut der erreichten Verlobung aussprechen: „Hab ich dich doch erwischt? Hab ich dich doch noch ergattert?" (163) Vier Jahre später fragt Kesselmeyer, wie „wir" es eigentlich angefangen haben, „das Töchterchen und die achtzigtausend Mark zu ergattern" (229). Als Verlobte entzieht Tony sich mit einem „O Gott, Sie vergessen sich!" Grünlichs Versuch, „sie auf seine Knie zu ziehen, um seine Favoris ihrem Gesichte zu nähern" (163). Hält sie doch die Bekundung seiner vorwegnehmenden Besitzergreifung für einen erotischen Akt!

Solche Ironie ist schon im Spiel, als die Konsulin der sich sträubenden Tochter vorhält: „'Der Weg, der sich dir heute eröffnet hat, ist der dir vorgeschriebene, das weißt du selbst recht wohl...'" (107). Es ist in der Tat der ihr vorgeschriebene. Denn wie könnte ihr noch instinktsicherer Widerwille stärker sein als jenes Fatum, das die Eltern mit Blindheit geschlagen hat und das den Chef der Firma hoffen läßt, wo es fürwahr nichts zu hoffen gibt. Der Leser ahnt nicht nur, sondern weiß bereits, was unterm Strich herauskommen muß, wenn der Kaufmann Buddenbrook gleich zu Beginn Herrn Grünlich in seine große Kalkulation einsetzt: „'Ich kann nicht anders, als diese Heirat, die der Familie und der Firma nur zum Vorteil gereichen würde, dringend erwünschen!'" Warum so dringend? Weil wir uns „in den letzten Jahren bei Gott nicht in allzu hocherfreulicher Weise aufgenommen" haben. Man ist, „seit Vater abgerufen wurde", nicht „vorwärts" gekommen (114). 'Vorwärts' ist eine Abwandlung des Grundthemas, das als Titel ursprünglich 'Abwärts' lauten sollte und in dieser kürzesten Form wie ein musikalisches Kernmotiv nicht nur variiert, sondern auch umgekehrt werden kann. Da es einen Stillstand nicht geben darf, weil andere immer dabei sind, nach oben zu kommen, geht es rückwärts, sobald man nicht vorwärts kommt.

Das Stichwort, mit dem das Familienoberhaupt die Lage der Firma kennzeichnet, fällt im Zusammenhang der erwünschten Heirat nicht zum ersten und nicht zum letzten Mal. Eben dort, wo die Mutter vom vorgeschriebenen Weg spricht, läßt der Verfasser Tony selbst über ihre

„Verpflichtungen gegen die Familie und die Firma" meditieren, deren sie sich „wohl bewußt" und auf die sie „stolz" sei. Anstatt vom Weg ist von der „Geschichte" der Familie die Rede, von der Tony durchdrungen ist. Das bedeutet aber, daß ein zurückgelegter Weg betrachtet und aus seinem Verlauf die zukünftige Richtung abgelesen wird: „Schon der Gewandschneider zu Rostock hatte sich s e h r gut gestanden, und seit seiner Zeit war es immer glänzender bergauf gegangen. Sie hatte den Beruf, auf ihre Art den Glanz der Familie und der Firma... zu fördern, indem sie eine reiche und vornehme Heirat einging". Tony versucht, ihre im vorhinein akzeptierte höhere Berufung mit dem gesunden individuellen Widerwillen in Einklang zu bringen, um so jenes auch von Thomas erstrebte Gleichgewicht zu finden. „Ja, die Art dieser Partie war sicherlich die richtige; aber ausgemacht Herr Grünlich..." (107) Die Fixierung auf die „Partie" ist bereits ein Hinweis darauf, daß Tony auch dann nicht vom Weg abweichen kann, wenn dieser Weg abwärts führt, und nicht einmal, wenn sich daneben einer auftut, der immerhin ins Reich der Liebe führen würde, von dem aus es auf neue und andere Art wieder aufwärts gehen könnte.

Des Konsuls Feststellung, daß es nicht vorwärtsgegangen sei, wird so präludiert durch Tonys rückwärts gewandten Blick, der die Vergangenheit verklärt. Als Projektion der Zukunft kann diese Verklärung nur eine Illusion sein. Dem entspricht, daß am Ende des ersten Teils der Grünlich-Episode diejenigen wieder ins Spiel gebracht werden, mit denen es wirklich bergauf geht: die Hagenströms. Auf sie kommen Thomas und Tony zu sprechen, wie selbstverständlich und ohne sich der gerade darin liegenden Zwanghaftigkeit bewußt zu werden, als sie von Lübeck nach Travemünde fahren. Dort soll Tony eine Weile bleiben, um sich zu erholen und „Räson" anzunehmen (115). Denn alle Pressionen sind ohne Erfolg geblieben, selbst die schlimmste, vor der man nicht zurückgeschreckt ist: in der Marienkirche hatte der wohlinstruierte Pastor über den Text gepredigt, „der da besagt, daß das Weib Vater und Mutter verlassen und dem Manne nachfolgen soll, – wobei er plötzlich ausfallend wurde" (115). Soweit also reicht die Macht dieser Familie, daß sie noch die Kirche in ihren Dienst nehmen kann. Auf dem Weg nach Travemünde äußert sich Tony über ihre Erzfeindin: „Julchen *soll* sich diesen Sommer mit August Möllendorpf verloben, und Julchen *wird* es tun! Dann gehören sie doch endgültig dazu!" Gegen ihre Empörung über diese „hergelaufene Familie" erinnert der gerechtere Bruder daran, daß diese Familie sich geschäftlich herausmache, und das sei die Hauptsache. In der Nähe zu Fontane wird das Gespräch in jenem leichten Plauderton gehalten, der doch den Leser über den Ernst der Situation nicht täuschen soll. Die Verteidigung der Hagenströms, mit der sich Thomas auch ein wenig über den Haß der Schwester mokiert, wird von ihm mit zwei Zitaten gestützt: „Großvater sagte von Hinrich Hagenström: 'Dem kalbt der Ochse', das waren seine Worte..." Und: „Wie Papa neulich sagte: Sie sind die Heraufkommenden" (118/119). Vom Großvater an, mit dessen Generation die e r z ä h l t e Geschichte beginnt, begleiten die Hagenströms die Buddenbrooks, diese absteigende Familie, der nun bald schon die Kühe nicht mehr richtig kalben werden. Von den Hagenströms kommt Thomas auf die eigene Sippschaft zurück. Zwar erwähnt er nur die entfernteren Verwandten, als er die „wunden Punkte" aufzählt, um Tony daran zu mahnen, daß man „keinen Stein aufheben" solle. Aber der Leser, dem Onkel Justus so gleichgültig bleibt wie ein Vetter, mit dem nicht alles in Ordnung ist, zieht eine andere Linie, wenn er Thomas schließlich sagen hört: „Wenn du übrigens den Hagenströms die Waagschale halten willst, solltest du doch Grünlich heiraten!" (119) Treibt er seinen Spott mit der Schwester so weit? Bewahre! Bei Grünlichs erstem Besuch war von der Reaktion der Geschwister die Rede. Christian hat ihn natürlich vortrefflich imitiert, und Tony hat ihn „albern" gefunden (100). Wie schwer dieses Wort wiegt, erfährt man beiläufig sehr viel später: „Wobei daran zu erinnern ist, daß 'albern' einen sehr harten Ausdruck der Verurteilung bedeutete" (295). Während Tony sich damals so kräftig schon gegen Grünlich wehrte, heißt es von Thomas lediglich: Er „enthielt sich des Urteils" (100). Mehr erfahren wir über seine Stellung in der Sache Grünlich nicht, bis er nun der Schwester die Heirat empfiehlt. Da es sich um eine Empfehlung im Zusammenhang von Tonys Aufbegehren gegen das Emporkommen der verhaßten Familie handelt, bleibt sie so zweideutig, daß man auch jetzt noch sagen könnte, er enthielte sich des Urteils. Und dabei wird es bis zu Tonys verhängnisvoller Heirat bleiben. Solcher Neutralität kommt das wachsende Gewicht der objektiven Fatalität zu. Denn bei wem sonst als beim verehrten und geliebten Bruder könnte die Schwester eine Hilfe finden, wenn es gälte, ihren Widerwillen gegen Grünlich in den Willen gegen die Familie umzuwandeln?

Daß Tony in Travemünde zunächst einmal, anstatt sich geradewegs auf ihre angebliche Pflicht zu besinnen, der Liebe begegnet, wäre nichts weiter als ein sehr durchsichtiger Trick, den Leser in Spannung zu halten, wenn es dem Autor nicht gelänge, diesen wenig originellen Einfall konsequent in die vorgegebene Tendenz einzupassen. Denn Morten Schwarzkopf, der Sohn der Wirtsleute, dem Tony alsbald ihre mit einem kindlichen Zukunftsversprechen gekrönte Neigung zuwendet, gehört zu den Heraufkommenden, wenn auch auf andere Art als die Hagenströms. Über Mortens Familie wird der Leser durch einige Informationen aufgeklärt, die Thomas der Schwester gibt. Der Großvater ist Kapitän gewesen, der Vater „hat einen guten Bildungsgang gemacht", was in diesem Fall heißt, er habe eine solide Ausbildung genossen; „die Lotsenkommandantur ist eine verantwortliche und ziemlich gut bezahlte Stellung" (120). Dem fügt der Erzähler hinzu, daß Frau Schwarzkopf eine Pastorentochter sei. Morten selbst studiert Medizin.

Um der Glaubwürdigkeit der dann folgenden bürgerlichen Tragikomödie willen durfte bei Tonys Wahl weder zu hoch noch zu tief gegriffen werden. Zwar gehört die Parallele der romantisch-bourgeoisen Liebe des Bruders zu Anna mit ins Spiel, und der Autor verweist auch mehrfach auf die Entsprechung. Doch mußte sie ihre Grenze bei der Herkunft und dem Stand finden. In einen Mann aus der Schicht Annas hätte sich Tony nie verliebt, eine Romanze von der Art 'Millionärstochter liebt Vaters Kutscher' hätte ihr Familienstolz nie zugelassen. Zum andern konnte nur bei einer gewissen Standeshöhe des Auserwählten Tony auf den Gedanken kommen, dem Vater wenigstens mit einer kleinen Hoffnung auf Billigung von dieser Wahl Mitteilung zu machen. Anlaß dazu ist die wahrhaft impertinente Erinnerung von „Dero Hochwohlgeboren ergebenstem Grünlich" an ein angebliches Versprechen, wobei „Endesunterfertigter" sich erlaubt, der teuersten Demoiselle „mitfolgendes Ringlein als Unterpfand seiner unsterblichen Zärtlichkeit hochachtungsvollst zu übersenden" (146). Die dem Papa im Postscriptum mitgeteilte Beobachtung Tonys, daß der Ring niedriges Gold und ziemlich schmal sei, ist nicht nur ein psychologisch witziges Aperçue, sondern gehört zu jenen Zeichen, die dem Leser immer mehr verraten als den Personen des Romans. Grünlich hat außer seiner mit goldgelben Favoris gezierten Person und dem von seinen Vätern ererbten salbungsvollen Ton in der Tat nichts in dieses Heiratsgeschäft mit einzubringen.

In Tonys Bekenntnisbrief an den Vater werden die beiden wichtigsten Aspekte genannt, unter denen eine Heirat in Buddenbrookschen Kreisen zu sehen ist: Standeszugehörigkeit und Geld, wobei dem Geld der Vorrang zukommt. Um Morten als ranggleich vorzustellen, muß Tony nicht nur über die Gegenwart hinausblicken, also vom zukünftigen Arzt sprechen, sondern auch noch ignorieren, was sie sehr wohl weiß: daß ein Arzt in ihrem Milieu keineswegs mit jenen Akademikern gleichgestellt wird, die aus den reichen Häusern stammen. Wie bei den fürstlichen Familien der Erbprinz, so erhielt bei den Patriziern der Firmennachfolger die auf seinen Beruf zugeschnittene spezielle Ausbildung, während seine Brüder, ähnlich wie beim adligen Geblüt die Geschwister ihr wohlfeiles Unterkommen im Heer oder in der Kirche finden konnten, auf die Universität geschickt wurden. Doch nicht um Medizin, sondern um Jura zu studieren, damit sie in den Besitz der solchen Familien vorbehaltenen Verwaltungspfründen gelangen konnten. Das sind dann die „Gelehrten", denen wir im Roman öfters begegnen, und von denen auch in Tonys Brief die Rede ist: „Ich weiß ja, daß es Sitte ist, einen Kaufmann zu heiraten, aber Morten gehört zu dem anderen Teil von angesehenen Herren, den Gelehrten" (147). Was das Geld angeht, bleibt Tony, da man in Lübeck ohnehin über die Familie Schwarzkopf Bescheid weiß, nichts übrig, als aufs sprichwörtlich Allgemeine zu verweisen, wobei ihr freilich ein Mut unterläuft, wie sie ihn sonst nur mit der Rückendeckung des Familienbewußtseins hat, der diesmal aber auf den revolutionär-demokratischen Geist ihres geliebten Morten zurückgeht: „Er ist nicht reich, was wohl für Dich und Mama gewichtig ist, aber das muß ich Dir sagen, lieber Papa, so jung ich bin, aber das wird das Leben manchen gelehrt haben, daß Reichtum allein nicht immer jeden glücklich macht" (147).

Im väterlichen Antwortschreiben wird Tonys Liebe mit einem Nebensatz erledigt: „Da ich das, was Du mir von einer anderweitigen Neigung schreibst, nicht ernst nehmen kann..." (148) Aber offenbar hat der so autoritär über die Liebe befindende Vater doch die Gefahr erkannt, die seinen Plänen von dieser Neigung droht, weil es sich ja nicht um eine anderweitige, sondern um die alleinige handelt. Er ginge sonst wohl nicht so unverblümt zur Erpressung über. Pflichtgemäß habe er „nicht ermangelt, Herrn Gr." über Tonys „Anschauung der Dinge in geziemender Form zu unterrichten". Das „Resultat" habe ihn „aufrichtig erschüttert": Herr Gr. nämlich sei willens, aus lauter Liebe sich das Leben zu nehmen, wenn sie auf ihrem Entschluß bestünde. Des Vaters christlicher Überzeugung nach ist es des Menschen Pflicht, die Gefühle eines andern zu achten, „und wir wissen nicht, ob du nicht einst würdest von einem höchsten Richter dafür haftbar gemacht werden, daß der Mann, dessen Gefühle Du hartnäckig und kalt verschmähtest, sich gegen das eigene Leben versündigte". Da freilich schon der Mahnung von der Kanzel kein Erfolg beschieden war, traut der Konsul der Drohwirkung mit der Höllenstrafe allein nicht, sondern setzt einen zweiten, kräftigeren Hebel an. Es ist der Appell an den Familiensinn, an jene Macht also, der gegenüber bei Tony alle andere Autorität, selbst die des lieben Gottes und des leiblichen Vaters, nur abgeleitet ist. Zu der hier wiederkehrenden Metapher vom vorgeschriebenen Weg – es ist jetzt der „seit längeren Wochen klar und scharf abgegrenzt" vor ihr liegende Weg – tritt die von der Kette, in der wir nur Glieder sind. Folglich seien wir „nicht *dafür* geboren, was wir mit kurzsichtigen Augen für unser eigenes, kleines persönliches Glück halten", sondern mit „Strenge und ohne nach rechts und links zu blicken, einer erprobten und ehrwürdigen Überlieferung" zu folgen. Und da der Vater sehr wohl den Doppelaspekt von Pflichtgefühl und Eitelkeit bei der töchterlichen Kettenbindung kennt, krönt er die Mahnung so: „...und Du müßtest nicht meine Tochter sein, nicht die Enkelin Deines in Gott ruhenden Großvaters" – es ist eben der, der sich am Anfang des Romans über den Katechismus lustig macht! – „und überhaupt nicht ein würdig Glied unserer Familie, wenn Du ernstlich im Sinne hättest, Du allein, mit Trotz und Flattersinn Deine eignen, unordentlichen Pfade zu gehen". Du allein! Das ist nicht nur die Feststellung, die ganze Familie urteile wie er, sondern zugleich die Warnung, daß Tony, wenn sie den eigenen Pfad statt des vorgezeichneten Weges wählen sollte, nicht mehr zu jenem *corpus mysticum* gehören werde, das da den geheiligten Namen Buddenbrook trägt und in dem sie wahrhaft lebt, webt und ist. Wie überall, wo die entwickeltere Zivilisation die Brachialgewalt als Mittel gegen den Ungehorsam nicht mehr erlaubt, und wo auch die verfeinerte Gewalt der Religion versagt, wird hier mit der Strafe des Liebesentzugs gedroht. Es versteht sich von selbst, daß diese Strafe mit der finanziellen Repression, diesem fühlbarsten Relikt barbarischer Sippenrache, verbunden wäre.

Der Brief des Konsuls ist eine weitere, dem Leser abverlangte Zumutung. Denn wie kann der Rest von Sympathie für diesen Vater noch gewahrt werden? Droht hier das Familienoberhaupt nicht in die Reihe Grünlich, Tiburtius und Tränen-Trieschke zu geraten, also zu einer Gestalt zu verkümmern, bei deren Schöpfung die Liebe des Erfinders allein der zynischen Präzision galt, mit der diese karikaturistischen Existenzen gezeichnet wurden? Aber der Verfasser ist sich offenkundig sicher, daß selbst diesem Vater mit der Liebe seiner Kinder auch der Sympathie-Rest des Lesers erhalten bleibe. Und er hat recht, denn jetzt schon gilt das Mitleid des Lesers nicht allein der Tochter, sondern im vorhinein einem Vater, den nicht nur das menschliche und finanzielle Fiasko der von ihm erzwungenen Ehe treffen wird, sondern mit der Erkenntnis seiner Verblendung auch diejenige seiner Schuld. Weil sich der Autor auf das bereits anhebende Mitleid verlassen kann, darf er sich auch jene psychologische Erklärungshilfe aufsparen, mit der später des Konsuls Erpressung zwar nicht entschuldigt, aber doch einigermaßen verständlich gemacht wird. An jenem sehr irdischen jüngsten Tag der Grünlichschen Ehe, wo den Konsul nicht ohne Grund das Grauen ankommt, und wo der Bankerotteur ihn unterm Einsatz derselben Mittel, die ihm einst Frau und Mitgift eingebracht haben, haftbar zu machen versucht, werden ihm die Worte ins Gewissen dröhnen: „Aber Ihre Tochter, mein Weib, sie, die ich so liebe, die ich mir in so heißem Kampfe erworben, und unser Kind... auch sie im Elend! Nein, Vater, ich würde es nicht tragen. Ich würde mich töten... Und möge der Himmel Sie dann von jeder Schuld freisprechen" (227). Da der Konsul in diesem Augenblick schon beinahe ganz aufgeklärt ist – nur den allerletzten Rest hat er noch vor sich, wie plump er nämlich damals übers Ohr gehauen wurde –, und da er jetzt außer der verlorenen Mitgift noch hundertundzwanzigtausend Mark zur Rettung Grünlichs auszuwerfen hätte, bleibt er hart und läßt im rasch hergestellten Einverständnis mit der Tochter den Schwiegersohn fallen. Doch hat er zuvor einen Moment des Zweifelns und Schwankens zu bestehen. Zwar währt der Anfall „nicht länger als eine Sekunde", aber das Zögern genügt, damit der Erzähler jene Erklärung unterbringen kann, die er dem Leser seit langem schuldig ist: „Zum zweiten Male stürmten die Empfindungen dieses Mannes auf ihn ein, deren Äußerung durchaus das Gepräge der Echtheit trug, wieder mußte er, wie damals, als er Herrn Grünlich den Travemünder Brief seiner Tochter mitgeteilt hatte, dieselbe gräßliche Drohung vernehmen". Es folgt ein Satz, der den Verdacht erweckt, dem jugendlichen Verfasser sei das Gerüst der psychologischen Wahrscheinlichkeit noch immer etwas schwach vorgekommen. Daß der Konsul, als er Tony zu dieser Heirat nötigen wollte, an die Echtheit der Selbstmordankündigung glauben wollte, mag hingehen. Aber daß er nun, bei der wörtlichen Wiederholung unter so gänzlich anderen Umständen und bei völliger Klarheit über das Ziel, das mit der Drohung erreicht werden soll, wiederum sich, wenn auch nur für eine schwankende Sekunde, empfänglich zeigt, das bedarf in der Tat einer zusätzlichen Erklärung. Thomas Mann findet sie dort, wo er die allgemeinen Züge des Individuums Johann Buddenbrook hergenommen hat: in der Restaurations-Epoche, dem romantisch patinierten Biedermeier. So fügt er, der die Epoche bei Brandes studiert hatte, hinzu: „und wieder durchschauerte ihn die schwärmerische Ehrfurcht seiner Generation vor menschlichen Gefühlen, die stets mit seinem nüchternen und praktischen Geschäftssinn in Hader gelegen hatte" (227).

Ihre Unterwerfung vollzieht Tony mit der Geste der Freiwilligkeit. Bereits am ersten Morgen nach der Rückkehr von Travemünde gerät sie an die Familienchronik. „Die ehrerbietige Bedeutsamkeit, mit der hier auch die bescheidensten Tatsachen behandelt waren, die der Familiengeschichte angehörten, stieg ihr zu Kopf" (159). Als Thomas Mann viel später mit der religionssoziologischen Theorie der Entstehung des Kapitalismus aus dem Geiste der calvinistischen Prädestinationslehre bekannt wurde, sah er darin die wissenschaftliche Bestätigung für Ideen, denen er bereits in 'Buddenbrooks' Ausdruck verliehen hatte. Wenn es da heißt, daß „in der kleinen, fließenden Kaufmannsschrift des Konsuls" die Ereignisse „sorgfältig und mit einer fast religiösen Achtung vor Tatsachen überhaupt" verzeichnet waren, und sich daraus die rhetorische Frage ergibt: „Denn war nicht der geringsten eine Gottes Wille und Werk, der die Geschicke der Familie wunderbar gelenkt?" (160), so dürfte es sich hier um eine jener Stellen handeln, die sich Thomas Mann nachträglich im Sinne einer Koinzidenz mit dem wissenschaftlichen Zeitgeist gedeutet hat. Was Tony zu Kopf steigt und sie in einen fast religiösen Rausch versetzt – es fallen Worte wie Ehrfurcht, Geist, durchrieselnder Schauer –, ist das Gefühl ihrer Zugehörigkeit zur heiligen Gemeinschaft der Familie. In dieser Ekstase stellt sich die Metapher ein, die verrät, daß die „gehorsame Tochter Antonie" (147) des Bekenntnisbriefes bereits durch das väterliche Antwortschreiben vom Pfad des kleinen persönlichen Glücks auf den vorgeschriebenen Schicksalsweg zurückgezogen worden ist: „'Wie ein Glied in einer Kette', hatte Papa geschrieben... ja, ja! Gerade als Glied dieser Kette war sie von hoher und verantwortungsvoller Bedeutung, – berufen, mit Tat und Entschluß an der Geschichte ihrer Familie mitzuarbeiten!" (160) Welchen Entschluß sie denn auch auf der Stelle und unwideruflich vollzieht, indem sie ihre Verlobung mit Grünlich unterm Datum des 22. September 1845 in die Chronik einträgt.

Auch später werden rauschartige Zustände geschildert: so die Trunkenheit des todesbeschatteten Senators, als sich ihm der Sinn des Ganzen bei der Lektüre Schopenhauers zu enthüllen scheint; oder die solchem Todesrausch entsprechende Musiktrunkenheit Hannos, der dem Grauen vor dem Ganzen zu entfliehen sucht. Im einen wie im andern Fall handelt es sich um die dem Erlöschen vorangehende Illumination. Tony löscht unter dem Zwang, der sich ihr als die Täuschung eines freien Entschlusses darbietet, mit der Liebe, die sie da opfert, nur jenen Rest von Freiheit aus, den das Leben ihr angeboten hat. Eine Wahl von dieser Art wird ihr ein zweites Mal nicht geboten. Die Ehe mit Permaneder, eine groteske Kompensation weit eher als eine 'Partie', ist ja nur der Versuch, sich um der Ehre willen, die vor allem die Familienehre ist, noch einmal ein wenig zu arrangieren.

Ihr wie im Rausch vorgenommener Verlobungseintrag erinnert aber auch daran, wie der kleine Hanno in halber Trance das Geschlecht der Buddenbrooks symbolisch auslöscht durch jenen schönen, sauberen Doppelstrich, mit dem er das genealogische Gewimmel in den Familienpapieren abschließt. Davon wird noch zu reden sein, wenn wir wieder zum Freund Hannos zurückkehren.

Auch der Autor eines Romans, nicht nur der Verfasser eines Theaterstückes, kann mit dem Zufall so frei umgehen, wie es innerhalb der Grenzen seiner Kunst erlaubt und den Absichten nützlich ist. Die teilnehmenden Betrachter der Auf- und Untergänge werden einen Zufall als Notwendigkeit akzeptieren, wenn er noch im Bereich des psychologisch Wahrscheinlichen bleibt, so phantastisch die Handlung auch immer sein mag. Ein solcher Zufall ist, daß Tony gerade während jener Tagesstunde schläft, wo der von ihrem Vater aufs beste informierte Herr Grünlich in Travemünde erscheint. So kann er dem erstaunten alten Schwarzkopf nicht nur ungestört erklären, daß er vor einiger Zeit um die Hand der Demoiselle Buddenbrook angehalten habe und sich „im vollen Besitz der beiderseitigen elterlichen Zustimmung befinde", sondern er vermag auch unwidersprochen zu behaupten, „'daß das Fräulein selbst mir, ohne daß zwar die Verlobung bereits in aller Form stattgefunden hatte, mit unzweideutigen Worten Anrechte auf ihre Hand gegeben hat'" (152). Und weiterhin kann er deshalb auch sofort und in aller Kürze von den „Schwierigkeiten" sprechen, die sich dieser Verbindung neuerdings in den Weg stellten (152).

Nicht ohne Absicht haben wir an früherer Stelle die Travemünder Episode eine bürgerliche Tragikomödie genannt. Die Reaktion des Lotsenkommandeurs könnte sehr wohl von der Schillerlektüre Thomas Manns mitbestimmt worden sein. Dem Elternpaar des niedrig geborenen

Schwarzkopf wird im Hinblick auf die Aussichten der jungen Liebenden eine Haltung zugeschrieben, die an die Rollenverteilung von Luisens Eltern in Schillers bürgerlichem Trauerspiel 'Kabale und Liebe' erinnert. Ganz ohne an Tonys Schlaf zu denken, die denn auch davon nicht erwacht, ruft der alte Schwarzkopf mit einer Stimme, „welche die ärgste Brandung übertönt hätte" (153), Mutter und Sohn herbei. Ehe die beiden erschienen sind, ergibt sich noch eine Gelegenheit für eine Schiller-Reminiszenz. Denn obwohl der Alte gesonnen ist, in dieser Sache Ordnung zu schaffen und Grünlich ohne jede Schonung seiner eigenen Familie Genugtuung widerfahren zu lassen, ist schon an den folgenden Sätzen, und nicht erst beim Abschied, wo Diederich Schwarzkopf dem sich mit „Ich habe die Ehre" empfehlenden Grünlich „keineswegs die Hand" reicht (154), deutlich zu spüren, daß er auf die Person Grünlichs so reagiert wie weiland der Musikus Miller auf den Herrn Sekretarius Wurm. Auf die Insinuation – „sprach Herr Grünlich mit einem feinen Lächeln" –, er würde es lebhaft bedauern, wenn er durch die Geltendmachung seiner älteren Rechte die väterlichen Pläne des Herrn Kommandeurs durchkreuzen sollte, antwortet dieser nämlich: „'Herr... Ich bin man 'n einfacher Mann und versteh mich schlecht auf Medisangsen und Finessen ... aber wenn Sie vielleicht meinen sollten, daß ... na! denn lassen Sie sich gesagt sein, daß sie auf dem Holzweg sind, Herr, und daß sie sich über meine Grundsätze täuschen'" (153). Da tönt von weit her der alte, die Bühne des achtzehnten Jahrhunderts beherrschende Hausvater herüber. Selbst auf dem Theater war dieser Typus, dessen rührendstes Exemplar der Vater der Luise Millerin ist, nie revolutionär gesinnt, auch wenn mit Hilfe seiner Charge wenigstens die tradierten Formen der Komödie wie der Tragödie eine Revolution erfahren haben. Freilich hatten die Hausväter des achtzehnten Jahrhunderts sehr wohl Grund, auf dem Theater paradigmatisch solide Grundsätze gegen aufstiegslüsterne Ehefrauen zu behaupten, ging es doch, und da fürwahr recht sehr nach der Natur, also nach der schlimmen Wirklichkeit, um ihre hübschen Töchter, denen meist nur die Ehre genommen, aber selten etwas dafür gegeben wurde.

Die Grundsätze des alten Schwarzkopf sind noch dieselben, die im Jahrhundert zuvor von seinen Vorgängern in den bürgerlichen Trauerspielen und auch in den sentimentalen Romanen vertreten wurden: ein jeder kann Herr in seinem kleinen Reich sein und seine Menschenwürde bewahren, wenn er nur die gottgewollten Schranken anerkennt. In der spätfeudalen Epoche, von der überliefert ist, daß es unterm Landadel

Damen mit der Überzeugung gab, auch im Himmel herrsche dereinst die Standestrennung, die die Sitzordnung in der Kirche bestimmte, war solche Berufung auf die Würde des Menschen als Menschen zwar nicht revolutionär, aber doch evolutionär vorantreibend. Denn es ermöglichte diese Überzeugung, daß man mit den höher Geborenen wo nicht von gleich zu gleich, so doch von Mensch zu Mensch verkehren, ja selbst verhandeln konnte. Vorausgesetzt freilich, man hatte es mit einem aufgeklärten und zudem noch von Natur aus anständigen Herrn zu tun. Im andern Fall war es halsbrecherisch, die im Land waltende und schaltende Exzellenz aus der eigenen Stube hinauszuwerfen, wenn sie sich da wie ein ungehobelter Gast benahm. Der Musikus Miller hat, obwohl in seiner eigenen Kammer, schon im zweiten Akt Grund, beim Zusammenprall mit Ferdinands allmächtigem Vater wechselweis vor Wut mit den Zähnen zu knirschen und vor Angst damit zu klappern, wie Schillers Regieanmerkung lautet. Als Menschen werden die „Bürgersleut" nur von den wahrhaft aufgeklärten Adligen betrachtet, also von solchen, bei denen die Pflichten ihrer Menschlichkeit zumindest in dauernder Konkurrenz zu den Vorrechten der adligen Geburt stehen. Wobei sie als Gegengabe für eine menschengleiche Behandlung des niedrig Geborenen auf der Einhaltung der Grundsätze bestehen, deren nicht geringster die prinzipielle Respektierung der gegebenen Standesordnung ist. Damit ließ sich immerhin eine Reform von oben betreiben, deren enormer Nutzen für beide Teile eine historische Tatsache ist, auch wenn die Wirkungen der Revolutionen ab 1789 eher in die Augen fallen. Nach diesen Revolutionen und kurz vor der von 1848 haben die einstigen Grundsätze der Bürgersleut' etwas von der eigensinnigen konservativen Beschränktheit, zu der eine anachronistisch gewordene Selbstbeschränkung immer tendiert. So nun der alte Schwarzkopf: ,'Ich weiß, wer mein Sohn ist und weiß, wer Mamsell Buddenbrook ist, und ich habe zuviel Respekt und auch zu viel Stolz im Leibe, Herr, um solche väterlichen Pläne zu machen!'" (153) Bemerkt er in seiner patriarchalischen Kleinbürgerstarrheit nicht, welche Demütigung er sich von seiten dieses „Herrn" im eigenen Hause bieten läßt? Als Frau und Sohn „antreten", erhebt sich Herr Grünlich „keineswegs... er verharrte in gerader und ruhevoller Haltung fest in seinen Ulster geknöpft auf der Sofakante". So zugeknöpft wird er zum überlegenen Zeugen der kurzen inquisitorischen Befragung und sofortigen Verurteilung der beiden und kann dann, wegen seiner knapp bemessenen Zeit, darauf verzichten, das Fräulein zu sprechen. Daß sie gerade schläft, bedauert er, „obgleich er ein wenig aufatmete" (154). Er hat fürwahr Grund, erst in diesem Augenblick aufzuatmen. Denn trotz des väterlichen Briefes, mit dem ihm nach wie vor die hemmungslose Unterstützung der alten Buddenbrooks sicher ist, muß er sich des Risikos bewußt sein, das darin liegt, die Kabale bis zum Besuch in Travemünde zu treiben. Nur der Mut des Verzweifelten, der alles auf eine Karte gesetzt hat und nun Gefahr für sein schon halb gewonnenes Spiel sieht, kann ihn dazu gebracht haben. Denn daß Tony gerade schlafen würde, konnte er viel weniger voraussehen als die Grundsätze des „Herrn Kommandeurs", dem er „angesichts Ihres männlichen und charaktervollen Benehmens" seine vollste Genugtuung und Anerkennung ausspricht.

Kurz und fromm

Als habe er auch einmal vorführen wollen, wie es der Herr den Seinen gibt, läßt der Autor den Pastor Tiburtius auf wenigen Seiten in den Besitz der ihm an Frömmigkeit ebenbürtigen, wenn auch an Körpergröße ihn weit überragenden Klara Buddenbrook kommen. Das Paar, vor allem aber der Mann, scheint dort entsprungen zu sein, wo Permaneder, quellenkundig belegbar, wirklich herstammt: aus dem 'Simplicissimus'.[20] Neben dieser Pastoren-Karikatur muß die Neunzehnjährige ins Groteske geraten, obwohl sie wegen ihres dunklen Haares und der träumerisch blickenden Augen vom Erzähler eine „Dame von herber und eigentümlicher Schönheit" genannt wird (285). Vom Auftauchen des Pastors an bis zum Ja von Tochter und Mutter verbraucht der Autor nur ein Kapitelchen, das noch um eine Seite kürzer ist als jenes, in dem diese Geschichte auf schlimme Weise zu Ende geht: nach dem durch Gehirntuberkulose verursachten Tod der kinderlos gebliebenen Klara wird es zu einer stichomythisch vorgetragenen „erbitterten Auseinandersetzung" (433) zwischen der verwitweten Konsulin Buddenbrook und ihrem Sohn Thomas kommen, weil die Mutter in aller Heimlichkeit dem Pastor zum großen Geschäft seines Lebens verhalf, indem sie ihm nicht nur Klaras Mitgift, sondern auch noch deren zukünftiges Erbe verschafft hatte, also „Hundertsiebenundzwanzigtausendfünfhundert Kurantmark!" (433) Bei diesem Streit fragt der Sohn die Mutter, ob sie noch immer nicht wisse und begreife, was dieser Pastor sei: ein Wicht, ein Erbschleicher. In seiner ingrimmigen Verachtung verleiht Thomas Buddenbrook dem Frommen, der sich im fernen Riga ins Fäustchen lachen kann, ein Epitheton, das vom Erzähler später einmal dem Konsul Hagenström verliehen wird: ingeniös. Es wird da nämlich von Hagenström heißen, daß er nach dem Kauf des Buddenbrookschen Stammhauses in der Mengstraße „sein Eigentum in der ingeniösen Art zu verwerten" begonnen habe, die man seit langer Zeit an ihm bewunderte (608). Von dem ingeniösen Pastor fühlt Thomas sich rücklings übertölpelt (435), womit er, ohne daß es ihm auffällt, als Familienoberhaupt die bittere Erfahrung wiederholt, die der Vater bei Grünlichs Bankerott gemacht hatte.[21]

Der sich immer, also leitmotivisch wiederkehrend, für rege und findig erklärende Grünlich hält den Vergleich mit dem ingeniösen Wicht von Riga nicht aus, und nicht allein wegen des glänzenden Erfolges, der dem Pastor so beschieden ist, wie er dem Pastorensohn letztendlich versagt geblieben war. Doch mußte zur Ingeniosität die Gunst der Stunde kommen: sowohl diejenige am Anfang wie die andere am Ende, die noch die zittrige Hand einer Sterbenden führt. Was den Anfang betrifft, und was es dem Erzähler auch erlaubt, sich so kurz zu fassen, so sind die Tatsachen die folgenden: der Konsul ist bereits gestorben, und seit seinem Tod sind bei der Witwe die auch in der Tochter Klara schlummernden religiösen Neigungen hypertrophiert. Das Fiasko der forcierten Ehe Tonys hätte selbst dann, wenn Klaras Wahl auf einen andern gefallen wäre, die Mutter zur Vorsicht gemahnt, falls es ihr nötig erschienen wäre zu opponieren. Doch davon konnte im Falle von Tiburtius ohnehin keine Rede sein. Er ist ja nicht nur ein Pastor, sondern er stammt – welch hinterhältige Ironie des Autors gegenüber Grünlich – aus einer Kaufmannsfamilie. Da er keine Geschwister hat, wird er dereinst seinen „als Privatier mit einem auskömmlichen Vermögen" lebenden alten Vater allein beerben; auch sichert ihm sein Amt „ein hinreichendes Einkommen" (285). Dazu verhehlt sich die Konsulin nicht, „daß es trotz der stattlichen Mitgift und Klaras häuslicher Tüchtigkeit schwer halten werde, dies Kind zu verehelichen" (285). Da das Kind aber nach dem Wunsch der Mutter und vor allem nach dem kompositorischen Willen des Autors heiraten soll, weil alle Kinder dieser Generation aus dem früher genannten Grund heiraten müssen, braucht nur ein Pastor dieser Art aufzutauchen, damit alles rasch vonstatten gehen kann, oder, wie der Autor es vielleicht nicht ohne selbstironischen Hintersinn ausdrückt: „Und wahrhaftig entwickelte sich die Angelegenheit mit großer Präzision" (286).

Gerechtigkeit ist für Nietzsche die hohe Tugend dessen, der stark genug ist, die Rache überwinden zu können. Aber Gerechtigkeit kann nach Nietzsche auch ein Zeichen beginnender Schwächung sein, weil sie aus einer schon lähmenden Erkenntnis stammt. Gerechtigkeit zählt zu Thomas Buddenbrooks Vorzügen, und sie ist hier ein besonders edles Symptom des niedergehenden Lebens. Tony ist mit ihren Haß-, Rache- und Triumphgefühlen noch eine elementarere Natur als der Bruder. Ihre größere Lebens- und Überlebenskraft erweist sie selbst in der Ridikülität, mit der sie als eine vom Leben gestählte Frau für Glanz und Ruhm der Buddenbrooks kämpft.

Die Gerechtigkeit des differenzierteren und also gebrocheneren Bruders bewährt sich in seiner Haltung gegenüber jenen, mit denen es aufwärts geht. Die Gelegenheit dazu bietet sich häufig genug, weil Tony nie darauf verzichten kann, ihre Meinung über die Hagenströms kundzutun. Sie verschmäht dabei auch nicht die niederträchtige Anspielung auf die jüdische Abstammung von Hinrich Hagenströms Frau: „Ha! – Natürlich! Wie wäre Sarah Semlinger wohl entbehrlich…' – 'Sie heißt übrigens Laura, mein Kind, man muß gerecht sein'" (118). Der Versprecher, den der Bruder dem „Kind" korrigiert, ist ein genauer Ausdruck jenes bieder-christlichen Antisemitismus, mit dem die Alteingesessenen auf den neu zugewanderten Hagenström reagieren, der eine „junge Frankfurterin geheiratet" hatte, „eine Dame mit außerordentlich dickem schwarzen Haar und den größten Brillanten der Stadt an den Ohren, die übrigens Semlinger hieß" (62). Der Leser, der dieses „übrigens" nicht begriffen und die habituellen Hinweise nicht recht zur Kenntnis genommen hat, wird dann noch etwas deutlicher darauf gestoßen: Hermann, der Sohn, „war blond, aber seine Nase lag ein wenig platt auf der Oberlippe" (64). Ein Menschenalter später wäre Thomas Mann bei der Zeichnung einer Jüdin und ihres halbjüdischen Sohnes wohl kaum mehr so unbedenklich verfahren, nachdem aus den Karikaturen des 'Simplicissimus' die des 'Stürmer' geworden waren. Steht hinter der epischen 'Objektivität' der zitierten Stelle nicht auch jener milde Antisemitismus, den Thomas Mann ziemlich lange mit vielen Gebildeten der Wilhelminischen Ära teilte?

Die Gerechtigkeit gegenüber den Heraufkommenden setzt die Ahnung voraus, daß man selbst nicht mehr zu jenen gehört, mit denen es aufwärts geht. Wenn sich kleinere Aufschwünge als täuschende Vorbereitung der um so größeren Einbrüche erwiesen haben, wird solche Ahnung zur Einsicht, mit der wiederum die Unterwerfung unter das unabwendbare Schicksal anhebt. All dies geschieht nicht im leeren Raum, sondern ereignet sich dort, wo gelebt und also gezeugt, geboren und gestorben wird, wo bei Festen oder an aufgebahrten Leichen auch die Gesellschaft teilhat, und wo meist auch noch die Firma residiert: im Haus. Damit ist weit mehr als nur ein Wohn- und Geschäftsgebäude gemeint. Ursprünglicher noch als die fürstlichen Dynastien, bei denen die Einheit von Haus und Name ein Synonym für Herrschaft ist, sind jene kleinen Dynastien von der Art der Buddenbrooks in ihrem Auf- wie Niedergang ganz eng an ein wirkliches Haus gebunden. Dadurch wird ihr Familiensitz und -besitz zum Symbol.

Die heftige Auseinandersetzung der Brüder beim Tod der Mutter ist das späte Gegenstück zu dem allen Beteiligten selbst „als monströs und unglaublich" (433) erscheinenden bitteren Streit zwischen Mutter und Sohn nach Klaras Tod. So leidenschaftlich bäumt Thomas sich nur diese beiden Male gegen die Furcht und auch schon gegen die Einsicht auf, daß es mit den Buddenbrooks abwärts gehe. Dem ersten Streit präludiert die melancholische Besinnung über Auf- und Niedergang, dem zweiten folgt sie nach, und der spiegelbildlichen Anordnung entspricht, daß es beide Male „das Haus" ist, von dem die zum Ende laufenden Assoziationen ihren Anfang nehmen. Im ersten Fall handelt es sich um das neue Haus, „das schönste Wohnhaus weit und breit" (425), das Thomas in einer Phase des Aufschwungs in der Fischergrube, dem kleinen Blumenladen gegenüber, gebaut hat.[22] Auch die Kontors werden dorthin verlegt, so daß der Familiensitz in der Mengstraße sich noch mehr leert. Tony kommt in die Fischergrube mit der schlimmen Nachricht von Klaras nahem Ende, und in der Formulierung dieser Nachricht steckt bereits die Ankündigung des ingeniösen Fischzuges, den der Pastor tätigen wird (428). Aber der Senator bemerkt es nicht, er gibt sich seiner Melancholie hin. Obwohl es sich um ein Gespräch zwischen den Geschwistern handelt, ist es doch in Wirklichkeit ein Monolog, weil Tonys optimistische Einwürfe nur dazu dienen, das Rinnsal des Trübsinns nicht versiegen zu lassen: „'Falsch, Tony', sagte er und schüttelte den Kopf. 'Meine Stimmung ist nicht unter Null, weil ich Mißerfolg habe. *Umgekehrt.* Das ist mein Glaube, und darum trifft es auch zu.'" (429) Wieder taucht der Name Hagenström auf, und die Analyse des Erfolges wird jetzt bereits nicht mehr durchgeführt am Beispiel dessen, der ihn hat, sondern am Beispiel dessen, der ihn nicht hat, und dieses eigene Beispiel zeigt, wie man den Erfolg von innen heraus, durch Abspannung, verliert. Was dann von außen, „eines zum andern", kommt, ist nur die Folge, „Schlappe folgt auf Schlappe, und man ist fertig". Oft habe er in den letzten Tagen an ein türkisches Sprichwort gedacht: Wenn das Haus fertig ist, so kommt der Tod. „'Nun, es braucht noch nicht gerade der Tod zu sein. Aber der Rückgang... der Abstieg... der Anfang vom Ende...'". Und so deutet er denn auch die beiden letzten großen Ereignisse, die für Tony die Zeichen eines neuen, glänzenden Aufstieges waren – seine Wahl zum Senator und den Bau des eigenen Hauses –, im Gegensinne und somit richtig. Dem Leser wird dabei unter der Hand auch verraten, nach welchem Rhythmus die Erzählung abläuft. Um einen Rhythmus muß es sich handeln, da auch der Weg zum Tod, zum Ende, doch der Weg von lebenden, leidenden Menschen und nicht einer von Schatten sein soll: „'Ich weiß, daß oft die äußeren, sichtbarlichen und greifbaren Zeichen und Symbole des Glückes und Aufstieges erst erscheinen, wenn in Wahrheit alles schon wieder abwärts geht.'" (431)[23]

Erst nach dem Tod der Konsulin begreift der Leser, warum der Autor den Senator das eigene Haus hat bauen lassen. Früh schon verrät der Erzähler, daß Thomas hundertmal den kostspieligen Bau verwünscht, der ihm, „so empfand er, nichts als Unheil gebracht hatte" (467), wobei ihm das schwerste, weit über den finanziellen Verlust hinausreichende, weil sein Selbstvertrauen endgültig ruinierende Unglück der Pöppenrader Ernte da noch bevorsteht! Die fortschreitende Auflösung verlangt ein eigenes Gebäude, hinter dessen Fassade, die einen neuen Anbeginn zu künden scheint, sie sich vollziehen kann. Vor allem aber, und dies muß der Leser selbst erraten, schafft sich der Autor durch die Existenz des neuen, Thomas allein gehörenden Hauses die Möglichkeit, mit dem Verkauf des alten Stammhauses das Zeichen zu setzen für den wirklichen Anfang vom Ende. Dies Ende darf so rasch nicht kommen wie in einer Tragödie, das Zeitmaß eines solchen Untergangs muß der epischen Gelassenheit entsprechen, mit der in immer größerer Erzählbreite und fast in Umkehrung zur wirklichen Dauer der gelebten Jahre der Zerfall der Generationen vorgeführt wird. Hätte der Senator nicht sein eigenes luxuriöses Haus gebaut, sondern wohnte statt dessen noch in einem gemieteten, so hinderte ihn nichts daran, nach dem Tod der Mutter mit seiner kleinen Familie in die Mengstraße zurückzukehren.[24] Dies aber durfte nicht geschehen, damit schon am symbolischen Haus sichtbar werde, was Thomas selbst in der Auseinandersetzung über den Verkauf mit dem biblischen Wort des Predigers als das Gesetz benennt, nach dem für Buddenbrooks jetzt nicht die Zeit ist fürs Geborenwerden und fürs Pflanzen, sondern fürs Sterben und für das Ausrotten des Gepflanzten, nicht für das Bauen, sondern für das Brechen.

Es ist an Tony, dem nach dem Bruderstreit in trübe Nachdenklichkeit versunkenen Senator die „große Frage" zu stellen: „'... das Haus, wie ist es damit?'" (582) Seine Antwort ist die des Geschäftsmannes und Oberhauptes der Familie: es gehöre ihnen allen, „'und komischerweise auch dem Pastor Tiburtius, denn der Anteil gehört zu Klaras Erbe'." Das „Gegebene" sei, es zu verkaufen. Tony beschwört den in diesem Haus symbolisierten Familiengeist, und zwar tut sie es buchstäblich, das heißt in der archaischen Form einer litaneimäßigen Wiederholung, bei der auch die Steigerung durch die kleine Abwandlung nicht fehlt: „Das Haus! Mutters Haus! Unser Elternhaus!" Da „Mutter" ja nebenan liegt, ist es zwar absurd, von ihrem Haus zu sprechen, doch darin steckt außer dem Vorwurf der Pietätlosigkeit noch etwas von jener Magie, die allem Erbe anhaftet, weil es kein Erbe gibt ohne den Tod. Mit dem „Elternhaus" wird nicht nur ein zweites Mal die Pietät berufen[25], also an die Verpflichtung der Tradition gemahnt, sondern ebenfalls an das Glück erinnert, das auch ihnen einmal hold war: „'Unser Elternhaus! In dem wir so glücklich gewesen sind!'" (583) Es wird zwar nicht lange dauern, bis sie sich des Bruders Meinung, dies alles seien keine Gegengründe, sondern Sentiments, zu eigen machen wird, aber für den Augenblick ist sie noch ganz der Beschwörung hingegeben, hört den Bruder nicht und blickt so, wie wir ihn selbst immer häufiger, wenn auch nicht mit feuchten Augen, blicken sehen: „ins Leere". Das Wort „Leere" ist eindeutig, solange wir es nur vordergründig als Charakterisierungsmerkmal des auf kein Objekt fixierten Blickes verstehen. Es wird aber zweideutig, wenn darauf folgt: „'Unser Haus!' murmelte sie... 'Ich weiß noch, wie wir es einweihten... Wir waren nicht größer als *so* damals. Die ganze Familie war da'" (583). Was so aus der Vergangenheit heraufgerufen wird, ist dazu bestimmt, endgültig zu versinken. Es liegt dann im Leeren begraben wie jenes Gedicht, das Onkel Hoffstede damals vortrug: „Es liegt in der Mappe..." Daß Tony es auswendig weiß, verhilft ihm, trotz „Venus Anadyomene", nicht zur Wiederauferstehung.

Der Roman beginnt mit der Einweihung des jüngst erworbenen Hauses im Oktober 1835. Sechsunddreißig Jahre sind beim Tod der Konsulin seitdem vergangen. Nur fünf Jahre noch wird es dauern, bis Gerda, des Senators Witwe, auch für den Verkauf des von Thomas erbauten Hauses sorgt. Von diesem zweiten Hausverkauf wird berichtet, daß er auf Grund der Unfähigkeit des von Thomas Buddenbrook selbst ernannten Testamentsvollstreckers höchst unvorteilhaft ausfällt. Auch das hat seine Bedeutung, aber bemerkenswerter ist, daß diese Veräußerung von Thomas „kostspieliger Liebhaberei" (697) überhaupt nur noch als eine nebensächliche Angelegenheit behandelt wird. Unüberhörbar ist die Ironie des Erzählers, wenn er Tony „laut über den üblen Eindruck" jammern läßt, „den dies hervorrufen könne", und wenn sie klagt, „daß es für den Namen der Familie eine neue Einbuße an Prestige bedeuten werde" (697). In einem Satz ist das abgetan, es wird Tony für dieses Jammern und Klagen nicht einmal die direkte Rede gegönnt; selbst die Frage, ob es denn überhaupt noch etwas an Prestige zu verlieren gäbe, ist bereits überflüssig. Beim Disput über den Verkauf des alten Hauses hingegen war es Tonys Teil, mit den Klagen das Grundthema des Romans in seiner gültigsten, gesetzmäßigen, und das heißt mythischen Fassung zwar nicht vorzutragen, denn das obliegt Thomas Buddenbrook, wohl aber dieses Thema zu introduzieren. Die Erinnerung an das Einweihungsfest läßt Tony noch einmal die schönsten Zimmer benennen, doch ist es, als riefe schon eine Fremde in diese Räume hinein, gerade weil sie sich nicht vorstellen kann, daß Fremde hier leben sollen: „'Das Landschaftszimmer! Der Eßsaal! Fremde Leute...!'" (584)

Auch Thomas erinnert nun an den damaligen Einzug, aber an dessen andere Seite, die nicht nur in den Erinnerungen der Schwester fehlt, sondern die einst schon, als sie ihren Schatten über das Fest zu werfen gedroht hatte, beiseite gedrängt worden war (24 f.): „'Ja, Tony, so werden damals die auch gedacht haben, die das Haus verlassen mußten, als Großvater es kaufte.'" (584) Das Bibelwort „Alles hat seine Zeit", mit dem der Senator dann die Unterwerfung besiegelt, kommt nicht unvorbereitet. Es wird mit einer Wendung eingeleitet, in der sich der Übergang von der realistischen Feststellung über den wirtschaftlichen Ruin der Vorgänger in die schon biblisch getönte überzeitliche Formulierung mit Anklängen an den 'Prediger' vollzieht: „Sie hatten ihr Geld verloren und mußten davonziehen und sind gestorben und verdorben" (584).[26] Doch tut der Leser gut daran, sich selbst noch einmal ins Gedächtnis zu rufen, was zu Beginn des Romans von dem erzählt worden ist, was „damals" geschah. Nur mit Hilfe dieser Erinnerung vermag er die ganze Bedeutung des alttestamentarischen Wortes zu erkennen: Alles hat seine Zeit.

Die Frage, wann das Haus gebaut worden sei, beantwortet der alte Buddenbrook ziemlich ungenau und verweist auf seinen Sohn, der „mit solchen Daten" besser Bescheid wisse (23). So unauffällig wird gleich zu Beginn die Verbindung zwischen den Individuen und den Zeitaltern hergestellt, die sie zu repräsentieren vermögen, weil ihr Schöpfer ihnen die historische Signatur aufgeprägt hat. Zuvor schon hatte der Alte, mit dem noch das achtzehnte Jahrhundert weit ins neunzehnte herüberreicht, sich als Aufklärer über „das Heiligste" belustigt (12), was ihm vom Sohn ebenso zum Vorwurf gemacht, wie diesem umgekehrt vom Vater die „Verdunkelung der Kinderköpfe" (14) verwiesen worden war. Wenn nun der Sohn mit „solchen", das heißt mit historischen Daten besser Bescheid weiß, dann drückt sich darin jenes im Vergleich zur Aufklärung sehr viel leidenschaftlichere Interesse der Romantik für die Historie aus, das sich mit dem Sinn fürs Religiöse in der Geistesgeschichte so eng vermengt hat wie in der Gestalt des Konsuls Johann Buddenbrook.[27] Thomas Mann demonstriert dann auch sogleich, was er bei Nietzsche, dem Kritiker des Historismus, über Nutzen und Nachteil der Historie für das Leben gelernt hat. Der Konsul nämlich weiß nicht nur genau, wann das Haus fertig geworden ist – im Winter 1682 –, und daß es eben damals mit „Ratenkamp & Komp." anfing, „aufs Glänzendste bergauf zu gehen". Er fügt vielmehr etwas hinzu, was bereits eine Empfindsamkeit verrät, die vom alten Buddenbrook entschieden abgelehnt wird, sobald ihre einfühlsameren und schwächenden Züge hervortreten: „’Traurig, dieses Sinken der Firma in den letzten zwanzig Jahren…’" (23). Beinahe ist man verwundert, daß nicht schon hier wortwörtlich vorweggenommen wird, was dann bei der letzten im Roman vorgeführten kleinen Gesellschaft so lautet: „Hierüber dachten alle eine Weile nach" (758). Denn nicht unähnlich heißt es bereits hier, daß ein allgemeiner Stillstand des Gespräches eintrat und eine halbe Minute dauerte. „Man blickte in seinen Teller und gedachte dieser ehemals so glänzenden Familie, die das Haus erbaut und bewohnt hatte und die verarmt, heruntergekommen, davongezogen war…" (23) Nachdem so der konventionell geforderten Pietät Genüge getan ist, kann man noch ein bißchen in den unerquicklichen Details der Schlußphase des Ratenkamp-Verfalls herumstochern, da man sie ja noch miterlebt hat. Des Konsuls so mitleidiges wie einfühlsames ’traurig’ wird dabei verflacht und dient gerade dadurch zur Distanzierung: „’Tja, traurig', sagte der Makler Grätjens; 'wenn man bedenkt, welcher Wahnsinn den Ruin herbeiführte…'" Was ja heißt, daß das Unglück durchaus vermeidbar gewesen wäre und also gar nicht so traurig ist: "'Wenn Dietrich Ratenkamp damals nicht diesen Geelmaack zum Kompagnon genommen hätte!'" (24) Und der aus bester Quelle informierte Grätjens berichtet, wie da unter Geelmaack gehaust worden sei, bis es aus war. „'Aber Ratenkamp kümmerte sich um nichts…'" Nicht gerade ein Geelmaack, wohl aber ein pedantischer Teilhaber Markus wird dereinst die Firma Buddenbrook bis zum Ende begleiten, und obwohl sich dann der Senator um alles kümmern und unter Herrn Markus ganz und gar nicht rattenhaft gehaust werden wird, ist der Verfall nicht aufzuhalten. Jetzt, anno 1835, nimmt der Konsul, Thomas' Vater, die Bemerkung auf, daß Ratenkamp sich um nichts gekümmert habe und wendet sie wieder so ins Tiefsinnige, wie Grätjens sein 'traurig' ins Triviale der bloßen Tatsachen abgebogen hatte: „'Er war wie gelähmt', sagte der Konsul". Und wie später der Sohn Christian nicht mehr vom Thema seines Lebens, den eingebildeten Krankheiten, loskommen und ohne Gefühl dafür sein wird, daß die intensiven Schilderungen von den anderen als unpassend empfunden werden, so bleibt nun der Konsul am Schicksal des letzten Ratenkamp hängen. Mit einem düsteren und verschlossenen Gesichtsausdruck sinniert er: „'Er ging wie unter einem Druck einher, und ich glaube, man kann diesen Druck begreifen. Was veranlaßte ihn, sich mit Geelmaack zu verbinden, der bitterwenig Kapital hinzubrachte, und dem niemand den besten Leumund machte?'" (24)

Nicht nur in Nietzsches Schrift ist der Nutzen der Historie für das Leben sehr viel geringer als der Nachteil. Historisches Denken ist eine besondere Form der Gerechtigkeit. Wer in Welten zu leben beginnt, die einst gewesen, dem schwindet im Maße der wachsenden Einfühlung die einfache Auswahl nach dem Gesichtspunkt, daß nur behaltenswert sei, was nützt. An die Stelle der Freiheit des Aneignens und Verwerfens tritt die Überzeugung von der Unabwendbarkeit dessen, was als notwendig erscheint, weil es sich wirklich ereignet hat. Geschichte wird so zur Kunde des Fatums. Dem Schicksal als der vermeintlichen Notwendigkeit der Geschichte ist der datenkundige Buddenbrook als Vertreter der religiösen Generation auf der Spur. Es ist das nicht mehr jene Notwendigkeit, bei der das Wirkliche als das Wahre gedeutet wird im Sinne des dialektischen Fortschreitens der Vernunft in der Geschichte, also nicht der in der Aufklärung wurzelnde welthistorische Geschichtsoptimismus

Hegelscher Art, sondern der zum Fatalismus neigende Mystizismus eines biedermeierlichen Pietismus. Weil man immer nur von dem angezogen wird und nur das wirklich versteht, was man als Möglichkeit in sich trägt, wittert der Konsul mit dem Geist der davongezogenen Ratenkamps das Gesetz, das über diesem wie über jedem Hause waltet. Was dem Realisten wie Wahnsinn erscheint, ist dem Kundigen nur die Oberfläche des Notwendigen: „'Diese Firma hatte abgewirtschaftet, diese alte Familie war passé. Wilhelm Geelmaack hat sicherlich nur den letzten Anstoß zum Ruin gegeben.'" Eine solche, für die Festgesellschaft deplacierte Geschichtsphilosophie en miniature ist Ausdruck von des Konsuls Religiosität. Wenn es so ernst wird, fühlt sich die Geistlichkeit ermuntert, wenigstens aus Höflichkeit etwas beizutragen: „'Sie sind also der Ansicht, werter Herr Konsul', sagte Pastor Wunderlich mit bedächtigem Lächeln und schenkte seiner Dame und sich selbst Rotwein ins Glas, 'daß auch ohne den Hinzutritt des Geelmaack und seines wilden Gebarens alles gekommen wäre, wie es gekommen ist?'" (24) Auch dies ist für den Konsul, den Vater von Thomas und zukünftigen Großvater von Hanno, kein Grund, mit einer der oberflächlichen Frage angemessenen Floskel das leidige Thema abzubrechen, sondern nur der Anlaß, noch differenzierter zwischen dem zu unterscheiden, was als Geschehen für alle Welt sichtbar ist, und dem Verborgenen, das solches Geschehen lenkt: „'Das wohl nicht', sagte der Konsul gedankenvoll und ohne sich an eine bestimmte Person zu wenden. 'Aber ich glaube, daß Dietrich Ratenkamp sich notwendig und unvermeidlich mit Geelmaack verbinden mußte, damit das Schicksal erfüllt würde...'" Da vom Pastor nicht weiter die Rede ist, dürfen wir annehmen, der Autor habe ihn nicht einmal merken lassen wollen, daß der Konsul da sehr ungenau aus dem Neuen Testament zitiert. Denn Matthäus 26,54 heißt es: „Wie würde aber die Schrift erfüllet? Es muß also gehen." Die vom amtlichen Verwalter der Schrift nicht beachtete Ungenauigkeit rührt weder von schwacher Bibelkenntnis noch von schlechtem Gedächtnis her, sondern drückt aufs genaueste aus, daß die Frömmigkeit des Konsuls nur die christliche Umkleidung für den Fatalismus ist, der in dieser Generation die Buddenbrooks anzustecken beginnt. Nicht christliche Ergebung in das von Gott Verfügte, sondern eine den mythischen Tiefen der Seele entstammende Ahnung des unabwendbaren Verhängnisses läßt den Konsul vom letzten Ratenkamp nicht loskommen: „'Er muß unter dem Druck einer unerbittlichen Notwendigkeit gehandelt haben... Ach, ich bin überzeugt, daß er das Treiben seines

Associés halb und halb gekannt hat, daß er auch über die Zustände in seinem Lager nicht so vollständig unwissend war. Aber er war erstarrt..." (25) Nur wer den Keim des Verfalls schon in sich trägt, ihn gar schon wachsen fühlt, wird zu einer solchen psychologischen Analyse der Dekadenz fähig sein. Dem Gesunden bleibt sie unverständlich oder bestenfalls unheimlich, eine fixe Idee: „'Na assez, Jean', sagte der alte Buddenbrook... 'Das ist so eine von deinen idées...'" Und der andere dem achtzehnten Jahrhundert noch zugehörige Alte, der „à la mode-Kavalier" (19) Lebrecht Kröger, des Konsuls Schwiegervater, nimmt das auf: „'Nein, halten wir es nun mit der fröhlichen Gegenwart!'" (25).[28]

Dem frühen Wort des Konsuls: „Damit das Schicksal erfüllt würde", antwortet das späte des Sohnes: „Alles hat seine Zeit". Und wenn beim Einweihungsfest auf die fröhliche Gegenwart angestoßen wurde, so respondiert dem nun beim Senator die seltsamste Variante der Freude, die das Schicksal übrig gelassen, weil es sich noch nicht ganz erfüllt hat: „'Freuen wir uns und danken wir Gott, daß es mit uns noch nicht so weit ist, wie es damals mit Ratenkamp war, und daß wir noch unter günstigeren Umständen von hier Abschied nehmen als sie...'" (584)

Bei den Begräbnisfeierlichkeiten für die Mutter hat Tony noch vor dem brüderlichen Familienoberhaupt den repräsentativsten Ehrenplatz, und so genießt sie wieder einen ihrer von Mal zu Mal grotesker werdenden Triumphe, den beobachtenden Blicken der ganzen Stadt ausgesetzt: „Bevor Tony Buddenbrook ihr Elternhaus räumte, hatten sie sich noch einmal hier zusammenscharen müssen, um ihr, trotz Grünlich, trotz Permaneder, trotz Hugo Weinschenk, ihre mittrauernde Ehrerbietung zu erweisen..." (590) Von all denen, die da hatten kommen müssen, wird unter den stellvertretenden Namen der schlimmste nur mittelbar genannt. Aber durch „Julchen Möllendorpf, geborene Hagenström" ist die Sippe, der Tonys urtümlicher Haß gilt, auch hier im Spiel. An wen der Bruder das Haus wohl verkaufen werde, hatte sie ihn am Ende des großen Gesprächs gefragt (586). Daß im Zwischenkapitel, der Schilderung des Begräbnisses, die Hagenströms nur indirekt präsent sind, ist ein Kunstgriff des Autors, um eben das vorzubereiten, was Tony dann eine „Katzenkomödie zum Heulen" nennt (600), was aber vom Bruder so bezeichnet wird, daß sein ungesuchter, alltäglicher Ausdruck durch die tiefer treffende Genauigkeit wieder zweideutig erscheint: „Ironie des Schicksals" (598). Zu absurd, zu unausdenkbar erscheint es Frau Permaneder, was ja nur für sie „etwas Dramatisches, etwas über alle Maßen

Überraschendes" ist, und was in absichtlich hohler Häufung vom Erzähler noch ein Ereignis genannt wird, das eintraf, das einschlug (597). Der Leser ahnt es, weiß es längst, wer allein als Käufer des Hauses in Frage kommt. Denn für das Ende sorgt Hagenström...

Thomas Buddenbrooks Bibelzitat, daß alles seine Zeit habe, ist nicht die einzige und nicht die letzte Resonanz auf seines Vaters frühes Wort von der Fatalität, mit der alles geschehe, damit das Schicksal erfüllt werde. Nicht im Sommer, sondern im letzten Herbst, den Thomas erlebt, finden wir ihn noch einmal an der See, die er mehr und mehr „lieben gelernt" hat. Dort monologisiert er darüber, was für Menschen es wohl seien, die der Monotonie des Meeres gegenüber dem Gebirge den Vorzug gäben. Von einem Monolog darf man sprechen, obwohl Tony ihm zuhört, und nicht nur wegen der Länge dieser direkten Rede. Denn was der Autor da unmittelbar aus einer Aufzeichnung des eigenen Notizbuches entnimmt und Thomas in den Mund legt,[29] ist dessen letztes Wort. Die wenigen Sätze, die wir von ihm im folgenden, seinem Tod gewidmeten Kapitel noch hören, dienen allein der erzähltechnischen Vergegenwärtigung der schmerzgequälten Situation, die dann zum Ende führt.

Die gegensätzliche Anziehung und Wirkung von Gebirge und Meer, von der Thomas Buddenbrook redet, wird zum Gleichnis des Grundthemas. Von Gipfel zu Gipfel schweifen sichere, trotzige, glückliche Augen, „aber auf der Weite des Meeres, das mit diesem mystischen und lähmenden Fatalismus seine Wogen heranwälzt, träumt ein verschleierter, hoffnungsloser und wissender Blick, der irgendwo einstmals tief in traurige Wirrnisse sah ... Gesundheit und Krankheit, das ist der Unterschied" (671). Erinnert man sich daran, wie die anno 1835 versammelte Festgesellschaft auf des Konsuls Meditation über den Untergang des Hauses Ratenkamp reagiert hat, so weiß man auch, warum Tony jetzt am Meeresstrand mit dabei ist: „Frau Permaneder verstummte so eingeschüchtert und unangenehm berührt, wie harmlose Leute verstummen, wenn in Gesellschaft plötzlich etwas Gutes und Ernstes ausgesprochen wird. Dergleichen sagt man doch nicht! dachte sie". Und zum ersten Mal hören wir: „daß sie sich für ihn schämte" (672). Am Anfang des Kapitels war von Christians zunehmender Hypochondrie und dem damit verbundenen Mangel an Taktgefühl die Rede, auch von Anzeichen, „daß sein Sinn für körperliche Schamhaftigkeit im Erlahmen begriffen war" (664). Die Ähnlichkeit ist so wenig zufällig wie die erschreckend überraschende Tatsache, daß Christian sich der letzten Seereise seines Bruders einfach anschließen kann, ohne auf dessen Widerstand zu stoßen. Nach dem durch Schopenhauer illuminierten metaphysischen Rausch war Thomas immerhin noch am nächsten Morgen „mit einem ganz kleinen Gefühl von Geniertheit über die geistigen Extravaganzen von gestern" erwacht (659). Daß keine Scham ihn jetzt mehr darin hindert auszusprechen, was ein hoffnungsloser und wissender Blick träumt, verrät dem Leser, Thomas Buddenbrook werde nun nicht mehr die Kraft zur Maske haben, durch die er Mal für Mal die endgültige Vereinigung seines bis zur Ermattung gelähmten Innern mit diesem Nichts verhindert hatte.

Der Monolog über das Meer ist die vorweggenommene Hingabe an den Tod. Es wird dem Leben nicht mehr gelingen, unerfüllbare Forderungen an den Ermattenden zu stellen. Auch dies sagt er im Gleichnis: „'vielleicht zog ich ehemals das Gebirge nur vor, weil es in weiterer Ferne lag. Jetzt möchte ich nicht mehr dorthin. Ich glaube, daß ich mich fürchten und schämen würde'" (671). Die einstige Neigung des Senators für das Gebirge scheint sich der unmittelbaren Übernahme des Textes aus Thomas Manns Notizbuch zu verdanken, denn im Roman ist davon sonst nicht die Rede. Und doch ist der Leser nicht unvorbereitet. Denn schon im dritten Kapitel dieses selben zehnten Teils, der mit dem Selbstmordgedanken von Thomas Buddenbrook beginnt und mit seinem Tod und Begräbnis endet, finden wir den kleinen Hanno am Strand der Ostsee. Man hat ihn dorthin geschickt, um ihn „härter, energischer, frischer und widerstandsfähiger zu machen", aber man war damit, natürlich, „jämmerlich fehlgegangen", denn sein „Herz war durch diese vier Wochen voll Meeresandacht und eingehegtem Frieden nur noch viel weicher, verwöhnter, träumerischer, empfindlicher geworden" (636). Und eben dort, wo der Erzähler vom „mühe- und schmerzlosen Schweifen und Sichverlieren der Augen über die grüne und blaue Unendlichkeit hin" berichtet, von welcher „ein wild und herrlich duftender Hauch daherkam, der... einen angenehmen Schwindel hervorrief, eine gedämpfte Betäubung, in der das Bewußtsein von Zeit und Raum und allem Begrenzten still selig unterging..." – womit ja der im fünften Kapitel begegnende Schopenhauer-Rausch des Vaters so präludiert ist, wie er in Hannos Musik-Phantasie noch einmal abgewandelt werden wird –: eben hier, wo Hanno sich dem Meer hingibt, ist auch von Konsul Hagenströms Söhnen die Rede, unter denen Hanno in der Schule so viel zu leiden hat. Jetzt, in den Ferien, sind sie weit fort, „sehr weit, in Norwegen oder Tirol. Der Konsul liebte es, im Sommer eine ausgedehntere Erholungsreise zu unternehmen

– und warum also nicht, nicht wahr…" (632) Warum aber gerade nach Norwegen oder Tirol, also in gebirgige Länder, das wird dem Leser erst klar bei Thomas Buddenbrooks letztem Aufenthalt am Meer.

Musik des Endes

Dem siebenten Kapitel des achten Teils, mit dem Kai im Roman auftaucht, geht eines voraus, das ganz der Musik gewidmet ist. Es handelt zunächst von Gerdas Kampf mit Pfühl, dem Organisten von Sankt Marien, der ihr Violinspiel begleitet und Hanno unterrichtet. Man streitet über Richard Wagner, den Pfühl jetzt noch so heftig ablehnt, wie Gerda ihn leidenschaftlich verehrt.[30] Wenn der Erzähler in diesem Kapitel aus der nachgetragenen Vergangenheit des Ringens um die Kunst Wagners in die Gegenwart der Handlung einbiegt, befindet er sich im Frühjahr 1869, wo Hanno an seinem achten Geburtstag eine eigene kleine Phantasie vorträgt, in der bereits keimhaft all das enthalten ist, was dann in der Todeserotik seines späteren musikalischen Phantasierens als Symbol der Erlösungsflucht sich ausbreiten wird. Getreu der Wagner-Kritik Nietzsches verführt die ins Mythologische stilisierte Wagnerianerin Gerda nicht nur den Lehrer Hannos zur Musik des Bayreuther Meisters, sondern sorgt auch dafür, daß zur vererbten und fortschreitenden Dekadenz sich die entsprechende geistige fügt: schon das Kind gelangt an das Narkotikum dieser Musik. Der kleine Hanno kommt so viel früher in den gefährlichen Genuß des Opiats als die meisten historischen Zeitgenossen Wagners selbst. Denn etwa zur gleichen Zeit, in der in München die 'Meistersinger' ihre Uraufführung erfuhren – 1868 – beginnt Edmund Pfühl, mit einer „Art verschämten Glückes" in seinem „fernen Blick", das Meistersingervorspiel unter seinen Fingern erblühen zu lassen. Daß er sich noch weigerte, aus dem Klavierauszug 'Tristan und Isolde' zu spielen, dürfte etwa um dieselbe Zeit anzusetzen sein, in der der Bayern-könig die Uraufführung arrangiert hatte, also 1865. Obwohl in 'Budden-brooks' manches aus dem 'Doktor Faustus' vorweggenommen ist, sollte man sich freilich nicht dazu verführen lassen, in der zeitlichen Koinzidenz so etwas wie einen frühesten Versuch der im Spätwerk zum äußersten getriebenen esoterischen Geheimnisspiele zu vermuten. Viel eher ist anzunehmen, daß Thomas Mann den während der Entstehungszeit des Romans so verbreiteten und durch Nietzsches Wirkung einer neuen

Vertiefung fähig gewordenen dekadenten Wagnerismus auf eine historisch gerade noch glaubhafte Weise in die von Anfang an festliegende Chronologie des Verfalls der Buddenbrook-Familie eingewoben hat.

Stundenlang lauscht der kleine Hanno dem Spiel und den Gesprächen über Musik, „und so geschah es, daß, nach den ersten Schritten, die er auf seinem Lebensweg getan, er der Musik als einer außerordentlich ernsten, wichtigen und tiefsinnigen Sache gewahr wurde" (499). Wenn das, was da „gesprochen wurde, und was erklang", meist „weit über sein kindliches Verständnis" hinausging, so ist das gerade die rechte Weise, ihn schon im zartesten Alter süchtig zu machen. Da er immerzu von Krankheit bedroht ist, muß er „unüberwindlich" widerliche Dinge schlucken wie Dorschlebertran und Rizinusöl. Ein einziges Mal nur, als er „recht krank zu Bette" liegt und sein Herz sich „besondere Unregelmäßigkeiten zuschulden kommen" läßt, erhält er ein Mittel, das ihm „Freude" macht und ihm „so unvergleichlich" wohltut: Arsenikpillen! „Hanno fragte in der Folge oftmals danach, von einem beinahe zärtlichen Bedürfnis nach diesen kleinen, süßen, beglückenden Pillen getrieben. Aber er erhielt sie nicht mehr" (621). Das Gift der Musik verweigert ihm hingegen niemand. „Ohne sich zu langweilen", harrt er reglos auf seinem Platz aus und lauscht dem, was noch über sein Verständnis geht. Der Erzähler benennt das, was ihn dazu „vermochte", mit dem Namen von Tugenden, aber er verändert deren klassische Dreiheit: nicht Glaube, Liebe und Hoffnung bringen Hanno dazu, sondern: Glauben, Liebe und Ehrfurcht (500). Hannos Vater eignet bereits eine gefährliche Ehrfurcht vor der sakrosankten Tradition der Familie. Der lebensbedrohliche Traditionalismus erfährt beim letzten Glied der Familie seine exotische Wendung in die Kunst, was um so gefährlicher ist, als die Ehrfurcht von der „neuen" Musik genährt wird. Daß es sich bei Hanno, im Unterschied zu seiner Mutter, dabei um eine wirkliche Buddenbrook-Angelegenheit handelt, sagt der Autor unauffällig. Als Gerda den Organisten mit dem Musikunterricht beauftragt, schließt sie „lachend" mit den Worten: „Er hat die Buddenbrookschen Hände... Die Buddenbrooks können alle Nonen und Dezimen greifen. – Aber sie haben noch niemals Gewicht darauf gelegt" (501).

Zu Beginn des siebenten Kapitels wird nicht etwa vom ohnehin vergeblichen Widerstand des Vaters gegen Hannos Hingabe an die Musik berichtet, sondern es wird nur gesagt, daß der Vater „in seinem Herzen" mit Wesen und Entwicklung des Kindes „nicht einverstanden" war (508).

Und anstatt von einem Kampf um das Kind wird nur von der Hoffnung des Vaters gesprochen, aus ihm „doch einen echten Buddenbrook, einen starken und praktisch gesinnten Mann mit kräftigen Trieben nach außen, nach Macht und Eroberung" zu machen. Um so ausführlicher ist die Rede von jener anderen Macht, durch die das Kind „ganz und gar dieser Mutter" gehört: der Musik. Was für Thomas Buddenbrook ursprünglich nur „eine reizvolle Beigabe mehr" zum „eigenartigen Wesen" von Gerda gewesen war – nicht anders als ihre „seltsamen" Augen und ihr dunkelrotes Haar –: ihr Geigenspiel, das hat sich nun durch das Kind zu einer „feindlichen Macht" entwickelt. Wenn dann gar gesagt wird, Thomas Buddenbrook schiene es, „als drohe diese Macht ihn zu einem Fremden in seinem eigenen Hause zu machen" (508), so weiß der Leser, daß Thomas mit dieser Frau den Todeskeim ins Haus geholt hat. Von den Mysterien, die in seinem Hause gefeiert werden, bleibt Thomas ausgeschlossen, es heißt gar im mythologischen Beispiel: „Er stand vor einem Tempel, von dessen Schwelle Gerda ihn mit unnachsichtiger Gebärde verwies..., und kummervoll sah er, wie sie mit dem Kinde darin verschwand" (510). Erst am Vorabend seines Todes wird er selber mit dem philosophischen Seelengeleiter diesen Tempel heimlich betreten.

Spätestens dort kann der Leser erkennen, was schon hier nicht ganz verborgen ist: daß es sich um einen im antiken Stil gehaltenen Tempel aus der Frühzeit des neunzehnten Jahrhunderts handelt, dessen Baumeister Schopenhauer heißt. Denn die Musikphilosophie, mit der Gerda, „exklusiv und unduldsam in Dingen der Kunst" (508), Thomas Buddenbrook zurechtweist, ist eine solche aus dem Geiste der Welt als Wille und Vorstellung, welcher Geist nach Thomas Manns lebenslanger und schon hier wirkender Überzeugung in Wagners Tongebilden sein künstlerisches Gegenstück gefunden hat. Der sich im eigenen Haus wie ein Fremder Fühlende hat deshalb hier zu vernehmen: „'Wie fremd dir die Musik ist, kannst du schon daraus ersehen, daß dein musikalischer Geschmack deinen übrigen Bedürfnissen und Anschauungen ja eigentlich gar nicht entspricht.'" (509) Es sind dies jene Anschauungen, denen Thomas Buddenbrook in seinem letzten Monolog am Strand Ausdruck geben wird, nachdem ihn Schopenhauer schon fast bis zum Ende geleitet hat. Wenn diese Anschauungen aber als Musik, sprich Wagner, erklingen, muten sie ihn nur „herb und verworren" an (510). Was ihn in der Musik freue, fragt schneidend Gerda und gibt selbst die Antwort: „'Der Geist eines gewissen faden Optimismus, den du, wäre er in einem Buche eingeschlossen, empört oder ärgerlich belustigt in die Ecke werfen würdest. Schnelle Erfüllung jedes kaum erregten Wunsches... Prompte, freundliche Befriedigung des kaum ein wenig aufgestachelten Willens... Geht es in der Welt etwa zu wie in einer hübschen Melodie?... Das ist läppischer Idealismus...'" (509)

Das Gegenteil eines solchen Idealismus ist der tragische Pessimismus, der als Musik der unmittelbare Ausdruck des Willens als des Wesens der Welt selbst ist. Ergänzt man so Gerdas Rede aus dem Geiste, der für Thomas Mann Schopenhauer und Wagner eint, dann wird der tiefere Sinn des kurzen Abschnittes klar, der dem Disput über den Wert bzw. den Unwert von Musikstücken unmittelbar vorausgeht. Eben da ist auf scheinbar eindeutige, nämlich vordergründige Weise vom Wesen der Musik die Rede. Doch enthüllt sich die Erinnerung an die leichten musikalischen Genüsse der Buddenbrooks dem wissenden Blick als die Geschichte des Verfalls, und da dies am Beispiel der Musik rekapituliert wird, muß am Ende die Musik des Endes selbst ertönen: Wagner als Vollender der Dekadenz. Nach Nietzsche läßt Schopenhauers lebensverneinende Metaphysik und Musikphilosophie mit Wagner ihren verführerischsten Sirenengesang erklingen. Aufs Buddenbrook-Maß reduziert lautet das: „Nie hatte er geglaubt, daß das Wesen der Musik seiner Familie so gänzlich fremd sei, wie es jetzt den Anschein gewann" (509). Thomas Buddenbrook wehrt sich hier noch gegen die Einsicht in die Fatalität des Verfalls, indem er sich rückwärts flüchtet, also an jener großväterlichen Gestalt festhält, die während der fortschreitenden Differenzierung und Auflösung als illusionistisches Symbol eines nach außen, nach Macht und Eroberung gerichteten Triebes und somit des Aufstieges der Buddenbrooks herhalten muß. Dieser alte Buddenbrook „hatte gern ein wenig die Flöte geblasen" (509). Ähnlichkeiten oder vermeintliche Ähnlichkeiten mit diesem Großvater bei Thomas selbst und später, in noch grausamerer Illusionierung, bei Hanno, werden zu Zeichen der trügerischen Hoffnung. Das gilt verzerrt noch für die Legitimation des musikalischen Geschmacks: Thomas selbst „hatte immer mit Wohlgefallen auf hübsche Melodien, die entweder eine leichte Grazie oder eine beschauliche Wehmut oder eine munterstimmende Schwunghaftigkeit an den Tag legten, gelauscht" (509). In Wirklichkeit ist nur dem längst dahingegangenen Großvater das gänzlich fremd, was hier „das Wesen der Musik" genannt wird. Sein Enkel Thomas hat es sich ins Haus geholt, damit das Schicksal im Urenkel Hanno erfüllt werde.

Am Ende des Kapitels gerät der kleine Hanno an die Familienpapiere, und nachdem seine Augen noch einmal über das „genealogische Gewimmel" hingeglitten sind, zieht er, „mit stiller Miene und gedankenloser Sorgfalt, mechanisch und verträumt", den Strich unter seinen Namen. Als der Vater es entdeckt, fragt er, was dies sei. Die fast sinnlos abwandelnde Wiederholung dieser Frage kann leicht darüber hinwegtäuschen, daß damit genau der Satz wiederholt wird, mit dem der Roman beginnt und mit dessen ironischer Variante er endet. Der Satz stammt aus jenem Bereich, von dem alle entscheidenden Formeln des Buches herrühren, dem biblisch-religiösen. Dessen verbürgerlichte Form ist nur die realistische Verhüllung der mythischen Schicksalhaftigkeit.

Kai und Hanno – Das Geheimnis ihrer Identität

Als ein „Kind von vornehmer Herkunft, aber gänzlich verwahrlostem Äußeren" wird Kai eingeführt (515). Die Steigerung folgt unmittelbar: Hände und Kopf weisen trotz der Vernachlässigung auf ein „von Natur mit allen Merkmalen einer reinen und edlen Rasse" ausgestattetes Wesen (516). Jahre später springt der „Gegensatz zwischen seiner arg vernachlässigten Toilette und der Rassereinheit dieses zartknochigen Gesichts" noch mehr in die Augen als ehemals (709). Sodann wird beschrieben, wo Kai mit seinem Vater, dem Grafen Mölln, einem „Sonderling", wohnt: weit draußen vor der Stadt, in einem winzigen, heruntergekommenen Gehöft, „das überhaupt keinen Namen hatte". So nennt es der Erzähler ironisch „das Herrenhaus" (516). Erst danach wird berichtet, daß es sich bei den Möllns um ein Grafengeschlecht handelt, das es eigentlich gar nicht mehr gibt: „Die einzelnen Zweige der ehemals reichen, mächtigen und stolzen Familie waren nach und nach verdorrt, abgestorben und vermodert" (517).

Zu der Zeit, in der der Roman hier spielt, ja noch in der Jugend Thomas Manns war der Adel als Ganzes in Deutschland wie in vielen anderen europäischen Ländern weder im politischen noch im wirtschaftlichen Bereich passé, von seiner führenden Rolle im Militärwesen ganz zu schweigen. Kai hätte ebensogut, ja mit größerer Wahrscheinlichkeit, einem reichen und mächtigen Adelsgeschlecht oder noch eher derselben aufsteigenden Schicht wie Morten Schwarzkopf entnommen werden können –, wenn es dem Autor ins Schema gepaßt hätte. Dieses Schema ist jedoch nicht an einer vermeintlichen oder auch wirklich beobachtbaren historischen Notwendigkeit orientiert, derzufolge das Bürgertum den Adel ablöst, um seinerseits dann von einer fortschrittlichen zu einer unterdrückenden und schließlich dekadenten, also zur Ablösung reifen Klasse zu werden. Dergleichen lag dem jungen Thomas Mann sehr fern, selbst von der fortschrittlich-liberalen Tendenz im Werk von Georg Brandes über das neunzehnte Jahrhundert hat er keinen Gebrauch gemacht. Morten Schwarzkopfs Ideengut, mit dem der Roman seine progressivste Erweiterung erfährt, ist keine primär politische Aussage des Verfassers, sondern gehört so zur Figur, wie der Geschäftsgeist und der Ferientourismus zu Hagenström oder die gründerzeitliche Martialität zum Schuldirektor Wulicke gehören.

Das Schema, dem Kai seine Besonderheit verdankt, ist gerade die Durchbrechung des quasi mythisch geprägten Dekadenzmusters. Die möglichen Vorbilder von Kai konnten dazu nur Materialien liefern.[31] Wichtiger als ein lebensgeschichtliches Modell ist das mythische und mythopoetisch tradierte Muster: „Mutterlos – denn die Gräfin war an seiner Geburt gestorben... – war der kleine Kai hier wild wie ein Tier unter den Hühnern und Hunden herangewachsen" (517). Auch dieser Siegfried muß also edlerer Herkunft sein als jene, die er nicht fürchtet. Er hat weder vor den brutalen Hagenström-Söhnen Angst noch vor den Lehrern. Auch ist er der einzige in der ganzen Schule, der selbst den Direktor Wulicke nicht fürchtet, diesen Mann von der „rätselhaften, zweideutigen, eigensinnigen und eifersüchtigen Schrecklichkeit des alttestamentarischen Gottes" (722). Die „ungeheure Autorität" des neupreußischen Professors mit mythischen Wotan-Zügen macht alle zu zitternden Kreaturen. Kai jedoch inspiriert er zu einem Spitznamen, den er als Geheimnis nur mit Hanno teilt: er nennt ihn den lieben Gott. Dessen Anblick versetzt „alles in bleichen Schrecken", Kai hingegen „in vorzügliche Laune" (724). Vor dem „Ganzen" fürchtet Kai sich nicht, sondern lacht darüber: Ironie ist als die andere Seite des produktiven Geistes seine schärfste Waffe. Wild, wie er aufwächst, hindert ihn keine Konvention, und so muß er sich weder dem alltäglichen Abglanz der Überlieferungsautorität unterwerfen, noch solche Traditionen zu zerstören suchen. Einem jungen Adligen aus einer mächtigen und reichen Familie blieben solche Kämpfe aber noch weniger erspart als einem Angehörigen des quasi adligen Stadtbürgertums oder der nachrückenden Bourgeoisie.

Man hat lange die Bedeutung Goethes für den jungen Thomas Mann verkannt. Die offenkundige, vom Dichter selbst propagierte Goethe-Imitation der späteren Jahre war gewiß keine bewußte Irreführung, doch hat sie dazu beigetragen, die Spuren Goethes in den Anfängen zu verwischen. Schien sich doch der junge Thomas Mann in der Tat Schiller näher, viel näher zu fühlen als dem „anderen" von Weimar, weil Schiller, „ein Gott und ein Held", „erkennend schuf".[32] Dieser heldenhafte Schiller, dem fünf Jahre nach 'Buddenbrooks' zur hundertsten Wiederkehr des Todestages die Erzählung 'Schwere Stunde' gewidmet wird, hat mit seiner männlichen Werbung um Goethe erkennbar Material für die Freundschaft zwischen Kai und Hanno geliefert. Ein sicherer Instinkt habe Hanno „die unsoignierte Hülle" durchschauen und ihn „auf diese weiße Stirn, diesen schmalen Mund, diese länglich geschnittenen, hellblauen Augen achten lassen, die mit einer Art zorniger Befremdung dreingeblickt"; doch hätte Hanno in seiner Zurückhaltung nicht den Mut gefunden, „die Freundschaft einzuleiten, und ohne die rücksichtslose Initiative des kleinen Kai wären die beiden einander wohl fremd geblieben. Ja, das leidenschaftliche Tempo, mit dem Kai sich ihm genähert, hatte den kleinen Johann anfangs sogar erschreckt" (517). Soll man es für Zufall halten, daß gerade hier 'Johann' statt 'Hanno' steht, während davor und danach meist von 'Hanno' die Rede ist? Und noch einmal greift der Autor in diesem Kapitel zum Taufnamen; eben dort, wo Hanno an die Familienpapiere gerät und in Papas winziger Schrift seinen eigenen Namen entdeckt: „Justus, *Johann*, Kaspar" (523).[33] Einer, der mit Erkenntnis schafft, wird nicht ohne Absicht den Vornamen einsetzen, den der letzte Buddenbrook mit Goethe gemeinsam hat, wenn er den Satz folgen läßt: „Dieser kleine, verwahrloste Gesell hatte mit einem Feuer, einer stürmisch aggressiven Männlichkeit um die Gunst des stillen, elegant gekleideten Hanno geworben, der gar nicht zu widerstehen gewesen war" (517).

Rücksichtslos wie in der Werbung ist Kai auch in der Bekundung der Freundschaft. Die Reaktion der anderen ist ihm gleichgültig, und auch Hanno zeigt hier von Anfang an eine Unabhängigkeit, die ihn nicht allein dieser Freundschaft würdig macht, sondern wesentlich dazu beiträgt, daß er auf seine Weise als ein zum frühen Erlöschen Verurteilter, als ein Verfallsprinz, Kai ebenbürtig ist: „Hand in Hand mit ihm, in den Pausen, hatte er [Kai] ihm von seinem Heim, von den jungen Hunden und Hühnern erzählt" (518). Viel später erst, kurz vor Hannos Tod, wird von der Reaktion gesprochen, die der Leser sich bereits hinzudenken kann, wenn er die beiden Knaben Hand in Hand auf dem Schulhof stehen sieht: „Diese Freundschaft war seit langem in der ganzen Schule bekannt. Die Lehrer duldeten sie mit Übelwollen, weil sie Unrat und Opposition dahinter vermuteten, und die Kameraden, außerstande, ihr Wesen zu enträtseln, hatten sich gewöhnt, sie mit einem gewissen scheuen Widerwillen gelten zu lassen und diese beiden Genossen als outlaws und fremdartige Sonderlinge zu betrachten, die man sich selbst überlassen mußte" (720).

Die Unabhängigkeit und Freiheit, über die schon der kleine Kai verfügt, ist weder aus seiner Herkunft noch aus der Art, wie er heranwächst, zureichend zu erklären. Sie stammt vielmehr aus jener älteren Schicht, in der die Helden und die göttlichen Kinder leben. Der Dichter als der andere Heros ist hier nicht, wie später so oft bei Thomas Mann, der heimliche Bruder des Verbrechers, sondern der von Natur aus Edle, den keine Zivilisation zu verderben vermag, und der deshalb weder Komplexe hat noch den Neid kennt. Ein solches Wesen verrät schon in seinem wilden Zustand die Züge der Vollkommenheit: „mit aufrichtiger Bewunderung, aber doch ohne Scheu" betritt der kleine Graf zum ersten Male „das prachtvolle Vaterhaus seines Freundes" (518). Und später vermag er, dem das Theater gewiß einmal mehr bedeuten wird als allen Bürgern, die es finanzieren und besuchen können, ohne jegliches Ressentiment hinzunehmen, daß er davon ausgeschlossen bleibt. Denn ohne eine Spur von Selbstmitleid versucht er den Freund gerade so zu trösten: „'Du hast es doch gut', fuhr er überredend fort, 'das solltest du bedenken, Hanno. Sieh, ich bin noch nie im Theater gewesen, und es besteht auf lange Jahre hinaus nicht die geringste Aussicht, daß ich jemals hineinkomme…'" (710) Zwar hat nicht einmal der Senator etwas gegen Hannos Umgang mit dem jungen Grafen einzuwenden, weil er sich erhofft, daß etwas von dessen „Frische und Wildheit" auf seinen träumerischen, weichen Sohn abfärben möge (520). Daß aber offenbar niemand im Hause Buddenbrook, selbst Hanno nicht, auf die Idee kommt, dem armen Freund einmal zu einem Theaterbesuch zu verhelfen, muß eine Gedankenlosigkeit von höherer Bedeutung sein; um so mehr, als der Autor nicht darauf eingeht und es dem Leser gänzlich überläßt, ob er das überhaupt bemerkt. Der werdende Dichter bedarf der Bühne nicht, denn das Theater, in dem Hanno sich vom Orpheus allen heimlichen Elends rauschhaft verzücken läßt, gehört hier zur Welt der Dekadenz. Eben dort, wo Kai den überm Elend der Schule verzweifelnden Hanno durch die Erinnerung ans Theater zu trösten versucht, werden wir über dessen Funktion belehrt. Es ist keine andere als die der Musik und der Metaphysik: „Und dann war das Glück zur Wirklichkeit geworden. Es war über ihn gekommen mit seinen Weihen und Entzückungen, seinem heimlichen Erschauern und Erbeben, seinem plötzlichen innerlichen Schluchzen, seinem ganzen überschwänglichen und unersättlichen Rausche…" (702)

Kais Vater wird nur als der misanthropische Sonderling erwähnt, es fällt kein Wort darüber, daß er dem mutterlosen Kind die fehlende Liebe zu ersetzen gesucht habe. Daß der Mangel, den erst die stürmische Liebe zu Hanno ausgleicht, bei diesem wilden Knaben aber keine Spur einer seelischen Störung hinterlassen hat, mag zwar ein Ärgernis für die Psychologen von der engen Observanz bedeuten. Doch wird es den mythenkundigen Leser nicht als Willkür anmuten, sondern als eine poetische Wahrheit, die von weither kommt. Auch hat die Freundschaft der beiden outcasts nichts mit der knabenhaften Erotik zu tun, auf die man sie immer wieder reduziert hat. Noch sehr spät hat Thomas Mann deutlich genug gegen eine solche Auslegung Stellung bezogen und keineswegs aus Prüderie. Was hätte ihn, der im dichterischen wie im essayistischen Werk aus seiner komplizierten Veranlagung wahrlich kein Hehl gemacht und schließlich auch einen nicht unbeträchtlichen Teil seiner enthüllenden Tagebücher der Nachwelt hinterlassen hat, dazu bewegen sollen, sich privat gegen einen Interpreten zu verwahren, falls der den rechten Schlüssel gefunden hätte? Wenn Thomas Mann schon nicht daran gelegen gewesen wäre, aus Ängstlichkeit das Passen dieses Schlüssels offen zuzugestehen, hätte er doch wenigstens geschwiegen, anstatt einem Doktoranden so scharf zu widersprechen: „Mit dem Aufspüren des Homosexuellen sind Sie zu leicht bei der Hand. Ich gebe alles Mögliche zu, aber das Verhältnis zwischen Hanno und Kai ist völlig frei davon".[34] Es geht in der Tat um etwas ganz anderes, und das Verhältnis der beiden hat nichts mit dem zu tun, was dann als Tonio Krögers Schwärmerei für Hans Hansen, als Aschenbachs Berührung durch Tadzio wie noch als Leverkühns Freundschaft mit Schwerdtfeger ins Werk eingeht, und was auch zur kühnen Erneuerung des Androgynenmythos im 'Zauberberg' durch die gar nicht geheime, sondern durchfigurierte Identität von Pribislaw Hippe mit Clawdia Chauchat geführt hat. Wohl aber steht das Verhältnis von Kai und Hanno der geheimen Identität von Leverkühn und Serenus Zeitblom näher, als es die so gänzlich verschiedene Ausformung im Früh- und im Spätwerk zunächst vermuten läßt. Denn sowenig Leverkühn ohne Zeitblom denkbar ist, und beide in der geheimen Identität nicht ohne den sich in solch figurenhafter Entäußerung verhüllenden einen Thomas Mann möglich sind, sowenig ist Kai ohne Hanno als Dichter möglich. Wie sie geschaffen wurden, existieren sie nur, weil vom jungen Thomas Mann auf beide verteilt wurde, was ihm selbst ganz zu eigen war. Der Anlage der Erzählung nach konnte dies Eigenste auch nicht in jener Gestalt verborgen werden, die außer den beiden Knaben noch die meisten Bruchstücke dieser Konfession enthält: Thomas Buddenbrook.

Nicht erst Zeitblom und Leverkühn haben das Geheimnis einer Identität zu verbergen. Auch bei Kai und Hanno muß es soweit gewahrt bleiben, daß die symbolische Bedeutung ihrer Freundschaft die realistische Erzählung nicht überfrachtet. Wird der Schleier des Geheimnisses für einen Augenblick gelüftet, so geschieht das mit der gebotenen Unauffälligkeit. Eben dort, wo Hanno klagt, daß es mit seiner Musik nichts sei, sagt er, daß er sterben möchte, und daß es überhaupt mit ihm „nichts" ist. Auch fügt er ein weiteres Mal, getreu der Dekadenzpsychologie Nietzsches, hinzu: „Ich kann nichts wollen". Der Wiederholung, daß aus ihm nichts werden könne, läßt er einen Ausspruch des Pastors Pringsheim folgen, der neulich zu jemandem gesagt habe, „man müsse mich aufgeben, ich stamme aus einer verrotteten Familie" (743). Wenn Kai daraufhin fragt: „Hat er das gesagt?", so könnte man es vielleicht noch als die teilnehmende Empörung des Freundes deuten, hätte der Autor nicht hinzugefügt, daß Kai dies „mit angespanntem Interesse" fragte. Darüber liest man leicht hinweg, um so mehr, als Hanno fortfährt: „'Ja, er meint meinen Onkel Christian damit, der in Hamburg in einer Anstalt sitzt. – Er hat sicher recht. Man sollte mich nur aufgeben.'" Aber auch wenn man sich noch nicht daran zu erinnern vermag, welche Rolle dieses Aufgeben und Aufgegebenwerden im 'Zauberberg' einmal spielen wird, sondern sich nur ans Näherliegende hält, wie Hanno auf seine zarte, kultiviertere Weise Züge von Christian zu wiederholen hat, und wenn man ferner bedenkt, welche Rolle in der Dekadenzanalyse seit Bourget und Nietzsche dem Dilettantismus zukommt, mag man über Kais angespanntes Interesse stutzen. Denn im selben Kapitel wird nicht nur berichtet, was der Leser ohnehin längst ahnen konnte: „daß Kai sich mit Schreiben" abgibt. Es ist auch von Roderich Usher die Rede, nach Kai „die wundervollste Figur, die je erfunden worden ist". Der begeisterte Leser E. A. Poes verrät auch, worauf seine Hoffnung gerichtet ist: „'Wenn ich jemals eine so gute Geschichte schreiben könnte!'" (720) Poes Erzählung handelt, wie schon der Titel verrät, vom Untergang des Hauses Usher. Soll Kai einmal eine so gute Geschichte gelingen, so muß er Poes romantisch-dämonische Untergangserzählung ins Moderne transponieren. Nur so kann er den Anforderungen gerecht werden, die jetzt an die Kunst gestellt sind. Er wird also den Verfall jener Familie beschreiben, deren Ende mit seinen dichterischen Anfängen zusammenfällt.

Kais angespanntes Interesse am Untergang der Buddenbrooks schließt die Liebe zum Letzten dieses Hauses nicht aus, sie ist vielmehr die

102c

Voraussetzung für das spätere Gelingen des erträumten Werkes. Daß Distanz, ja Kälte hinzukommen muß, braucht jetzt, wo Kai noch romantische Märchen schreibt, nicht gesagt zu werden. Die Andeutung, die im 'angespannten Interesse' liegt, genügt. Von der Liebe hingegen darf offen gesprochen werden, vom Anfang an, wo die kindlichen Freunde Hand in Hand zusammenstehen, bis zum Ende, wo Kai dem Sterbenden die Hände zum Abschied küßt. Denn die Erweckung der Liebe ist zugleich die Geburtsstunde des Dichtertums. Die Altersstufe der Knaben erlaubt es dem Autor, das Romantische in der schlichtesten Weise mit den Erfordernissen seiner realistischen Erzählkunst zu verbinden. Ida, „die gute Seele", liest den Knaben Märchen vor – „mit tiefer, geduldiger Stimme und halb geschlossenen Augen, denn sie sagte die Märchen, die sie in ihrem Leben schon allzu oft gelesen, beinahe ganz aus dem Kopfe her" (519). Die Bedeutungsspur, die hier auf die romantischen und präromantischen Theorien vom Ursprung der Poesie zurück lenkt, wird von Thomas Mann sanft verwischt. Denn nicht unmittelbar schließt der Autor in gehobenerem Ton an, bei dieser Unterhaltung sei das Merkwürdige geschehen, „daß in dem kleinen Kai sich das Bedürfnis zu regen und auszubilden begann, es dem Buche gleichzutun und selbst etwas zu erzählen"; vielmehr wird der Beschreibung der hersagenden Märchenerzählerin noch hinzugefügt: „und dabei schlug sie mechanisch die Blätter mit dem benetzten Zeigefinger um". So früh schon, also beim Hinweis auf die erste Regung des dichterischen Geistes, wird auch ein Wink gegeben, an den wir uns zu erinnern haben, wenn später von Kais angespanntem Interesse für die verrottete Familie die Rede ist. Denn seine schon bald kühner und komplizierter werdenden Geschichten „gewannen an Interesse dadurch, daß sie nicht gänzlich in der Luft standen, sondern von der Wirklichkeit ausgingen und diese in ein seltsames und geheimnisvolles Licht rückten" (519). Das ist die behutsame Umschreibung jenes Geheimnisses, das wir als die Kunst Thomas Manns von 'Buddenbrooks' an in all den Geschichten wiederfinden, die er mit dem langen Atem eines Märchenerzählers während eines halben Jahrhunderts vorgetragen hat.

EROS UND POLITIK

DIE TAGEBÜCHER 1918–1921

Lebenslänglich, Tag für Tag

Die Aversionen, die Thomas Mann noch immer zu erwecken vermag, finden kaum eine Parallele bei den wenigen anderen Schriftstellern, die im Hinblick auf die Beständigkeit des Nachruhms mit ihm vergleichbar sind. So verriet die aggressive Gereiztheit einer freilich nicht sehr zahlreichen Gruppe im Jahre seines hundertsten Geburtstages, daß mancher Kleinschriftsteller anno 1975 mit Thomas Mann noch immer so wenig fertig wurde wie einst Musil, der freilich ein anderes Recht hatte, sich so beständig wie heimlich mit Thomas Mann zu messen. Musils Tagebücher geben Zeugnis von einer Ungerechtigkeit, die sich weit eher aus der schwierigen Situation des Aufbegehrenden ableiten läßt denn aus der Figur des Kollegen, dessen er sich mit der Karikatur des Großschriftstellers vergeblich zu entledigen suchte. Für die Rebellierenden von heute gelten nicht die bei Musil zur Entschuldigung beinahe hinreichenden Erklärungen, doch würde auch hier die Analyse der Thomas-Mann-Feindschaft mehr über die Eiferer als über den Beeiferten zutage fördern. Freilich ist es kein Zufall, daß gerade Thomas Mann ein solches Objekt der herabsetzenden Kritik bleiben konnte. Seine problematischen Seiten bereiten auch jenen Lesern Schwierigkeiten, die keine kompensatorischen Schmähungen nötig haben und die neben dem Werk sogar noch die Lebensleistung zu bewundern vermögen, der dieses Werk zu verdanken ist.

Wer negative Materialien sucht, findet sie in weit größerem Umfang und von belastenderer Schwere als im Werk oder in den Briefen in den Tagebüchern. Da vorerst aber kein repräsentatives Säkularjahr winkt – selbst der fünfzigjährige Todestag wird ja erst im nächsten Jahrhundert fällig – und da nur bei solchen Anlässen die breite Aufmerksamkeit der Medien garantiert ist, werden die Tagebücher nicht so ausgebeutet, wie es vermutlich geschehen wäre, hätte man sie anno 1975 schon zur Verfügung gehabt. Damals lief aber gerade erst die zwanzigjährige Sperrfrist ab, die Thomas Mann über ihre Entsiegelung verhängt hatte.

Vorweg ist zuzugestehen, daß man um Ärgernisse auch dann nicht herumkommt, wenn man diese Journale mit wohlmeinendem anstatt mit lauerndem Blick liest. Stößt man doch wieder und wieder auf Bemerkungen, die eine so extreme wie kleinliche Egozentrik zu beweisen scheinen: was im eigenen Heim oder bei Besuch gegessen wurde, wie die Verdauung funktioniert, also nicht richtig funktioniert, daß man zum Haareschneiden und zur Pediküre gegangen, in welchem Nobelétablissement man den Tee genommen, usw. usf. Doch sollte man sich von alledem nicht abschrecken lassen, was da, unleugbar stark gehäuft, nun als der Alltag eines berühmten Mannes sichtbar wird. Denn diese Notizen bieten gerade auch mit ihren ärgerlichen Dingen psychologische Erkenntnischancen und Einsichten in die Bedingungen dieser besonderen Existenz wie in die Lage des Schriftstellers im zwanzigsten Jahrhundert überhaupt.

Thomas Mann hat von der Lübecker Gymnasiastenzeit an bis zum Lebensende Tagebuch geführt; und wie man aufgrund der erhaltenen Journale schließen darf, sehr ausführlich. Die Tagebücher sind nicht identisch mit den sogenannten Notizbüchern, deren Funktion in späteren Jahren von den für bestimmte Werke angelegten Materialkonvoluten übernommen wurde. Die Notizbücher und Materialsammlungen sind seit langem zugänglich, von ihrer Auswertung zehrt ein nicht geringer Teil der Literatur über Thomas Mann. Die Quellenphilologie und ihre Abzweigungen, ein notwendiger, aber zur Verselbständigung neigender Teil der Literaturwissenschaft, hat sich demzufolge auch zu einem besonders ausgedehnten Gebiet der Thomas-Mann-Forschung entwickeln können.

Die meisten seiner Tagebücher hat Thomas Mann vernichtet. Ein erstes Autodafé veranstaltete er schon 1896, wir wissen davon durch einen Brief an Otto Grautoff. Es sei ihm peinlich und unbequem geworden, „eine solche Masse von geheimen – sehr geheimen – Schriften liegen zu haben".[1] Man sei die Vergangenheit förmlich los und lebe nun unbedenklich in die Gegenwart und in die Zukunft hinein. Bezeichnenderweise gehört aber bereits zum gegenwärtigen Leben des Zwanzigjährigen, daß er nach der Vernichtung ein neues Tagebuch beginnt. Da wohl weniger die Überzeugung von der Minderwertigkeit der Niederschriften ihn dazu gebracht hat, die früheren Blätter dem Feuer zu übergeben, als vielmehr die Furcht, die darin festgehaltenen Ansichten, Handlungen und Leiden könnten vor die Augen derer kommen, für die sie am wenigsten bestimmt waren, müßte man vermuten, daß die weiteren Tagebücher anders ausgesehen hätten als die allerersten. Dem widerspricht aber, was wir aus viel späterer Zeit über die Folgenlosigkeit dieser nie nachlassenden Furcht wissen.[2] Auch bei der zweiten bekanntgewordenen Vernichtung ist die Sorge bestimmend gewesen, es könne etwas vor anderer Menschen Blick kommen, was zu sehen nur den eigenen Augen nötig oder erlaubt schien. Aber diesmal sollte nicht die ganze geheime Vergangenheit, soweit über sie Buch geführt wurde, der Möglichkeit der Entdeckung entzogen werden. An jenem 21. Mai 1945 verbrannte Thomas Mann in seinem Garten im kalifornischen Exil keineswegs alle Tagebücher, die er bis dahin offenbar ziemlich stetig weitergeführt hatte, sondern nur diejenigen, die etwa bis zu dem Zeitpunkt reichten, da mit Hitlers Machtergreifung auch für Thomas Mann eine Lebensepoche abgeschlossen wurde. Am 15. März 1933 nämlich hatte Thomas Mann in der Schweiz mit dem ersten jener Tagebücher begonnen, die er dann noch zwei Jahrzehnte fortführen und aufbewahren sollte.

Bei der Vernichtung der älteren Journale im Mai 1945 spielte der Zufall eine merkwürdige Rolle. Er arrangierte es so, daß die Tagebücher von 1918 bis 1921 erhalten geblieben sind. Thomas Mann brauchte sie für den 'Doktor Faustus' und vergaß sie wohl später.[3] Abwegig wäre es anzunehmen, er habe sie gleichsam in das Paket der zu erhaltenden hineingeschmuggelt, um zwanzig Jahre nach seinem Tod für eine gründliche Überraschung zu sorgen. Da er später sogar gelegentlich noch an die Vernichtung der ab 1933 geschriebenen dachte, hätte ihm kaum daran gelegen sein können, gerade diese hochprekären Papiere zu erhalten, deren Benützung für den 'Faustus' ihm selbst recht quälend gewesen war. Vermerkte er doch im Dezember 1945: „Lesen in Tagebüchern von 1918/19 unzuträglich, verwirrend und niederdrückend".[4]

Ein Psychologe würde es dabei nicht bewenden lassen, denn für ihn gibt es sowenig wie für den Theologen einen Zufall. Es fiele einem Seelenauguren wohl nicht schwer, nachzuweisen, daß hier 'Zufall' wieder einmal mehr nur der verdeckende und damit enthüllende Name für einen Vorgang sei, bei dem das Unterbewußte Regie geführt habe. Und hätte Thomas Mann selbst als Erzähler wohl darauf verzichtet, in einem Fall wie diesem seine ironische Psychologie spielen zu lassen? Wer sich indessen eher für die Literatur als für die geheimen Wege der Seele zuständig fühlt, nimmt den Zufall als gegeben hin und hält es für das

Wichtigste, daß diese im September 1918 beginnenden und bis Dezember 1921 reichenden Aufzeichnungen erhalten geblieben sind; stellen sie doch eines der aufschlußreichsten Zeugnisse dar, die wir von Thomas Mann über ihn selbst besitzen, überragend sogar im Vergleich zu den übrigen Tagebüchern. Das hängt nicht allein damit zusammen, daß durch Emigration, Hitlerherrschaft und Krieg viele Dokumente aus der frühen und mittleren Periode Thomas Manns verloren gingen, sondern eben vor allem mit der Tatsache, daß alle älteren Tagebücher vernichtet worden sind und zudem die zufällig erhalten gebliebenen einer der bewegtesten Epochen der neueren deutschen Geschichte entstammen, die überdies mit einer der prekärsten Phasen in Thomas Manns Leben zusammenfiel. Vergleicht man die Tagebücher 1918–21 mit denen ab 1933, so wird verständlich, warum die Wiederbegegnung mit der Zeit um 1918 für Thomas Mann später so bedrückend war und warum er demgegenüber der Nachwelt das Bild erhalten wissen wollte, das sich von 1933 an bietet.

Der Anblick seiner „in einem schönen und edlen Stil" gearbeiteten Büste entlockte Goethe das Bekenntnis: „und ich habe nichts dagegen, daß die Idee, als hätte ich so ausgesehen, in der Welt bleibt".[5] Wie Thomas Mann sich von 1933 an in seinen Tagebüchern präsentiert, widerspricht zwar nicht unbedingt dem Bild, das wir aus den Blättern der früheren Zeit gewinnen. Aber jene beiden Bereiche, die Thomas Mann am meisten Schwierigkeiten bereitet haben, das Erotische und das Politische, also das Intime und das ganz Öffentliche, diese beiden Sphären haben im Alter jene Klärung gefunden, die er für den Rest des Lebens bewahren und auch der Nachwelt überliefern wollte.

Obwohl seine Stellung zum Nationalsozialismus schon vor 1933 und erst recht nach der Machtübernahme für niemanden ein Geheimnis war, vollzog er doch erst 1936 den offenen Bruch. Die Tagebücher ab 1933 geben ziemlich genaue Auskunft über die Gründe, die ihn so lange zögern und sich damit quälen ließen, seine keineswegs zweideutige Stellung gegenüber dem Nationalsozialismus durch einen öffentlichen Akt zu manifestieren und damit den Abschied von Deutschland endgültig zu machen. Die von vielen genährte Hoffnung, daß der Spuk rasch vorübergehen möge, hat Thomas Mann zwar nicht allzu lange geteilt. Aber er wollte Haus und Vermögen so wenig verlieren wie seine deutsche Leserschaft. Die Kompromisse wurden ihm vom Verleger, der an die Überlebensmöglichkeit des berühmten Hauses S. Fischer in Deutschland glaubte, zur moralischen Pflicht gemacht. In der Grundhaltung jedoch gab es für Thomas Mann nach 1933, im Unterschied zur Lage nach 1918, kein Schwanken.

Was das Erotische angeht, befindet sich Thomas Mann dem Zeugnis der Tagebücher zufolge in den Jahren ab 1933 im Zustand einer fortschreitenden Abgeklärtheit. Die ihn einst so zerwühlenden homoerotischen Neigungen werden nicht verleugnet, und sie sind auch keineswegs plötzlich verschwunden, doch haben sich Entsagung und Genuß zur Harmonie einer herbstlichen Serenität vereinigt. In den Tagebüchern 1918–21 hingegen enthüllt sich ein Umgetriebener und Zerrissener, ein Gequälter, dessen ohnehin durch die Zeitereignisse bedrohter großbürgerlicher Habitus ihn so belastet wie beschützt.

Wohl ist auch der ältere Thomas Mann, wie er in den Tagebüchern ab 1933 erscheint, ein Leidender, von Depressionen und Ängsten Heimgesuchter. Aber die größte Not kommt ihm hier von außen, und das Leiden an Deutschland ist nun von anderer Art als jenes nach dem Ersten Weltkrieg.

Ihrer Art nach sind die Tagebücher von 1918–21 denen ab 1933 recht ähnlich. Immer findet sich dieselbe Mischung von scheinbar ephemeren Belanglosigkeiten, Reaktionen auf Zeitereignisse und auf bedeutende wie unbedeutende Zeitgenossen, Fixierung der schwankenden Stimmungen, Literaturreflexen, Hinweisen auf die laufenden Arbeiten, Klagen wegen der Überlastung durch Korrespondenz – aber wehe, wenn nur ärgerliche oder gar keine Briefe kommen! –, von Gesellschaftlichem, Familiärem, Intimem. Zwar heißt es einmal: „Übrigens hat die bisherige Art, das Tagebuch zu führen, keinen Sinn. Werde nur noch Bemerkenswertes eintragen" (137).[6] Aber das Tagebuch wird so weitergeführt wie bisher, und das bleibt auch nach 1933 so.

Will man es nicht beim Ärger oder gar bei der hämischen Befriedigung, also bei der unfruchtbaren Reaktion bewenden lassen, so muß man eine Erklärung für die alltägliche Fixierung von Nichtigkeiten durch den gewiß nicht unbedeutenden Schreiber finden. Denn schließlich war Thomas Mann nicht der einzige und erste, der trotz der Einsicht nicht darauf verzichten mochte, Unbemerkenswertes aufzuzeichnen.[7] Gerade die Zwanghaftigkeit, für die Egozentrik nur ein Name, aber keine Begründung ist, sollte uns dazu bewegen, nach der Funktion des Tagebuches im geistigen und seelischen Haushalt dieses Schriftstellers zu fragen. Er selbst hat darüber kaum reflektiert. Eine Bemerkung wie die erwähnte ist ja keine Betrachtung über den Sinn des Tagebuchschreibens. Vielmehr spricht die Folgenlosigkeit der Einsicht dafür, daß die jahrzehntelang sich gleichbleibende Art der Notierung einem elementaren und buchstäblich alltäglichen Bedürfnis entsprochen haben muß. Wenn auf Reisen, und auch da nur wegen der äußerlichen Bedingungen, zu denen nicht nur die Unruhe des Hotellebens gehörte, sondern auch die Tatsache, daß dem fast stets von seiner Frau Begleiteten die Abgeschlossenheit des Arbeitszimmers fehlte –, wenn also diesem Bedürfnis für eine Weile nicht entsprochen werden konnte, wurde das Versäumte zu Hause summarisch nachgeholt.

Die religiös motivierte Selbstbeobachtung, wie sie vor allem in pietistischen Kreisen des 18. Jahrhunderts als Gewissenserforschung betrieben wurde, ist eine der Wurzeln der neuzeitlichen Psychologie. Ihr bevorzugtes literarisches Medium war das Tagebuch. Daß die Gewissenserforschung nicht nur dazu diente, die Schleichwege des Bösen aufzudecken, sondern auch, das Selbst zu rechtfertigen, indem ein in seiner Sündhaftigkeit bloßgelegtes Ich der Gnade Gottes anheimgegeben wurde, war eine Form der psychologischen Rationalisierung, die zur Verfeinerung der Beobachtung wie der Description beigetragen hat. Wie so viele deutsche Schriftsteller protestantischer Herkunft ist auch Thomas Mann ein Erbe der schon zur Goethezeit stark säkularisierten Tradition. Doch betreibt er nicht Gewissenserforschung im christlichen Sinn. Noch die Art, wie er mit der lebenslang auch und gerade in der Verbergung oder gar Verdrängung dominierenden Homosexualität umgeht, ist frei von dem Versuch, sich durch Bekennen vom schlechten Gewissen zu befreien. Daher findet man in Thomas Manns Tagebüchern auch nicht den Bodensatz, der verrät, daß in der Reue das Bereute noch einmal genossen worden ist. Thomas Manns Notizen über sexuelle Erfahrungen sind auch dort, wo sie von einer nie gelösten Problematik zeugen, niemals die Bekenntnisse eines zerknirschten Sündenkrüppels, also jenes spätprotestantischen Erziehungsproduktes, über das sich schon Tony Buddenbrook mokieren durfte. Die Spannungen, die sich zwischen der immer neu einzuübenden familiären wie bürgerlichen Normalität und seinem Triebleben ergeben, wurden dadurch gemildert, daß er seine Neigungen vor seiner Frau nicht geheimzuhalten brauchte. Der tägliche Bericht deutet auch verborgenere Ereignisse an oder hält sie sogar unzweideutig fest, aber eher im Sinne einer Bilanz als einer Gewissenserforschung. Was so verbucht wird, dient nur selten der Rechtfertigung vor sich selbst. Diese Selbstvergewisserung, zu der die Gewissenserforschung hier geworden ist, hat die Sensibilität nicht nur verlagert, sondern geschärft. So verdient Respekt, wie Thomas Mann, wenn er sich gleich jedermann gelegentlich schlecht oder kleinlich benommen hat, mit seinem Unbehagen umgeht. Bemerkungen der folgenden Art sind freilich ziemlich selten: „Specht" – ein Wiener Redakteur, der am Tag zuvor mitgeteilt hat, daß er morgen seine „Lebensgefährtin" mitbringen werde –, „Specht mit Genossin erwarteten mich im Speisesaal, obgleich ich die Absicht gehabt hatte, mit ihnen auszugehen. Wir aßen, über Musik und die 'Betrachtungen' redend, für 67 Kr., ohne Suppe, à Person, und ich zahlte nur für mich, wozu ich ein Recht hatte, da er ungebeten seine Gefährtin mitgebracht. Dennoch war es vielleicht schäbig" (338). Oder nach einer heftigen Auseinandersetzung mit seiner Frau über finanzielle Fragen, die im Detail rekapituliert werden: „K's Zorn immerhin durch den schlimmen Zustand ihrer Nerven bedingt" – was die Einsicht nicht verhindert, daß sie ein Recht auf diesen Zorn hatte; woraus sich ergibt: „Beklagenswertes Vorkommnis. Niedergeschlagen und erschüttert" (315).

Die immer bedrückender empfundene Wartehaltung führte nach 1933 bei Thomas Mann zu einem echten Gewissenskonflikt. Die „Klärung der Situation"[8] gegen Ende 1936 und Anfang 1937 wurde deshalb zu einer wirklichen Befreiung. Dennoch wird das Wort 'Prüfung' in den Aufzeichnungen der ersten Emigrationsjahre nicht eigentlich im Sinne einer Gewissensprüfung gebraucht, vielmehr ist damit die objektive Erörterung der Lage gemeint, und deren „Falschheit" ist von den beklagenswerten Lebensumständen bedingt, nicht von der eigenen Haltung. So heißt es im März 1934, es sei „ein schwerer Stil- und Schicksalsfehler" seines Lebens, daß er aus seiner bisherigen Münchner Existenz hinausgedrängt worden sei, ein Fehler, „mit dem ich, wie es scheint, umsonst fertig zu werden suche, und die Unmöglichkeit seiner Berichtigung und Wiederherstellung, die sich immer wieder aufdrängt, das Ergebnis jeder Prüfung ist, frißt mir am Herzen."[9] In derselben Zeit ist auch einmal von „Rechenschaft" die Rede: „Diese Tagebuchaufzeichnungen, wieder aufgenommen in Arosa, in Tagen der Krankheit durch seelische Erregung und durch den Verlust der gewohnten Lebensbasis, waren mir ein Trost und eine Hülfe seither, und gewiß werde ich sie fortführen. Ich liebe es, den fliegenden Tag nach seinem sinnlichen und andeutungsweise auch nach seinem geistigen Leben und Inhalt fest zu halten, weniger zur Erinnerung und zum Wiederlesen als im Sinne der Rechenschaft, Rekapitulation, Bewußthaltung und bindenden Überwachung".[10]

Rechenschaft im Sinne solcher Vergewisserung wird kaum mit dem Blick auf Leser, nicht einmal auf postume, betrieben, auch wenn für einen Schriftsteller das Schreiben die angemessene Weise solcher Rechenschaft ist. Denn schreibend nur wird er all das ablegen können, was als graue oder von den Tagesfarben schwach kolorierte Trivialität auf seiner Existenz liegt wie auf jedermanns Dasein, was er aber in die Sprache bannen muß, um jenes Selbst zu entdecken, mit dem er dann in der eigentlichen schöpferischen Tätigkeit ganz zu sich findet und doch sich sehen kann wie ein Schöpfer sein Geschöpf. Aber nicht wie in der imaginären Schöpfungswelt der poetischen Erfindung kann der Schreiber des Tagebuchs sich in den von ihm geschaffenen Figuren verhüllend inkarnieren, und er hat auch nicht den kompositorischen Ariadnefaden an der Hand, mit dem er durch die Räume, Gänge und Höhlungen findet, die während der Entstehung eines Werkes dem Baumeister selbst den visionären Bau immer wieder zum Labyrinth werden lassen. Dem Tagebuchschreiber bleiben nur die fast stündlich zerfallenden Materialien, die er doch aufarbeiten muß, um frei zu werden für das eigentliche Werk.

Thomas Mann ist ein Erzähler. Zur Begabung des Erzählers gehört, daß er das Leben zu zeigen vermag, wie es erscheint. Er darf sich nicht fortwährend von der Suche nach der Quintessenz ablenken lassen. Der immer drohenden Gefahr, daß die Schöpfung einer Welt durch dichterische Phantasie abstrakt bleibe, entgeht der Erzähler nur kraft des Interesses, ja der Leidenschaft fürs Detail. Mit dieser Hingabe an die illusionäre Genauigkeit ist der Erzähler der geborene Gegenpart zum Philosophen. Das bringt Autoren mit einem starken philosophischen Hang in die bekannten Schwierigkeiten, aus denen sich nur die bedeutenden nach der Art des Münchhausen am eigenen Zopf herauszuziehen vermögen, indem sie diesen Widerstreit ihrer Neigungen in das Werk selbst einbringen; wozu beileibe nicht genügt, einen tiefsinnigen Helden über die Welt räsonieren zu lassen.

Das Interesse fürs Detail ist mehr als die Liebe zum Kleinen, die selten übers Dilettantische hinauskommt, wiewohl auch dem scheinbar kühl beobachtenden Interesse, wenn es nur das eines geborenen Erzählers ist, immer auch etwas von der freilich schöpferischen Hingabe an das Unscheinbare beigemischt ist. Wird nun das eigene Leben zum Stoff, und nicht im Sinne einer Autobiographie oder eines autobiographischen Romans, sondern als die nicht eben goldene Kette der sich aneinanderreihenden Tage, und droht dieser Stoff beständig im Vergessen zu entschwinden, so kommt der Fixierung des Details eine besondere Aufgabe zu. Sie ist für den Tagebuchschreiber so wichtig wie die Notierung dessen, was man mit Thomas Mann das Bemerkenswerte nennen kann. Immer vorausgesetzt freilich, daß an Leser nicht gedacht wird und der Tagebuchschreiber ganz frei ist von jener Konfessionswut, die der Welt, oder wenigstens der Nachwelt zeigen will, wer man wirklich, nämlich im Geheimen, war.

Die meisten Details der sich reihenden Tage und selbst die der Nächte, ihre Träume eingeschlossen, sind auch bei bedeutenden Menschen von jener Art, die der unterm Aspekt der künstlerischen Auswahl so detailbesessene Arno Schmidt einmal in einer witzigen und aggressiv-einseitigen Polemik gegen das Tagebuch für vergessenswert erklärt hat: Kein Mensch sei „auch nur zu 1 Drittel abbildens- & erhaltenswert… Derjenige, der es zu 1% ist, schon Er ist 1 Erlesener unter 100!"[11] Bei den aus dieser Feststellung gezogenen Folgerungen, die auf eine Verurteilung des Tagebuchs als „Alibi der Wirrköpfe" und „einer der Abörter der Literatur" hinauslaufen,[12] geht Arno Schmidt davon aus, daß sich ein Verfasser das Tagebuch „als Fachwerk für sein Buch" wähle und damit vor dem Formproblem kapituliere. Wie aber, wenn ein Autor seinen Büchern den höchsten Kunstverstand angedeihen läßt und dennoch ein Tagebuch schreibt? Hat er nicht eine Art von psychologischem Recht dazu, vieles von dem zu notieren, was zu jenen zwei Dritteln gehört, die für nicht abbildens- und erhaltenswert gelten?[13] Die nicht nur bei Thomas Mann zu beobachtende Neigung, Banalitäten zu notieren, spricht für eine seelische Notwendigkeit. Sie darf eben dort vermutet werden, wo Arno Schmidt der Einfachheit halber lediglich Kapitulation vor dem Formproblem konstatierte.

Robert Musil, dessen Tagebücher so gänzlich anders sind als die von Thomas Mann, hat einmal über kurze Zeit ein Journal mit der Notierung der Tagesereignisse zu führen versucht. Als „Zweck" des Experiments nennt Musil: „Festzuhalten, wie mein 50. Lebensjahr aussieht! Aber auch: zwecklos Tatsachen festhalten. Ich bin zu abstrakt geworden und würde mich gerne auch durch dieses Mittel zum Erzählen zurück erziehen, daß ich den täglichen Umständen Achtung erweise."[14] Es beginnt bei Musil so, wie es beinahe auch bei Thomas Mann stehen könnte: „Ich trage also nach, daß wir den Sylvesterabend bis gegen zwei Uhr morgens bei Fodors verbracht haben" usw. Über eine kurze Weile geht es ähnlich weiter: „Wir waren … vor Tisch 1½ Stunden im Prater … Die Temperatur liegt zwischen 1 und 3° Plus…" Hier freilich stünde bei Thomas Mann anstatt der Temperaturangabe eine, und sei es noch so knappe Beschreibung der wetterbedingten atmosphärischen Stimmung. „Martha seit gestern abend am Unterkiefer vorn innen rechts etwas wie ein Zahnabszeß…" Dergleichen präzise Angaben finden sich bei Thomas Mann eher, wenn es sich um seine eigenen Zähne handelt. Davor aber steht ein verräterisches Sätzchen, das Musil wieder durchgestrichen hat: „Tag wie die übrigen". Man spürt bereits, wie die Unlust wächst, sogenannte Tatsachen „zwecklos" festzuhalten. Wenig später heißt es denn auch bereits: „Herrlicher Frühlingsmorgen, + 8°. Die beiden vorangegangenen Tage sind mir nicht mehr genau erinnerlich. Äußerlich verliefen sie wie die übrigen." Eine Woche danach: „Keine Ahnung, was in der Zwischenzeit vor sich gegangen ist, außer daß gestern abend…" Mit großen Lücken schleppt sich der Versuch noch eine Weile fort, dann kommt die Pause von einem Vierteljahr, und danach heißt es: „Ich habe diese Aufzeichnungen u. a. deshalb eingestellt, weil mir der Versuch, das Wetter und die Spaziergänge zu notieren, zu albern wurde und die wichtigeren inneren usw. Vorgänge zuviel Zeit weggenommen haben würden. Ich will trotzdem noch einmal versuchen, die faktischen Erinnerungen festzuhalten, aber diesmal in größeren Zusammenfassungen".[15]

Daß Musil sich damit nicht zum Erzählen zurückzuerziehen vermag, liegt auf der Hand. Ohnehin ist fraglich, ob man sich zum Erzählen überhaupt erziehen kann; ganz gewiß jedoch nicht durch die gewaltsame Notierung von Fakten des alltäglichen Lebens. Vielmehr hat die Aufzeichnung des nicht Bemerkenswerten, wie sich an den Tagebüchern von Thomas Mann lernen läßt, unter anderem auch den Zweck, sich von den albernen Fakten abzulösen, sie durch eine Art rascher Einbalsamierung loszuwerden, um sich auf diesem Wege frei zu machen, aber weder für größere Zusammenfassungen noch gar für die sogenannten Quintessenzen, sondern für etwas, das man in Analogie zu Jean Pauls Wort für Autobiographie, „Selberlebensbeschreibung", die Selbstlebenserzählung nennen könnte: diese von Tag zu Tag notierte und so gleichsam sich selbst ereignende Erzählung eines Lebens. Eine solche ist beinahe das Gegenteil einer Autobiographie, denn deren Verfasser blickt zurück und versucht, sich noch einmal zu vergegenwärtigen, was am Gewesenen erhaltenswert scheint, also im Gedächtnis geblieben ist oder mit Hilfe von Zeugnissen wieder in die Erinnerung geholt werden kann. Die Distanz, ohne die ein solcher Rückblick nicht gelingt, setzt voraus, daß vergessen bleibt oder wieder vergessen wird, was nicht bemerkenswert ist. Die Landschaft des Lebens wird da aus großer Höhe betrachtet, der Stromverlauf bietet sich als eingezeichnete Figur dar. Nicht so in der Selberlebenserzählung. Es mag am Ende auch mit Thomas Manns exzessiver Tagebuchschreiberei zu tun haben, daß er, wie im Kapitel über den 'Doktor Faustus' zu zitieren sein wird, eine große Scheu vor dem direkt Autobiographischen hatte. Um beim Bild der Landschaft zu bleiben: der Tagebuchschreiber durchfährt den Strom in jeder seiner Krümmungen, und alle Untiefen und Wirbel, die schon von der geringsten Erhebung aus kaum mehr zu erkennen sind, müssen passiert und also auch scharf ins Auge gefaßt werden. Erst beim ruhigeren Dahingleiten in der Ebene kann dann der Blick auch auf den Ufern ruhen.

Wenn auch das Tagebuch nicht dazu taugt, zum Erzählen zu erziehen, so kann es doch sehr wohl den Erzähler verraten. Nicht durch eingestreute Geschichten, sondern durch die Fixierung von Personen, in denen ahnbar die Figuren für Geschichten stecken. Das liegt weniger an den wirklichen Personen selbst als vielmehr daran, daß sie mit einem Erzähler zusammengetroffen sind. Und was von den Menschen gilt, gilt von den Dingen, von der Landschaft, von der Stimmung, die auf einer Landschaft liegt. Am Abend eines jeden Tages ist es noch nicht gleichgültig, ob da die Sonne geschienen oder ob es geregnet hat, und der Wechsel der Jahreszeiten vollzieht sich sowenig nur nach dem Kalender, wie die Tagesstunden sich nicht einfach mit den Zahlen des Chronometers decken.

Für Thomas Mann bleibt das Werk immer die Hauptsache, selbst wenn es nur knapp erwähnt wird. Von diesem Zentrum aus sind die Kreise dieser Existenz bis in ihre äußersten Ränder hinein bestimmt. Das Wachsen des Werkes ist freilich mit den mannigfachsten Schwierigkeiten verbunden, zum Tribut fürs Gelingen gehören die täglich wiederkehrenden Zweifel. Die Skala der Depressionen reicht von kleinen Skrupeln bis zur fundamentalen Verzweiflung, auf die selbst Schatten des Todes fallen. Und wie sehr ist die Arbeit abhängig von den immer drohenden Störungen, die nur bei gröbster Einteilung sich in innere und äußere trennen lassen. Man weiß längst, daß Thomas Mann morgens zwischen neun und zwölf Uhr geschrieben hat. Aber erst aus den Tagebüchern erfährt man, wie oft er da nicht zu schreiben vermochte, weil er schlecht geschlafen oder weil er sich über irgend etwas zu sehr erregt hatte. Die Irritationen reichen vom Dienstbotenärger und Kinderlärm bis zur sogenannten großen Politik. Von einer Art täglichem Bürodienst am Schreibtisch kann, auch wenn Thomas Mann sich daran oft über die berühmten Stunden förmlich festhält, keine Rede sein. Das Tagebuch ist unter anderem auch der beständige Versuch, schreibenderweise mit all dem fertig zu werden, was am Schreiben hindert.

Für einen, dessen Leben vor allem der produktiven Arbeit dient, ist es nicht gleichgültig, ob er ein wenig besser oder schlechter geschlafen hat, denn davon wird sein Tag ebenso bestimmt wie etwa vom gefürchteten Gang zum Zahnarzt. Auch ist zu respektieren, daß Thomas Mann den Lebensrahmen, der heute oft gedankenlos oder in herabsetzender Wertung großbürgerlich genannt wird, nicht wie ein Parvenu sich zugelegt hat. Dieser Rahmen entsprach ihm so, wie die kleine Hofhaltung des Hauses am Frauenplan Goethe den grandseigneuralen und weltbürgerlichen Stil erlaubte, durch den er die Dauerkatastrophe seiner familiären Existenz dämpfen konnte. Thomas Mann entstammt einer Buddenbrook-Welt. Er hat sie sich auf seine Weise im Werk wie im Leben noch einmal angeeignet. Anders mit dieser Welt fertig werden zu wollen, etwa durch Bruch oder Verleugnung, lag seiner Art ganz fern. Aber die Aneignung einer Welt, die denn doch das Gegenteil der Kunst ist, gerade als Voraussetzung der künstlerischen Schöpfung – das geht nicht ab ohne skurrile Züge. Sie verraten, wie leicht das alles zur Neurose hätte führen können. Das sollte man im Blick behalten, wenn man wieder und wieder in den Tagebüchern an die Selbstbespiegelung gerät, die in ihrer Mischung von Hypochondrie, Eitelkeit und ironischer Arroganz gewiß auch für den geneigten Leser oft schwer erträglich ist.

Verwirrungen des Eros

Im vereinfachenden Bild einer Skala gesehen, auf der die Möglichkeiten einer Existenz ihren Platz zugeteilt bekommen, wäre das Erotische als das Intime am einen Ende einzusetzen, das Politische als das Öffentliche am anderen. Die Kunst gehörte dann in die Mitte, denn sie schließt die Enden nicht aus, sondern lebt von beiden. Vor allem das Leiden, das vom privat Intimen wie vom öffentlich Allgemeinen herrührt, ist Stoff der Kunst. Doch bedarf dieser Stoff einer gründlichen Verwandlung. Thomas Mann fühlte sich bei der Begegnung mit der Alchimie auf vertrautem Boden, die Geheimnisse der Stoffverwandlung glaubte er aus der künstlerischen Erfahrung zu kennen.

Der Einblick in das intime Leben, wie ihn trotz der vom Herausgeber vorgenommenen Kürzungen vor allem die Tagebücher von 1918–21 gewähren, wird heute kaum noch jemanden schockieren.[16] Erlaubt und sinnvoll ist dieser Einblick aber nicht im Hinblick auf die Person. Auch wenn es sich um Thomas Mann handelt, wäre es nur von indezenter Langeweile, in sein Schlafzimmer oder in die Kammern seiner Träume und Obsessionen zu schauen, wäre da nicht das Werk, in das die erotischen Erfahrungen, zu denen ja auch die Wünsche und Träume gehören, transferiert wurden. Das meint nicht, daß im Sexuellen und den dazugehörigen Verdrängungen der Interpretationsschlüssel für das Werk gesucht werden sollte. Doch ist es für die Deutung solch symbolisierender Kompositionen hilfreich, den Erfahrungshintergrund des Künstlers selbst zu kennen. Die im Tagebuch unverhüllt hervortretende Spannung zwischen Thomas Manns homoerotischer Neigung und seinem Ehe- und Familienleben wird deshalb für einen heutigen Leser erst bedeutsam, wenn er sie mit den Umwandlungen vergleichen kann, diesen psychologischen und mythologischen Lösungen, die die lebenslängliche Komplikation im Werk gefunden hat. Im 'Tod in Venedig' wird von Aschenbach gesagt: „Die Ehe, die er in noch jugendlichem Alter mit einem Mädchen aus gelehrter Familie eingegangen, wurde nach kurzer Glücksfrist durch den Tod getrennt".[17] Der Psychoanalyse zufolge bedingt der ambivalente Charakter der Liebe, daß der Liebende unbewußt und ohne Minderung seiner Liebe dem geliebten Wesen selbst den Tod wünschen kann. Nach solchem Muster und in Kenntnis der komplizierten Beziehungen des Ehepaares Mann läßt sich leichter erklären, warum Gustav Aschenbachs Gattin so jung stirbt. Die psychologische Erklärung widerspricht nicht der werkimmanenten, die besagt, daß in Anbetracht des gesteckten Zieles, den strengen Apolliniker Gustav Aschenbach auf die bekannte dionysische Weise zu Tode kommen zu lassen, für eine familiäre und eheliche Existenz bei diesem Schriftsteller weiter kein Platz war. Auf dergleichen poetische Lösungen kommt aber keiner ohne Grund. Im 'Zauberberg', wo Thomas Mann sich weit entschiedener als in dem mit mythologischen Mustern noch unsicher spielenden 'Tod in Venedig' psychologisierend des Mythos bemächtigt, findet jene Spannung zwischen der menschlich-individuellen Zuneigung zu einem Wesen anderen Geschlechts und der aufwühlenderen sexuellen Erregung durch das eigene Geschlecht die Lösung in einer mythologisierenden Allegorie: Es ist die Androgynie. Der von der Antike tradierte, in der Romantik aufgenommene und durch deren Wiederentdeckung auch Thomas Mann vermittelte Mythos vom Doppelwesen, in dem die Trennung der Geschlechter aufgehoben ist und das dadurch Vollkommenheit symbolisiert, erfährt im 'Zauberberg' eine rein psychologische Abwandlung. Ist doch Hans Castorps Liebe zu Clawdia Chauchat darin begründet, daß er in ihr Pribislav Hippe wiedererkennt, buchstäblich im Sinne der ebenfalls psychologisierend aufgenommenen platonischen Anamnesis-Lehre. So ist die durch ihre Krankheit in ihrer Sexualität aufs äußerste gesteigerte Frau mit dem Knaben identisch, dem einst Castorps erste Liebe galt und dessen Name die Sense des Todes bedeutet.[18]

Die mythischen Muster bieten auch ein Paradigma, an dem die eigenen Erlebnisse zu tiefer begründeten Erfahrungen und so zum gereinigten Material der Kunst werden können. Besäßen wir die Tagebücher aus der Frühzeit vor 1918, so wüßten wir vielleicht, wie der von Anfang an zur Homoerotik tendierende junge Dichter mit der Weiblichkeit seiner geliebten Katia zurande kam. Sie war gewiß kein Gänschen aus dem Flachland der Liebe. Und wegen des gesellschaftlichen Renomées allein hat Thomas Mann sie nicht umworben, auch wenn man nicht unterschätzen soll, wie sehr sich die Wirkung eines jungen Mädchens verstärkt, wenn es außer seiner natürlichen Mitgift an Körper und Geist auch noch über die des glücklichen sozialen Zufalls verfügt. Berechnung aber war auf seiten des jungen Mannes gewiß nicht dominierend im Spiel, sondern Liebe, und wenn nicht so sehr die allgemeine Liebe zum weiblichen Geschlecht, so doch gewiß die zur Person. Daß es sich um eine weibliche Person gehandelt hat, hinderte den jungen Dichter zumindest nicht daran, um sie zu werben. Die junge Frau hat sich dann zwar nicht gerade so gebärfreudig erwiesen wie die Lea der Josephsgeschichten, aber so schwer wie Rahel tat sie sich auch nicht, und an der Empfängsniswilligkeit ihres Leibes gab es schon bald, und kummervollerweise für lange Zeit, nichts zu bezweifeln. Sie war gewiß noch um vieles knabenhafter als Jaakobs unmäßig geliebte Rahel, mit der ihr schließlich weit überzeugender als mit der Braut der 'Königlichen Hoheit' gehuldigt worden ist. Etwas von dem, was dann Hans Castorp in Clawdia Chauchat von Pribislav Hippe wiederfinden sollte, dürfte der verliebte Thomas Mann schon in der jugendlichen Katia gesehen haben. Und vielleicht war die Werbung auch von der unbewußten Hoffnung beflügelt, hier winke die Erlösung von den Schwierigkeiten, die ihm seine homoerotischen Neigungen bisher bereitet hatten. Darauf deuten Jahrzehnte später Adrian Leverkühns Liebesleiden.

Die Erlösung konnte Katia ihm freilich nicht bringen. Wohl aber etwas, das ihn an diese seine Frau nicht nur im Familiären und Gesellschaftlichen band. Er arbeitet gerade an dem französischen Gespräch des 'Zauberberg', als er im Mai 1921 eine „Umarmung mit K." notiert und die lapidare Bemerkung hinzufügt: „Meine Dankbarkeit für die Güte in ihrem Verhalten zu meiner sexuellen Problematik ist tief und warm" (517). Ein paar Monate zuvor hatte er es bereits konkreter ausgedrückt: „Dankbarkeit gegen K., weil es sie in ihrer Liebe nicht im Geringsten beirrt und verstimmt, wenn sie mir schließlich keine Lust einflößt und wenn das Liegen bei ihr mich nicht in den Stand setzt, ihr Lust, d. h. die letzte Geschlechtslust zu bereiten. Die Ruhe, Liebe und Gleichgültigkeit, mit der sie das aufnimmt, ist bewunderungswürdig, und so brauche auch ich mich nicht davon erschüttern zu lassen" (470). Woraus allein schon zu erschließen ist, wie sehr ihn das beunruhigt hat. Eine drei Monate ältere Eintragung beweist es ohnehin: „Recontre mit K., [...] Bin mir über meine diesbezügliche Verfassung nicht recht klar. Von eigentlicher Impotenz wird kaum die Rede sein können, sondern mehr von der gewohnten Verwirrung und Unzuverlässigkeit meines 'Geschlechtslebens'. Zweifellos ist reizbare Schwäche infolge von Wünschen vorhanden, die nach der anderen Seite gehen. Wie wäre es, falls ein Junge 'vorläge'? Es wäre jedenfalls unvernünftig, wenn ich mich durch einen Mißerfolg, dessen Gründe mir nicht neu sind, deprimieren ließe. Leichtsinn, Laune, Gleichgültigkeit, Selbstbewußtsein sind schon deshalb das richtige Verhalten, weil sie das beste 'Heilmittel' sind" (453). Zur selben Zeit vermerkt er nicht nur zum wiederholten Male, wie sehr er von Eissi, dem Sohn Klaus, derzeit entzückt ist (452) und wie er ihn im Bad „erschreckend hübsch" findet (454), sondern er redet sich auch ein, daß er es sehr natürlich finde, sich in seinen Sohn zu verlieben (454). Daß er den Sohn mit nacktem braunen Oberkörper lesend im Bett fand, verwirrte ihn dennoch mehr als der in derselben Notiz auftauchende sympathische junge Mann in weißen Hosen, der in der dritten Klasse des Schnellzuges neben ihm sitzt. Darüber empfindet er Freude, was ihn zu der Überlegung anregt (454): „Es scheint, ich bin mit dem Weiblichen endgültig fertig?" Die Tagebuchaufzeichnungen bestätigen die Richtigkeit dieser Vermutung, man sucht vergeblich nach einem weiblichen Wesen, das ihn erotisch tangiert hätte. Gelegentlich äußert er sich unverblümt. So findet er die Aufführung einer berühmten amerikanischen Tänzerin öde, ja widerlich und bekräftigt die Reaktion: „Für den ersten jungen *Mann,* den ich nachher auf der Straße sah, empfand ich etwas wie Begeisterung nach so viel ranzig-graziöser Weiblichkeit" (177). Das ist eindeutig, auch wenn man Thomas Mann zugute halten darf, daß jene Gertrude Barrison sich anno 1919 in ziemlich fortgeschrittenem Alter befunden haben muß. Denn immerhin trat sie schon lange vor 1900 mit ihren Schwestern – der Markenname war *The five sisters Barrison* – als Truppe auf, die „einen freieren, aber trotzdem nicht obszönen Zug in die Tanzvorführungen des ausgehenden 19. Jahrh. brachten. Die Linie ihres Tanzes wurde gleichsam Symbol für den 'Jugendstil'".[19] Letzteres wenigstens hat schon der junge Hofmannsthal vorempfunden. Die Darbietung der Schwestern wurde ihm zum Anlaß für eine Betrachtung, von der sich auch der Erfinder Pribislav-Clawdias noch hätte anregen lassen können, wenn diese Träumerei ihm anstatt des leibhaftigen Überrestes der Tanzgruppe gerade jetzt, bei der Wiederaufnahme des 'Zauberberg', vor Augen gekommen wäre. Hatte Hofmannsthal doch 1896 geschrieben: „Für den ersten Anblick sind sie auch darin echte halberwachsene englische Schulmädel, daß sie sehr stark an Buben erinnern. [...] Das englische junge Mädchen, als Produkt halb des Lebens, halb der poetischen Tradition, hat einen sehr starken Einschlag von Knabenhaftem. Die ganz jungen Herren in den Stücken von Shakespeare und Ford und Fletcher sind im Ton von ihren Zwillingsschwestern kaum zu unterscheiden. Deswegen können sie auch so leicht miteinander Kleider tauschen und verwechselt werden."[20]

Thomas Mann ist 1918 erst 43 Jahre alt, und so reißt die Reihe der Aufregungen durch Knaben und junge Männer nicht ab. Wie es zu solcher Art von Berührtwerden gehört, erscheint dem Berührten nicht nur das Objekt, sondern schon die Begegnung als solche in einem Licht, das alles Triviale verklären und mit dem Schimmer des immer neuen Anfangs umhüllen kann: „Mich beschäftigte ein eleganter junger Mann mit anmutig-thörichtem Knabengesicht, blond, feiner deutscher Typus, etwa an Requadt erinnernd, dessen Anblick mir ohne Frage einen Eindruck gemacht hat, von der Art, wie ich ihn seit langem nicht festzustellen hatte. War er Gast im Klub oder werde ich ihm wieder begegnen? Ich gestehe mir bereitwillig, daß ein Erlebnis daraus werden könnte" (111). Auch am nächsten Tag möchte er, „abenteuerhafter Weise, den jungen Menschen von gestern wieder treffen", worauf er noch einen Tag später zu notieren hat: „Nervös geschlafen infolge erotischer Vorstellungen abends" (113).

Das macht ihn besonders empfänglich – er spricht von nervöser Erschütterung und Rührung – für den Anblick eines Feldartillerie-Regiments, das durch ein hochrufendes Menschenspalier die Ludwigstraße hinauf Einzug hält. Man schreibt Dezember 1918, und kein triumphierendes, sondern ein geschlagenes Heer kehrt da zurück. Hier mischen sich beim Verfasser der 'Betrachtungen eines Unpolitischen' die Erregungen auf recht zweifelhafte Art, wie es schon bei seiner Interpretation des Militärischen im Ersten Weltkrieg zu beobachten war. 1919 liest er das viel diskutierte Buch von Blüher über die Rolle der Erotik in der männlichen Gesellschaft und vermerkt: „Einseitig, aber wahr. Es unterliegt für mich selbst keinem Zweifel, daß 'auch' die 'Betrachtungen' ein Ausdruck meiner sexuellen Invertiertheit sind" (303). Wie ein Nachklang dieses Bekenntnisses mutet es an, wenn er dann 1921 bei einem Besuch der Jenaer Universität von dem „herrlichen Hodlerbild" schwärmt: „Aufbruch der Studenten, dieser Monumentalisierung junger, idealistisch-kriegerischer Maskulinität" (485). Hätte er um diese Zeit schon am Ende des 'Zauberberg' geschrieben: leicht möglich, daß der Eindruck noch auf die Schilderung des Regiments „Freiwilliger, junges Blut, Studenten zumeist, nicht lange im Felde" abgefärbt hätte.[21] Aber zwischen dem enthusiasmierenden Eindruck von Jena und dem Untergang Hans Castorps im infernalischen Flachland des Krieges liegt die entscheidende politische Wende, die auch das Bild des mühsam heroisierten Krieges veränderte, und so sehen wir denn im Roman die Freiwilligen des Krieges von 1914 nicht wie diejenigen von 1813 auf Hodlers Bild aufbrechen, sondern als die „dreitausend fiebernden Knaben" unterm höllischen Geheul der Projektile durch den Schlamm dem zerfetzenden Tod entgegenwaten.

Nachdem der Spaziergänger kurz vor Weihnachten 1918 die Erschütterung durch das heimkehrende Feldartillerie-Regiment erfahren hat, betrachtet er noch in der Pinakothek Grünewalds Isenheimer Altar, der zu jener Zeit dort hing; der als stark bezeichnete Eindruck hat seine Spuren im 'Zauberberg' hinterlassen, wie auch das Tizian-Bildnis Karls V.; und dann wird vermerkt, daß auf einem Madonnenbild von Ghirlandajo ein überaus anmutiger junger Heiliger entzückt habe (113).

Zwei Tage später überkommt ihn, beim Anblick des Ältesten, mitten im weihnachtlichen Familienidyll, die Freude, „einen so schönen Knaben zum Sohn zu haben" (114). Auch die Kunst gewährt solches Entzücken: im Frühjahr 1919 erhält er einen Band mit Handzeichnungen von Ludwig von Hofmann. Davon wird dann viel für Hans Castorps südliche Traumvision während des Schneesturms abgenommen, die Tagebuchnotiz bereits verrät es; der Band „enthält eine Studie zu meiner 'Quelle' u. auch sonst viel schöne jugendliche Körperlichkeit, namentlich männliche, die mich entzückt. Ich liebe sehr seinen Strich und seine arkadische Schönheitsphantasie" (166).[22] Daß L.v. Hofmann nur ein schwacher Abkömmling Hans von Marées' ist, und daß dieser Nachfahre den Klassiktraum des tragischen Großen zum gefälligeren Jugendstil verkleinerte, hat Thomas Mann offenbar nicht bemerkt. Bei den Bildvorlagen, deren er sich zeitlebens bedient hat, war der künstlerische Rang nicht entscheidend.

Wohl läßt sich der ewige Durst nicht ganz durch den Anblick von Schönheitsphantasien à la Hofmann stillen, doch will Thomas Mann nicht mehr um jeden Preis aus den lebendigen Quellen trinken: „Vergaß gestern vor Müdigkeit, zu notieren, daß jener hermesartige junge Elegant, der mir vor einigen Wochen Eindruck machte, dem Vortrag beiwohnte. Sein Gesicht, bei leichter Jünglingsfigur, hat durch Hübschheit und Thorheit etwas Antikes, 'Göttliches'. Ich weiß nicht, wie er heißt, u. es ist gleichviel" (181).

Am nördlichen Strand verquickt sich die Gegenwart mit der Erinnerung an das „T.K.-Erlebnis", ein blonder „Typus" hat etwas von A. M. an sich, jenem Armin Martens, der im 'Tonio Kröger' zu Hans Hansen geworden ist. An der Reinkarnation wird die Ähnlichkeit mit A. M. in Haarfarbe, Kopfform, Körperbau festgestellt, aber auch, daß die Beine etwas krumm seien, die Figur zur Vierschrötigkeit neige und der Teint etwas unrein sei (287). Im Nebeneinander von „Jugendstimmung", auch „Jugendschmerz" genannt, und der scharfen Beobachtung verrät sich jene Mischung, die im Werk von Anfang an die ironische Abkühlung des Gefühls bewirkt und einen immer vorhandenen Hang zur Sentimentalität in die Grenzen des künstlerisch noch Erlaubten gezwungen hat. Bei der Beobachtung tanzender junger Leute wird zwar auch die Tochter einer bekannten Familie mit einem „anziehend gesund und hübsch" bedacht, aber erst bei den Brüdern regt sich das Interesse: „Von den Jünglingen der 'meine' zarter und feiner, als der andere. … Beim Tanzen legt er die rechte Hand nicht mit der Fläche, sondern mit der Kante an die Taille" (288). Zwei Tage später schon erfolgt die halbe Wendung zum 'Tod in Venedig', der nicht genannt wird, vielleicht nicht mehr und noch nicht wieder genannt zu werden braucht, weil das Erbe Tonio Krögers nun unmittelbar an Hans Castorp und dessen Pribislav übergegangen ist, während es noch sehr lange dauern wird, bis Adrian Leverkühn die Welt der Jugend-

120

schmerzen samt jener Gustav Aschenbachs übernehmen kann: „Vom jungen Kirsten hatte ich gestern mehrfach unmittelbarere Eindrücke. Er zeigte Photographien am Nachbartisch, wobei ich ihn sprechen hörte, mit ziemlich tiefer Stimme u. stark Hamburgisch, und seine Hand sehen konnte. Bis auf die mißförmige Nase ist sein Gesicht schön und fein… Wenn ich nicht irre, so hörte ich ihn Oswald nennen. Er hat mich, auch beim Passieren, noch niemals angesehen. Wie mir scheint, vermeidet er es aus Diskretion. Hier wäre denn also das 'Nie veraltende', das sich mit Glücksburg 'eng verzweigen' wird, der obligate 'Lenz', der sich nur halb – (halb?) – entfaltet" (290). Zwei Jahre später führt ein Aufenthalt am Timmendorfer Strand zur Reminiszenz: „Der wundervoll gewachsene jugendliche Athlet aus Hamburg, Knabe-Jüngling, herrlicher, begeisternder Anblick, besonders, wenn er lief. Ihn nicht mehr sehen zu sollen, erschwerte die Abreise" (544). Zu Hause kann ihm auch ein bei der Arbeit beobachteter junger, unbärtiger Gärtner „mit braunen Armen und offener Brust zu schaffen" machen (540), und bei den zahlreichen gesellschaftlichen Ereignissen gibt es oft eine flüchtige Begegnung zu vermerken. In einer Generalprobe des befreundeten Bruno Walter ist weder die Missa solemnis das Wichtigste, noch die Prinzessin Gisela, „Kais. Hoheit", deren Erscheinen, „als Nachkommin Karls V." nur ein „merkwürdiger Eindruck" bleibt, während der „Haupteindruck … ein auffallend schöner junger Mann" ist, „slavischen Typs und in einer Art von russischem Kostüm, mit dem sogar etwas wie ein Kontakt per distance sich herstellte, da er meine Aufmerksamkeit sofort bemerkte und offenbar Gefallen daran fand" (474).

Genug der Beispiele. Denn weitere – sie finden sich zahlreich genug in den Tagebüchern der ersten Nachkriegsjahre – brächten keine neue Nuance des monotonen Themas von der immer neuen Beunruhigung durch junge Männlichkeit. Daß ein erwiderter Blick des Aufzeichnens wert erscheint, läßt ahnen, warum Gustav Aschenbach Stufe um Stufe auf dem Weg der Entwürdigung hinuntergeleitet wird. Nicht Erbarmungslosigkeit läßt den Autor im faulenden Venedig Aschenbach zum Schminkstift greifen, sondern wie Proust seinem Charlus noch in der lächerlichsten Situation nicht jene Züge nimmt, die dieser extremsten Figur der Totentanz-Welt ihre shakespearische Größe lassen, so raubt auch Thomas Mann seinem Helden nicht den Adel des Geistes, der noch in der mänadenhaften Verwilderung die Seele rettet. Für Proust wie für Thomas

Mann gilt: nur einem Leidenden konnte es gelingen, die Wahrheit so ins Krasse zu treiben, ohne daß das Exemplum zur Karikatur wurde.

Erst in den Tagebüchern der späteren Zeit findet sich die in der Erinnerung schon verklärende Erwähnung einer glückhaften Begegnung, die in die zweite Hälfte der zwanziger Jahre fiel. Ihre poetische Inkubationszeit dauerte dann ein Vierteljahrhundert.[23] In den vitaleren Jahren der Zeit nach dem Ersten Weltkrieg hingegen gemahnt die homoerotische Faszination auch dort, wo sie in ihrer scheinbar ungefährlichen Form folgenloser Begegnungen sich zeigt, doch immer an die latente Katastrophe, die durch das venezianische Kunstwerk und das darin geleistete Ersatzopfer gebannt war. Als die Tagebücher, von denen wir heute nur noch diejenigen von 1918–1921 besitzen, vorübergehend in die Hände der Nazis gerieten, und Thomas Mann zurecht von der Furcht geplagt war, sie könnten gegen ihn ausgebeutet werden, jagte ihn die Panik bis an die Grenze des Selbstmordes.

Obwohl sich von einer Bezauberung durch das Weibliche in der wirren Umbruchszeit, in der der erste Teil des 'Zauberberg' geschrieben wurde, nichts findet, ist die Verbindung mit Katia, allen genannten Schwierigkeiten zum Trotz, doch nicht von jener sexuellen Gleichgültigkeit, die ja in Wirklichkeit nie Neutralität bedeutet, sondern Ablehnung oder gar Abscheu. Am selben 12. Oktober 1921, an dem ihn die „Frage wegen des Verbleibs von Mme Chauchat" beständig „beunruhigt", notiert er auch: „Mein Verhältnis zu K. einige Wochen lang sehr sinnlich" (549). Hier von einem Ersatz zu reden, bietet sich an, doch sollte man sich hüten, solchen Ersatz nur negativ zu werten. Denn es wurde dadurch nicht nur jene Lebensgemeinschaft möglich, von der man mindestens soviel weiß, daß sie dem Schöpfer eines außerordentlichen und umfangreichen Werkes die komplizierten Arbeitsbedingungen bot, deren er bedurfte. Vielmehr ist auch dieser Ersatz vielleicht die Voraussetzung dafür gewesen, daß dem so überwiegend homoerotisch disponierten Schriftsteller die Darstellung von psychologisch höchst subtilen Liebesbeziehungen gelang, deren weiblicher Part nicht einfach in den falschen Kleidern steckt.

Auf der andern Seite verraten gerade die älteren Tagebücher, daß für das wie immer erreichte Gleichgewicht kein geringer Tribut zu bezahlen war. Verräterisch ist die Tatsache, daß das Sexuelle, soweit es nicht als pure homoerotische Spannung auftaucht, immer als eine Störung oder als Unruhe und Bedrohung vermerkt wird, wenn nicht gar als Leichtsinn, dessen Folgen dann wiederum befürchtet werden. Unfreiwillig ist die offenbar nicht bemerkte Komik einer Verquickung dieser Art: „Geschlechtliche Störung und Störung der Thätigkeit durch die Unmöglichkeit, den Keyserling-Nachruf zu verweigern" (22). Das ewige Dilemma, das für den Künstler wohl kaum durch die Askese zu lösen ist, taucht hier so auf: „Geschlechtliche Nacht. Aber Ruhe darf man quand même nicht wünschen" (218). Ob es an der verqueren Disposition und den daraus sich ergebenden Verdrängungen lag, oder ob selbst noch die späten Folgen einer bürgerlichen Erziehung hereinspielen –, Thomas Mann ist weit davon entfernt, die Sinnlichkeit nach der Art des italienischen Goethe genießen zu können. Hans Castorps französisches Preislied auf „le sexe obscur entre les cuisses" ist in der Tat der Tannhäusergesang des Sünders, den Madame Chauchat einen „galant" nennt, „qui sait solliciter d'une manière profonde, à l'allemande"; und es bedarf keiner prophetischen Gabe, diesem deutsch-protestantischen Hänschen „une mauvaise ligne de fièvre ce soir" vorherzusagen.[24] Im Tagebuch klingt es dramatisch und unironisch: „Ein geschlechtlicher Anfall gestern, einige Zeit nach Schlafengehen, hatte sehr schwere nervöse Folgen: Große Erregung, Angst, andauernde Schlaflosigkeit, ein Versagen des Magens in Form von Sodbrennen und Übelkeit. Da Baldriantropfen nicht halfen, wandte ich kalte Stirnkompressen an, die beruhigen möchten, aber es wurde schon hell, und die Vögel zwitscherten, als ich den Schlaf noch nicht gefunden hatte" (237). Dies im Mai 1919, nachdem er gerade einen Tag zuvor festgestellt hatte, daß die „Erregung über das Politische, die mir erst durch beeinträchtigten Schlaf bewußt wurde, ... wieder einmal besänftigt" schien (236).

Zur abendlichen Bettlektüre, wie er sie regelmäßig pflegte, zählt einmal auch Péladans 'Das allmächtige Gold'. Trotz des erheiternden „Romantizismus" und „Antirepublikanismus" – man schreibt noch Juni 1919 – lautet das Gesamturteil: „allzu französisch. Vieles lächerlich, und die sentimentale Wollust ist nicht mein Fall" (260). Aber am Tag darauf hat er zu notieren, daß „die Geschlechtlichkeit wieder einmal ihr Spiel" (260) mit ihm treibe. Wird positiv bilanziert, dann so: „Nach geschlechtlicher Nacht in dem hiernach üblichen, teils reduzierten, teils ruhigeren u. gewissermaßen auch erfrischten Zustand" (272). Anders als die Mystik Péladans, nämlich als „etwas Enjouierendes für mich", empfindet er diejenige Hofmansthals. Die abendliche Lektüre der 'Frau ohne Schatten' entlockt ihm das Bekenntnis: „Es muß wunderlich und wollüstig sein, so zu phantasieren, und die Lust und der Mut dazu zeugt doch nicht gerade von steriler Müdigkeit". Unterm selben Datum wird noch vermerkt: „Geschlechtliche Ausschweifung, die aber, obgleich durch die nervöse Erregung noch lange der Schlaf hintangehalten wurde, sich geistig eher als zuträglich erwies" (327).

Als er im Sommer 1919 angeregt vom Glücksburger Strand nach München zurückkehrt, kommt es bei der Wiederbegegnung mit seiner Frau zu dem, was er an andrer Stelle ein Rencontre nennt. Diesmal unterläuft ihm eine Formulierung, die nicht nur dem berufsmäßigen Seelendeuter auffallen muß. Denn die knappe Notiz „Um 2 Uhr zu Bette. K. beigewohnt" wird mit dem Zusatz versehen: „leichtsinnig, hoffentlich straflos" (292). Daß die möglichen Folgen befürchtet werden, ist gewiß verständlich, wenn man bedenkt, daß die Geburt des jüngsten Kindes noch keine vier Monate zurückliegt und der um die Gesundheit von Katia Besorgte nun nicht mehr so fatalistisch wie beim Verdacht der letzten Schwangerschaft sich dreingeben mochte, wo er noch das Denkbare mit den drohenden Folgen des endenden Krieges (September 1918) so verknüpft hatte: „Ein sechstes Kind? Zwischen 5 und 6 ist kein großer Unterschied, und auf wirtschaftliche Ausrüstung werden Kinder nach dem Kriege überhaupt kaum noch zu rechnen haben" (17). Und doch bleibt es bei allem Verständnis über das Erschrecken vor einem siebenten Kind erstaunlich, daß der besorgte Ehemann das Wort „straflos" nicht vermieden oder zumindest mit „folgenlos" umschrieben hat. Der tabulosen Direktheit entspricht dann auch, wie der geängstigte Sünder sich anschickt, Buße zu tun. Nachdem er am Vormittag den 'Zauberberg' „wieder in Angriff" genommen hat, sucht er unmittelbar nach dem Mittagessen den Gynäkologen auf, was leider „ziemlich ergebnislos" ist: „die meiste Zeit verging, indem er mir seine museumsartige Wohnung zeigte, die, von alten Holzplastiken erfüllt, durch zwei Häuser geht. Er verschrieb ein Vorbeugungsmittel und konnte sonst nur zum getrosten Abwarten raten". Dennoch erfüllt der Besuch wenigstens einen psychologischen Zweck. Ohne einen Anflug von Ironie, geschweige von Humor rechnet sich Thomas Mann nämlich den Gang um der Beschwerlichkeit willen an: „Immerhin beruhigte die Unbequemlichkeit des weiten, sonnig-heißen Weges zu dieser Stunde mein Gewissen" (293). Die Wallfahrt des Büßers war aber nur eine solche auf gekochten Erbsen, denn er fuhr „per Tram".

Auffällig ist die Spracharmut bei diesem auch in den Tagebüchern so sprachmächtigen Schriftsteller, sobald es ums Sexuelle geht. Die pedantische Kargheit, mit der immer wieder eine geschlechtliche Störung, eine geschlechtliche Nacht, ein geschlechtlicher Anfall oder das irritierende Spiel der Geschlechtlichkeit notiert wird, würde man kaum demselben Mann vermachen, der den Geschöpfen seines Zauberbergs auch die sprachliche Fülle der Wollust zu geben vermochte. Gerade weil der Tagebuchschreiber offenkundig wenig von dem verbirgt, was ihm selbst bewußt geworden ist, und weil es ihn hier nicht danach verlangt, das Geheime zu transferieren, wie er es als Künstler immer tut, spricht diese Dürftigkeit dafür, daß er auch in den reiferen Jahren die Furcht nicht los wurde vor den Hunden im Souterrain.[25]

In Thomas Mann nur den Verklemmten zu sehen, hieße freilich, die komplizierte Situation zu ignorieren, in der er sich befand. Die gesellschaftliche Ächtung der Homoerotik, die durch die Kriminalisierung der Homosexualität zu dieser Zeit und noch für Jahrzehnte auch in den zivilisierteren Ländern das Leben Ungezählter verdüstert oder gar zerstört hat, verschärfte die Situation. Nicht nur im 'Tod in Venedig', sondern auch im 'Zauberberg' und noch im 'Doktor Faustus' erinnern die 'Tristan'-Klänge dieses Wagnerverehrers auf ähnlich gebrochene Weise an den großen Meister, wie die Verse Platens an die Lyrik des römischen Klassikers von Weimar. Und wenn im 'Zauberberg' der kleine Tannhäuser vor Frau Venus kniet und singt: „Le corps, l'amour, la mort, ces trois ne font qu'un",[26] so deshalb, weil in dieser Circe weniger Frau Venus oder Isolde als vielmehr der Knabe inkarniert ist, dessen Name auf den Tod verweist. Es wäre aber verfehlt, von einem doppelten oder gar dreifachen Leben Thomas Manns zu sprechen: dem eines bürgerlichen Ehemannes und Familienvaters, dem eines vor allem in Flirts und Sehnsüchten sich verzehrenden Homoerotikers, und dem des Künstlers, der kraft seiner schöpferischen Phantasie im Werk jene Lösungen oder Katastrophen sich vollziehen ließ, die das wirkliche Leben ihm nicht bot oder nicht abverlangte.

Für den Menschen Thomas Mann nimmt ein, daß er die Schwierigkeiten der unlösbaren Verschränkungen über die langen kritischen Jahre hinweg ausgehalten hat. Unter diesem Gesichtspunkt verliert das von seiner Frau geregelte Chaos der großbürgerlichen Familienexistenz den sich aufdrängenden Anschein des pompösen Spießertums. Als es dem durch 'Buddenbrooks' schon ein wenig berühmt gewordenen jungen Schriftsteller gelungen war, eine der glänzendsten Partien zu machen, die im damaligen München zu gewinnen waren, schrieb er dem Bruder, er habe sich eine Verfassung gegeben.[27] Das ist, vordergründig, eine ironische Verteidigung der bürgerlichen Existenz gegenüber dem normaleren wie bohèmienhafteren Leben Heinrichs. Bedenkt man aber, daß dessen Neigungen allein dem weiblichen Geschlecht galten, so ist auch klar, warum der ältere der Brüder sich eher ein wenig Anarchie erlauben konnte als der jüngere. Auch wäre die lebenslängliche Empfindlichkeit des Ehepaares Thomas und Katia Mann gegenüber der lässigeren Lebensform Heinrichs und seiner ehelichen wie außerehelichen Damenwelt vermutlich weniger groß gewesen ohne den Zwang, jene „Verfassung" gegen ihre innere Aushöhlung verteidigen zu müssen. Man braucht nicht darüber zu rechten, ob die Frau und Mutter der sechs Kinder in dieser Ehe nicht den sehr viel schwierigeren Teil zu leisten hatte. Es ist jedenfalls anzuerkennen, daß Thomas Mann die Probleme nicht auf Kosten der Frau oder der Kinder zu lösen versucht hat. Und es steht niemandem zu, ihm vorzuwerfen, es habe ihm zu einem anderen Leben als dem, das in den Tagebüchern nun offenkundiger wird, der Mut gefehlt. Er hatte zumindest die Kraft, nicht zu resignieren oder zu verbittern. Das Werk beweist es. Wenn je die Versagung oder gar die Bitternis schöpferisch wurde, entstanden daraus doch nur Zeugnisse aggressiver Abwehr oder Rechtfertigung. Nach dergleichen Dokumenten fahndet man im Corpus der künstlerischen Schriften Thomas Manns vergeblich. Noch die Ironie, mit der er seine bürgerliche Seite in Zeitblom parodierte, ist ohne zynische Schärfe. Freilich ist die homoerotische Problematik, die untrennbar mit der Produktivität Thomas Manns verbunden war, an Leverkühn übergegangen. Deshalb brauchte die Gattin des Faustus-Chronisten weder das Schicksal von Aschenbachs Frau zu teilen, also ganz jung zu sterben, noch etwas von Katia Manns tieferer Not mitzubekommen.

Daß Thomas Manns Zweifel an seiner familiären Existenz von fundamentalerer Art waren als die aus dem alltäglichen Überdruß emporsteigenden Verstimmungen, wie sie auch dem biederen Bürger nicht erspart bleiben, versteht sich von selbst. Noch ehe sich das Interesse an Eissi bis zur inzestuösen Verliebtheit steigert, grübelt er über die Vater- und Kindschaft. Bedenkt man, welchen Verlauf das Leben des ältesten Sohnes schließlich nehmen sollte, liest sich der Eintrag vom 20. September 1918 wie eine Ahnung, die durch einen Sophismus à la Nietzsche verdrängt werden soll: „Gestern abend bemerkte ich durch die verschlossene Glasthür der Kinderwohnung Licht, und da ich Katja ohnehin wecken mußte, denn sie hatte mich ausgesperrt, so wurde nachgeforscht. Es zeigte sich, daß Eissi bei beleuchtetem Zimmer und phantastisch entblößt in seinem Bette lag. Er wußte auf Fragen keine Antwort zu geben. Pubertätsspiele oder Neigung zu schlafwandlerischen Handlungen, die wir schon in Tegernsee wahrnahmen? Vielleicht beides in einem. Wie wird das Leben des Jungen sich gestalten? Jemand wie ich 'sollte' selbstverständlich keine Kinder in die Welt setzen. Aber dies Sollte verdient seine Anführungsstriche. Was lebt, will nicht nur sich selbst, weil es lebt, sondern hat auch sich selbst gewollt, *denn* es lebt" (10).

Von früh an ist die Neigung zu den verschiedenen Kindern höchst ungleich verteilt, die Tagebücher zeigen es in aller Härte. Klaus hat er lange mit Sorgen geliebt, das spätere Vertrauensverhältnis zu Erika zeichnet sich früh ab. Der kleine Golo erhält schlimme Zensuren, erst allmählich wird er den Respekt des Vaters gewinnen. In den Tagebüchern nach 1933 begegnet er dann als Mitstreiter und Helfer, und die jungen Freunde, die er in den Ferien mitbringt, erfahren dasselbe Wohlwollen wie Erikas Freundinnen. Zu der im April 1918 geborenen Elisabeth hat der Vater, solange „das Kindchen" in der Wiege liegt, eine so unmittelbare Zuneigung, daß man glauben könnte, er hätte zuvor noch nie dergleichen väterliche Regungen verspürt. Eben dort, wo er mit dem Blick auf ein mögliches weiteres Kind konstatiert, daß zwischen 5 und 6 kein großer Unterschied sei, meint er, von Katias Gesundheit abgesehen, habe er „eigentlich nichts dagegen einzuwenden, als daß das Erlebnis 'Lisa' (sie ist in gewissem Sinne mein *erstes* Kind) dadurch beeinträchtigt, verkleinert wird" (18). Dergestalt kann einer ums 'Erlebnis' nur besorgt sein, wenn er es ausbeutet, und in der Tat sehen wir ihn mit den Hexametern für den 'Gesang vom Kindchen' bemüht. Wohl möglich, daß die Arbeit an den Versen, die ihm nur schwer von der Hand ging, die Liebe zum lebendigen Vorbild gesteigert hat. Beim neugeborenen Michael hingegen wird zwar anerkannt, daß er geschickt und energisch an der Brust der Mutter zu trinken vermag. Doch kündigt sich sofort an, was dann in den späteren Tagebüchern als eine über viele Jahre hingeschleppte Leidens-Antipathie zu beobachten sein wird: „Was mich betrifft, so ist festzustellen, daß ich für den Knaben bei Weitem die Zärtlichkeit nicht aufbringe, wie vom ersten Augenblick an für Lisa"; was, wohl in Anbetracht der Tatsache, daß es sich um einen Knaben handelt, „Wunder nehmen könnte" (209).

Als er zum Standesamt geht, um den Jüngstgeborenen anzumelden, widerfährt ihm, was gewiß auch einem gewöhnlichen Sechskindervater hätte passieren können: „Blamiert, da ich die Geburtsjahre der Kinder nicht wußte" (210). Daraus ist jene Distanz gewiß nicht abzulesen, die im Spätwerk dann zur Chiffre der Kälte gesteigert wird. Wohl aber verrät sich solche Distanz in einer unauffälligen Notiz: „Am Geburtstag meiner armen kleinen K., die ich liebe, wie ich auch meine 6 Kinder liebe" (281). Die Ambivalenz dieses Gefühls ist die Voraussetzung für eine Haltung, die ihm jene für das Werk so nötige innere Unabhängigkeit inmitten der Familie garantiert. Er hat sie als das vom bürgerlichen Leben beschützte Unbürgerliche während einer Trennung so beschrieben: „Es ist lange her, daß ich so lange allein war. Ich nannte es heute unterwegs meine Tonio Kröger-Einsamkeit. Zu Anfang regte sie mich auf, aber die Umstände" – er hat sich an den Starnberger See zum Arbeiten und zur Erholung zurückgezogen – „begünstigen sie so sehr, daß ich mich rasch in sie eingelebt habe. Über Einsamkeit und 'Weib und Kinder' wäre manches zu sagen, d. i. über ihre Würdigkeit, Ratsamkeit, Zuträglichkeit, ihre inneren Wirkungen. Die entscheidende Erwägung und Sicherheit bleibt mir, daß ich mich meiner Natur nach im Bürgerlichen bergen darf, ohne eigentlich zu verbürgerlichen. Hat man Tiefe, so ist der Unterschied zwischen Einsamkeit u. Nicht-Einsamkeit nicht groß, nur äußerlich" (247). Hier klingt zwar unüberhörbar auch ein Unterton der Beschwörung mit, daß es so sei und sich bestätigen möge. Aber die Hoffnung hat sich im späteren Leben Thomas Manns nicht als Illusion herausgestellt, sie ist durch das Werk als Realität bewiesen worden. Auch ist die leise Besorgnis ein positives Zeichen von Achtsamkeit. Vielleicht war paradoxerweise die erotische Komplexität Thomas Manns eine der wesentlichen Voraussetzungen dafür, daß seine familiäre Existenz nicht scheiterte, wie ja auch die permanente Untreue des Homoerotikers gegenüber seiner Lebenspartnerin die Voraussetzung seiner Treue gegenüber der Ehefrau war.

Leiden am Bruder

Wie bei so vielen deutschen Schriftstellern und Gelehrten läßt sich auch bei Thomas Mann von 1914 an die Politisierung eines bis dahin am Politischen nur wenig interessierten Geistes beobachten. Und wie bei den meisten, so steht auch bei Thomas Mann am Anfang die Unfähigkeit, jenem nationalen Rausch zu widerstehen, der nicht nur die Massen, sondern auch die Masse der Intellektuellen beim Ausbruch des Krieges ergriff. Thomas Mann versieht diesen zum Untergang des alten Europa führenden Krieg mit einer höheren Weihe und stilisiert die kriegführenden Deutschen zu Verteidigern der Kultur gegenüber den materialistischen Ansprüchen der westlich-demokratischen Zivilisation hoch. Bei den törichten 'Gedanken im Krieg', die nur von tiefsinniger Gedankenlosigkeit zeugen, bleibt heute nachträglich als dürftige Entschuldigung allein übrig, daß Thomas Mann über die Propaganda der anderen Seite, die aus den Deutschen Barbaren und Hunnen machte, empört war. Doch gehörte schon eine starke Verblendung dazu, den völkerrechtswidrigen, vom Generalstab diktierten Einmarsch der Deutschen in Belgien mystifizierend mit dem historischen Gleichnis über 'Friedrich und die große Koalition' rechtfertigen zu wollen.[28] Vielleicht wäre es bei dergleichen Torheiten geblieben ohne die tief wurzelnde, lange verdrängte und daher auch beim Aufbrechen so schmerzhafte Auseinandersetzung mit dem älteren Bruder, zu der die politischen Differenzen nur das Material boten. Gegen Heinrich recht zu behalten und, als dies mit dem sich hinziehenden und immer hoffnungsloser werdenden Krieg kaum mehr möglich war, sich wenigstens für die noch immer nicht eingestandenen Irrtümer zu rechtfertigen, war wohl der eigentliche Grund, der Thomas Mann gezwungen hat, so lange an der Quälerei der 'Betrachtungen eines Unpolitischen' festzuhalten.

Die Tagebücher 1918–21 bestätigen die Vermutung, daß Thomas Manns politische Haltung zur Zeit des Ersten Weltkrieges bis hin zur republikanischen Wendung von 1922 unentwirrbar mit dem Bruderzwist verknüpft war. Obwohl das Journal erst acht Monate nach dem völligen Zerwürfnis beginnt und bereits vor der durch eine schwere Krankheit Heinrichs ausgelösten Versöhnung endet, reichen die Aufzeichnungen doch über den größten Teil jener Zeit, in der die verfeindeten Brüder, da sie in derselben Stadt wohnten und viele gemeinsame Bekannte besaßen, einander gelegentlich aus der Ferne sehen und indirekt beständig voneinander Kenntnis nehmen mußten. Was den Jüngeren betrifft, so verraten die zahlreichen Aufzeichnungen über solche Begegnungen, wie quälend die ungelöste Beziehung für ihn war. Voller Bewunderung im 'Nietzsche' des Freundes Ernst Bertram lesend, konstatiert er, daß Nietzsches „Deutschheit sehr tief und geistreich herausgearbeitet" sei. Erinnert man sich, daß Bertram der wichtigste Zitatenlieferant für die 'Betrachtungen eines Unpolitischen' gewesen ist, erklärt es sich, warum während der Lektüre dieses als geglückt empfundenen Zwillingsbuches der 'Betrachtungen' sich unvermittelt Heinrich in die Assoziation drängt: „Heinrich soll sich *nicht* auf die großen Deutschen berufen" (6); womit neben Nietzsche vor allem der größte gemeint ist, den Thomas Mann hier „Göthe" schreibt.

Die Deutung von Pharaos Träumen durch den in der Schule Sigmund Freuds versiert gewordenen Joseph ist nur der spätere Höhepunkt jener von früh an geübten Auslegekunst Thomas Manns, die ihm zu einem wesentlichen Mittel seiner motivischen Symbolkunst geworden war. Wenn Heinrich sich in die Träume drängt, wird solcher Erscheinung hingegen aus leicht erklärlichem Grund die naheliegende Deutung verweigert. Daß ein so klarer Traum wie der folgende überhaupt aufgezeichnet wird, ist daher schon überraschend: „Mir träumte, ich [sei] in bester Freundschaft mit Heinrich zusammen und ließe [ihn] aus Gutmütigkeit eine ganze Anzahl Kuchen, kleine à la crème und zwei Bäcker-Tortenstücke, allein aufessen, indem ich auf meinen Anteil verzichtete. Gefühl der Ratlosigkeit, wie sich denn diese Freundschaft mit dem Erscheinen der Betrachtungen vertrage. Das gehe doch nicht an und sei eine völlig unmögliche Lage. Gefühl der Erleichterung beim Erwachen, daß es ein Traum gewesen" (19). Die 'Betrachtungen' stehen kurz vor dem Erscheinen, eine Woche später finden wir ihn mitten in einer schlaflosen Nacht bei Katia „in Gesprächen über die Lage und insbesondere über das Schicksal der 'Betrachtungen', über das ich mir viele und neue, zur Aktivität geneigte Gedanken machte... Derjenige, das Buch zu unterdrücken u. posthum zu machen, gewann an Anziehung und Verwirklichungsmöglichkeit" (25). Am andern Morgen, das Telegramm ist schon abgefaßt samt einem ratsuchenden Eilbrief an Fischer, scheint ihm die Publikation doch wieder ein „geringeres Abenteuer" zu sein „als die Unterdrückung, deren große Schwierigkeiten und Nachteile auf der Hand liegen" (26). Der Anblick eines Briefes mit Heinrichs Handschrift fällt ihm „gefährlich auf die Nerven", der Inhalt erweist sich zum Glück als reine, alle Geschwister betreffende finanzielle Formalität. Es ist der Tag, an dem Prinz Max zum Reichskanzler ernannt und die „Etablierung der neuen demokratischen Regierung, in der die Sozialdemokraten dominieren", zu verzeichnen ist. Der Eintrag endet: „Verzweifelt und gehetzt". Die „Katastrophe und Weltniederlage" des konservativen Deutschtums sei da. „Es ist auch die meine" (23), aber er beharrt darauf, daß seine Parole: „Gegen den rhetorischen Bourgeois", die rechte sei (27). Als er dann, am 1. November 1918, Katia eine längere Widmung in ihr

130

Exemplar der 'Betrachtungen' schreibt, weinen sie beide (51). In dieser Widmung heißt es, sie hätten es „zusammen getragen", sie aus Liebe, er „nur aus Not und Trotz" (594).

Nimmt man auch nur dies zur Erhellung des Traumes hinzu, so bleibt kaum zweifelhaft, daß der geheime Wunsch dem Neubeginn einer brüderlichen Freundschaft galt und daß die bevorstehende Publikation der 'Betrachtungen' als schwerstes Hindernis der Versöhnung befürchtet wird.[29] Und man kann schwer der Versuchung zu einer geradlinigen Traumdeutung widerstehen, die in den Kuchen und Tortenstücken die Zeichen dafür sähe, daß die Zeitereignisse Heinrichs Anschauungen zu bestätigen und diejenigen von Thomas zu widerlegen schienen. Gutmütig freilich hat der Jüngere dem Älteren nicht zugestanden, recht behalten zu haben. Mal für Mal hat er es mit tiefer, weil ihn selbst verletzender Befriedigung vermerkt, wenn die Ereignisse dem Glauben Heinrichs an die Segnungen der von den Westmächten aufgenötigten Zivilisationsdemokratie Hohn zu sprechen schienen. Noch in der letzten Eintragung, die Heinrich direkt nennt, wird der Bruder auf charakteristische Weise mit den 'Betrachtungen' verknüpft. Thomas Mann ist da, im September 1921, mit einer Neuausgabe des Buches beschäftigt, dessen Schatten er dann nie mehr ganz loswerden sollte. Die Kürzungen, die er nun vornimmt, werden nur neue Ungelegenheiten bringen. Im Geisterkrieg, der fortgeführt wird, ist Heinrich noch immer der große Gegner: „Heute kräftiger, mutiger. Beschäftigte mich ruhiger mit der Bearbeitung des Kapitels 'Gegen Recht und Wahrheit', obgleich es wichtig wäre, den Zbg. zu fördern. Daß H. mit seinem Zeitroman zu einem großen Schlage ausholt, ist klar" (546). Bei Heinrichs Schlag kann es sich nur um die große Abrechnung mit der jüngsten Vergangenheit handeln, also mit jenem Kaiserreich, das die Untertanen gezüchtet und die Armen ausgebeutet hat und für dessen Katastrophe die konservativen Intellektuellenköpfe die Mitverantwortung trifft. Auch der 'Zauberberg' ist ein Zeitroman in jenem doppelten Sinn, daß neben den poetischen Meditationen über das Wesen von Zeit und Vergänglichkeit auch die eigene Zeit im Sinne der erlebten Vergangenheit und der zu leistenden Gegenwart betrachtet wird. Schreibt Thomas Mann dergestalt mit dem 'Zauberberg' gegen den Bruder an, dann droht die bange Frage, ob der entstehende Roman nicht auch zu dem werden würde, was die 'Betrachtungen' nach des Verfassers eigener Meinung bereits waren, als er sie noch nicht einmal ganz zu Ende geschrieben hatte: ein „Rückzugsgefecht romantischer Bürgerlichkeit".[30]

Daß Heinrichs Zeit gekommen zu sein schien, macht Thomas, der sich zunächst ganz auf der Seite der Verlierer wähnt, nicht generöser in seinem nagenden Gram. Zu den gemäßigteren Bemerkungen gehören noch solche: „Heinrich mit seiner Frau war im Theater, was mich etwas störte. Er teilte die liebenswürdigen Grüße des Verehrten Führers aus" (78). Am nächsten Tag genügt schon der Blick ins Morgenblatt, um ihn sehr aufzuregen, denn da sind „Kundgebungen zweier verschiedener 'Räte der geistigen Arbeiter'", und was von der um Heinrich gescharten Gruppe verlautet, dünkt ihn „empörend hochnäsig, fanatisch-politisch und ketzerrichterisch" (79). Wie ein Versuch der Selbstberuhigung mutet es an, wenn er die Aktivitäten des Bruders in der Manier der 'Betrachtungen' dem Zivilisationsliteratentum zuordnet. Notiert werden „Erzählungen von der gestrigen 'Revolutionsfeier' im 'Nationaltheater', der außer mir, der ich mich nicht darum gekümmert, die ganze literarische u. künstlerische Welt beigewohnt zu haben scheint" (82). Die allgemeine Stimmung insgesamt wird als gespannt bezeichnet; es herrsche das Gefühl vor, die Revolution stehe in ihren Anfängen und alles sei möglich, auch die äußerste Reaktion. Und dann, mit Berufung auf einen Zeugen, dessen Urteil er sonst nicht allzusehr vertraut: „Über Heinrich und seine politische Ahnungslosigkeit. Martens bemerkte, daß mein antipolitisches Buch eigentlich eine viel angelegentlichere Beschäftigung mit Politik bezeuge. Tja... für H. in Deutschland politisch eigentlich kein Raum. Französischer Radikaler, nicht Sozialdemokrat, überhaupt kaum Sozialist, sondern Anhänger der jetzigen französischen Republik" (83).

Immer wieder, wenn er etwas über Heinrich hört oder liest, gibt es einen kurzen Augenblick, in dem sich die Ahnung regt, daß trotz der so gänzlich unterschiedlichen politischen Stellung die Haltung des anderen Respekt erheischen könnte; doch wird das sofort beiseite geschoben oder gar ins Gehässige verkehrt. So etwa bei der Zeitungsmeldung über den „Fortbestand des 'Politischen Rates geistiger Arbeiter', dessen 'führende Persönlichkeit' Heinrich Mann sei! Als die führende Persönlichkeit den Vorsitz der Versammlung übernehmen sollte, bat sie: 'Ersparen Sie mir doch das!' Sie präsidierte dann stumm und ließ zu allgemeinem Ekel das Scheusal Friedenthal das Wort führen" (85). Als er vom selben Martens, der ihm gerade noch die 'Betrachtungen' so gelobt hatte, eine Besprechung von Heinrichs 'Untertan' lesen muß, nennt er das ein „weibisches

Feuilleton" (98). Selbst wenn er dem Bruder den Erfolg nicht neidete, der sich nun mit der Veröffentlichung des Romans abzeichnet, dessen Vorabdruck bei Kriegsausbruch von der Zensur abgeschnitten wurde: der Zusammenbruch des Kaiserreiches schien die Satire so schlimm wie glänzend zu rechtfertigen, und die monarchistische Mystik, der sich Thomas Mann in den 'Betrachtungen' mit krampfhafter Ignorierung der Realität hingegeben hatte, war nur um so mehr bloßgestellt. Daß er sich in dieser Situation für den Bruder gefreut hätte, wird man kaum erwarten. Es reicht nur zu der Feststellung, daß der 'Untertan' „nun denn also erscheint, in die Glorie rückt". Immerhin folgt noch eine Bemerkung, die nach gequältem Respekt vor der Person klingt: „Übrigens soll der Verfasser persönlich triumphale Haltung vermeiden" (98). Wenn auch im Augenblick vielleicht ein weniger vornehmes Benehmen des Bruders ihn mehr befriedigt hätte, scheint es ihn also doch brüderlich berührt zu haben, auch wenn er das sich nicht recht einzugestehen vermag. Denn anstatt weiter darüber nachzudenken, weicht er vor der psychologischen Selbstanalyse ins Politische aus – und nimmt dabei, wiederum mit der aus dem Unterbewußtsein gelenkten Sicherheit jene Position vorweg, die, zieht man die ironischen Spitzen ab, drei Jahre später so ziemlich die seinige werden wird: „Man wundert sich über seine gemäßigte, antibolschewistische Haltung. Mit Unrecht. Selbstverständlich mißbilligt er den Bolschewismus nicht nur als Methode, sondern auch als Idee, und zwar weil er nichts als ein Altdemokrat kelto-romanischer, Wilson'scher Prägung ist und die bürgerliche, parlamentarische Republik im Grunde als den Rahmen betrachtet, innerhalb dessen die Menschheit unendlich fortschreiten kann" (98). Als Neudemokrat deutscher Prägung wird Thomas Mann dann die parlamentarische Republik als Rahmen für einen zwar nicht unendlichen, aber doch stückweisen Fortschritt akzeptieren und verteidigen und die Unterschiede, die zwischen ihm und dem Bruder in politicis auch dann noch bestehen, für geringer erachten als die Gemeinsamkeiten.

Wie wenig die bis zum Selbstwiderspruch sich steigernden politischen Meinungen in der Zeit von 1918–21 vom Leiden am Bruder zu trennen sind, wird schon aus der Lagebeschreibung deutlich, die Thomas Mann am 19. November 1918 in Erwartung eines Bürgerkrieges gibt. Nachdem zunächst noch vom „roh-triumphierenden Westen" die Rede war, tritt dafür unverhüllt der Name ein, der in den 'Betrachtungen' neben dem synonymen „Zivilisationsliteraten" für Heinrich steht: Rhetor-Bourgeois. Der unpolitische Beweggrund wird bei seinem psychologisch enthüllenden Namen – Haß – genannt: „Ich entsetze mich vor der Anarchie, der Pöbelherrschaft, der Proletarierdiktatur nebst allen ihren Begleit- und Folgeerscheinungen à la russe. Aber mein Haß auf den triumphierenden Rhetor-Bourgois muß mich eigentlich die Bolschewisierung Deutschlands und seinen Anschluß an Rußland wünschen lassen" (84).

Daß der Haß wirklich eher der Person als der Sache gilt, für die diese Person eintritt, verrät sich durch den zelotischen Eifer, in dem referiert wird, was bei einem Abendessen mit Freund Bertram zur Sprache kam. Das Exemplum ist um so erschreckender, als unmittelbar davor erwähnt wird, auf welche Idee den Schreibenden das eingeweckte Huhn, das man gegessen, gebracht habe: „daß das Geflügel durch die luftdichte Abgeschlossenheit auch der *Zeit* entrückt sei, außer ihr de facto, ein schnurriger Gedanke, den ich in den 'Zauberberg' einfügte, ein Gespräch des Hans C. mit Joachim parodierend". Wie weit ist da der Autor, der es doch schon längst wieder mit Settembrini zu tun hat, in der Realität noch von jener Künstler-Überlegenheit entfernt, kraft derer er schon bald den liebenswerten Zivilisationsliteraten und den maliziösen Naphta wird debattieren lassen! Denn im Tagebuch schließt sich an: „Man sprach schließlich von Heinrichs 'Rats'-Rede, seiner entsetzlichen und empörenden Zusammenhanglosigkeit mit aller deutschen Bildung... Es ist unleidlich. Die alberne Verhimmelung des Dreyfus-Skandals. Die stupide Gleichstellung des deutschen 'Kaiserreichs' mit dem Cäsarismus des franz. empire. Frech, dumm, spielerisch und unleidlich. Aber das wird als 'Symbol' und 'führende Persönlichkeit' ausgerufen" (101).

Obwohl das gesellschaftliche Leben der Familie Thomas Mann durchaus weitergeht und selbst in den wirren Tagen der Münchner Räterepublik zahlreiche Einladungen, Gegeneinladungen und Veranstaltungen zu verzeichnen sind, fühlt sich der Verwöhnte vernachlässigt. An einem Dezembertag 1918, wo ohnehin melancholische Verstimmung zu verzeichnen ist, erzählt ein Besucher „von dem Salon der Frau von Schnitzer... wo er Heinrich, Hausenstein, Rilke u. a. Berühmtheiten getroffen... Wurde mir bewußt, daß ich eine einsame, abgesonderte, grüblerische, wunderliche und trübe Existenz führe. H.'s Leben dagegen ist jetzt sehr sonnig" (119). Doch zeichnen sich mit solch resignierter Melancholie keineswegs Einsichten ab, die für eine allmähliche Entgiftung der von der Politik verdorbenen Seele dieses Leidenden sprächen. Vielmehr wird voller Befriedigung alles vermerkt, was ein denn doch bald zu erwartendes Scheitern von Heinrichs politischem Idealismus erhoffen läßt. Und mag der Preis, recht zu behalten, noch so hoch sein: ingrimmig sagt Thomas Mann doch Ja zu solchem Preis; insbesondere, wenn letztlich Heinrich und seinesgleichen die Schuld daran zugeschoben werden kann. Selbst die Dolchstoßlegende muß dazu herhalten: „Der Pazifismus! Der Völkerbund! Der nächste Krieg steht schon vor der Thür, das fühlt man, auch ohne zu wissen, wer ihn führen wird. H. erklärte vor dem Kriege tragisch, er habe 'jetzt keinen Einfluß'. Hat er jetzt welchen? Daß es aber weitergehen wird, wie es gehen wird, das ist Deutschlands Schuld, das sich niederschreien ließ und nicht aufrecht blieb, zermürbt von dem 'Einfluß', den Geister wie H. thatsächlich hatten" (130). So wird schon Anfang Januar 1919 Heinrich politisch zu jener Kategorie gezählt, für die Hitler und Gesinnungsgenossen das morddrohende Wort „Novemberverbrecher" in Umlauf gebracht haben.

In den 'Betrachtungen' hatte sich Thomas Mann bemüht, die politischen Bestrebungen des Zivilisationsliteraten als ästhetizistische Politik zu entlarven, als die gerade in ihrer Realitätsblindheit gefährliche Schwärmerei von Leuten, die er mit Turgenjew Belletristen der Tat nannte. Nun wird Heinrich zwar eine gemäßigte, antibolschewistische Haltung bescheinigt. Aber der Glaube, der letztendlich für diese Mäßigung verantwortlich sein soll, gilt noch immer als die alte Blindheit, die angesichts der Ereignisse schiere Dummheit sei. Ein Zeitungsaufsatz über die „Proletarier-Kultur" in Rußland interessiert wohl vor allem deshalb „höchlichst", weil die darin mitgeteilten Fakten Heinrichs Weltanschauung ad absurdum führen sollen: „Das Materialistisch-Positivistisch-Aufkläreristische alles politischen Idealismus wird vollkommen klar. Geistige, die sich weigern, zum Kommunismus zu schwören, müssen hungern, fliehen: Mereschkowski, Andrejew. Die Tyrannei muß furchtbar sein" (137). Nun hat zwar Heinrich Mann, bei ohnehin nur minimalster Kenntnis des theoretischen Marxismus und Leninismus, sich von den dreißiger Jahren an bis zum Tod hartnäckig geweigert, auch nur jene Tatsachen zur Kenntnis zu nehmen, die den wahren Charakter des stalinistischen Systems schon früh enthüllt haben. Und er hielt in den späteren Jahren am Traumbild eines sozialistischen Rußland so hartnäckig fest, wie er sich einst an die von ihm entworfene und für die Wirklichkeit erklärte französische Demokratie geklammert hatte. Es gäbe also aus diesen und weiteren Gründen Anlaß genug, Heinrich Manns politische Anschauungen mit der Skepsis des historischen Abstandes zu prüfen; bei welcher Prüfung man schließlich noch dem Verfasser der 'Betrachtungen' eben dort, wo er die dubiosen Seiten des politisierenden Literatentums aufzeigt, weit weniger widersprechen möchte als dort, wo er für das unpolitische geistige Deutschtum zu Felde zieht. Dennoch muß man die Psychologie zu Hilfe nehmen, soll man nicht kopfschüttelnd vor der Vermengung stehen bleiben, die Thomas Mann in der angeführten Notiz vom 20. Januar 1919, und nicht nur hier, vornimmt. Denn nachdem er zwischen die Proletarier-Kultur und die intolerante Tyrannei die Bemerkung über den politischen Idealismus geschoben und somit den gemeinsamen Nenner für Heinrichs parlamentarischen Demokratieglauben und den Kommunismus gefunden hat, folgt das *ceterum censeo*: „Überhaupt: Revolution und Kultur! Man klagt über den Verfall der Plakatkunst, seit die Politik herrsche. Die Berliner Wahl-Plakate seien elend, während es bis in die Kriegsjahre hinein anders gestanden habe. 'Prinz von Homburg' und 'Jungfrau v. Orleans' werden verboten. Aber H. erklärt, Geist und Kunst gingen nun endlich mit dem Staate Hand in Hand. Es bleibt kein anderes Wort mehr als: Dummkopf" (137).[31]

Gerade die fortwährende Auseinandersetzung mit dem Bruder macht die Tagebücher von 1918–21 zum Nachzügler der 'Betrachtungen'. Wäre es Thomas Mann bei der Veröffentlichung seiner Kriegsgrübeleien wohler gewesen und hätte er nachträglich nicht vor sich und der Welt außer der behaupteten Richtigkeit der in diesem Werk hin- und hergewendeten Anschauungen nicht auch noch ihre trotzige Publikation zu verteidigen gehabt, also einen anachronistischen Akt, der aus den 'Betrachtungen' ein fatal zeitgemäßes Buch machte, weil da in der Tat dem Obskurantismus Waffen geliefert wurden, – hätte er also nicht dieses Buch mit sich zu schleppen gehabt: wohl möglich, daß seine Leiden an Heinrich wie an den Wirren der Zeit weniger heftig gewesen wären.[32] Im Sinne der höheren geistigen Ökonomie freilich darf man umgekehrt vermuten, daß gerade diese Leiden nötig waren, und nicht nur, um dereinst den 'Doktor Faustus' hervorzubringen, sondern schon für die Vollendung des 'Zauberberg'.

Der Lebensstoff begegnet zuweilen in einer symbolisch anmutenden Verdichtung. Die intime Freundschaft mit Bertram wird schon bald sich abkühlen und zur gänzlichen Entfremdung führen, da dieser die Verbindung des geistigen mit dem politischen Nationalismus in den zwanziger Jahren nicht revidierte, sondern immer nur verschärfte, bis er schließlich zum hinkenden Mitläufer des Dritten Reiches wurde. Jetzt, im Frühjahr 1919, dient Bertram noch als Adlatus, der etwa Thomas Mann seine „metrischen Beanstandungen" mitteilt (172). Es handelt sich um den 'Gesang vom Kindchen'. Mit der Korrektur von Bertrams Beanstandungen hat der Verfasser „große Qual", und am Abend bearbeitet man dann zu zweit „die metrischen Mißhelligkeiten, die zu leidlicher Zufriedenheit beigelegt wurden". Aber da findet sich noch ein Satz, zu dessen Erklärung es nicht hinreichen will, daß man ihn auf das Unbehagen an dem Verswerk bezieht, das so wenig glücken wollte wie einst das Savonarola-Drama: „Tief und quälend verstimmt, ja verzweifelt". Und man möchte auch nicht glauben, daß es sich um eine der häufigen, oft selbst tageszeitlich bedingten Gemütsverdüsterungen handelt, nur weil es nach der „Nachmittagsruhe etwas besser" (172) ging. Es ist vielmehr die Gesamtlage, und da träufelt Bertram noch das Gift in den Trank, auf den nicht verzichtet wird, gerade weil er so bitter schmeckt. Auf die Nachricht von der Ermordung Kurt Eisners am 21. Februar 1919 hatte Thomas Mann, unerachtet seiner feindseligen Reserve, mit „Erschütterung, Entsetzen und Widerwille gegen das Ganze" reagiert (154). Jetzt, am 17. März, ist von der Gedächtnisfeier die Rede, die am Vortag stattgefunden habe, „wobei H. gesprochen". Natürlich hat Thomas Mann daran nicht teilgenommen, aber er hält fest, was ihm da von Heinrichs Rede berichtet wird: „Eisner sei der erste geistige Mensch an der Spitze eines deutschen Staates gewesen, er habe in 100 Tagen mehr schöpferische Gedanken gehabt, als die anderen in 50 Jahren, er sei gefallen als Märtyrer der Wahrheit. Übelkeit. Die Hauptsache erfuhr ich erst von Bertram: E. habe den Ehrennamen eines Civilisationsliteraten verdient. *Nicht* übel... Im Künstlerzimmer Bilder des Märtyrers und ein Haufen roter Schleifen" (173).[33] Hoffte Thomas Mann zu dieser Zeit gar noch, dem Schimpfnamen, den er für den von Heinrich repräsentierten Schriftstellertypus erfunden hatte, könnte eine so erfolgreiche Karriere bevorstehen wie jenem 'Bildungsphilister', mit dem der Nietzsche der 'Unzeitgemäßen Betrachtungen' einst David Friedrich Strauß getroffen hatte?

Nur in seltenen Augenblicken gelingt es Thomas Mann, dem Streit etwas von jenem Niveau zu belassen, auf dem er den Konflikt gerne gehalten hätte aus Selbstachtung, und weil er nur so zum „Hauptmotiv einer intellektualen Dichtung" taugte (189). Aus dem Brief, mit dem er dem Verfasser eines Artikels zu Heinrichs 50. Geburtstag dankt, überträgt er ins Tagebuch die Sätze, in denen er sich dafür rechtfertigt, daß er

auf einen „überlegenen Wiederannäherungsversuch" (500) nicht eingegangen ist. Und hier heißt es: „Zuletzt, man soll einen Zwist wie den
unsrigen in Ehren halten und ihm den toternsten Akzent nicht nehmen
wollen. Vielleicht sind wir, getrennt, *mehr* einer des andern Bruder, als
wir es an gemeinsamer Festtafel wären" (501). Die höchste Ehre würde
dem Zwist angetan, wenn es gelänge, ihn als Teil jenes Lebensbuches zu
behandeln, von dem Thomas Mann schon früher geträumt hatte. Es
taucht nun, während er sich mit dem ersten Teil des 'Zauberberg' müht,
wieder auf, und er hofft, damit nicht nur den verunglückten intellektuellen Pseudoroman der 'Betrachtungen' endgültig überwinden, sondern
auch die bisherigen Werke weit hinter sich lassen zu können: „In Felda-
fing hatte ich Stunden, wo ich die beiden Romane als spielerisch empfand
im Vergleich mit dem wahren, dem Lebensstoff der großen Geschichte
von Heinrich, mir, Lula und Carla. Vikko wäre heitere Figur. Mama sehr
menschlich. Auch die Familie Pr. müßte hinein. Es könnte, mit Ernst und
Wahrheit durchgeführt, ein Epos à la Tolstoi werden. Mein Traum ist,
später, in dem Jahrzehnt zwischen 50 und 60 die Kraft zu haben, es zu
schreiben" (412). Was hier wie eine neue Idee aufgezeichnet wird, ist in
Wirklichkeit eine alte Vorstellung. Und daß es gerade Heinrich war, dem
er, bald sieben Jahre zuvor, von diesem Wunschtraum etwas mitgeteilt
hat, scheint dem Gedächtnis des Tagebuchschreibers gänzlich entfallen zu
sein.[34] Hingegen irrt er sich nicht, wenn er die Anfänge des Zerwürfnisses
schon in die frühen Jahre zurückverlegt. Als in Wien 'Fiorenza' aufgeführt wird, peinigt das „Spiel, oder vielmehr die Rezitation" ihn „natürlich, wie immer, ergriff mich aber doch, indem sie viel inneres Erlebnis
von ehemals wachrief, hatte das Gefühl, schon damals an den 'Betrachtungen' und dem Heinrich-Konflikt gedichtet zu haben" (333). Auch
wenn man Thomas Mann zugestehen kann, daß er trotz aller genialen
Frühreife sich innerlich gegen die in ihrer einfacheren Sicherheit bedrük-
kende Superiorität des älteren Bruders wehren mußte, obwohl er ihn als
Künstler rasch überflügelt hatte, und auch wenn man ferner annimmt,
daß die in 'Fiorenza' debattierten Probleme solche der brüderlichen
Auseinandersetzung waren: es bleibt erschreckend und enthüllend, wie
der mit dem Bruder Hadernde dergestalt die kürzeste aller denkbaren
Linien in die Vergangenheit zieht.

Der leidenden Besessenheit entspricht die Ungehemmtheit, mit der er,
schamlos vor sich selbst, gelegentlich dem Neid wie der Schadenfreude
das Wort überläßt. Zustimmende Äußerungen über die 'Betrachtungen'

„thaten mir wohl, nachdem ich im ersten Heft einer neuen Genfer Zeitschrift unter allerlei europäischen Namen H. als Mitarbeiter angezeigt gesehen" (456). Es ist schon viel, wenn er seine Empfindlichkeit zu diagnostizieren beginnt: „In den 'Nachrichten' Bericht über eine Vorlesung Heinrichs bei Steinecke, von Elchinger in der obligatorisch devoten Art verfaßt. Dergleichen verwirrt und quält mich jedesmal in hypochondrischem Grade" (371). Aber noch sind die Versuche einer Selbstheilung von erbarmenswürdiger Ohnmächtigkeit. Die Genugtuung über seine „seismographische Empfindlichkeit", die ihn schon bei der Vorkriegs-Konzeption des 'Zauberberg' vieles antizipieren ließ, wird dadurch beeinträchtigt, daß der „Roman anno 14 hätte fertig sein müssen", nun aber sein „Verdienstliches" größtenteils überholt worden sei „durch unnatürlich rapiden Ablauf" der Ereignisse.[35] Bemerkenswerter als die für eine solche Intelligenz denn doch überraschende Naivität des Gedankenganges ist die Zwanghaftigkeit, mit der Thomas Mann auch hier wieder auf den Bruder zurückkommt: „Aber geht es scheinbar Glücklicheren besser? Heinrichs Stellung, so glänzend sie im Augenblick scheint, ist im Grunde schon durch die Ereignisse und Erlebnisse unterminiert. Seine westliche Orientierung, seine Franzosenanbetung, sein Wilsonismus etc. sind veraltet und welk". Woraus der sich so seltsam Tröstende die leider wirkungslose Gesundbeterformel ableitet: „Wahrhaftig, es lohnt nicht, sich durch Eifersuchtsgram die Verdauung stören zu lassen" (391).

Allein die Tiefe seines Leidens, dessen erschütterndste Zeugnisse wir bis zuletzt aufsparen, vermag, wo nicht zu entschuldigen, so doch zu erklären, daß der wirkliche oder eingebildete Mißerfolg Heinrichs den vergrämten Bruder so tief befriedigen konnte. Schlimmer noch, wenn gar die Satire im 'Simplicissimus' „auf Heinrichs Flucht aus München während der Räte-Regierung, mit Familie, im Wagen", so kommentiert wird: „Als ich mit K. beim Thee davon sprach, erinnerte ich mich der unvergeßlichen Jugendscene, als H. vor dem totkranken Papa, der auf den Treppenabsatz herausgekommen war, davonlief, während ich mich mit ihm unterhielt, wofür Papa sich beim Abschied bedankte" (250). Im Februar 1920 spielt eine imaginäre Szene, in der wie im psychologischen Modell ersatzweise die Versöhnung sich abzeichnet, gegen die Thomas Mann sich dann immer noch zwei Jahre lang sträuben sollte. Selbst danach wird es einer schweren Krankheit des Bruders bedürfen, um die Verkrampfung zu lösen. Jetzt erfährt der Jüngere von der Schwester Lula: „Heinrichs Frau in Prag so krank, daß er nachts dorthin abgereist

ist, wahrscheinlich nach der Begegnung mit mir" (383). Sie waren bei einer Lesung wieder einmal aufeinandergetroffen: „An meinem Platz, bei Rückkehr in den Saal, stieß ich auf H., den man taktvoller Weise vor mich gesetzt. Zog mich weiter nach hinten zurück" (382). So hat er die Szene festgehalten, von der er einen Tag später eigens notiert, daß ihm die Begegnung „zugesetzt" habe. Daß er in dieser noch nicht abgeklungenen Erregung dem Zufall der zeitlichen Abfolge der Begegnung und der Reise des Bruders nach Prag eine tiefere Bedeutung beimißt, verrät, wie sehr er insgeheim wünscht, das Zerwürfnis habe für Heinrich eine ähnliche symbolische Leidensschwere wie für ihn selbst. Thomas Manns Hoffnung nämlich, die Schwägerin sei gar nicht ernsthaft krank, sondern nur „ihre Wehleidigkeit und ihre Neigung", Heinrich zu ängstigen, habe die eilige Reise veranlaßt, entspringt nicht der Sorge um das Leben dieser ihm so gleichgültigen Frau, und nicht einmal dem denn doch bei aller Feindseligkeit noch denkbaren Mitgefühl für den Bruder, sondern einer Furcht, deren wahren Charakter er so kurz wie ungehemmt preisgibt: „Schweres Dilemma, wenn sie stürbe. Große Bevorzugung durch das Unglück für ihn" (383).

In den 'Betrachtungen' hatte Thomas Mann dem Bruder vorgeworfen, er treibe um der Tugend-Ideologie der allgemeinen Menschenliebe willen eine Politik, die der Nächsten- und Bruderliebe Hohn spräche.[36] Auf dieser von Thomas Mann für unbezweifelbar gehaltenen Untat beruhte eine Art moralischer Überlegenheit, an die der Jüngere sich all die Jahre hindurch festhielt. Wenn er nun seinerseits die „Politik" oder das, was er dafür hielt, über die Menschlichkeit stellen und dem Bruder im persönlichen Unglück die Hand versagen würde, so begäbe er sich dieser Überlegenheit. In ein so absurdes Dilemma kann freilich nur geraten, wer nicht wahrhaben will, daß seine Sache schief steht, und deshalb beständig zwischen Melancholie und Aggressivität schwankt. Die Mitteilung einer abfälligen Kritik von Heinrichs 'Macht und Mensch' enthält Zitate, die nicht nur „entsetzlich" und „niederschlagend" genannt werden, sondern: „Haß erregend!" (413) Der Kunstverstand dessen, der gerade am 'Zauberberg' schrieb, hätte unter anderen Umständen für ein gelassenes Urteil über den so erfolgreichen 'Untertan' ausgereicht. Denn die Schwächen dieses Romans, dem man wohl kaum gerecht wird, wenn man ihn aus ideologischen Gründen zu einem säkularen Ereignis der deutschen Literatur hochstilisiert, liegen auf der Hand. Aber Thomas Mann reagiert auf das Buch eben nicht auf der ihm möglichen und zustehenden Ranghöhe der Kunst. Vielmehr begegnet er der Satire auf dem ihm so ungemäßen Niveau der Weltanschauung, auf dem er sich schon in den 'Betrachtungen' nur gekrümmt zu bewegen vermocht hatte. Als der 'Vorwärts' die „unverschämte Fälschung begeht, den Prozeß Erzberger ein Kulturbild der wilhelminischen Epoche à la 'Untertan'" zu nennen, heißt ihm das „die tendenziöse Frechheit weit treiben, wenn man den Politikertypus Erzberger, diesen fidelen Schieberkönig, diese echte Blüte der Republik, dem Kaisertum in die Schuhe zu schieben sucht. Die Berufung auf H. ist charakteristisch. Ein talentvoller Schriftsteller fälscht aus dem Bedürfnis des demokratischen Gesellschaftsromanciers den deutschen Staat ins amüsant Republikanische um, und auf diese 'Satire' berufen sich dann die Republikaner…" Die krause Argumentation schließt mit einem Satz, der im historischen Rückblick etwas gespensterhaft wirkt, wenn man bedenkt, daß Thomas Mann am selben Tag auch noch vermerkt, er habe ein ausgezeichnetes Manuskript des Titels 'Geschichte und Metaphysik', an die 'Betrachtungen' anknüpfend, gelesen. Heißt der Autor doch Alfred Baeumler, und der Satz lautet: „Es geht konfus zu in Deutschland" (388).

Wem aber nicht daran gelegen ist, Thomas Mann zum kleinen Charakter hinab zu interpretieren, der ist nicht allein darauf angewiesen, die vielen Ausbrüche des Hasses als ambivalente Zeichen zu deuten. Denn es finden sich Bemerkungen, die das Leiden ohne kleinliche Verzerrung offenbaren. Und es gibt sogar einige seltene Belege, die nicht nur indirekt wie die negativen Signale von der Art des erwähnten 'Dilemmas' das Ende des Konflikts ahnen lassen. Im Sommer 1919 erreichen Thomas Mann Gerüchte, er solle in die literarische Abteilung der Berliner Akademie der Künste gewählt werden; das wird nicht nur mit einem „kurios" begleitet und sicherheitshalber als unwahrscheinlich abgetan („Übrigens wird Kerr es hintertreiben"), vielmehr schließt sich die bei aller Zweideutigkeit doch erstaunlich ruhige Bemerkung an: „Sehr merkwürdig ist der Fall Heinrich. Seine Stunde ist schon wieder vorüber, trotz seiner Odeons-Rede auf Eisner. Aber seit ich von Hänischs" – des zuständigen preußischen Ministers – „Plan las, erwäge ich, ob ich nicht zu H.'s Gunsten ablehnen sollte, d. h. nur unter der Bedingung seiner gleichzeitigen Aufnahme annehmen?" (279) Sollte Heinrich durch Großmut beschämt und ihm wie aller Welt zugleich demonstriert werden, wessen Stunde nun doch zu schlagen begonnen habe? Auch diese Erklärung wäre möglich, die halbe Erleichterung, die am nächsten Tag verzeichnet wird, widerlegt sie zumindest nicht: „Die Akademie-Angelegenheit scheint durch eine

Ablehnung und Warnung, die Dehmel erläßt, bereits hinfällig. In Gottes Namen!" (279) Merkwürdig ist daran weniger, daß ein paar Jahre später sich die Angelegenheit durch die einträchtige Mitgliedschaft der Brüder in der Akademie erledigen sollte, als vielmehr die Wiederholung des Vorgangs im Mai 1921. Diesmal handelt es sich freilich um den Nobel-Preis, den Thomas Mann zwar erst 8 Jahre später erhalten sollte, als dessen „nächsten Anwärter" man ihn aber bereits jetzt „designiert haben soll". Die Reaktion, die dieses Gerücht bei dem Betroffenen erregt, ist so enigmatisch wie jene auf die Akademie-Angelegenheit: „Ich wollte, diesen Preis gäbe es nicht, denn wenn ich ihn erhalte, wird es heißen, daß er H. zugekommen wäre, und wenn dieser ihn erhält, werde ich darunter leiden. Das Wohlthuendste wäre, wenn man ihn zwischen uns teilte. Aber dieser Gedanke ist, fürchte ich, zu fein für die Preisrichter" (521). Wieder fragt man sich, ob das, entgegen der Absicht Thomas Manns, nicht eigentlich verrät, daß der Gedanke in der Tat allzu fein gesponnen sei. Aber ist er dann nicht aus der Not gesponnen, die den Leidenden schon nicht mehr nur nach dem suchen läßt, was ihm wohltut, weil es seinen Haß nährt? Ein Rest von brüderlicher Solidarität wie von Gewissensregung bleibt auch in dieser dunkelsten Zeit erhalten. Denn immerhin wird die Freude an einer begeisterten Besprechung der 'Betrachtungen' doch dadurch vergällt, daß die Rezension einen „peinlichen Ausfall gegen H." enthält (387). Einer fesselnden Aufführung von Schillers 'Fiesko' muß Thomas Mann zwar „in mißlicher Gesellschaft" beiwohnen, denn vor ihm sitzt, „wie ich fast erwartete", Heinrich; wofür er sich mit der Bemerkung rächt, daß Politik, Redekunst und Theater alle drei, ein jedes mit dem anderen, sehr gut zusammenpaßten. Aber dann gesteht er sich selbst ein, daß ihn, „trotz Widerständen", der Atem des Stückes bis zum Schluß gefesselt habe. Verborgen bleibt ihm freilich, daß die Anwesenheit Heinrichs ihm doch wohl die Ohren geschärft haben dürfte für die Reaktion des Publikums. Er schreibt die kritische Empfindlichkeit freilich allein seinem höheren Kunstverständnis zu, aber man darf bezweifeln, ob er allein mit der Kunst und ohne die Anwesenheit des Bruders so immun gewesen wäre gegen die im Saal herrschende antidemokratische Stimmung: „Der künstlerische Instinkt" erzwinge in Schillers Stück „eine Tendenzlosigkeit, die mich den monarchistischen Applaus nach der Tierfabel sehr übel empfinden ließ" (491).

Als die bevorstehende Feier von Heinrichs 50. Geburtstag „beständig Wellen" zu ihm wirft, vermerkt er in ohnmächtig wirkendem Sarkasmus, man rühme jetzt vorzugsweise des Bruders Herzensgüte und Menschlichkeit (497), und er kann es sich nicht versagen, die Einzelheiten, die ihm vom geplanten Programm zu Ohren kommen, so aufzuzeichnen, daß der theatralische Pomp penetrant erscheint: „Huldigungssonett, aus eigenen Werken, Kräfte der Oper, Tusch und Gloria" (499). Aber das wegwerfende „Habeat, habeat" klingt nicht eben überzeugend, sowenig wie die abschätzige Frage, welchen Grad Heinrichs „Zufriedenheit mit der Welt wohl erreicht" habe.

Wie es um den im Bruderkonflikt sich ziemlich einseitig Verzehrenden wirklich steht, verrät eine winzige Szene, die der Erzähler Thomas Mann nicht besser hätte erfinden können, um das Leiden einer Figur zu verdeutlichen: „Glaubte auf dem abendlichen Heimweg am Fluß von hinten Heinrich zu erkennen u. ging in Erregung schnell vorüber. Übrigens kaum wahrscheinlich, daß er es war" (506).

Politisch ratlos

In noch stärkerem Maße als die 'Betrachtungen' enthüllen die Tagebücher von 1918–21, daß hier in der Tat ein Unpolitischer sich fortwährend mit der Politik auseinanderzusetzen gezwungen sieht. Die Sensibilität einer gefährdeten, weil hoch begabten Natur wird in unruhigen Zeiten leicht zur störenden Erregbarkeit. Doch ist das auch bei einem ansonsten sehr gescheiten Menschen noch keine Garantie für politischen Verstand. Man schmälert den Rang des 'Zauberberg' und des 'Doktor Faustus' nicht, wenn man die dort geleistete Verarbeitung von weltanschaulichen und politischen Materialien nicht für zureichende politische Analysen der zeitgeschichtlichen Ereignisse hält. Wird die Politik zu unser aller Schicksal, darf freilich auch der Romanschriftsteller seine mythopoetischen Erfindungen um der vermeintlichen Reinheit willen nicht von dem freizuhalten versuchen, was ihn als Zeitgenossen zutiefst berührt und bedroht. Denn allein um den Preis der Echtheit wäre solche Reinheit zu gewinnen. Doch kann er dem Werk die Ranghöhe der Kunst nur sichern, wenn er es nicht zum Propagandainstrument jener Tendenzen macht, die darin assimiliert worden sind. Die künstlerische Assimilation bedeutet eine Verwandlung, und die Wahrheit, die dergestalt ans Licht kommt, ist selbst dort, wo sie mit Hilfe politisch-weltanschaulicher Materialien und Figuren vorgeführt wird, die Wahrheit der Kunst. Es ist dies eine

Wahrheit von jener Art, die auch den Mythen innewohnt. Aber kein Dichter ist kraft seiner poetischen Begabung und psychisch-moralischen Feinnervigkeit gegen die Naivität gefeit, die ihn wie die Mehrzahl seiner Zeitgenossen den tendenziösen Torheiten verfallen läßt, welche den Tag und die Stunde lenken. Thomas Mann war sich des Unterschiedes zwischen dem politischen oder unpolitischen Raisonnieren und dem künstlerischen Laborieren stets bewußt. Während er, im Juni 1920, also auf dem Höhepunkt seiner politischen Verwirrung, mit Heiterkeit „an der Erweiterung des Gesprächs mit Settembrini über Körper und Geist" schreibt und dergestalt an der Metamorphose des Zivilisationsliteraten zur Romanfigur arbeitet, notiert er: „Las gestern die 'Thaten des großen Alexander' von Kusmin; ausgezeichnet. Problem: Ist eine annähernd ähnliche Mythisierung auch bei einem historisch näheren Stoff möglich?" (448)

Die unmäßige Opposition gegen die Demokratie, die Thomas Mann zu einem Monarchisten *sui generis* werden ließ, ist nicht politisch begründet. Sie kommt vielmehr aus der Angst, die Sphäre der Kunst könnte gestört oder gar zerstört werden. Sein Wohlstand beschert ihm selbst in den Revolutionstagen allenfalls Ängste, aber keine tieferen Skrupel. Er gehörte nicht zu jenen Schriftstellern, die die Höhe ihrer Tantiemen hinter der gewinnträchtigen Solidarisierung mit den Verdammten dieser Erde zu verstecken suchen. Nicht die Welt des Geldes, wohl aber die der Politik stand ihm in diesen mittleren Jahren für die Sphäre des Unreinen. Mit der ungenierten Freude des Kaufmannssohnes, der, allen Voraussagen zum Trotz, nun doch mit seiner abseitigen und verdächtigen literarischen Leidenschaft Geld, viel Geld, verdient, bilanziert er, und es ist ein sinnfälliger Zufall, daß der letzte Satz dieser Tagebücher lautet: „Meine Einnahmen dieses Jahr betragen 300000 Mark" (556). Gerade noch, daß er als „Selbstermunterung melancholischer Menschen zur bürgerlichen Behaglichkeit" verbrämt, was seine Frau mit unbefangenerer Frivolität benennt: „wie wir doch herrlich am Rheine säßen" (265). Dergleichen hat für ihn „etwas Rührendes" (265), und als Katia, deren Gesundheitszustand besorgniserregend ist, mit ihm über die relativ günstigen finanziellen Verhältnisse spricht, kann er ihren makabren Witz durchaus genießen, mit dem sie über ihren möglichen frühen Tod hinaus plant: „Du mußt reich wieder-heiraten, dann haben *wir* noch mehr Kopeken" (417). Ansonsten fehlt aber, sobald es Pekuniäres aufzuzeichnen gibt – von den Einnahmen bis zu den Ausgaben, die beim Schuh- oder

Uhrenkauf exakt vermerkt werden – jegliche Selbstironie, und die eigenen Kopeken machen ihm selbst dann noch kein schlechtes Gewissen, wenn man Heinrich die seinen anlastet: „In einem Münchener Blatt … hat kürzlich eine Satire auf den Widerspruch zwischen der Üppigkeit seines Daseins und seinem literarischen Armenkult gestanden, die er… als 'völkisch' abthut" (398). Schließlich treibt er selbst keinen solchen Kult, Hans Castorp verbraucht die Zinsen seines Vermögens, ohne sich auch nur vor dem armen Settembrini zu genieren. Wie sollte er, es ist schließlich sein rechtmäßig ererbter Besitz, ohne den er gar nicht zu jener umfassenden Bildung kommen könnte, die nur auf dem verzaubernden Berg zu haben ist. Selbst Naphta käme trotz Samt und Baumkuchen schließlich ohne Kritik davon, wenn bei ihm nicht ein verdächtiger Widerspruch klaffen würde zwischen seiner Askese-Verherrlichung plus Kommunismuskult und der von der Gesellschaft Jesu finanzierten Üppigkeit seines Krankendaseins. Nein, gegen den Kapitalismus opponiert Thomas Mann zu dieser Zeit nur, wenn er als die Geschäftemacherei von Demokraten begegnet, und nicht nur wegen des Widerspruchs von Programm und Praxis, sondern weil die finanzielle Geschäftemacherei ihm nur für die andere Seite jenes schmutzigen Geschäftes gilt, das da Politik heißt. Da es sich um das Unreine handelt, beschmutzt im Grunde jede Berührung damit: „Rein geistige Gedanken wirken als Labsal nach dem erbitterten Grübeln über den gemeinen Humbug der Politik" (8). Man schreibt September 1918, die „Sicherheit der Feinde ist grenzenlos. Clemenceau im Senat entsetzlich, in edlem Triumphe schwimmend. Frankreich faßt Entschlüsse über die Verwaltung der 'zurückeroberten' Gebiete. Kühle Ablehnung der österr. Note durch Wilson und Balfour". So die „dunkle politische Lage", die ihn nach dem Labsal lechzen läßt. Dabei muß er, einen Tag zuvor, „immer wieder an ein politisches Manifest denken, zu internationaler Veröffentlichung, das, warm, menschlich und gut geschrieben, alle Dinge offen und ernst beim Namen [nennen] sollte"! (8) Soviel Settembrini steckt also in ihm selber, und er merkt es nicht, weil er ja gänzlich von der Falschheit und Verlogenheit der zivilisationsliterarischen Weltanschauung überzeugt ist.

Anfang Dezember 1918 ist er auf einer Konstituierungsversammlung der „Münchener Politischen Gesellschaft 1918". Als man ihm dort das Gerücht hinterbringt, er betreibe Aktionen zu seiner „Rehabilitierung", findet er das nicht einfach nur stark, sondern reagiert mit der Empfindlichkeit dessen, dem die Politik Widerwillen erregt: „Die aktive Sphäre.

Der erste Schritt führt in diese Dünste. Zurück und nie wieder" (99). Es entbehrt nicht des grotesken Einschlags, daß ihn die Angst vor der Schwachheit der eigenen Nerven angesichts drohender Zahnarzt-Torturen zu ähnlicher Erkenntnis bringt: „Falsch, mir zu verhehlen, daß ich dem Leben nur bei Ruhe u. Zurückgezogenheit gewachsen bin" (21). Persönliche Erfahrung, nicht ein Kokettieren mit der um diese Zeit ja längst aus der literarischen Mode gekommenen Nervenschwäche, zwingt ihn zu der Feststellung: „Das 'die Nerven verlieren' nicht als Stimmungsdepression, sondern als physische Verzweiflung und Ratlosigkeit, ist ein furchtbares Gefühl" (237). Und wenn auch hier offenbar ein „geschlechtlicher Anfall" die Krise ausgelöst hat – es hätte ebensogut die Erregung über Politisches sein können.

Ratlosigkeit! Mag Thomas Mann sich noch so stark gebärden in all seiner Empörung, und mag er im Augenblick noch so feste Überzeugungen postulieren: allein die Widersprüchlichkeit seiner politischen Meinungen ist ein Zeichen dafür, daß er noch immer in jener Unsicherheit steckt, die er schon mit Hilfe der 'Betrachtungen' hatte überwinden wollen. Deren Tendenz, so schreibt er noch im Oktober 1918, richte sich gegen „Verquickung" jener beiden Gebiete, die er strikte trennen möchte: das geistige Leben, das ihm mit dem nationalen identisch ist, und das politische! Gerade weil nun „der Welttriumph der demokratischen Civilisation auf politischem Gebiet eine Thatsache ist", sei, „wenn es sich um die Erhaltung des deutschen Geistes" handeln solle, nicht weniger als die „vollkommene Gleichgültigkeit" des geistig-nationalen gegen das politische Leben zu empfehlen (25). So, wie Thomas Mann den Begriff des Nationalen hier gebraucht, handelt es sich um einen Anachronismus, mit dem die politische Entwicklung eines ganzen Jahrhunderts in Europa ignoriert wird. Denn längst ist die Nation nicht mehr jene allein durch die Sprache und Kultur verbundene geistig-seelische Einheit, als die sie die deutschen Schriftsteller des achtzehnten Jahrhunderts sahen, ohne sich um die politischen Gegebenheiten sonderlich zu scheren, die aus ihnen sächsische, preußische, österreichische, dänische und selbst russische Untertanen hatten werden lassen. Thomas Mann klammert sich am Wunschbild der 'Betrachtungen', das Geistige vom Politischen freizuhalten, um so hartnäckiger fest, als er die nach 1918 vorstellbaren politischen Organisationsformen, von der proletarischen Diktatur bis zur parlamentarischen Demokratie, ihrem Wesen nach für undeutsch hält. Darum bestätigt er sich noch im Dezember 1921, als er die Korrekturfahnen vom Neudruck der 'Betrachtungen' erhält, beifällig das heikle Werk (556). Dabei hatte er schon mehr als drei Jahre früher, Bertrams 'Nietzsche' mit den 'Betrachtungen' vergleichend, die zumindest für sein eigenes Werk zutreffende Bemerkung gemacht: „Ergreifend", wie Bertrams Buch „würdig, besonnen, historisierend, unantastbar, unbeschimpfbar, geschwisterlich neben meinem unbesonnenen, ungebildeten, stammelnden und kompromittierenden Künstlerbuche steht" (9).[37] Die Schärfe der Beurteilung bleibt erstaunlich genug, auch wenn man einiges an solcher „Selbstverkleinerung" (5) auf die Rechnung der eindrucksvollen Antithese setzen muß, in die sich gewiß nicht zufällig noch einmal das Wort 'geschwisterlich' eingeschlichen hat, nachdem schon Tage zuvor der „mit Rührung" begleiteten Lektüre in Bertrams Buch, „dem ich zugetan als einem Geschwister des meinen", gedacht worden war (3). Gerade weil sich der bekämpfte Geist der Zivilisationsdemokratie in der Literatur des eigenen Bruders manifestiert, wird das Werk des Freundes zum Zeugnis der wahren verwandtschaftlichen Nähe. Doch hat die Einsicht, daß es sich bei den 'Betrachtungen' um ein unbesonnenes und kompromittierendes Werk handelt, keine spürbaren Folgen, vielmehr tönt es trotzig: „Ich bereue kein Wort der Betrachtungen" (7). Wer sich freilich so hartnäckig gegen die mahnende Selbsterkenntnis wehrt und sich einredet, an diesem Schmerzensbuch seien nicht die Ansichten falsch, sondern nur die Art ihrer Präsentation sei problematisch, wird aus der Verstörung so leicht nicht herausfinden.

Daß einer, dem Ruhe die Voraussetzung für das Gelingen seiner Arbeit ist, auf die von der Politik herrührenden Aufgeregtheiten und Bedrohungen mit Widerwillen reagiert, kann man so gut mit Thomas Mann nachempfinden, wie man dergleichen bei Goethe respektiert. Und man braucht noch lange kein antidemokratischer Reaktionär zu sein, um einen Satz wie diesen einigermaßen gelassen hinzunehmen: „Eine Herde ist der andern wert, ob sie nun jubelt oder demoliert" (60). Auch kann man trotz demokratischer Grundeinstellung Verständnis dafür aufbringen, daß Thomas Mann ein politisches Gespräch mit einem Musiker „demonstrativ" abbricht und „auf die Schönheit des feuchten Sternenhimmels aufmerksam" macht. Aber man ist dann doch für eben diesen Thomas Mann einigermaßen verlegen, wenn man zu lesen bekommt, welchen Schluß er daraus zieht: „Das Ewige stimmt quietistisch. Das Menschliche ist dem Politischen im Grunde fremd" (61). Und man fühlt danach das Bedürfnis, zur Ehrenrettung das hochironische Spiel anzuführen, das Thomas Mann dann im 'Zauberberg' mit Hans Castorps quietistischen Neigungen und Settembrinis politischer Verdächtigung dieser deutschen, der Musik und Metaphysik so verschwisterten Neigung gelingen wird.

Die Empörung über die ekelerregend und hoffnungslos genannte „Entente-Presse" treibt ihn noch vor Kriegsende zu dem Aufschrei: „Was will man? Uns das Erlebnis Goethes, Luthers, Friedrichs und Bismarcks austreiben, damit wir uns 'in die Demokratie einfügen'?" (7) Zwar begreift er schon im November, daß der geistige Militarismus, zu dem er den Krieg der Deutschen hochstilisiert hatte, der Realität wohl kaum gerecht geworden war: „Wirklich bereue ich zur Zeit alle Wünsche, die ich in Betreff deutscher Herrschaft hegte. Dies Volk hat sich als tief ungeeignet zur Macht erwiesen" (86). Ja, er sieht sogar, was „die *Führung* des Krieges betrifft", zu seiner „Beschämung, daß er von Deutschland ohne Ernst und Sittlichkeit geführt worden ist", weil man nämlich „die Moral des Volkes u. seine Selbstachtung mit allen Mitteln untergraben" hat (97). Aber der „Haß auf die Entente" (206), den er überall konstatiert und teilnehmend begrüßt, ist übermächtig, und von ihm her lassen sich die bis zum Widerspruch schwankenden Ansichten auf den gemeinsamen Nenner bringen: es ist das gereizte Reagieren des Unpolitischen auf die alles beherrschende Politik.

Um die historisch-politischen Tatsachen, die im 19. Jahrhundert zur Entente cordiale zwischen Frankreich und England und schließlich in den Jahren vor Ausbruch des Krieges als Antwort auf die Politik Wilhelms II. zur Triple-Entente mit Rußland geführt hatten, kümmert sich Thomas Mann nicht, wenn er von d e r Entente spricht. Für ihn ist 'Entente', dem journalistischen Tagesgebrauch entsprechend, ein Sammelname für die kriegführenden Westmächte. Und da Rußland seit der Revolution aus dem Kreis dieser Gegner ausgeschieden, dafür aber Amerika an ihre Seite getreten war, konnte das Wort auch für Thomas Mann ein Synonym für die verabscheute Demokratie werden. Wie von so vielen deutschen Intellektuellen der wilhelminischen Ära werden auch von Thomas Mann die Unterschiede zwischen der englischen, französischen und amerikanischen Demokratie, wie sie schon durch die geschichtliche Entstehung gegeben waren, kaum zur Kenntnis genommen. In fataler Verschwommenheit wird Demokratie mit einer reichlich hypothetischen Ideologie von 1789 gleichgesetzt. Das verrät noch die Beiläufigkeit, mit der ein Schlagwort der Französischen Revolution wie *vertu* nun, anno 1918, auftaucht: „Auf jeden Fall ist der Triumph der Tugend vollkommen, und Deutschland muß zu Kreuze kriechen" (24). Da es sich aber nicht leugnen läßt, daß sich nun auch hierzulande gewisse Hoffnungen auf die Ablösung der Monarchie durch die Demokratie regen, nährt der abstruse Konservativismus des Unpolitischen eine ingrimmige, ja masochistische Erwartung: „Ich wünsche im Grunde meiner Seele den Deutschen die ungeheuere Lehre einer eklatanten Demaskierung der Tugend-Demokratie. Vielleicht wäre es diesmal belehrbar – für die Zukunft" (33). Er meint für den Augenblick sogar, daß er bereit wäre, dafür das wirtschaftliche Opfer mitzutragen. Denn daß die bei Erfüllung seines Wunsches unvermeidliche Verarmung vor seiner Tür nicht haltmachen würde, ist ihm klar.

Vor allem trifft seinen Stolz, daß die Deutschen es am Ende dem philanthropischen Präsidenten der amerikanischen Demokratie verdanken sollten, wenn ihnen schließlich nicht die Friedensbedingungen eines Clemenceau, der hier immer wieder als Fossil der Demokratie und senile Bestie auftaucht, diktiert würden: „Ein wenig hart ist es ja, daß es nun an der Weisheit eines Quäkers hängt, ob Deutschland einen Frieden bekommt, der ihm *nicht* unsterbliche Empörung gegen den Weltlauf ins Blut impft. Im Interesse des deutschen Geistes und des Wachbleibens seines Gegensatzes zur demokratischen Civilisation wäre dies beinahe zu wünschen. Was allerdings nicht wirtschaftlich und in dieser Hinsicht auch wenig eigennützig gedacht ist" (24). Nur vierzehn Tage später glaubt er nicht einmal an dieses radikale Rettungsmittel für den deutschen Geist: „Die Männer der Bismarckgeneration sitzen, aus Gram plötzlich zu Greisen geworden, in Verzweiflung da. Aber das jüngere Deutschland scheint sich um den Ruin kaum zu kümmern" (39). Was er um so sonderbarer findet, als es doch, allen Ernstes, ein materieller Ruin sein „und die Deutschen sans phrase zu einem Helotenvolk" machen werde (39). Daß es sich bei der Schreckensvision vom Helotenvolk um eine gängige Phrase handelt, bemerkt er nicht. Aber zehn Tage später notiert er, Deutschland werde die feindlichen Bedingungen anzunehmen haben, das „Ende der Weltgeschichte" sei dieser Friede „auf keinen Fall" (48). Jetzt gesteht er plötzlich ein, er verstehe „nichts davon, was für Deutschland in naher und ferner Zukunft" die Folgen des diktierten Friedens sein würden und vermerkt, ohne dem zu widersprechen: „Der bisherige Imperialist Rohrbach hat gestern … einen sehr optimistischen Vortrag gehalten, worin er prophezeite, das junge Geschlecht werde Zeuge eines glänzenden neuen Aufstiegs sein" (48). Worauf er selbst es fortan mit Goethe zu halten gedenkt:

„Menschen lernten wir kennen und Nationen – so laßt uns,
Unser eigenes Herz kennend, uns dessen erfreun."

Die Novemberunruhen finden bei ihm denn auch zunächst „ziemlich kaltes und nicht weiter unwilliges Blut" (65). Das „Diktat" werde es zwar „an nichts fehlen lassen", aber einen heißen Kopf zu bekommen wäre töricht, es werde „das Alles nicht so wichtig" sein, „die Dinge" kämen schon in die Reihe. Mit einigem Zweckoptimismus gibt er, trotz allem, auch dieser Umwälzung für einen Moment den Rang der geschichtlichen Notwendigkeit: „Revolutionen kommen erst, wenn sie gar keinen Widerstand mehr finden (auch bei dieser war es so)" (65).[38] Und dies, obwohl er am Tage zuvor über den „Kollegen Eisner" sich lustig macht und höhnt: „München, wie Bayern, regiert von jüdischen Literaten" (63).[39]

Oder ist dies gar nicht die eigentliche und richtige Revolution? Ein andrer Kollege, Krell, der schon zustimmend über die 'Betrachtungen' geschrieben hat, „zweifelt sehr an einem langen Bestande der Geistesherrschaft" – womit ja das auf Heinrich deutende Stichwort gefallen ist. Auch zeigten die Soldaten „deutlichen Widerwillen" (63). Aber obwohl man es, wenigstens in München, bloß mit einer Affäre von Zivilisationsliteraten zu tun hat – „Das ist die Revolution! Es handelt sich so gut wie ausschließlich um Juden" (63) –, so gibt es selbst daran etwas zu loben: „Ich bin befriedigt von der relativen Ruhe u. Ordnung, mit der vorderhand wenigstens alles sich abspielt. Die deutsche Revolution ist eben die deutsche, wenn auch Revolution. Keine französische Wildheit, keine russisch-kommunistische Trunkenheit" (67). Freilich ist das offenbar nicht das Verdienst von Eisner und Konsorten, die, wie hier berichtet wird, bereits nicht mehr viel zu sagen haben. Und schon sieht er im Geiste auch „drüben die Rhetor-Bourgeois-Machthaber fallen", die Völker sich verbrüdern, und da heißt er denn „die 'neue Welt' willkommen. Sie wird mir nicht feindlich sein und ich nicht ihr" (67). Zwei Tage danach bedrücken ihn jedoch „Vorstellungen von Revolutionstribunal und Hinrichtung. Kommt es extrem, so ist es nicht unmöglich, daß ich infolge meines Verhaltens im Kriege erschossen werde" (71).

Der Tag darauf, es ist der 12. November 1918, findet ihn bereit, Ja zu sagen zu einer anderen Art von Republik als jener der jüdischen Literaten in Bayern: „Ich bin durchaus versöhnlich und positiv gestimmt gegen die großdeutsche soziale Republik Deutschland, die sich zu bilden scheint" (673). Der von ihm genannte Grund solcher Willigkeit ist, neben der Entente-Feindlichkeit, die zweite Konstante im Hin und Her seiner Reaktionen auf die politischen Ereignisse, und natürlich ist dieser Grund nur die andere Seite seines Hasses: eine verschwommene Hoffnung, den Deutschen werde es gelingen, *in politicis* etwas zu schaffen, was es bisher nicht gab. Es lohnt, Thomas Manns verschiedene Versionen dieser großen Hoffnung auf das Volk der Mitte näher zu betrachten. Während der Novemberunruhen setzt er augenblicksweise auf die soziale Republik Deutschland, denn sie ist „etwas Neues, auf der deutschen Linie Liegendes, und das Positive der Niederlage ist, daß in der Niederlage Deutschland in der politischen Entwicklung deutlich an die Spitze kommt: die soziale Republik ist etwas über die Bourgeois-Republik u. Plutokratie des Westens hinaus und hinweg Gehendes, zum ersten Male wird Frankreich Deutschland politisch nachzufolgen haben" (73).

Solange man im Auge behält, daß diese utopische soziale Republik der Gegensatz oder die Überwindung einer parlamentarischen Demokratie und ihres französischen Vorbildes sein soll, lösen sich die meisten Widersprüche. Dennoch sind die Schwankungen, Zeugnisse der Ratlosigkeit, in ihren extremen Ausschlägen frappierend. So etwa, wenn es bereits vor Ende November 1918 heißt, die innere Selbstzerstörung mache unter der sozialistischen Regierung gute Fortschritte, und die „Rettung" werde der Einmarsch der Franzosen und Amerikaner sein, die die Ordnung wiederherstellten und „die Dinge in Deutschland nach den Wünschen Westeuropa's ordnen werden. Ich gestehe, daß ich kaum noch etwas dagegen habe. Mit dem 'Reich' ist's aus. Das demokratisch-sozialistische Reich ist Blödsinn" (96).

Im Oktober 1918 wird noch ganz im Geiste der 'Betrachtungen' vermerkt, man habe im Westen „im Grunde recht, wenn man an die Echtheit von Deutschlands Demokratisierung nicht" glaube (28). Das will sagen, eine solche Demokratie westlicher Prägung sei dem deutschen Wesen fremd, was aller Enttäuschung zum Trotz denn doch für die höhere Bestimmung der Deutschen spricht. Diese Bestimmung soll sich in der erwähnten sauberen Trennung des Geistigen und Nationalen erfüllen können, denn dieses Geistige ist etwas hoch über der Politik „sich Abspielendes, was durch den Sieg demokratischer Utilitäten nicht im Geringsten berührt wird". Dem entspricht die persönliche Haltung, daß „das einzig Verständige und Würdige" sei, „die Dinge von der Komödienseite zu nehmen und den Sieg der Tugend-Entente für einen Riesen-Humbug zu erklären..., im Übrigen aber die Richtung des politischen Weltganges zu erkennen und anzuerkennen, die demokratische Neue Welt mit guter Miene zu salutieren, als einen Weltkomfort, mit dem sich ja wird leben lassen" (31). Aber dieser commode Optimismus hält nicht lange vor. Immer wieder wird er überspült von der Auflehnung gegen die Tugend-Demokratie oder überwuchert von der Idee einer so deutschen wie neuen Politik.

Auch die Meinungen über den Kommunismus werden davon bestimmt. Ende November 1918: „Es unterliegt keinem Zweifel, daß der Idee des Sozialismus, ja des Kommunismus, *als* Idee die Zukunft gehört, – im Gegensatz zur alten, vom Westen vertretenen Demokratie, der sie ohne Frage nicht mehr gehört". Wenn es danach heißt, „Deutschland sollte sich die neue Idee wohl zu eigen machen, nach außen, wie nach innen" (98), so geht aus vielen anderen Formulierungen hervor, daß damit in Wirklichkeit gemeint ist, die Idee werde erst, wenn sie die Deutschen sich zu eigen gemacht hätten, wirklich zu dem ersehnten Neuen. Denn seine „Sorge" richtet sich, und gewiß nicht nur augenblicksweise – hier Mitte November 1918 – „gegen die Aufrichtung einer proletarischen Klassendiktatur in Deutschland, die im höchsten Grade undeutsch und kulturfeindlich wäre" (76). Wenn es dann heißt, man müsse hoffen, „daß das Bürgertum bei uns zu stark dazu" sei, so ist damit nicht eine demokratisch gesonnene Mittelschicht gemeint, sondern die breit gestreute Anhängerschaft eines Konservativismus, zu dessen moralischer Aufrüstung Thomas Mann seine 'Betrachtungen' publiziert wissen wollte.

Im Mai 1919 sieht er das Schicksal Deutschlands darin, daß es, „aus innerer Notwendigkeit und seinem erhaltenden Charakter getreu, sich dem Bolschewismus entgegenwirft" (222). Erhalten, also konserviert werden soll dabei nicht weniger als die Kultur selbst. Damit leistet Deutschland zwar auch dem „Entente-Kapitalismus Landsknechts-dienste", doch muß dies in Kauf genommen werden. Wird doch so durch den deutschen Konservativismus die „entsetzlichste Kulturkatastrophe, die der Welt je gedroht hat, die Völkerwanderung von unten", vielleicht noch verhindert. Da Thomas Mann erst ein paar Wochen später zum faszinierten und kurzfristig begeisterten Leser Oswald Spenglers werden wird, macht er jetzt wohl nur von dem aufkommenden Schlagwort Gebrauch, wenn er die drohende Völkerwanderung von unten den

„'Untergang des Abendlandes'" nennt (222). Ein nur bewahrender Konservativismus könnte den Untergang gewiß nicht verhindern. Die Westmächte erkennen nicht, obwohl sie sich Deutschlands gegen Rußland bedienen, daß die „Umstände" von „grauenhaftester Gefährlichkeit" sind. Deshalb hängt es „vielleicht" von Deutschland, „von seinem Willen und seiner Klarheit über diesen Willen ab", wie die Frage beantwortet werde, ob es noch möglich sei, „die alte Welt zu erhalten und in eine neue, sittlichere überzuleiten...", oder ob die Kirgisen-Idee des Rasierens und Vernichtens sich durchsetzen wird" (223).

Obwohl in den Plänen zum 'Zauberberg' noch für längere Zeit als Gegenspieler Settembrinis ein radikaler protestantischer Pastor namens Bunge vorgesehen ist, stoßen wir hier auf den Keim der Figur, die den Pastor dann beerben wird. Denn nicht nur heißt es, ohne daß schon eine Gestalt sichtbar wird oder gar der Name Naphta fällt: „Dachte an die Möglichkeit, die russisch-chiliastisch-kommunistischen Dinge auch in den Zbg. einzubeziehen". Vielmehr wird da auch schon der „Typus des russischen Juden" umschrieben, der Typus des „Führers der Weltbewegung", einer „sprengstoffhaften Mischung aus jüdischem Intellektual-Radikalismus und slawischer Christus-Schwärmerei". Weil es sich dabei aber trotz allem intellektuellen Radikalismus nicht um Literatur handelt, ist Thomas Mann nicht fürs Debattieren à la Settembrini, sondern für die radikalste Gegen-Lösung: „Eine Welt, die noch Selbsterhaltungsinstinkt besitzt, muß mit aller aufbietbaren Energie und standrechtlichen Kürze gegen diesen Menschenschlag vorgehen" (223).[40]

Von einem möglichen Sieg des bürgerlich-kulturellen Deutschland, das auch „seinem Proletariat einen Frieden schuldig" ist, mit dem es leben kann, erhofft Thomas Mann nicht nur, daß der Untergang des Abendlandes doch noch hintangehalten werden möge. Er verspricht sich von solchem Sieg „des deutschen Instinktes" auch Rückwirkungen „im Geistig-Künstlerisch-Kulturellen". Was er als die Gegenwelt empfindet, und wofür er gelegentlich auch den von den Nationalsozialisten später so gern gebrauchten Ausdruck „kultureller Bolschewismus" nicht verschmäht, taucht hier unter etwas anderem Namen auf. Natürlich stellt sich Thomas Mann eine neue, vom deutschen Instinkt gelenkte Kultur nicht als ein Pendant zur standrechtlichen Kürze vor, sondern einfach als eine Rückbesinnung in Fragen der künstlerischen Werte und des Geschmackes, durch die das alte Wahre, das er selbst verkörpert, in seiner Gültigkeit erkannt würde: „Wird nicht das radikale Literatentum, der expressionistische Terror, der Unfug der Ekstase etc. in kulturellen Mißkredit kommen? Wird nicht die würdevollste Opposition dagegen fortan möglich sein, ohne das Odium der 'Bürgerlichkeit' im Entferntesten fürchten zu müssen?" (223)[41]

Gerade er, der dem Bruder immer wieder die Verwechslung von Literatur und Politik vorwirft, erweist sich als unfähig, das Politische als solches auch nur anzuerkennen. Daher empört er sich über diejenigen, die nur Politik machen – es sei denn, sie betrieben die von ihm für richtig gehaltene – nicht minder als über die Kollegen, die jetzt statt schlechter Literatur schlechte Politik machen: „Ich verachte diese Liebknecht und Luxemburg u.s.w., sie sind nichts als Politiker, wilde Sozialisten. Tolstoi mag im Vergleich mit Dostojewskij Sozialist sein; im Vergleich mit diesen blöden Berserkern und Beglückern ist er reiner Moralist und Religiöser. Er lehnt den Sozialismus ab. Er lehnt auch das 'Führertum' ab, die 'Wirkung auf andere'" (127). Das steigert sich bis zur Groteske, daß er noch das umlaufende Gerücht seines Anschlusses „an die U.S.P.", also an eine linksradikale Splitterpartei, für „nicht sinnlos" erklärt. Die Begründung: „Meine Teilnahme wächst für das, was am Spartacismus, Kommunismus, Bolschewismus gesund, menschlich, national, anti-ententistisch, *anti-politisch* ist" (176). Und zwei Tage später, am 24. März 1918: „Aufstand gegen den Rhetor-Bourgeois! Nationale Erhebung, nachdem man sich von den Schwindel-Phrasen dieses Gelichters das Mark hat zermürben lassen, in Form des Kommunismus denn meinetwegen, ein neuer 1. August 1914! Ich bin imstande, auf die Straße zu laufen und zu schreien 'Nieder mit der westlichen Lügendemokratie! Hoch Deutschland und Rußland! Hoch der Kommunismus!'" (178) Als dann die Münchener Episode, die freilich nur eine „greuliche Farce" und nur möglich war als „das Ineinander von bodenständiger 'Gemütlichkeit' und kolonialem Literatur-Radikalismus" (226) – als diese „wüste Narrenwirtschaft" im Mai 1919 zu Ende geht, begrüßt er Nachrichten seines Schwagers, „daß standrechtlich nicht übel 'aufgeräumt' werde, was gewiß nicht zu beklagen. In der Stadt sind zu meiner Genugthuung die roten Fahnen verschwunden... Militärmusik hat am Siegesthor 'Deutschland, Deutschland über alles' gespielt... K.'s Mutter geht es schon wieder zu 'militaristisch' zu, aber ich bin voller Einverständnis und finde, daß es sich unter der Militärdiktatur bedeutend freier atmet, als unter der Herrschaft der Crapule" (227). Im Juni macht ihm dann „eine Schrift zugunsten des Bolschewismus" bereits wieder Eindruck, „nachdem ich mich seit einiger

Zeit ganz auf den Kultur-Standpunkt gestellt" (263). Unklar bleibt, ob sein „zweifelndes Verhältnis zum Bolschewismus" am Ende auch daher rührt, daß er sich, ad usum Hans Castorps übrigens, zurechtdenkt, „der sittliche Unterschied zwischen Kapitalismus und Sozialismus" sei darum geringfügig, „weil beiden die Arbeit als höchstes Prinzip, als das Absolute" gelte. Der Sozialismus stehe „geistig, moralisch, menschlich, religiös nicht höher, als die kapitalistische Bürgerlichkeit", er sei nur deren Verlängerung und ebenso gottlos wie sie, denn Arbeit sei nicht göttlich (268). So ungefähr wird es dann auch einmal Naphta gegenüber Settembrini behaupten und deshalb nicht an den Sozialismus, sondern an den Kommunismus glauben.

Statt eines Zweifels an der eigenen Fähigkeit, politische Phänomene zu beurteilen, erwacht nur wieder unverhüllt die alte Hoffnung aufs deutsche Wesen, weil unter der „jüngsten Jugend Reaktion gegen den Expressionismus, Rückkehr zur Form" sich regt. Davon überzeugt ihn ein junger Mann, der erklärt, der 'Tod in Venedig' sei „durchaus an der Tagesordnung". So zum geistigen „Großvater" zu werden, schmeichelt ihm, und er liest daraus ab, das „eigentliche, zugrunde liegende Bedürfnis" sei „das nach neuer Seelenform, Abkehr von nihilistischer Zersetzung, von jeder Art Bolschewismus" (359). Eben dies glaubt er auch in der „George-Sphäre" zu sehen, „der wahrscheinlich die Wahrheit und das Leben gehört" (543). Das mehr als nur respektvolle Interesse, das Thomas Mann Stefan George entgegenbringt, ist gewiß nicht allein dem Einfluß Bertrams zuzuschreiben, sondern beruht auch auf dem unabhängigen Eindruck des Werkes und der singulären Erscheinung. Der pädagogische Eros dürfte zudem für Thomas Mann faszinierend gewesen sein, auch wenn er ihn nur indirekt kennengelernt hat. In einer weniger verwirrten und erregten Zeit hätte der von George selbst als Dekadenzliterat abgelehnte Verfasser des 'Tod in Venedig', dessen Erwähnung in Bertrams 'Nietzsche' von George nicht eben günstig aufgenommen wurde, wohl besser zwischen Meister- und Jüngerschaft zu unterscheiden vermocht. Jetzt freilich hält er ausgerechnet Kurt Hildebrandts 'Norm und Entartung' für ein „wichtiges Werk", dem er entnimmt, daß der „George-Sphäre", der es entstamme, „wahrscheinlich die Wahrheit und das Leben" gehöre. „Ich wüßte nicht, wo sonst das Positiv-Entgegengesetzte zur Hoffnungslosigkeit der Fortschritts-Civilisation und des intellektualistischen Nihilismus gefunden werden sollte, als in dieser Lehre des Leibes und Staates". Daß hier trotz der Wahrheit und des Lebens doch nicht sein

155

eigener Weg verläuft, stellt er mit einer eher demütig-melancholischen als nüchternen Objektivität fest: „Dies zu finden kann mich die Thatsache nicht hindern, daß auch ich mich mit verneint fühlen muß" (543). Und dies, obwohl er, weil mit dem 'Zauberberg' beschäftigt, während der Lektüre von 'Norm und Entartung' die Vorstellung einer „Konzeption" hatte, die „der meinen verwandt (Biologie, Organismus, Leib, Mensch, Staat, Erziehung)" (541).

Sehr spät erst findet man ein erstes Zeichen dafür, daß sich die Einsicht regt, die dann zur Wende führen sollte. Im 'Zauberberg' ist er, Ende Mai 1921, bereits an der Umarbeitung des V. Kapitels und schreibt Notizen aus für VI und VII, wobei die Vorstellung schon präzise genug ist, um festzuhalten, daß Kapitel VI mit Joachims Tod schließt (523). Hier endlich stößt man auf einen zukunftsweisenden Satz, der gleichsam der eigenen Widerständigkeit abgerungen scheint: „Gespräche über das deutsche Kulturproblem. Der Humanismus nicht deutsch, aber unentbehrlich" (525). Schon bald wird Thomas Mann der Humanismus zu des Deutschtums bestem Teil werden. Aber erst in der zweitletzten Aufzeichnung, 20. November 1921, findet sich ein weiteres und deutlicheres Anzeichen. Es ist noch immer schwach genug, wenn man bedenkt, daß eben hier auch noch notiert wird, wie sehr die „'Revolution'", „Politik, Programm und 'entschlossene Menschenliebe' abgewirtschaftet" haben (555), und daß Thomas Mann ferner zehn Tage später, in der letzten, vom 1. Dezember 1921 stammenden Notiz, bereits im Begriff, den Abschnitt 'Veränderungen' im 'Zauberberg' abzuschließen, aus Anlaß der oben erwähnten Korrekturen des Neudrucks der 'Betrachtungen' diese noch immer „ohne Qual", oft mit Beifall zu lesen vermag (556). Das schwache Zeichen in der Notiz vom 20. November wird ausgelöst durch einen Vortrag Wassermanns über „die Gestalt". Gestalt ist, was Thomas Mann hier nicht bemerkt oder jedenfalls nicht vermerkt, ein Modewort der Zeit, in dem sich das Unbehagen an der fortschreitenden Abstraktheit des modernen Lebens als das Wunschbild einer ganzheitlichen, von der Seele anstatt von der geschmähten Vernunft beherrschten Existenz ausdrückt. Ganz leise und vorerst noch für sich selbst rührt Thomas Mann an die Gefahr, die in den Wunsch- wie in den Feindbildern lauert: Wassermann habe gute, sympathische Dinge gesagt, „die den Leuten wohlthaten. Unsere letzte Gewissensfrage bleibt, ob es uns zukommt, – ihm gegen das 'Wort', mir, gegen die 'Demokratie' zu kämpfen" (555).

DER VORSATZ ZUM ZAUBERBERG

Die Geschichte Hans Castorps, die wir erzählen wollen, – nicht um seinetwillen (denn der Leser wird einen einfachen, wenn auch ansprechenden jungen Menschen in ihm kennenlernen), sondern um der Geschichte willen, die uns in hohem Grade erzählenswert scheint (wobei zu Hans Castorps Gunsten denn doch erinnert werden sollte, daß es *seine* Geschichte ist, und daß nicht jedem jede Geschichte passiert): diese Geschichte ist sehr lange her, sie ist sozusagen schon ganz mit historischem Edelrost überzogen und unbedingt in der Zeitform der tiefsten Vergangenheit vorzutragen.

Das wäre kein Nachteil für eine Geschichte, sondern eher ein Vorteil; denn Geschichten müssen vergangen sein, und je vergangener, könnte man sagen, desto besser für sie in ihrer Eigenschaft als Geschichten und für den Erzähler, den raunenden Beschwörer des Imperfekts. Es steht jedoch so mit ihr, wie es heute auch mit den Menschen und unter diesen nicht zum wenigsten mit den Geschichtenerzählern steht: sie ist viel älter als ihre Jahre, ihre Betagtheit ist nicht nach Tagen, das Alter, das auf ihr liegt, nicht nach Sonnenumläufen zu berechnen; mit einem Worte: sie verdankt den Grad ihres Vergangenseins nicht eigentlich der *Zeit*, – eine Aussage, womit auf die Fragwürdigkeit und eigentümliche Zwienatur dieses geheimnisvollen Elementes im Vorbeigehen angespielt und hingewiesen sei.

Um aber einen klaren Sachverhalt nicht künstlich zu verdunkeln: die hochgradige Verflossenheit unserer Geschichte rührt daher, daß sie *vor* einer gewissen, Leben und Bewußtsein tief zerklüftenden Wende und Grenze spielt... Sie spielt, oder, um jedes Präsens geflissentlich zu vermeiden, sie spielte und hat gespielt vormals, ehedem, in den alten Tagen, der Welt vor dem großen Kriege, mit dessen Beginn so vieles begann, was zu beginnen wohl kaum schon aufgehört hat. Vorher also spielt sie, wenn auch nicht lange vorher. Aber ist der Vergangenheitscharakter einer Geschichte nicht desto tiefer, vollkommener und märchenhafter, je dichter »vorher« sie spielt? Zudem könnte es sein, daß die unsrige mit dem Märchen auch sonst, ihrer inneren Natur nach, das eine und andre zu schaffen hat.

Wir werden sie ausführlich erzählen, genau und gründlich, – denn wann wäre je die Kurz- oder Langweiligkeit einer Geschichte abhängig gewesen von dem Raum und der Zeit, die sie in Anspruch nahm? Ohne Furcht vor dem Odium der Peinlichkeit, neigen wir vielmehr der Ansicht zu, daß nur das Gründliche wahrhaft unterhaltend sei.

Im Handumdrehen also wird der Erzähler mit Hansens Geschichte nicht fertig werden. Die sieben Tage einer Woche werden dazu nicht reichen und auch sieben

Monate nicht. Am besten ist es, er macht sich im voraus nicht klar, wieviel Erdenzeit ihm verstreichen wird, während sie ihn umsponnen hält. Es werden, in Gottes Namen, ja nicht geradezu sieben Jahre sein! Und somit fangen wir an.

'Buddenbrooks' beginnt unmittelbar mit des Ersten Teiles Erstem Kapitel, dazu mit einem gesprochenen Satz. Dem Leser wird durch keinen Vorspruch geholfen. Aber wenn er am Ende des Romans die ironische Wiederkehr des Anfangssatzes entdecken sollte, wird er für eine zweite Lektüre von allein auf die rechte Lesespur kommen. 'Königliche Hoheit' wird mit einem 'Vorspiel' eingeleitet. Das Präludium trüge für seine zweieinhalb Druckseiten einen zu pompösen Titel, wenn es sich nicht um ein Spiel handelte, das „Ein Wunder! Ein phantastischer Auftritt!" heißt, und das nicht eigentlich erzählt, sondern vorgeführt wird: Präsens also, ehe die wirkliche Erzählung im Imperfekt beginnt. 'Joseph und seine Brüder' beginnt dann mit einem wirklichen 'Vorspiel' von einem halben hundert Seiten. Mit ihren zehn Abschnitten eröffnet diese 'Höllenfahrt' nicht nur 'Die Geschichten Jaakobs', sondern das ganze Werk, so wie das Vorspiel zum 'Rheingold' mehr als nur den Vorabend von Wagners Festspiel einleitet. In 'Lotte in Weimar' beginnt die Erzählung zwar mit dem ersten Kapitel, aber die vorangestellten Verse aus dem 'West-östlichen Divan' sind ein rechtes musikalisches Vorspiel. Dem widerspricht nicht die Kürze, denn ein solches Vorspiel braucht seit Wagner nicht wie die alte Ouvertüre die Durchführung oder Aneinanderreihung der Hauptthemen zu enthalten.

Ähnlich, aber vertrackter und rätselvoller beginnt dann der 'Doktor Faustus' nach dem bedeutungsgeladenen Untertitel mit einem von Dante erborgten Musenanruf, um dann sofort mit dem ersten jener Kapitel anzufangen, deren Numerierung aufs kunstvollste von der offenen Zahl der Kapitel abweicht. Das hohe Spiel der Zahlen wird noch sublimer durch die 'Nachschrift', die dem letzten bezifferten Kapitel folgt, oder, je nach Auslegung, dieses beschließt, nicht ohne noch einmal durch die schon früher aufgetauchten ominösen Sternchen geteilt zu sein.[1] Die 'Nachschrift' aber, mit einem 'Ende' endend, nimmt wieder auf, was das mit I bezeichnete Kapitel begann, das deshalb auch heimlich, also versteckt, aber vom Ende her erschließbar, den Titel 'Vorsatz' trägt. Denn 'Vorsatz' wäre wohl am ehesten die deutsche Entsprechung zu 'Nachschrift', weil 'Vorschrift' anderes meint. Mehrfach spricht Zeitblom im ersten Kapitel von seiner 'Aufgabe', und im unmittelbaren Zusammenhang damit fällt das Wort 'ansetzen'. Die Aufgabe, zu deren Bewältigung er so immer wieder ansetzt, wie er die Feder neu ansetzt, ist die Lebensbeschreibung des dämonischen Genies, also eines Wesens, das sich, um hoch hinauf getrieben zu werden, mit den unteren Mächten einläßt. Kann der Chronist aber von einem solchen Leben berichten, ohne selbst „eine 'unlautere' Steigerung" seiner natürlichen Gaben zu erfahren? Ehe er davon schreibt, spricht er bereits einmal vom „sünd- und krankhaften Brand natürlicher Gaben" – also von dem, was in der Sprache des 'Zauberberg' einst Illumination hieß. Das erste Kapitel der Lebensbeschreibung Leverkühns, „des Helden dieser Blätter"[2] trägt, wie wir zu spekulieren wagen, die heimliche Überschrift 'Vorsatz'. Die Spekulation erscheint uns auch gerechtfertigt, weil der Roman der Verschreibung, in dem das Leben 'des deutschen Tonsetzers' erzählt wird, sehr viele Themen wieder aufnimmt, die der Roman der Verzauberung, der Steigerung des deutschen Hänschens, bereits zu einem zweideutigen musikalischen Themengeflecht verwoben hatte. 'Der Zauberberg' aber beginnt mit einem 'Vorsatz'.[3]

Das Wort ist mehrdeutig. Zum einen kann ein 'Vorsatz', auch wenn er aus einer längeren Reihe von Sätzen besteht, die Bedeutung eines kurzen Vorwortes oder Vorspanns haben. Zum anderen ist Vorsatz ein Begriff aus der Sprache der Buchdrucker und Buchbinder und meint hier das Doppelblatt, das den Deckel mit dem ersten Bogen zusammen bindet. Es ist nicht immer weiß, sondern kann auch bunt, mit Karten oder Bildern, die natürlich etwas mit dem Inhalt des Buches zu tun haben, bedruckt sein. Schließlich bedeutet Vorsatz auch Absicht. Als Rechtsbegriff ist damit keine gute Absicht gemeint. Bei einem Autor dürfen wir freilich, wenn er mit dem Wort 'Vorsatz' auch die Bedeutung von Absicht anklingen läßt, eher ein gutes Vorhaben vermuten. Der immer wieder neu ansetzende Zeitblom hätte, wäre ihm die Titulatur 'Vorsatz' untergekommen, wohl vor allem an diesen Sinn gedacht, doch wären gerade in solcher Meinung die anderen, mehr formalen Bedeutungen mit eingeschlossen gewesen, denn was immer der Chronist für Absichten hat, sie gehören, als Geschriebenes, zur Komposition und stehen an einer nicht zufälligen Stelle. Dürfen wir dort, wo das Wort wirklich erscheint und nicht nur als ausgespartes durch den Interpreten erschlossen wird, auch eine Zweideutigkeit vermuten? Gewiß, denn der 'Vorsatz' zum 'Zauberberg' beginnt: „Die Geschichte Hans Castorps, die wir erzählen wollen..." Stünde statt 'wollen' ein werden, so fiele es weit schwerer, das Wort zugleich auch im Sinne einer guten Absicht und somit zweideutig zu verstehen. So indessen läßt sich zumindest nicht beweisen, daß der falsch hört, der im einen Sinn des Wortes auch den andern mithört. Nun ist zwar der 'Zauberberg' noch nicht von jener konsequenten Zweideutigkeit, wie sie im 'Doktor Faustus' riskiert werden mußte, wenn denn die Musik die Zweideutigkeit als System sein soll. Aber daß es sich auch schon beim 'Zauberberg' um ein tief zweideutiges Werk handelt, das aus den Ambivalenzen lebt, steht außer Frage, und nicht erst, seitdem die Ohren für die Musik geschärft worden sind, die auf diesem Berg erklingt. Das mindeste, was man Thomas Mann unterstellen darf, ist demzufolge, daß er es mit der Wahl des Wortes 'Vorsatz' nicht auf Eindeutiges abgesehen hatte.

Warum wollen „wir" die Geschichte erzählen, warum werden „wir" sie nicht erzählen? Auch wenn wir (und mit diesem Plural ohne Gänsefüßchen sind die prüfenden Leser gemeint) entgegen jeder Wahrscheinlichkeit einmal annehmen wollen, daß der Vorsatz so geschrieben wurde, wie er nun erscheint, als das Allererste nämlich, so hätte sein Verfasser doch immer noch vor dem Druck Zeit gehabt, 'wollen' in 'werden' zu verwandeln, da er sein Vorhaben ja inzwischen ausgeführt hatte und somit keine Gefahr mehr lief, auch nur sich selber etwas zu versprechen, von dem er nicht wußte, ob ers der guten Absicht entsprechend zu Ende bringen werde. Aber so steht nun eben dieses Verbum da, das ein Vorhaben ankündigt und damit den täuschenden Anschein erweckt, als höbe der Verfasser eben jetzt zu schreiben an. Freilich ist weder vom Verfasser die Rede noch vom Schreiben, sondern von „wir" und von „erzählen". Der Plural hängt aufs engste mit dem Verbum zusammen, ja, vom „erzählen" allein her dürfte jenes „wir" faßbar sein, von dem wir vermuten, daß es sich nicht um einen pluralis maiestatis handelt. Denn die solchermaßen majestätische Autorität pflegt festzustellen oder zu dekretieren, kaum aber eine gute Absicht zu behaupten oder gar in der Art von Musikanten zu präludieren. Das „wir" ist ein Geschichtenerzähler, und ein solcher darf nicht mit dem Verfasser von Druckwerken oder gar einem Literaturproduzenten gleichgesetzt werden. Soviel ist klar. Und daraus ergibt sich, daß wir, denen eine Geschichte erzählt wird, ihr zuhören, also nicht nur lesen sollen, was ein Verfasser geschrieben und zum Druck gegeben hat, und heiße er selbst Thomas Mann. Der mag zwar die Geschichte erfunden haben, was immer man auch unter solchem Erfinden versteht; erzählen tut sie ein anderer.

Ein Geschichtenerzähler hat anderes, vielleicht gar mehr zu fürchten als ein Autor: wie, wenn ihm der Faden risse, oder wenn ihm die Zuhörer davonliefen, weil sie um ihre Zeit zu fürchten begännen, oder wenn sie ihm gar einschliefen? Und wenn sie, anstatt mit ihm zu lachen, ihn auslachten, weil sie seine Geschichten nicht glaubten? Nur auf die Erwartung seiner Zuhörer kann er bauen, nicht auf ihre Gutwilligkeit. Neugierige sind immer ein wenig grausam. Also bedarf er der Hilfe. Dem Bittenden geziemt Bescheidenheit, auch im Musenanruf, und eben der hebt denn auch mit dem 'wollen' des Vorsatzes an.

Die Geschichte, die erzählt werden soll – und schon sind wir zu einer kleinen deutenden Abweichung gezwungen, denn nur im genauen Zitat läßt sich das 'wollen' zusammen mit dem 'wir' erhalten, und das ist wohl kein Zufall –, diese Geschichte wird als die Geschichte Hans Castorps bezeichnet. Wir – und noch einmal sei daran erinnert, daß damit vorläufig der Leser gemeint ist, im Unterschied zum anderen, mit einem Gänsefüßchen bezeichneten 'wir' – wir haben ein Recht, alsbald zu erfahren, wer Hans Castorp ist. Doch wird uns statt dessen erst noch versichert, die Geschichte werde nicht um seinetwillen erzählt. Die in Klammer gesetzte Erklärung („denn"!) stellt dann den genannten Hans Castorp als einen einfachen, wenn auch ansprechenden jungen Menschen vor. Freilich, sobald wir genauer hinsehen, entdecken wir, daß er nicht als ein solcher vorgestellt wird, sondern: der Leser wird in ihm einen solchermaßen charakterisierten jungen Menschen kennenlernen. Er ist, soviel läßt sich bereits ahnen, keine fest umrissene Persönlichkeit. Wenn wir nämlich den Satzanfang ein Weilchen hin- und hergewendet haben, scheint das Wesen, das keineswegs als ein einfacher junger Mann namens Hans Castorp hervorgetreten ist, aller behaupteten Simplizität zum Trotz bereits wieder seinen Umriß und zugleich seinen zusammenhaltenden Kern zu verlieren. Zumindest wird uns dieses Wesen diaphan, sobald wir seiner ansichtig zu werden glauben. Solche Durchsichtigkeit auf eine Geschichte hin, die nicht um seinetwillen erzählt werden soll, zwingt dazu, daß, noch ehe weiteres von Hans Castorp zu erfahren ist, Näheres darüber gesagt wird, was es mit solch einer Geschichte auf sich hat. So ist fortan, solange der 'Vorsatz' dauert, vor allem von dieser Geschichte die Rede. Das Wort fällt auf den 1½ Seiten 13mal, wenn wir den Plural und das Kompositum 'Geschichtenerzähler' dazurechnen. Zusammen mit 'sie', 'ihr' und 'die unsrige' ist 'Geschichte' in fast jedem Satz ein oder mehrere Male erinnert, beherrscht also den 'Vorsatz' ganz und gar. Wie anders, wenn diese

Geschichte nicht um Castorps willen, sondern um ihrer selbst willen erzählt werden soll! Droht aber, wenn gar hinzugefügt wird, daß sie 'uns' in hohem Grade erzählenswert scheine, dieses Vorhaben nicht bedenklich nahe an den berühmten Traum vom Buch ohne Sujet und an die Formel l'art pour l'art zu rücken und damit in die Krisenzone des traditionellen Romans zu geraten? Dient der Vorsatz vor allem der Rechtfertigung, daß die Geschichte um ihrer selbst willen erzählt wird, und schließt solche Rechtfertigung nicht auch noch den Legitimierungsversuch ein, daß sie dennoch als die Geschichte des einfachen jungen Menschen erzählt wird? Da „genau und gründlich" erzählt werden wird, sind wir verpflichtet, genau zuzuhören und gegebenenfalls nachzufragen, auch schon beim Vorsatz, mit dem wir nicht im Handumdrehen fertig werden sollten.

Hans Castorp droht uns, kaum daß wir seinen Namen gehört haben, über der Geschichte abhandenzukommen. Daher wird uns, in der zweiten Klammer, eigens versichert, daß es eben doch seine Geschichte sei, und daß nicht jedem jede Geschichte passiere. Aber warum heißt es dann nicht: daß nicht jedem diese Geschichte passieren könne? Das schwächt, mit Verlaub, denn doch gehörig ab, was da „zu Hans Castorps Gunsten" vorgebracht wird, und es vermag denn auch nicht die vorläufige Verflüchtigung des kaum Beschworenen aufzuhalten. Hans Castorp entschwindet für den Rest des 'Vorsatzes' – um schließlich, im ersten Satz des ersten Kapitels, als ein Namenloser wieder aufzutauchen: „Ein einfacher junger Mensch reiste im Hochsommer von Hamburg, seiner Vaterstadt, nach Davos-Platz im Graubündischen". Drei Abschnitte später erst, und da geht es bereits „auf wilder, drangvoller Felsenstraße allen Ernstes ins Hochgebirge", wird mitgeteilt: „Hans Castorp – dies der Name des jungen Mannes –"! Rechnet der Autor von vornherein mit jenen Lesern, denen die Geduld zu einem auch noch so kurzen Vorspiel fehlt? Wohl kaum. Denn auf solche Leser braucht einer keine Rücksicht zu nehmen, der die lange Weile ganz und gar nicht fürchtet, und der weiß, daß ihm ohnehin alle diejenigen davonlaufen, die es nicht gelernt haben, in der genauen Gründlichkeit ihre Kurzweil zu finden. Daß er auf die ungeduldigen Leser keine Rücksicht zu nehmen gedenkt, sagt er, sich mutig zu seiner Art von Pedanterie bekennend, in aller Deutlichkeit gegen Ende des 'Vorsatzes': „Ohne Furcht vor dem Odium der Peinlichkeit, neigen wir vielmehr der Ansicht zu, daß nur das Gründliche wahrhaft unterhaltend sei."

Vorderhand ist also der ohnehin eingeklammerte Hans Castorp wieder entfernt, und darum wollen auch wir im Augenblick noch nicht weiter fragen, warum er, obwohl dem Leser als Name bereits bekannt, als ein noch Unbenannter die Geschichte zu eröffnen hat, die denn doch die seine ist. Zudem diente alles, was bisher gesagt wurde, nur dazu, eine Aussage vorzubereiten, die nach einem weiteren, gewunden-gewichtigen Abschnitt ein klarer Sachverhalt heißt, woraus sogleich eine poetologische Forderung abgeleitet wird: „diese Geschichte ist sehr lange her... und unbedingt in der Zeitform der tiefsten Vergangenheit vorzutragen." Wenn eine Geschichte der bloßen Anzahl der Jahre nach wirklich schon sehr lange her ist, versteht es sich von selbst, daß sie in der Vergangenheitsform vorgetragen wird. Fallen aber Worte wie 'tiefst' und 'unbedingt', und wird ein Sachverhalt dazu noch mit einer eigens gekennzeichneten ('sozusagen') und rhetorisch auffälligen Metapher verdeutlicht, so müßte man, selbst wenn der nächste Satz und Abschnitt nicht unter einem vorbehaltsschweren 'wäre' stünde, stutzig werden. Es besteht also Grund zu fragen, was denn mit „Zeitform der tiefsten Vergangenheit" gemeint sein könnte. Gewiß anderes oder jedenfalls mehr als nur ein grammatikalisch fixierbares *tempus*. Zwar wird im nächsten Abschnitt der Erzähler der raunende Beschwörer des Imperfekts genannt, was zweifellos in einer nicht nur geheimen Beziehung zum historischen Edelrost zu sehen ist. Aber ginge es um grammatikalisch Eindeutiges, so wäre tiefste Vergangenheit eine recht unzutreffende Umschreibung für Imperfekt. Schon daraus ist zu erschließen, daß der Dichter mit 'Imperfekt' eine tiefere Bedeutung verbindet als der Grammatiker. Kein Nachteil, sondern eher ein Vorteil wäre es für eine Geschichte, daß sie sehr lange her sei. Das meint: gesetzt der Fall, sie ist wirklich sehr lange her. Dem scheint wirklich so zu sein: „denn Geschichten müssen vergangen sein, und je vergangener, ... desto besser für sie in ihrer Eigenschaft als Geschichten." Warum aber ist ein behutsames „könnte man sagen" eingefügt? Das gibt dem 'wäre' ein solches Gewicht, daß wir zu zweifeln beginnen, ob wir richtig deuten, wenn wir einsinnig lesen: gesetzt der Fall... und dem ist wirklich so. Ein „jedoch" belehrt uns sogleich, daß es mit dieser Geschichte in der Tat anders steht. Sie sei viel älter als ihre Jahre. Wenn aber „das Alter, das auf ihr liegt, nicht nach Sonnenumläufen zu berechnen" ist, und dies noch eigens so ergänzt wird, daß die Geschichte „den Grad ihres Vergangenseins nicht eigentlich der *Zeit*" verdanke, so ist klar, daß hier mit einem mehrsinnigen Zeitbegriff operiert wird. Denn mit der Zeit, von der so die Tiefe der Vergangenheit getrennt ist, kann nicht jede

Form von Zeit gemeint sein, sondern nur jene, die man die physikalische oder meßbare heißt, und die man bekanntlich von derjenigen unterscheidet oder derjenigen entgegensetzt, die man als erlebte, empfundene, erinnerte Zeit umschreibt. So wird die Behauptung, daß sich der Vergangenheitsgrad nicht eigentlich der Zeit verdanke, eine Aussage genannt, mit der „auf die Fragwürdigkeit und eigentümliche Zwienatur dieses geheimnisvollen Elementes" angespielt und hingewiesen sei. Wenn es gar heißt, solche Anspielung geschehe „im Vorbeigehen", so können wir sicher sein, daß es sich um einen Hinweis handelt, der keine Nebensache meint, sondern das Wesen der Geschichte trifft.

Welchen Begriff von Geschichte gebrauchen wir da aber so selbstverständlich, daß es fast unbedacht wirkt? Meinen wir die erzählte, die als zu erzählende, ja vorerst nur versprochene Geschichte Hans Castorps? Gewiß! Doch ist uns damit nicht ein viel umfassenderer Begriff von Geschichte gleichsam mit unterlaufen? Können und sollen wir Hans Castorps Geschichte von dem trennen, was im bedeutendsten Sinne Geschichte heißt, und was sich, sobald über die Zeit nachgedacht wird, in Hans Castorps Geschichte wie von selbst einschiebt? Wir sollen so wohl nicht trennen, und der Verfasser des 'Vorsatzes', nicht unsere Spekulation, hat uns an die eigentümliche Zwienatur des Wortes Geschichte herangeführt, indem er nämlich vorweg behauptet hat, es stehe mit dieser Geschichte so, „wie es heute auch mit den Menschen und unter diesen nicht zum wenigsten mit den Geschichtenerzählern" stehe.

Über den Zusammenhang der Zwienatur der Zeit mit der Geschichte nachzudenken, wäre Sache derer, die vom Erzähler viel später eben dort, wo er sich wieder einmal ins Geschäft der Philosophen einmischt, die Berufsdenker genannt werden. Im 'Vorsatz' erfolgt eben da, wo die Grenzüberschreitung droht, auf welche die Leser, wenn auch aus andern Gründen, so empfindlich zu reagieren pflegen wie die Berufsdenker, der ironische Appell des Erzählers an sich selbst, aus der Abstraktion zurückzukehren: „Um aber einen klaren Sachverhalt nicht künstlich zu verdunkeln…" Warum ist der treffliche Satz nicht zu einem geflügelten Wort geworden, obwohl doch der 'Zauberberg' rasch zum Besitz einer noch zitierfreudigen Generation wurde? Das artistische Parlando solcher Prosa eignete sich offenbar nicht für festrednerische Wiedergabe. Der Erzähler setzt neu an, indem er sich zur Ordnung ruft, obwohl ihm der Leser das nicht ganz abnehmen wird, denn es beginnt keineswegs wieder von vorne. „Die hochgradige Verflossenheit unserer Geschichte rührt daher…" Wie denn nun? Nachdem aus der Geschichte Hans Castorps, durch die mit der Erklärung verbundene Abstraktion „eine" Geschichte wurde, ist daraus jetzt plötzlich „unsere Geschichte" geworden. Freilich hatte es im ersten Satz schon geheißen, „wir" wollten diese Geschichte erzählen. Wird so der pluralis narratoris nur einfach wieder aufgenommen? Um eine Wiederaufnahme handelt es sich zweifellos, doch hat während des seitherigen Raunens das 'wir' eine andere Tönung angenommen. Gerade deshalb bedarf es nicht der präzeptoralen Deutlichkeit, um dem Leser zu bedeuten, daß es sich bei dieser Geschichte um seine Sache handle. Das *tua res agitur* darf jedoch nicht einfach als die Moral von der Geschicht' herausspringen, soll diese Geschichte um ihrer selbst willen erzählenswert sein, und zwar in hohem Grade. Nun rührt aber die „hochgradige Verflossenheit" der Geschichte daher, „daß sie *vor* einer gewissen, Leben und Bewußtsein tief zerklüftenden Wende und Grenze spielt..." Mit dieser Wende, das ist leicht zu erraten, hängt zusammen, daß diese Geschichte unsere Geschichte heißt, wobei mit „uns" sowohl der Erzähler wie der Leser gemeint sein dürfte, denn zuvor war ja schon gesagt worden, es stünde heute mit den Geschichtenerzählern wie mit den Menschen.

Die Wende ist der große Krieg, ein bestimmtes historisches Ereignis also. Auch für den späteren Leser, geschweige denn für einen der zwanziger Jahre, wird so die Geschichte Hans Castorps mit der Weltgeschichte verknüpft, auch wenn die Erzählung in der „Welt vor dem großen Kriege" spielt, also vor 1914. Soll die Verknüpfung der erzählten Geschichte mit der Weltgeschichte gelingen, womit allein die Verwandlung von Castorps Geschichte in unsere garantiert wäre, kann es sich nicht einfach um Vergangenes handeln. Denn Geschichte unterscheidet sich von der nur mechanisch memorierten Historie dadurch, daß sie immer ins Gegenwärtige mündet und die Zukunft als Möglichkeit einschließt. Soviel weiß auch einer, der nicht von Berufs wegen über die Geschichte nachdenkt. So spricht der Erzähler auf seine Weise von der Geschichtlichkeit des historischen Ereignisses, indem er den Krieg nicht einfach nur als groß bezeichnet, sondern andeutet, warum der Krieg eine „Leben und Bewußtsein tief zerklüftende Wende und Grenze" war: mit dem Beginn des Krieges begann so vieles, „was zu beginnen wohl kaum schon aufgehört hat". Gerade weil nicht, wie zu erwarten, von dem geredet wird, was mit dem Beginn des Krieges zu Ende war, und wovon die erzählte Geschichte doch wohl handeln muß, wird sie zur Geschichte derer, die diese Wende erfahren haben, weil zu ihrer Welt auch das gehört, was für immer versunken ist. Wende ist nicht ein gänzlicher Abbruch. Bei einem solchen gäbe es keine erinnerte, also erzählbare Geschichte, und auch nicht jene Gegenwart, in der das Vergangene beschworen wird. Solche Beschwörung des Imperfekts schafft dem Vergangenen in der Gegenwart des Erinnerns jene Dauer, die als die Kontinuität erst die Grenze und Wende erkennen läßt, weil in der Kontinuität die Klüfte überschritten sind.

Darum ist nun, wo die Weltgeschichte mit „unserer" Geschichte in Verbindung gebracht wird, von jener Wahrheit die Rede, die allein der Dichter mit der Beschwörung der Vergangenheit schaffen kann. Es ist dies jene Wahrheit, die sich als das poetische Präsens im Imperfekt des Erzählens ereignet. Nur ein Wink wird gegeben, aber er genügt: Unsere Geschichte „spielt, oder, um jedes Präsens geflissentlich zu vermeiden, sie spielte und hat gespielt…" Wird von geflissentlichem Vermeiden gesprochen, so muß man im Gegenteil genau hinhören. Warum „jedes Präsens" anstatt „das Präsens"? Weil so wenig wie beim Imperfekt bei solchem Präsens an eine eindeutige grammatikalische Kategorie zu denken ist, wohl aber die Aufmerksamkeit auf eine Gegenwärtigkeit gerichtet werden soll, die entsteht, wenn die Geschichte in der Zeitform der tiefsten Vergangenheit erzählt wird. Jene Zeitentiefe öffnet der Verfasser des Vorsatzes dem Blick, indem er nicht nur sagt, die Geschichte spielte in der Welt vor dem Kriege, sondern hinzufügt: „und hat gespielt vormals, ehedem, in den alten Tagen". Das sind keine bloßen Wiederholungen, vielmehr wird hier die Vergangenheit ausgelotet. Sobald sie anfängt, als Geschichte gegenwärtig zu werden, sind wir, die Zuhörer des allgegenwärtigen Erzählers, im Präsens. Dessen Vortragsform ist aber das beschwörende Imperfekt. Zum Raunen gehört die Formel, sie kann nicht erfunden, sondern nur aufgenommen und übersetzt werden. Das 'vormals, ehedem, in den alten Tagen' lautet, rückübersetzt: *in illo tempore*.

Übertragen wir die biblisch-lateinische Formel wieder in die Muttersprache, so ist gegen ein „in jener Zeit" zwar nichts einzuwenden, insofern wir nur aufs Korrekte achten. Doch fehlt der Formel das Verbum, durch das jene Zeit allein zu einer lebendigen wird. Wenn durch das Erzählen dessen, was einmal geschah, ein Ereignis dem Grab der bloßen Vergangenheit entrissen wird, widerfährt dem einstigen Geschehen eine Auferstehung. Und weil dann ist, was einmal war, wird es auch wieder sein. Ereignisse solcher Art rechnen wir nicht der Historie, sondern dem Mythos zu. Hebt aber einer von dem zu erzählen an, was in jener Zeit geschah, so wird er nicht sagen: im Jahre so und so viel geschah es, sondern er wird anheben: es war einmal. Dies eben ist die Zeitform der tiefsten Vergangenheit, des raunenden Beschwörers Imperfekt, und was in ihr präsent wird, ist unsere Geschichte.[4] „Vorher also spielt sie, wenn auch nicht lange vorher. Aber ist der Vergangenheitscharakter einer Geschichte nicht desto tiefer, vollkommener und märchenhafter, je dichter 'vorher' sie spielt?" Wenn 'märchenhaft' und 'dicht' so eng aneinander rücken, spielt das Ohr auf seine Weise mit. Will hier ein Dichter die Geschichte der Welt vor dem großen Krieg erzählen, als wär' es ein Märchen? Das Ohr hat sich nicht getäuscht: „Zudem könnte es sein, daß die unsrige mit dem Märchen auch sonst, ihrer inneren Natur nach, das eine und andre zu schaffen hat". Der inneren Natur nach! Daran sollte sich der Leser erinnern, wenn er schon am Ende des Vorsatzes und später wieder darauf stößt, daß in der Geschichte dessen, der auf dem Zauberberg der Welt abhanden kommt, auch Märchenmuster wie das vom Zwerg Nase und vom Tannhäuser eingewoben sind. Doch soll er sich nicht mit solchen Entdeckungen begnügen. Wozu wiese der 'Vorsatz' sonst eigens auf die i n n e r e Natur hin?

Als ein anderes Wort für 'innere Natur' bietet sich 'Wesen' an. Zum Wesen des Märchens gehört die immerwährende Gegenwärtigkeit der tiefsten Vergangenheit. Wird erzählt, was einmal war, so geschieht es wieder, während erzählt wird. Freilich nur, wenn die Zuhörer da sind. Doch würde einer beginnen, Märchen zu erzählen, wenn ihm keiner zuhörte? So ist das Märchen nicht etwas Fertiges, sondern etwas, das entsteht, auch wenn auf der Geschichte, von der es handelt, Patina liegt. Mit alledem hängt zusammen, was an Hans Castorps Geschichte auch sonst noch mit dem Märchen zu tun hat. Aber wir wollen unserem Vorsatz treu bleiben und nichts vorwegnehmen, sintemalen wir von dem, was im Buche selber steht, an anderem Ort das eine und andere aufgedeckt haben, ohne Furcht, dem Leser könnte durch Gründlichkeit das Vergnügen getrübt werden.

Das Raunen bliebe nur Geraune, das Imperfekt würde nicht gegenwärtig, gelänge es dem Erzähler nicht, das Einst in den Augenblick zu verwandeln, in dem die gewöhnliche Stunde angehalten, aufgehoben, gleichsam in ein stehendes Jetzt verzaubert wird. Mittel solcher Verzauberung ist die Genauigkeit. Nur was deutlich vor unseren Augen steht, halten wir für so wirklich, daß wir, sowenig wie im Traum, uns fragen, ob es denn nicht erfunden, – ob sei, was einmal gewesen. Der ist ein schlechter Märchenerzähler, der den Kindern schon vor dem Ende der Geschichte die Zweifel weckt, ob es nicht eine Lügengeschichte sei. Solche Zweifel schleichen heran, wenn der Erzähler nicht mit dem Zauberstab umzugehen weiß, durch den allein sich der Nebel lichten läßt, der das Vergangene einhüllt und in dem die Gestalten schwankend herandrängen. Was aber klar und deutlich vor unseren Augen steht, sich vor unserem teilnehmenden Blick abspielt, dürfen wir für wirklich halten, solange wir es sehen, und wirklich ist es, auf eigene Weise, auch wenn es sich um die Wirklichkeit eines Spiels handelt. Selbst wenn der Verstand uns einzureden versucht, daß es nur ein Spiel sei, so werden wir uns nicht wie jene verhalten, die immerzu fürchten, getäuscht zu werden. Spricht nicht aus denen, die den Dichtern vorwerfen, daß sie lügen, die Angst vor der Lust, die das Spiel gewährt? Im Spiel darf nichts vage bleiben. Vielleicht verlangt das Spiel selbst Nebel und Nacht, oder auch einmal die Leere weißer Winterwildnis, in der der Held herumirren soll. Aber gerade dann muß der Erzähler uns am deutlichsten zeigen, daß nichts mehr zu sehen ist, muß also die Leere aufs genaueste zu beschreiben wissen. Und wenn seine Geschichte etwas mit dem Märchenhelden zu tun hat, der der Welt abhanden kommt und sieben Jahre im Zauberbann der Zeitverhaltung träumt, so muß die Zeit so gründlich sich dehnen, wie wenn wir im Einschlafen ihr Entschwinden als einen zweideutigen Vorgeschmack des Nichts und der Ewigkeit fühlen.

Nun aber heißt es nicht mehr, daß „wir" erzählen w o l l e n, sondern: „Wir werden sie ausführlich erzählen". Nachdem soviel schon angedeutet und angekündigt worden ist, braucht der Erzähler sich weder der Muse noch dem Leser gegenüber so bescheiden zu geben wie am Anfang. Und da ja nicht zum ersten Mal zu erzählen begonnen wird, steht außer Zweifel, daß „genau und gründlich" verfahren werden wird. Diese Gewißheit hängt nicht davon ab, ob der Verfasser sein Vorhaben bereits ausgeführt hat und also den anhebenden Erzähler nur mimt, der alles noch vor sich hat, oder ob er wirklich erst jetzt damit beginnen wird. Denn in diesem Punkt hat er auf jeden Fall Erfahrung und kann für sich garantieren. Daß er, indem er die Gründlichkeit verteidigt, seinen Hang zur Pedanterie und Länge ironisiert, haben wir schon erwähnt. Nicht etwa belehrend soll das wahrhaft Gründliche sein, sondern unterhaltend. Es geht nicht um bloße Unterweisung oder Vermittlung von Kenntnissen, was immer auch an Stoff ausgebreitet werden mag. Der Erzähler ist weder ein Gelehrter noch ein Oberlehrer, und auch nicht ein moralisierender

Rhetor, der mit hochgerecktem dürrem Zeigefinger verkündet, was die Moral des Zeitgeistes gerade vorschreibt. Was die Präzeptoren Hans Castorps, unter denen ein republikanischer Redner sein wird, zur Belehrung beitragen, ist einseitig, also auch nicht gründlich, und wird unterhaltend allein dadurch, daß von der andern Seite etwas dagegen gesetzt wird. Freilich haben wir vorderhand mit niemandem Bekanntschaft gemacht außer mit dem jungen Menschen, denn der Erzähler ist nicht ein Jemand im Sinne der Figuren, die die Geschichte des Helden begleiten. So müssen wir bei dem bleiben, was der Vorsatz sagt. Wie 'vormals', 'ehedem', 'in den alten Tagen' nicht einfach nur Wiederholungen waren, so sind 'ausführlich', 'genau' und 'gründlich' nicht einfach drei Wörter für dieselbe Sache. Ausführlich muß die unterhaltende Geschichte erzählt werden, weil nicht nur eine Moral demonstriert, sondern ein 'Märchen' erzählt werden soll. Fesselt uns eine Geschichte, so darf sie nicht zu früh ihr Ende finden, die Enttäuschung der Kinder, daß es nicht weitergeht, könnte nur durch ein neues Märchen oder die Wiederholung entgolten werden. Der gute Märchenerzähler wird mit einer Geschichte lange auskommen. Zwar ist nicht schon jeder groß, der zu keinem Ende kommt. Wenn aber einer auf die rechte Weise nicht enden kann, dann wird ihn das zu einem wahrhaft großen Erzähler machen.

Wir haben die Genauigkeit ein Mittel der Verzauberung genannt. Mit dem Genauen ist die Vorstellung verbunden, etwas werde so exakt beschrieben, daß wir vergessen, nach der besonderen Art solcher Wirklichkeit zu fragen. Die Nachahmung könnte aber nicht eine eigene Realität schaffen, bliebe sie auf die Wiedergabe des Details beschränkt. Erst durch die Zusammenfügung der Teile entsteht diese andere Realität. Die Komposition, als Existenzform der zweiten Wirklichkeit, gehorcht den Gesetzen der Kunst. Erzählen ist eine Kunst, und wird so ausführlich wie genau, aber nach den Regeln der Kunst erzählt, dann bleiben die Details nicht im bloßen Neben- oder Nacheinander stehen, sondern treten kraft der Komposition selbst in eine Beziehung zueinander. In dieser Ordnung gibt es keinen Zufall mehr; was hier als Oberfläche erscheint, ist auch immer die Erscheinung des Wesens. Beherrscht ein Erzähler sein Handwerk, dann wird er, indem er genau erzählt, auch gründlich verfahren. Und da es in der Kunst nicht eine Trennung von Wesen und Erscheinung gibt, müßte der Künstler bei solcher Gründlichkeit ein Gott, ein Weltenschöpfer sein, wäre seine Kunst nicht ein Spiel.

Im Spiel freilich, und nur im Spiel, kann das Gründliche unterhaltend sein, wie allein in der Kunst die Unterhaltung gründlich ist.

Nachdem von der Zeit nicht nur im Vorübergehn gesprochen wurde, sondern von Anfang an – denn wie wäre die Geschichte, das Wort in mehrererlei Bedeutung verstanden, vom geheimnisvollen Element zu trennen? – muß auch am Ende des Vorsatzes von ihr gehandelt werden. Da selbst der Gott der Genesis für seine Schöpfung sechs Tage gebraucht und den siebenten zur Erholung benötigt hat, kann der Schöpfer dieser Märchenwelt und -geschichte zu Recht etliche Zeit in Anspruch nehmen. Nicht im Handumdrehen werde er damit fertig: damit ist mehr als nur eine sehr kleine Zeiteinheit gemeint, an eine poetische Umschreibung für 'Sekunde' sollen wir hier nicht denken. Aber auch wenn wir darunter nur ein vages 'rasch' oder 'sehr bald' verstünden, bliebe unverständlich, warum der bildhafte Ausdruck gewählt wurde. Was im Handumdrehen, oder deutlicher, durchs Handumdrehen, mit einem Trick also, hervorgezaubert würde, hätte wenig mit jener Zauberwelt zu tun, in die uns der Märchenerzähler versetzt, indem er sie in all ihren Einzelheiten vor uns entstehen läßt.

Ist vom Fertigwerden die Rede, so denkt man eher an ein Werk als an eine Geschichte. Sie heißt nun recht intim Hansens Geschichte. Nachdem die ganze Zeit über nicht mehr von dem jungen Mann die Rede war, muß er am Ende noch einmal genannt werden, da ja sogleich die Geschichte als die seine anheben wird. Am Ende des 'Vorsatzes' ist sie bereits so eng mit der Werkgeschichte verknüpft, daß wir nicht mehr Gefahr laufen, diesen Hans immer noch für das Wichtigste zu nehmen. Um mit der Geschichte fertig zu werden, werden die sieben Tage einer Woche nicht ausreichen. Zwar wird die nächsthöhere Zeiteinheit sogleich hinzugefügt, aber nur, um durch solche Ablenkung den gewitzten Leser gerade aufmerksam zu machen. Die sieben Tage sind nicht einfach sieben beliebige Wochentage, sondern die Tage einer Woche. Überträgt man das auf die sieben Monate, ergibt sich kein rechter Sinn, denn in welchem Verhältnis sollen sieben Monate zu einem Jahr stehen? „Und Gott vollendete am siebenten Tage sein Werk": der biblische Satz tönt durch die sieben Monate des Vorsatzes hindurch, und wem er ins Ohr kommt, der wird sich fragen, wie lange der Erzähler im Unterschied zum Schöpfergott denn wirklich brauchen wird, um sein Werk zu vollenden. Wie seltsam aber, daß nun der Erzähler angeredet wird. Auch wenn man annimmt, er rede da zu sich selber, redet er sich doch als einen andern an, so daß kein „wir" am Platze ist, sondern ein „er": am besten sei es, er mache sich im voraus nicht klar, wieviel Erdenzeit ihm verstreichen werde, während die Geschichte ihn umsponnen halte. Nicht er spinnt sein Garn, sondern er wird umsponnen, also gefesselt. Allmächtig scheint er also nicht zu sein. Hier regt sich der Zweifel, ob der Erzähler identisch ist mit dem erzählerischen Plural, der bis zu diesem Punkt den Vorsatz beherrscht hat. Auf jeden Fall erscheint er in einer noch bescheideneren Haltung als zu Anfang. Das geziemt sich, wenn die Fertigstellung des Werkes in eine wenn auch noch so entfernte Analogie zur göttlichen Schöpfung gebracht wird. Daß daran wirklich gedacht werden soll, wird uns mit einem „in Gottes Namen" bedeutet. Das ist nicht nur eine saloppe Redensart; es bekräftigt, daß es, der rhetorischen Floskel zum Trotz, in der Tat geradezu sieben Jahre sein werden, und es setzt diese Jahre in Beziehung zu den sieben Tagen der Gottesschöpfung.

Drei Sätze später – wir sind da schon im ersten Kapitel – wird es heißen, daß der einfache, jetzt wieder oder noch unbenannte junge Mensch, „auf Besuch für drei Wochen" fuhr. Da seine Geschichte den Erzähler doch wohl sieben Jahre umsponnen halten wird, ahnt der Leser sogleich, daß es sich bei diesen drei Wochen um einen Irrtum dessen handelt, der mit dem Vorsatz nach Davos kommt, hier nur drei Wochen zu bleiben. Aber greift der Verfasser des 'Vorsatzes' wirklich voraus, und sei es nur um die zwei Sätze, zwischen denen doch die Zäsur liegt, die den Vorsatz vom Beginn der Erzählung trennt? Wir dürfen es ihm nicht unterstellen und folglich selber nicht vorgreifen, so klug und beinahe allwissend wir uns auch mit solchem Vorwegnehmen geben könnten, da wir ja Hans Castorps Geschichte längst kennen und nicht einmal Mühe hatten zu verstehen, was ihm in einem weit fortgeschrittenen Stadium seiner Geschichte dunkel bleiben wird: die verschlüsselte Antwort auf die Frage, wie lange sich die Zeit seines Aufenthaltes hier oben belaufen werde. Aber wir müssen so tun, als wüßten wir von alledem noch nichts, müssen uns anstellen, als ob wir noch nicht einmal durchschauten, wie wir die angenommene Haltung des 'Vorsatz'-Autors bereits nachahmen. Genau genommen, kann der Erzähler sich im voraus überhaupt nicht klarmachen, wieviel Zeit ihm verstreichen werde. Allenfalls könnte er sich vornehmen, eine gewisse Zeit für sein Erzählen zu opfern. Paradoxerweise wird das Unmögliche auch noch das Beste genannt! Hilft es weiter, darf es weiterhelfen, daß wir nachrechnen können, Thomas Mann habe, wenn die Unterbrechung durch die Kriegszeit nicht gezählt wird, ungefähr sieben Jahre am 'Zauberberg' geschrieben? Wir können damit nicht operieren, denn der Vorsatz gilt nicht den allwissenden Forschern, sondern den Lesern. Sie mögen darüber nachdenken, warum aus dem pluralis narratoris ein mit dem Verfasser nicht mehr identischer Erzähler geworden ist. Wird am Ende auf diese Weise der Erzähler selber in das Spiel gerückt und, wenn schon nicht eine Figur, so doch ein Medium der Geschichte? Wieviel Zeit der Schöpfer für sein Werk gebraucht hat, muß er uns nicht verraten. Aber warum soll er uns nicht einen Wink geben, wie lange er den Erzähler seine gründliche Kunst wird betreiben lassen? Genau so lange, wie die Geschichte selbst dauert, wenn er mit im Spiel ist. Daß die Geschichte ihn umsponnen hat, das meint, er habe außer der Geschichte gar keine Existenz. Denn seine Existenz beginnt mit der Geschichte und endet mit ihr. Werden ihm von seinem Schöpfer etwa sieben Jahre einer imaginären Wirklichkeit gegeben, heißt das freilich nicht, daß er sieben volle Jahre lang erzählen muß, wohl aber von den sieben Jahren, die dem Helden als die Jahre seiner Geschichte gewährt sind. Der Erzähler muß mehr wissen als der Held, sonst könnte er seine Kunst gar nicht entfalten. Aber er darf nicht alles wissen, sonst wäre er mächtiger als der Autor, dem er zu dienen hat. Dienend ist er ein Mittler zwischen dem Autor und dem Leser, der seinerseits zum Zuhörer wird, während das Märchen erzählt wird. Nur ein Zuhörer ist ganz in diesem Spiel, durch das der Autor und der Leser zusammenkommen. Der Autor erschafft mit der Geschichte, indem er sie als ein Märchen vortragen läßt, den Erzähler samt dem Zuhörer, und damit ermöglicht er es dem Leser, wie von innen am Schöpfungsprozeß selbst teilzuhaben, anstatt nur das Geschaffene als ein Fremdes von außen zu betrachten. Wer vermöchte am Ende, solange die Geschichte sich als die Erzählung ereignet, sie alle fein säuberlich auseinanderhalten zu wollen: den Autor, den Erzähler, den Zuhörer, den Helden, den Leser? Keiner ist ohne den andern, wir alle sind im Spiel: „Und somit fangen wir an".

RADIKALE AUTOBIOGRAPHIE UND ALLEGORIE DER EPOCHE
DOKTOR FAUSTUS

Leverkühn auf der Reise nach Preßburg oder:
Hitler in Graz

Im XIX. Kapitel des 'Doktor Faustus' berichtet Zeitblom, wie Leverkühn der Dirne, die ihm einst im Leipziger Bordell „mit dem Arm die Wange" gestreichelt hatte (191), nach Preßburg folgt, wo sie nun ihr Gewerbe betreibt, und wo der „Getriebene sie ausfindig" macht (205).[1] Zeitblom spricht von einer Fixierung, die bewirkt habe, daß Leverkühn, „unter einem musikalischen Vorwand, eine ziemlich weite Reise tat, um die Begehrte zu erreichen" (205). Nachdem er den musikalischen Vorwand beim Namen genannt, weckt der Chronist aber Zweifel, ob Leverkühn ihn wirklich wahrgenommen habe: nicht mit Sicherheit sei es „zu bezeugen, ob er sein angebliches Vorhaben ausführte", ob er also nicht doch direkt und ausschließlich nach Preßburg gereist sei. Das mutet befremdlich an, denn Zeitblom weiß bei anderen Gelegenheiten, wo er ebenfalls nicht Zeuge gewesen sein kann, sehr genau Bescheid, wenn nicht auf Grund von Dokumenten oder Kombinationen, dann doch durch seine wunderbare Einfühlung, hinter deren pedantischer Legitimation das Geheimnis steckt, das die beiden Protagonisten zu verbergen haben: „das Geheimnis ihrer Identität".[2] Scheut Zeitblom sich, dem Leser deutlich zu verraten, Leverkühn habe da nicht die Wahrheit gesagt? Das wäre vom Verfasser des Romans nicht eben kunstvoll arrangiert, auch paßte ein lügender Leverkühn nicht ins Bild, und zudem bliebe unklar, warum der musikalische Vorwand dann so genau angegeben wird: „Es fand nämlich damals, Mai 1906, unter des Komponisten eigener Leitung, in Graz, der Hauptstadt Steiermarks, die österreichische Première der 'Salome' statt, zu deren überhaupt erster Aufführung Adrian einige Monate früher mit Kretzschmar nach Dresden gefahren war, und er erklärte seinem Lehrer und den Freunden..., er wünsche das glückhaft-revolutionäre Werk, dessen ästhetische Sphäre ihn keineswegs anzog, das ihn aber natürlich in musikalisch-technischer Beziehung und besonders noch als Vertonung eines Prosa-Dialogs interessierte, bei dieser festlichen Gelegenheit wiederzuhören" (205). Vertrackterweise erfährt man Näheres über die Dresdner Uraufführung erst später, als erzählt wird, daß Adrian, wie der Leser inzwischen weiß, aus Preßburg nach Leipzig zurückgekehrt ist. Da äußert er sich „mit amüsierter Bewunderung über das schlagkräftige Opernwerk, das er wiedergehört haben wollte, möglicherweise wirklich wiedergehört hatte. Noch höre ich ihn über dessen Urheber sagen: 'Was für ein begabter Kegelbruder! Der Revolutionär als Sonntagskind, keck und konziliant...'" (207). Im dreigeteilten XXI. Kapitel taucht aber die „Reise nach Graz" noch einmal auf. Sie heißt hier eigens so, und sogleich wird hinzugefügt, daß sie „nicht um des Reisens willen" geschah. Vorgeblich wird sie hier angeführt und nun nicht mehr bezweifelt als das erste Beispiel einer „Durchbrechung der Gleichmäßigkeit seines Lebens" (237). Die beiden weiteren Beispiele, eine Fahrt ans Meer und eine nach Basel, stehen in unmittelbarem Zusammenhang mit Leverkühns musikalischer Entwicklung. Die „Frucht" der Meeresreise ist das „einsätzige symphonische Klanggebilde" (237), jenes Stück „ausgesuchter Tonmalerei, das von einem erstaunlichen Sinn für berückende, dem Ohr beim ersten Hören fast unenträtselbare Klangmischungen Zeugnis gibt", und das Zeitblom als Beispiel dafür dient, „wie ein Künstler sein Bestes an eine Sache zu setzen vermag, an die er insgeheim nicht mehr glaubt, und darauf besteht, in Kunstmitteln zu exzellieren, die für sein Bewußtsein schon auf dem Punkte der Verbrauchtheit schweben" (202).

Die Reise nach Basel verschafft Leverkühn den nachhaltigen Eindruck der bei Monteverdi „hervorbrechenden Modernität der musikalischen Mittel", deren stilistischer Einfluß auf die quasigeistliche Musik der späteren Kompositionen Leverkühns nicht zu verkennen sei (237). Worum es bei den Eindrücken des Basler Musikfestes ging, sagt Zeitblom auch noch „mit andern Worten", und er geht dabei unbekümmert von der 'Modernität' Monteverdis zu der von Leverkühns Hauptwerken über, die ja erst viel später geschrieben werden: „Hitze und Kälte walteten nebeneinander in seinem Werk, und zuweilen, in den genialsten Augenblicken, schlugen sie ineinander..., so daß man den Eindruck einer glühenden Konstruktion hatte, die mir, wie nichts anderes, die Idee des Dämonischen nahebrachte und mich stets an den feurigen Riß erinnerte, welchen der Sage nach ein Jemand dem zagenden Baumeister des Kölner Doms in den Sand zeichnete" (237). Thomas Mann läßt seinen Zeitblom hier nicht von 'Dr. Fausti Weheklag' sprechen, sondern gibt der Kantate den Titel 'Dr. Faustus', der mit dem des Romans identisch ist. Wie in der 'Entstehung des Doktor Faustus' vermerkt, „montiert" das XVI. Kapitel mit Adrians Brief aus Leipzig „Nietzsche's Kölner Bordell-Abenteuer".[3] Im XVII. Kapitel wird Leverkühns „verdammte(s) Abenteuer" von Zeitblom als etwas „erschreckend Symbolisches" empfunden (197). Die das Reformationsdeutsch parodierende Stilgebung des Leverkühnschen Briefes, dessen Schluß „Ecce Epistola!" (192) auf Nietzsche verweist, nennt Zeitblom das beste Beispiel „für das Zitat als Deckung, die Parodie als Vorwand" (194). Was zugedeckt werden soll, lautet in der psychologisierenden Kurzform: „Der Hochmut des Geistes hatte das Trauma der Begegnung mit dem seelenlosen Triebe erlitten" (198). Im XVIII. Kapitel ist von Leverkühns ersten Kompositionen die Rede, und vom 'Meerleuchten' heißt es, das Parodische sei hier „die stolze Auskunft vor der Sterilität, mit welcher Skepsis und geistige Schamhaftigkeit, der Sinn für die tödliche Ausdehnung des Bereichs des Banalen eine große Begabung bedrohten" (202). In Form leitmotivischer Attitüde, in deren parodistischer Stillage sich während des ganzen Romans das Geheimnis der Identität verbirgt, wird noch ein Vorhalt eingefügt: „Ich hoffe, das richtig zu sagen. Meine Unsicherheit und mein Verantwortungsgefühl sind gleich groß, indem ich Gedanken in Worte zu kleiden suche, die nicht primär meine eigenen sind, sondern die mir nur durch meine Freundschaft für Adrian eingeflößt wurden" (203). Man kann sogar von einem doppelten Vorhalt sprechen, denn mit den eingeflößten Gedanken haben wir die bis zur Skurrilität verkleinerte Parodie eines Grundthemas, der Inspiration, vor uns. Zwar wird erst im Teufelsgespräch des XXV. Kapitels mit der aus Nietzsches 'Ecce homo' entlehnten Beschreibung der Inspiration der ganze Zusammenhang zwischen der drohenden Sterilität und ihrer Durchbrechung kraft einer rauschhaft enthemmten Inspiration offenbar, doch ist das Thema schon hier präludiert. Zeitblom möchte die drohende Sterilität nicht als einen Mangel an Naivität mißverstanden wissen, „denn zuletzt liegt Naivität dem Sein selbst, allem Sein, auch dem bewußtesten und kompliziertesten, zum Grunde" (203).

Daß diese Bemerkung die behauptete Unsicherheit des Schreibenden aufhebt, wird nur jenen Leser stören, der noch nicht in der Identität von Leverkühn und Zeitblom den Schlüssel zum Geheimnis dieses Romans erkannt hat und der infolgedessen auch übersieht, daß in der Paradoxie der komplizierten Naivität ein von Thomas Mann lebenslang traktiertes autobiographisches Thema steckt.[4] Die Auflösung des Vorhaltes bleibt deshalb auch nicht auf die Behandlung von Leverkühns kompositorischen Exerzitien beschränkt, die das Jahr zwischen der Berührung und der Ansteckung füllen, sondern führt ins Generelle und spricht vom fast unschlichtbaren Konflikt „zwischen der Hemmung und dem produktiven Antriebe mitgeborenen Genies, zwischen Keuschheit und Leidenschaft" (203), womit die unmittelbare Verbindung zum XVII. und XIX. Kapitel hergestellt ist. Doch verrät gerade der Zusammenhang mit der paradoxen Naivität schon hier, daß es sich bei Leverkühns luetischer Ansteckung um eine Chiffre von vieldeutiger Komplexität handelt, die mit Nietzsche und mit der Faschismusinfektion der Deutschen allein nicht zu entziffern ist.

Ein vom Pfeil des Schicksals Getroffener wird Leverkühn zu Beginn des XIX. Kapitels genannt. Die verbrauchte Metapher erfährt dann eine Verschärfung, die sie regenerieren und für das Chiffresystem des Romans tauglich werden läßt: „..., daß Liebe und Gift hier einmal für immer zur furchtbaren Erfahrungseinheit wurden: der mythologischen Einheit, welche der *Pfeil* verkörpert" (205). Ihm sei, bekennt Zeitblom, als solle er Apollon und die Musen anrufen für die Mitteilung des verhängnisvollen Geschehnisses (204). Thomas Mann selbst hat schon früh sein Werk unter die Insignien Apollons gestellt, die 'Gesammelten Werke' von 1922 sind bereits mit Pfeil, Bogen und Leier geziert, wie später noch die Stockholmer Gesamtausgabe. Leverkühn erhält von seiner „Schutzgöttin", „Egeria" und „geisterhaften Geliebten", der Frau von Tolna, den Ring, dessen Stein die Anfangsverse des Apollon-Hymnus des Kallimachos über die Epiphanie des Gottes trägt und den ein „vignettenartiges Wahrzeichen" ziert, das den Philologen an den Namen denken läßt, „den Äschylos einmal dem Pfeile gibt: 'Zischende geflügelte Schlange'" (521). Leverkühn habe, versichert Zeitblom eigens, den Ring während der ganzen Ausführung der 'Apokalypse' getragen.[5] Man ahnt ein dichtes Beziehungsgeflecht. Die Verbindung von Liebe, „Gift" und Kunst wird schon im XIX. Kapitel offengelegt. Denn hier verrät Zeitblom bereits, daß, von niemandem wahrgenommen als von ihm, durch Leverkühns ganzes Werk „runenhaft" der Name geistert, den der Getroffene der Dirne „von Anfang an gegeben": Hetaera esmeralda.[6] Die „Klang-Chiffre h e a e es" (207) ist gleichsam der existenzielle Kern dessen, was Thomas Mann von der Zwölfton-Technik seinem Roman dienstbar gemacht hat. Die Leverkühnsche Reihentechnik ist natürlich von dem nicht zu trennen, was den deutschen Tonsetzer zum Faust des zwanzigsten Jahrhunderts macht: die „Versessenheit", der „Wille zum gottversuchenden Wagnis" (206). Nicht ohne Grund läßt Thomas Mann seinen Zeitblom für diese Schlüsselepisode Apollon und die Musen anrufen. Wird doch das naturalistische Moment auf eine selbst beim Verfasser des 'Tod in Venedig' und der 'Betrogenen' extrem anmutende Weise symbolisch aufgeladen. Die von Leverkühn denn doch auch nicht unberührte Dirne warnt ihn „vor ihrem Körper", er aber besteht „auf dem Besitz dieses Fleisches" (206). Realistisch betrachtet, heißt dies nicht nur, daß die Dirne ihn von ihrer syphilitischen Erkrankung in Kenntnis setzt und er das Risiko eingeht, sondern daß er sich infizieren will, weil er sich von der Krankheit eine rauschhafte Steigerung seiner schöpferischen Fähigkeiten erhofft. Selbst für den, der mit dem Blick auf das Schicksal Nietzsches, Schumanns oder Hugo Wolfs an die dem Zusammenbruch voraufgehende Stimulanzwirkung der Lues glaubt, ist kaum vorstellbar, daß sich jemand um solcher Wirkung willen, bei klarer Erkenntnis des zu erwartenden Endes, freiwillig infiziert. Doch ist diese Hypothese die Voraussetzung für die Idee, die Thomas Mann schon sehr früh als moderne Adaption der faustischen Teufelsverschreibung notiert hat. Daran hielt er fest, als er nach Jahrzehnten den alten Plan wieder aufgriff, auch wenn nun die ursprünglich gewiß nicht vorgesehene Spiegelbrechung deutschen Schicksals hinzukam.[7]

Zeitbloms neuerlicher Musenanruf gilt einer Aufgabe, von der er sagt, daß sie, seiner eigenen geistigen Kondition widersprechend, eine Vortragstönung verlange, „die aus ganz anderen, klassischer Bildungsheiterkeit ganz fremden Überlieferungsschichten" stamme (204). Es sind die religiösen Überlieferungsschichten gemeint, zu denen die Theologie als Dämonologie gehört. In diese Sphäre wird der neue Faust zurückgedrängt, so daß von einem Trieb, „die Strafe in die Sünde einzubeziehen", gesprochen oder gar gefragt werden kann, „welches tief geheimste Verlangen nach dämonischer Empfängnis, nach einer tödlich entfesselnden chymischen Veränderung seiner Natur" dahin wirke, „daß der Gewarnte die Warnung verschmähte" (206). Doch hat Zeitblom nicht nur die Fähigkeit, in der „Eigenfärbung der Geschichte" (204) zu reden, sondern als Mitverwalter des am Pathologischen interessierten und naturalistisch geschulten Thomas Mann obliegt ihm auch die Aufgabe, die dämonische Empfängnis bei ihrem anderen Namen zu nennen. Zwar spricht er zunächst noch behutsam von der fünf Wochen später auftretenden lokalen Erkrankung (208), aber dann ist schon vom Dermatologen die Rede

(209). Und nach dem durch mysteriöse, also teuflische Umstände veranlaßten Abbruch der Kur wird mitgeteilt, der lokale Affekt sei binnen kurzem abgeheilt. Zeitblom versichert, er könne und werde gegen „jeden fachmännischen Zweifel" aufrechterhalten, daß „irgendwelche manifeste(n) Sekundär-Symptome vollkommen ausblieben" (211). Auch das ist der Krankheitsgeschichte Nietzsches entnommen, und es dient wiederum dazu, die ältere, mit archaisierenden Residuen gefüllte Stilschicht des Romans mit jenem modernen Realitätsbewußtsein zu verschmelzen, dessen der Faustus redivivus bedarf.

Der archaisierende Modernismus gehört vom 'Tod in Venedig' an zu Thomas Manns Methode. Sie hat, wie schon die frühe Künstlererzählung zeigt, ihre besonderen Risiken, weil die Psychologisierung von Mythologemen zur künstlichen Allegorisierung tendiert. Im 'Doktor Faustus' wird die Verbindung von mythischen und realistischen Elementen mit einer alchimistischen Findigkeit betrieben, die Thomas Mann zum wahren Schwarzkünstler der Epoche werden läßt. So zufällig auch immer die Herkunft eines Details sein mag, im Roman selbst erhält es seine niemals zufällige Stelle und damit auch seine Bedeutung. Die medizinische Beschreibung des chymisch-dämonischen Vorgangs nötigt den Leser, auch nach dem Sinn jener Einzelheiten zu fragen, durch deren genaue Benennung die imaginäre Welt des Romans die besondere Art der allegorischen Wirklichkeit erhält. Da wir noch immer nicht wissen, ob Leverkühn auf der Reise nach Preßburg Graz berührt hat, so müssen wir zumindest darüber grübeln, warum das in so auffälliger Weise unentschieden zu bleiben scheint. Daß es vom Autor mit Absicht im Dunkeln, wenn auch wohl nicht im Vagen gelassen wird, dürfen wir um so eher vermuten, als der Leser einen Wink erhält. Eben dort, wo das von niemandem als von Zeitblom wahrgenommene Geheimnis der hetärischen Klangchiffre aufgedeckt wird, heißt es, ohne daß dies zum Verständnis der Stelle, in deren Zusammenhang es vorgebracht wird, nötig wäre: „Leverkühn war nicht der erste Komponist und wird nicht der letzte gewesen sein, der es liebte, Heimlichkeiten formel- und siegelhafter Art in seinem Werk zu verschließen" (207). Das wird zwar auf den „eingeborenen Hang der Musik zu abergläubischen Begehungen und Befolgungen, zahlenmystischen und buchstabensymbolischen", bezogen. Doch selbst ein Leser, der hier noch nicht übersieht, daß die Musik im 'Doktor Faustus' paradigmatisch für die Kunst steht und somit auch für Thomas Manns eigene, wird merken, daß mit Zeitbloms Umschreibung der artistischen Kabbalistik die Kunst des Verfassers selbst gemeint ist, und darum wird er auch fragen, welche Heimlichkeit in Leverkühns Reise nach Graz versteckt worden ist. Nun erschienen zu eben der Zeit, in der Thomas Mann mit dem Roman begonnen hatte, Stefan Zweigs Erinnerungen 'Die Welt von Gestern'. Hier findet sich in einem Kapitel, dessen Überschrift 'Incipit Hitler' an Nietzsches 'Incipit tragoedia' erinnert, der Satz: „Hitler, der, wie mir Strauß erzählte, schon in seinen Wiener Vagantenjahren mit Geld, das er sich mühsam auf irgend eine Weise verschafft hatte, nach Graz gefahren war, um der Premiere der 'Salome' beizuwohnen...".[8]

Die Rechtfertigung der Kunst durch die Kunst

Als Nachspiel zum großen Spätwerk erschien 1949 'Die Entstehung des Doktor Faustus'. Dem Bericht ist der Untertitel 'Roman eines Romans' beigegeben, obwohl er sich als eine Mischung von Erinnerung und Montage so authentisch wie möglich gibt, und obwohl das Kunstwerk 'Doktor Faustus' um der fiktiven Authentizität willen nicht 'Roman' genannt wurde. Die Gattungsbezeichnung selbst gerät so ins Zwielicht. Ein Vergleich mit den Tagebüchern der Entstehungszeit, aus denen oft zitiert wird, könnte zeigen, wieviel mitgeteilt oder verschwiegen wurde. Doch darf man noch vor einem solchen Vergleich annehmen, daß mit der Bezeichnung 'Roman' nicht gesagt werden soll, in der 'Entstehung' würde wenig Wahrheit, aber viel Dichtung angeboten. Thomas Mann hätte eine solche, durch Banalisierung des Goethe-Titels gewonnene Entgegensetzung ohnehin nicht gelten lassen. In dem mit Blick auf den bevorstehenden 75. Geburtstag geschriebenen Vortrag 'Meine Zeit' begründet er 1950 seine „Scheu" vor jeder Art von Totalitarismus mit dessen prinzipiellem Unverhältnis zur Wahrheit und hält sich, als Schriftsteller, Psychologe und Darsteller des Menschlichen, „der Wahrheit verschworen und auf sie angewiesen". Ästhetik und Moral werden nah verwandte, zum größeren Teil sich deckende Bereiche genannt, und die Wahrheit der Kunst, um die es Thomas Mann letztlich schon in den 'Betrachtungen eines Unpolitischen' gegangen war, wird ein weiteres Mal postuliert: „Die Illusion ist künstlerisch; die Lüge ist unerträglich, ästhetisch wie moralisch".[9]

Was an der Entstehung des 'Doktor Faustus' für romanhaft zu gelten hat, dürfte wohl das Phantastische, aber im Tiefsten Stimmige seiner Genese sein, die nicht erst mit dem Beginn der Niederschrift einsetzt, sondern ins Frühe, ja Früheste zurückreicht. Für sich und die Freunde wolle er die Geschichte des Faustus rekonstruieren, heißt es am Anfang, mit unmittelbarer Anspielung auf das Goethe-Motto.[10] Als Grund für die Entstehung der 'Entstehung' hat Thomas Mann später angegeben, er habe aus moralischer Notwendigkeit Adorno „Credit" geben wollen „für das, was ich dreist von ihm genommen, und was er mir, am Musikalischen mitarbeitend, gegeben".[11] Daß ein solcher „Akt der Loyalität" wirklich am Anfang der Idee stand, einiges über die Genese des Romans mitzuteilen, braucht nicht bezweifelt zu werden. Daß daraus etwas ganz anderes wurde, widerlegt die gute Absicht ja nicht. Im selben Brief von 1952 heißt es denn auch, „das Ding" sei dann „freilich zum fragmentarischen Beispiel einer ums jeweilige Werk centrierten Autobiographie" geworden.[12] Als pars pro toto möge die 'Entstehung' gelten, weil es schwer wäre, nach diesem Muster das ganze Leben um die Werke herum zu rekonstruieren, obwohl es mutatis mutandis jedesmal und in jedem Stadium so gegangen sei. Die sich daran anschließende Konfession gibt freilich keine unmittelbare Erklärung für den wahren Entstehungsgrund des 'Dinges': „Im Ganzen hege ich große Scheu vor dem direkt Autobiographischen, das mir als schwierigste, fast unlösbar schwierige Aufgabe für den literarischen Takt erscheint."

Zwei Jahre früher finden sich verwandte Bemerkungen im Vortrag 'Meine Zeit'. Dort wird nicht nur von der Scheu, sondern gar von der „Abneigung gegen die Autobiographie" gesprochen.[13] Da der 'Roman eines Romans' im Jahr davor erschien, lag es nahe, den Vortrag mit einer Erinnerung daran zu beginnen. Der Wunsch, seine Lebensgeschichte zu erzählen, sei wohl zuweilen an ihn herangetreten, aber nur sehr gelegentlich und fragmentarisch, nur in sehr beschränktem Rahmen sei er der Anregung nachgekommen, „nur indem ich den Freunden und mir selbst wohl einmal die Entstehungsgeschichte eines oder des anderen Werkes erzählte."[14] In dem als Motto der 'Entstehung' gewählten Goethe-Text ist nur von der Unterhaltung mit wohlwollenden Kennern über die Entstehung der Werke die Rede. Daraus war bereits im Anfang der 'Entstehung' geworden: „Aber ich will die Geschichte des *Faustus* ... für mich und die Freunde zu rekonstruieren versuchen". Weder in der 'Entstehung' noch im Vortrag 'Meine Zeit' gibt Thomas Mann einen Hinweis, warum er es nicht wie Goethe bei der Unterhaltung mit den Freunden bewenden, sondern die Geschichte auch noch sich selber erzählen wollte. Wie es zu dieser Abwandlung des Goethe-Textes kam, erhellt sich, wenn man die für den 'Faustus' so wichtige Autobiographie Nietzsches aufschlägt. In 'Ecce homo' steht zwischen dem Vorwort und dem eigentlichen Anfang: „Und so erzähle ich mir mein Leben". Davor findet sich der Satz, der Thomas Manns zweifelnde Erwägung, vielleicht liebe er sein Leben nicht genug, um zum Autobiographen zu taugen, als eine Umkehrung enthüllt: „Wie sollte ich nicht meinem ganzen Leben dankbar sein?" So lautet die rhetorische Frage Nietzsches, gestellt an „diesem vollkommenen Tage", wo ihm „ein Sonnenblick" auf sein Leben fällt: „ich sah rückwärts, ich sah hinaus, ich sah nie so viel und so gute Dinge auf einmal. Nicht umsonst begrub ich heute mein vierundvierzigstes Jahr, ich *durfte* es begraben – was in ihm Leben war, ist gerettet, ist unsterblich."

In der 'Entstehung' berichtet Thomas Mann, daß der 'Doktor Faustus' während einer Periode des fortschreitenden Niederganges seiner Lebenskräfte geschrieben wurde. Doktrinär wäre es, „in der vitalen Minderung Ursache und Bedingung einer Hervorbringung sehen zu wollen, die den Stoff eines ganzen Lebens in sich aufnahm, ein ganzes Leben, halb ungewollt, halb in bewußter Anstrengung, synthetisiert und zur Einheit zusammenrafft und darum kaum umhin kann, eine gewisse Lebensgeladenheit zu bewähren". Leicht sei die Kausalität umzukehren und die Erkrankung dem Werk zur Last zu legen: „Wohlwollende Beobachter meines Lebens haben das Verhältnis so gesehen und bei meinem bedenklichen Anblick nicht mit der Erklärung gezögert: 'Es ist das Buch.'"[15] Aus Goethes wohlwollenden Kennern sind so die Beobachter geworden, und kaum wäre Thomas Manns rhetorische Frage: „Und gab ich ihnen nicht recht?" noch nötig gewesen, um uns zu überzeugen, daß er für sich selber spricht, wenn er mit ihnen von sich redet.

Dennoch erzählt er sich nicht sein Leben, sondern rekonstruiert für sich die Geschichte des 'Faustus'. Daß es sich dabei zum allermindesten auch um jene höhere Art von Zeitvertreib handelt, als die Thomas Mann seine eigene Tätigkeit in dem ihm gewährten Windschatten der weltgeschichtlichen Katastrophen einmal bezeichnet hat[16], darf man behaupten, wenn man bedenkt, daß es hier um die Rekonstruktion des Buches geht, die zudem noch als Kontrafaktur zu einem der schon im 'Doktor Faustus' selbst als Kontrafaktur verwendeten Grundtexte, Nietzsches 'Ecce homo', erkennbar ist. Für den Ernst, der gerade in solchen Überlagerungen steckt, spricht auch, daß Thomas Mann ohne jede ironische Deckung dem großen „Freundes"-Wort, es sei das Buch, hinzufügt: „Es ist ein großes Wort, daß, wer sein Leben hingibt, es gewinnen wird, – ein Wort, das in der Sphäre der Kunst und Dichtung nicht weniger Heimatrecht besitzt als in der religiösen".[17]

Auch im Vortrag über seine Zeit, wo er – wie könnte sie sonst die seine heißen? – denn doch vor allem von sich und seinen Werken spricht, gerät Thomas Mann, kaum daß er den Begriff des Autobiographischen gestreift hat, an die religiöse Sphäre. Nur zum Schein wird in Frage gestellt, ob das große Wort auch für die Sphäre der Kunst gilt: „Vermutlich erachtet die Theologie die künstlerische Bemühung gar nicht als ein Rechtfertigungs- oder Erlösungsmittel, und vermutlich hat sie sogar recht damit". Sie ist damit gerade im Unrecht, denn was ihre Vermutung bestätigen soll, entlarvt sie als unchristlichen Pharisäismus: „Man würde sonst wohl mit mehr Genugtuung, mehr Beruhigung und Wohlgefallen auf das getane Werk zurückblicken."[18] Hier meldet sich nicht nur das humanistische Mißtrauen des Erfinders von Zeitblom gegenüber dem illiberalen Dogmatismus zu Wort, sondern auch der sich in Ironie kleidende Ärger über ein Gottesgelehrtentum, das soeben in Gestalt eines deutschen geistlichen Gremiums seinem Lebenswerk „jede Christlichkeit abgesprochen habe". Das sei schon Größeren geschehen. Ohne den Namen nennen zu müssen, erinnert Thomas Mann damit an Goethe. Für seinen eigenen Fall hat er „besondere Zweifel" an der Gültigkeit des geistlichen Richterspruches. Indem er diese Zweifel weniger auf den Inhalt seiner Schriften bezieht, als vielmehr auf den Impuls, „dem sie ihr Dasein verdanken", kokettiert er da auch ein wenig mit den theologisch-konfessionellen Distinktionen, deren Kenntnis er sich um des 'Doktor Faustus' willen nicht lange zuvor angeeignet und noch nicht ganz vergessen hat. Doch hätte er gerade den 'Doktor Faustus' nicht schreiben können, wäre jene Haltung nur eine Attitüde gewesen, von der die gewiß nicht mehr an die Adresse eines hochnäsigen Gremiums gerichteten Worte dann zeugen: „Wenn es christlich ist, das Leben, sein eigenes Leben, als eine Schuld, Verschuldung, Schuldigkeit zu empfinden, als den Gegenstand religiösen Unbehagens, als etwas, das dringend der Gutmachung, Rettung und Rechtfertigung bedarf, – dann haben jene Theologen... nicht so ganz recht. Denn selten wohl ist die Hervorbringung eines Lebens – auch wenn sie spielerisch, skeptisch, artistisch und humoristisch schien – so ganz und gar, vom Anfang bis zum sich nähernden Ende, eben diesem bangen Bedürfnis nach Gutmachung, Reinigung und Rechtfertigung entsprungen, wie mein persönlicher und so wenig vorbildlicher Versuch, die Kunst zu üben."[19] Ein solches Bekenntnis bedarf des Schutzes, wie ihn eine überlieferte Demutshaltung bietet, die Ironie reicht dafür nicht aus.

Rechtfertigung der Kunst durch die Kunst selbst: es ist das Lebensthema Thomas Manns. Und da der 'Doktor Faustus' von seinem Schöpfer selbst als Lebens- und Geheimwerk geschaffen und gedeutet wurde,[20] geht es darin vor allem um diese Rechtfertigung. Der nachgereichte Roman des Romans aber wirbt beim Leser um Verständnis dafür, daß die Kunst sich hier selber Absolution erteilt, indem an der Genese des Werkes aufgezeigt wird, welch tiefster Ernst in einem solchen Künstler-Leichtsinn steckt. Doch hätte der Verfasser schwerlich den Drang zu einer solchen *captatio benevolentiae* verspürt, wenn ihn der Zweifel, ob dergleichen erlaubt sei und überhaupt gelingen könne, nicht noch über die Vollendung des Werkes hinaus verfolgt hätte. Thomas Mann hat zeitlebens mit einer Empfindlichkeit die Aufnahme seiner Bücher registriert, die angesichts der Repräsentationswürde und des Ruhmes erstaunt. Mit Eitelkeit allein ist das nicht zu erklären. Beim Erscheinen des 'Doktor Faustus' hat sein Weltruhm gerade auch durch den Zusammenbruch des bekämpften Regimes, zu dessen bekanntesten deutschen Gegnern er zählte, einen neuen Höhepunkt erreicht. Ist da die ängstliche Sorge zu begreifen, mit der er auf die Resonanz, die deutsche zumal, wartet, die der 'Faustus' finden mag? Selbst wenn man berücksichtigt, daß sein Leiden an Deutschland mit der Niederlage des Hitlerreiches nur in eine neue Phase gekommen war, und die Aufnahme des Romans, der ja auch ein solcher vom deutschen Schicksal ist, die Probe auf den Grad der Entfremdung des daniederliegenden Landes bringen mußte, bleibt die Verletzlichkeit Thomas Manns ein der tieferen Erklärung bedürftiges Phänomen. Er hatte hier, weit über das Maß der bei seiner Art von Kunst immer geforderten Konfession hinaus, das Letzte von dem preisgegeben, was sich in der Verhüllung der Kunst noch geben läßt, und er war sich dieses Radikalismus gewiß: „Nie ist das Opfer des Lebens aus mangelnder Lebenskraft gebracht worden, und nicht eben auf solchen Mangel deutet es, wenn einer – seltsamer Fall – mit siebzig Jahren sein 'wildestes' Buch schreibt".[21] Aber konnte er, nur weil er es vollendet hatte, gewiß sein, daß dieses mit dem höchsten Aufwand an Kunstfertigkeit u n d Leidenschaft hergestellte Buch als Werk auch geglückt und damit die 'Rettung' durch die Kunst gelungen sei? Die Skrupel, ob er sich da nicht auf etwas Unmögliches eingelassen habe, durchziehen die ganze 'Entstehung', noch die Ergriffenheit zeugt davon, mit der er, nach Beendigung des XXXIII. Kapitels, in der Apokalypse liest: „Du hast eine kleine Kraft und hast mein Wort behalten und hast meinen Namen nicht verleugnet."[22]

Indem er die Entstehungsgeschichte des 'Doktor Faustus' zu rekonstruieren versucht, will er nicht nur den Freunden und damit den geneigten oder noch zu gewinnenden Lesern, sondern vor allem auch sich selbst noch einmal beweisen, daß er mit seiner ganzen Kraft das Wort zu behalten, also mit dem ganzen Ernst der Kunst es erschaffend zu bewahren versucht und so den Namen dessen nicht verleugnet habe, der ihm die Stimme gab zu sagen, was er leide. Daß wir 'Die Enstehung des Doktor Faustus' im Sinne solcher Rechtfertgung verstehen dürfen, verrät sich im Vortrag 'Meine Zeit'. Eben dort, wo Thomas Mann gegenüber den Theologen die geheime Christlichkeit seines Schreibens behauptet, sagt er auch: „In Wirklichkeit aber setzt der Prozeß der Schuldbegleichung, der – wie mir scheinen will, religiöse – Drang nach Gutmachung des Lebens durch das Werk sich im Werke selbst fort, denn es gibt da kein Rasten und kein Genüge, sondern jedes neue Unternehmen ist der Versuch, für das vorige und alle vorigen aufzukommen, sie herauszuhauen und ihre Unzulänglichkeit gutzumachen."[23]

Das Indirekt-Autobiographische

Ein Lebenswerk muß, auch wenn es ein Geheimwerk sein soll, vor allem vom Leben selbst handeln. Eben dort, wo Thomas Mann so bekenntnishaft wie selten von der Rechtfertigung als dem religiösen Drang des Schreibens handelt, erinnert er an die Gnade, „diese souveränste Macht". Damit droht der Vortrag 'Meine Zeit' ganz in die Welt des 'Doktor Faustus' einzumünden, und der Schreiber, der doch wohl auch gelegentlich an seine Zuhörer denkt, zieht sich zurück, indem er ihnen ironisch entgegenkommt: „Ich bitte Sie, nicht zu vergessen, daß ich das alles nur sage, um meine Abneigung gegen die Autobiographie zu erklären, das heißt dagegen, mein Leben direkt zum Gegenstand meines Schreibens und Redens zu machen."[24] Indem er so das Autobiographische mit dem Direkten gleichsetzt, gibt er gerade einen Wink, wie er sich und also sein Leben auch zum Gegenstand seines Schreibens gemacht hat: auf die indirekte Weise. Damit ist auch gesagt, daß der exoterischen Darbietung ein esoterischer Sinn abgewonnen werden muß. Dieser Sinn

kann nicht im biographischen Material als solchem stecken, und er wird
gewiß verfehlt, wenn man das, was im 'Doktor Faustus' auf indirekte
Weise vom Leben mitgeteilt wird, das Verborgene und Geheime dieser
Beichte, auf die Fakten von Thomas Manns 'wirklichem' Leben reduziert.
Nicht um Geheimnisse von jener banalen Art geht es, deren Aufdeckung
die Forschung zur biographischen Kriminalistik, diesem Seitenstück der
Quellenhuberei, entarten läßt.

Schon ein langes Menschenalter zuvor hatte Thomas Mann gegenüber
dem Literaturverständnis der wilhelminischen Justiz erklärt, daß 'Buddenbrooks' kein Bilse-Roman sei, also kein Schlüsselroman in jenem
trivialen Sinn, wonach die Übereinstimmung von Romanfiguren und
lebenden Personen gerade nicht Zufall, sondern geheime Absicht ist.[25]
Mit dem Recht des Künstlers verteidigte Thomas Mann damals sein
Jugendwerk gegenüber der Diskretionsforderung des Spießbürgers. Er
mußte sich aber auch gegenüber der indiskreten Identifizierungssucht der
Mitbürger von Lübeck zur Wehr setzen. Beim Spätwerk verbietet es
gerade die Radikalität des Autobiographischen, daß man sich damit
zufriedengibt, lediglich die unverhüllten wie die mehr oder weniger
verschlüsselten biographischen Details als die sogenannten Tatsachen
aufzudecken. Denn all diese Details haben ihren Sinn nur als Teile des
Chiffresystems, für das im Roman die Musik beispielhaft als die Kunst der
totalen, kabbalistisch angereicherten Materialorganisation steht.

Solange Thomas Mann vor allem durch das bekannt war, was er von
Lübeck bekanntgemacht hatte, hielten sich in Vaterstadt und Verwandtschaft Empörung und Schadenfreude die Waage. Erst als die Verfallsgeschichte einer Familie keine vermeintlich lübeckische und nicht einmal
mehr eine bloß deutsche Angelegenheit war, sondern eine weltliterarische
zu werden anfing, bekam der Stolz über den großen Sohn die Oberhand.
Die Betroffenheit derer, die sich einst in 'Buddenbrooks' wiedererkannt
hatten, ist so unbegreiflich nicht, wie man den längst Verstorbenen
nachträglich bescheinigen darf, wenn auch die wenigsten Grund hatten,
sich so zu grämen wie jener Onkel Friedrich, der keineswegs an Verfol-
gungswahn litt, als er sich in Christian Buddenbrook wiedererkannte und
daraufhin den Neffen Thomas einen Nestbeschmutzer nannte. Eine
gewisse Rücksichtslosigkeit im Umgang mit dem biographischen Roh-
material ist Thomas Mann von Anfang an zu eigen gewesen, was keineswegs im Widerspruch steht zu der ebenfalls von Anfang an zu beobachtenden Scheu vor dem direkt Autobiographischen.

Die Senatorsgattin heißt im 'Doktor Faustus' natürlich nicht geradezu Mann, sondern Rodde, und selbst die Hansestadt liegt diesmal nicht an der Trave, sondern heißt Bremen, aber beide Damen ziehen als Witwen vom Norden nach München und da exakt in die Rambergstraße. Witwe Rodde hat zwar nur zwei Töchter, aber bei ihr logiert Adrian Leverkühn als Untermieter. Von ihm heißt es ausdrücklich, daß er „ein wenig die Rolle des Haussohnes" spielt (261), und was er da in der Rambergstraße gemietet hat, wird einmal sein „Familienzimmer" genannt (280). Die Töchter Rodde scheitern beide, wie die Töchter der Senatorsfamilie, und der Selbstmord der einen ist dem wirklichen Selbstmord einer Schwester Thomas Manns nachgezeichnet. Mit ähnlicher Schärfe, wie schon in 'Buddenbrooks' aus südlicher Distanz die norddeutschen Verwandten und Bekannten konterfeit worden waren, wird dann im 'Doktor Faustus' aus dem Abstand des amerikanischen Exils auch deutsche Bekanntschaft von einst, vorzüglich die Münchner, der literarischen Ewigkeit überantwortet. Der Autor hat sich nicht nur keine Mühe gegeben, die Originalmodelle zu verstecken, in der Namengebung oder im attributiven Zierat hat er es geradezu darauf abgesehen, den Prototyp hindurchschimmern zu lassen. Da er Zeitgenossen, vor allem solche aus dem Musikleben, mit ihrem wirklichen Namen im 'Doktor Faustus' auftreten läßt, wundert man sich, solange man das Chriffresystem nicht durchschaut, warum er den „Graphiker, Buchschmuck-Künstler und Sammler ostasiatischer Farbenholzschnitte und Keramik" nicht gleich Preetorius genannt hat (481), und warum der im Intellektuellenzirkel von Kridwiß – der freilich denn doch nicht einfach mit Preetorius identisch ist –, warum der hier verkehrende Literarhistoriker, „der eine vielbeachtete Geschichte des deutschen Schrifttums unter dem Gesichtspunkt der Stammeszugehörigkeit geschrieben hatte" (482), Vogler statt Nadler heißt. Aber der aufmerksame Leser ahnt schon bald, daß genaue Absichten am Werk sind, wenn bestimmte historische Persönlichkeiten mit ihrem wirklichen Namen, andere hingegen mit einem romanhaften auftreten. Dennoch wird niemand den 'Doktor Faustus' einen Bilse-Roman nennen, und nicht etwa, weil Thomas Mann inzwischen durch Weltruhm vor Dummheit geschützt wäre.

Solcher Ruhm allein ist, wie sich noch im Jahr seines hundertsten Geburtstages gezeigt hat, kein Schutz. Die Säkularfeier des Jahres 1975 war für manch einen spätgeborenen Kollegen von der Feder ein Anlaß, über Thomas Mann herzufallen, als wäre er zeitlebens nichts anderes als ein

Mitglied des Kridwiß-Kreises gewesen. Ob am Ende die Heftigkeit gewisser Attacken sich als unbewußte Reaktion auf eine besondere Fähigkeit Thomas Manns erklären läßt, wie er sie mit der Beschreibung und Analyse jenes Intellektuellenzirkels bewiesen hat? Er legte da eine gruppenspezifische Labilität bloß, deren Gültigkeit mit dem historischen Anlaß nicht erloschen ist. Dem ideologisch bramarbasierenden Intellektuellen haftet gerade in seiner Tendenzabhängigkeit etwas Zeitloses an, und deshalb ist er als Typus auch noch erkennbar, wenn die von ihm vertretene Weltanschauung die Vorzeichen gewechselt hat.

Ganz anderen Vorwürfen als 1975 war Thomas Mann zu Lebzeiten ausgesetzt, als nach dem Zweiten Weltkrieg die Deutschen sich mit dem Leben des deutschen Tonsetzers Adrian Leverkühn konfrontiert sahen. Der Rückgriff auf biographisches Material mochte allenfalls dem einen oder anderen der direkt Betroffenen rücksichtslos erscheinen, die Mehrzahl der Leser kümmerte dies nicht. Wohl aber war die allgemeine Erregung und Betroffenheit groß, weil Thomas Mann das Schicksal seines Helden Leverkühn nicht als ein deutsches Schicksal unter anderen darbot, sondern dieses Schicksal mit jenem, das zuletzt die gräßliche Larve Hitlers getragen, in eine so enge wie vieldeutig rätselhafte Verbindung gebracht hatte. Die Parallele zwischen der im 'Doktor Faustus' symbolisierten Tragödie des deutschen Geistes und der Tragödie der deutschen Geschichte stieß auf Ablehnung, weil sie die mühsam bewahrte Grenze zwischen dem guten und dem schlechten Deutschland aufzuheben und damit auf sublime Weise die grobe These von der Kollektivschuld zu bestätigen schien. In der vom Bedürfnis der Selbstrechtfertigung genährten Erregung übersah man, daß hier ein Bekenntnis vorlag, also auch eine identifizierende Rechtfertigung Thomas Manns, man übersah mit einem Wort damals und häufig noch lange danach, daß der 'Doktor Faustus' eine radikale Autobiographie ist.[26] Daß man es übersah, daran war freilich nicht allein die Erregung und Betroffenheit der ersten Nachkriegszeit schuld, sondern vor allem auch, daß die Autobiographie als die Erzählung eines Lebens präsentiert wurde, das sich trotz vieler einmontierter Details aus Thomas Manns Leben doch aufs gründlichste vom allgemein bekannten Leben des Autors unterschied.

Erschöpft sich das Autobiographische am Ende in Anspielungen à la Rambergstraße? Ist die Realitätsmontage wirklich mehr als ein Ausdruck von Thomas Manns Exaktheitstick? Muß man nicht von einem Tick sprechen, wenn man schließlich in der 'Entstehung' findet: „Übrigens bewahrte Kitty Neumann mich vor einer ernsten Kompromittierung meiner Münchener Lokalkunde. Ich hatte zum Schauplatz von Ines' Untat einen Wagen der Linie 1 gemacht – die doch niemals nach Schwabing gegangen ist! Mehrere andere standen zur richtigen Wahl, und 'Linie 10' heißt es nun ehrenhaft im Text, dank der Wachsamkeit dieser Zuhörerin".[27]

Nietzsche-Roman und radikale Autobiographie

Thomas Mann hat den 'Doktor Faustus' eine Art Nietzsche-Roman genannt.[28] Schon am Anfang des Romans findet sich ein verstecktes Zitat, das in der für den ganzen Roman typischen Art auf den Namen hinweist, der im Buch selbst nicht genannt werden darf. Da wird der Beginn der Niederschrift, der 23. Mai 1943, so charakterisiert: „...zwei Jahre nach Leverkühns Tode, will sagen: zwei Jahre nachdem er aus tiefer Nacht in die tiefste gegangen" (9). Als Nietzsche 1900 starb, schrieb Stefan George sein Zeitgedicht 'Nietzsche', und darin steht der Vers: „Und ging aus langer nacht zur längsten nacht".[29] Die raffinierte Transposition eines mit Bedeutung veränderten George-Verses in den skurril-pedantischen Chronistenstil Zeitbloms dient nicht nur der indirekten Einführung Nietzsches gleich zu Beginn. Vielmehr wird damit sofort am unauffälligen Detail demonstriert, was im Roman selbst dann der „strenge Satz" heißt, bei dem es keine freie Note mehr gibt. Nietzsche ist 1844 geboren. Als Leverkühns Geburtsjahr wird 1885 angegeben. So rückt der im Roman verborgene Nietzsche um eine Generation näher ans zwanzigste Jahrhundert. Was sich schon in Georges Gedicht als Hoffnung und Gefahr mit dem Namen Nietzsche verbindet, ist ein Teil jener Nietzsche-Legende, der Thomas Mann trotz aller Brechungen und Umbiegungen ein Leben lang anhing. Als schönstes Zeugnis dieser Legende galt ihm immer das Nietzsche-Buch Ernst Bertrams. Es ist das Werk, das unterm Swastika-Zeichen von Georges 'Blättern für die Kunst' erschien, und in dem Nietzsche nicht nur zu einem allgemeinen Mythos wurde, in dem vielmehr der Mythos Nietzsche bereits so sehr die Züge des deutschen als eines tragischen Mythos angenommen hatte, daß dieser die Stelle jenes anderen einzunehmen begann, in dem die Deutschen bisher ihr Wesen symbolisiert gesehen hatten: des Faust-Mythos nämlich. Im selben Jahr 1918, in dem der 'Nietzsche' seines Freundes Ernst Bertram erschien, veröffentlichte Thomas Mann seine 'Betrachtungen eines Unpolitischen', den polemisch-grüblerischen Rechenschaftsversuch, das verzweifelt' Werk der Selbstbesinnung, dessen labyrinthische Selbstbezweifelungen doch alle um eine Mitte kreisen: um den Mythos der Mitte selbst, der identisch ist mit dem Mythos des geistigen Deutschtums, für das Thomas Mann bereits in jenen Jahren kein trefflicheres Paradigma fand als die Musik.

Hätte er also nicht schon im oder nach dem Ersten Weltkrieg die Geschichte von Faust, dem Deutschen, als die Geschichte des deutschen Musikers schreiben können? Und dies um so mehr, als ihm schon bald nach Vollendung von 'Buddenbrooks' die Idee gekommen war, das Schicksal Nietzsches in die Geschichte vom teufelsverschriebenen, syphilitischen Künstler zu verwandeln, bei dem das „Gift wirkt als Rausch, Stimulans, Inspiration; er darf in entzückter Begeisterung geniale, wunderbare Werke schaffen, der Teufel führt ihm die Hand. Schließlich aber *holt ihn der Teufel*: Paralyse". So lautet ja die frühe Notiz, in der der Keim zum späten Werk steckt.[30]

Thomas Mann hat die Geschichte damals nicht geschrieben; nachträglich können wir sagen, daß er sie nicht schreiben konnte, weil dieser Plan nicht nur der Keim zu einem unter anderen möglichen Werken war, sondern weil er die Entelechie zu einem letzten und äußersten Buch, zu einer Summe der geistigen Existenz, zu einem Endwerk, in sich trug.

1944, als er schon anderthalb Jahre am 'Doktor Faustus' arbeitet, schreibt er: „...etwas vom Faust hat alles bessere Deutsche – der Zauberberg und der Joseph hatten, weniger eingestanden, auch schon viel davon. Diesmal wird mit dem Namen herausgeplatzt".[31] Sehr viel davon hatte schon vor dem 'Zauberberg' der 'Tod in Venedig', denn wenn die apollinische Strenge, die Kunst als Zucht und Form und die Schönheit des Scheins schließlich vom Dionysischen verschlingend heimgeholt werden, ist das auch schon beinahe eine Nietzsche-Erzählung. Weniger als Aschenbach scheint Hans Castorp, der gute Junge, dem neuen Faust mit Nietzsche-Zügen ähnlich zu sein. Aber einmal hat das in den Venusberg verschlagene Wilhelm Meisterchen in seinem unstillbaren, gefährdenden Wissensdrang viel Faustisches an sich, zum andern ist Goethes Faust ein Grundmuster, an dem sich Thomas Mann orientierte, als er diesen Zauberteppich wob. So raffiniert hat er ihn gewoben, daß trotz aller offenen Walpurgisnacht-Zitate und aller Hinweise auf Gretchens Bruder Valentin, also auf Faust I, lange verborgen blieb, wieviel im zweiten Teil des 'Zauberberg' vom Faust II steckt. So wird, um ein in unserem

Zusammenhang wichtiges Beispiel zu nennen, in Peeperkorns tonloser Rede am donnernden Wasserfall, mit der er vom Leben und von der Liebe Abschied nimmt, Goethes Liebes-Apotheose im Finale des zweiten Faust umgekehrt.[32] Bedenkt man, daß Adrian Leverkühn mit Beethoven-Schillers 'Lied an die Freude' die Klassik zurücknimmt, und daß damit, dem paradigmatischen Charakter der Musik zufolge, auch Goethes 'Faust' zurückgenommen wird, ist einsichtig, wieviel vom späteren 'Doktor Faustus' eben doch bereits im 'Zauberberg' steckt. Joseph hat endlich einmal nichts oder fast nichts Deutsches an sich, er ist ein Anti-Siegfried. Aber ein, freilich glückhaftes, Kind der Mitte ist dieser doppelt Gesegnete doch auch – und Faust verwandt, insofern er symbolischer Mensch ist.

Im schönen Augenblick des geschichtslos Mythischen zu verweilen, war dem Erfinder des träumerischen Täters Joseph freilich nur so lange erlaubt, als der Schöpfungsakt dieses Werkes selbst andauerte. Dann forderte die Zeit ihr Recht, das sie neben dem Joseph-Werk her ohnedies beständig gefordert hatte, auch in der Kunst wieder, und um so härter, als die Götzendämmerung des pervertierten deutschen Mythos gerade begonnen hatte. Was lag näher, als nun endgültig die Apokalypse der deutschen Geschichte mit Faust, der deutschen Symbolfigur, zu verbinden? Das bot sich an, wie es sich auch noch einmal und endgültig für Thomas Mann anbot, dem neuen Faust Züge Nietzsches zu verleihen und ihn ganz der Musik als der kalkulierten Magie anheimzugeben. Und wenn in dieser neuen Geschichte des anderen Faust die deutsche Geschichte als Apokalypse des Deutschen selbst sich enthüllen sollte, war hinter Goethes Erlösungsmythos zurückzugehen, und auch das Ewig-Weibliche mußte wieder in die Eva zurückverwandelt werden, die dem Engel des Giftes zu Diensten steht.

Faust als syphilitischer Künstler, der alte Plan, nun angereichert um die Erfahrung von vier Jahrzehnten deutscher Geschichte und auch dargeboten als Geschichte des deutschen Geistes, dies ist erklärbar und reicht doch nicht hin, die Frage zu beantworten, warum der 'Doktor Faustus' zur radikalen Autobiographie als Lebensbeichte und Geheimwerk wurde. Radikal meint hier gerade nicht die schonungslose Enthüllung sogenannter Privatgeheimnisse, sondern die Aufdeckung der Wurzeln von Thomas Manns geistiger und künstlerischer Existenz. Er hat nicht den Kult des Doppellebens gepflegt, sondern das repräsentative Dasein. Ob man nun ein solches Dasein als den lebenslangen Versuch der Vereinigung von Künstlertum und Bürgertum akzeptiert, oder denunziert, es bleibt die Frage, warum sich die Beichte eines solchen Lebens im Chiffre-system einer deutschen Tonsetzer-Biographie darbietet, zu der Nietzsche so viel beigetragen hat.[33]

Identität und Parallelität

Am Beginn der neuzeitlichen Beicht-Literatur stehen die Konfessionen von Rousseau. Deren Anfang verkündet die Lizenz der totalen Selbstent-blößung um der Wahrhaftigkeit willen. Thomas Mann hat das parodiert, aber nicht im 'Doktor Faustus', sondern im Eingang der 'Bekenntnisse des Hochstaplers Felix Krull'. Goethe, dem jedes Werk Bruchstück einer großen Konfession war, hat in seiner Autobiographie Rousseau'sches Ecce-homo-Pathos gänzlich vermieden. Thomas Mann hat auch mit der milden Klassizität von Goethes 'Dichtung und Wahrheit' gespielt. Für den 'Doktor Faustus' wurde aber gerade jene Autobiographie stimulie-rend, in der Rousseaus Bekenntnisgröße und Bekenntniswahn ins Extrem einer umkehrenden und umwertenden Vollendung geriet, also Nietzsches Autobiographie 'Ecce homo'. Freilich wird auch diese Quelle wie alle anderen literarischen oder mythologischen Muster nur als Material ver-wendet, d. h. ohne Philologenscheu dem Werk dienstbar gemacht. Die Bekenntnisradikalität des 'Doktor Faustus' ist aber von ganz anderer Art als jene, von der Nietzsches 'Ecce homo' zeugt. Thomas Mann hat keinen Zweifel daran gelassen, daß von all den Figuren, mit denen er die Bühne seines Welttheaters bevölkert hat, Adrian Leverkühn ihm eine der gelieb-testen, teuersten war. Dies allein sollte die Interpreten daran hindern, die so problemreiche Parallelität von Faustus und Deutschland als simple Faschismusparabel auszulegen. Doch auch wenn ihm seines Schöpfers ganze Zuneigung gehört, bleibt Leverkühn eine Kunstfigur, die allein von ihrer Funktion im Werk her zu deuten ist.

Der Erzähler Zeitblom bekräftigt unentwegt, er schreibe keinen Roman, er verfasse kein Kunstwerk, und er führt zum Beweis immer wieder seine kompositorische Ungeschicklichkeit an. Wäre das nur ein nachromantisches Spiel mit spätromantischen Kunstmitteln, so hätte Thomas Mann sich mit dem 'Faustus' unter das Niveau begeben, auf dem er im 'Zauberberg' oder im 'Joseph' die Ironie zu halten vermochte. Die durch die Selbstbezweifelung des Erzählers verstärkte Scheinauthentizität der Biographie Leverkühns soll gerade dazu verhelfen, daß der Leser sich nicht im zwinkernden Einverständnis mit dem Autor immer wieder am Scheincharakter der dargebotenen Wirklichkeit erfreue. Noch hinter dem Spiel der von Thomas Mann so lange geübten Imitatio Goethes steht der ganze Ernst des zwar nicht mehr ungebrochenen, also naiven, aber dennoch nicht gänzlich zerbrochenen, also immer noch sentimentalischen Glaubens an die Individualität, für die Goethe ein Symbol geworden ist. Daß Thomas Mann solche Individualität und die von ihr gebildete wie die sie tragende Welt nicht nur für bedroht ansah, sondern in melancholischem Mut ihr mögliches Ende ins Auge zu fassen suchte, verriet schon 'Der Zauberberg' durch die Parodie der „Persönlichkeit": Persönlichkeit ist nur ein anderes Wort für repräsentative Individualität. Die Ahnung vom Ende hat Thomas Mann freilich nie daran gehindert, diese Welt als die seine zu akzeptieren, sich zu ihr auch unter ihrem immer mehr geschmähten Namen der Bürgerlichkeit zu bekennen. Die mit der Zeit, mit seiner Zeit wachsenden Schwierigkeiten eines solchen Bekenntnisses hat Thomas Mann in den für seine Produktion nötigen Grenzen gehalten, indem er nach seiner Hinwendung zur Demokratie den Begriff Bürgerlichkeit im Begriff Humanismus sich spiegeln ließ.

Einem herkömmlichen Schema folgend, sieht Thomas Mann den Beginn der sogenannten bürgerlichen Epoche in Renaissance und Reformation. Der deutschen Variante dieses Schemas bleibt er treu, wenn er die Goethezeit als den Gipfelpunkt betrachtet. Sich selbst interpretiert er als den deutschen Repräsentanten des Endes dieser Epoche. Doch ist die Kunst anderer Herkunft als die bürgerliche Humanität mit ihrem Glauben an das autonome Individuum. Die Kunst wurzelt dem Wesen wie der Geschichte nach in einem archaischeren Bereich. Wenn dennoch in der bürgerlichen Epoche die Kunst auf eine Höhe kommen konnte, die den Vergleich mit jeder anderen Kunst- und Kulturepoche aushält, so nur, weil der Glaube an das bildungsfähige und in seiner Bildung repräsentative Individuum ineins ging mit dem Glauben ans Werk. Indem das Individuum sich ganz ausdrückt, wird es schöpferisch in einer Weise, die jener bisher allein dem Weltenschöpfer vorbehaltenen ähnelt. Der neue Kunstglaube schließt eine Art von säkularisierter Werkgerechtigkeit ein. Sie hält freilich nur so lange vor wie der Glaube an die repräsentable Individualität selbst. Schwindet dieser Glaube, so auch der Glaube ans Werk, und damit wächst die Schwierigkeit seiner Herstellung bis zu dem Punkt, wo die Skepsis das Werk gänzlich zu verzehren droht.

Darüber verhandeln Leverkühn und der Teufel. Jene von Nietzsche geborgte und für das Paradigma Musik dienstbar gemachte Inspirationsproblematik meint die durch die historische Lage bedingte psychologische Schwierigkeit des produktiven Geistes. Die von Adorno geliehene musik-philosophische Dialektik hingegen dient dazu, das Werk als Werk so fragwürdig zu machen, daß es als Spiel nur noch gerechtfertigt erscheint, wenn in diesem Spiel mit der Fragwürdigkeit der Kunst ganz Ernst gemacht wird. Diesem Ernst dient auch die Scheinnaivität des Erzählers Zeitblom. Wenn es zu seiner Funktion gehört, den tragischen Stoff zu durchheitern, dann soll damit gerade nicht das Tragische bis zur Genießbarkeit aufgeweicht werden. Vielmehr wird dadurch überhaupt die hier dargebotene Tragödie als Werk möglich: als geheimes und zugleich repräsentatives Bekenntniswerk. Nach der Funktion Leverkühns innerhalb des Werkes 'Doktor Faustus' zu fragen, heißt deshalb zugleich, Zeitblom ganz ernst zu nehmen und auch ihn hinter seiner scheinrealen Ridikülität als Kunstfigur, als Teil des Chiffresystems zu begreifen. Daher gibt Thomas Mann in der 'Entstehung' den Hinweis auf die geheime Identität der Protagonisten, denen nicht zugestanden werden durfte, was zum Wesen der dem „Zentrum ferneren Erscheinungen des Buches" gehört: „Romanfiguren im pittoresken Sinn" zu sein.[34]

Das Wort 'pittoresk' kann leicht über die Bedeutung hinwegtäuschen, die der Unterscheidung zukommt. Es erklärt sich aus dem Zusammenhang: der mit Nachsicht wiedergegebenen und widerlegten Bitte der „Meinen", den Helden „sichtbar" zu machen, „physisch individualisieren, anschaulich wandeln" zu lassen. Doch ist dies nur der Anlaß zu einem in geradezu feierlichem Ton vorgebrachten poetologischen Bekenntnis. Mit einem „Wie leicht wäre das gewesen!" legt Thomas Mann nämlich nicht einfach nur das Verlangen der Seinen auf einigermaßen schonende Weise als ein gründliches Mißverständnis beiseite, sondern macht es verzeihbar, weil es sich bei der Verweigerung einer pittoresken Existenz für die Protagonisten um eine ganz neue poetische Erfahrung gehandelt haben soll: „Und wie geheimnisvoll unzulässig, in einem noch nie erfahrenen Sinn unmöglich war es doch wieder!" Warum es gar geheimnisvoll unzulässig war, wird wenig später durchs Geheimnis der Identität halb preisgegeben, doch läßt es sich schon hier erschließen. Leverkühn zu beschreiben sei unmöglich „auf andere Art, als es die Selbstbeschreibung Zeitbloms gewesen wäre". Es fällt das Wort 'Verbot'. Zwar wird es rasch wieder, als könnte zuviel verraten werden, abgeschwächt, aber doch nicht zurückgenommen: „Ein Verbot war hier einzuhalten – oder doch dem Gebot größter Zurückhaltung zu gehorchen bei einer äußeren Verlebendigung, die sofort den seelischen Fall und seine Symbolwürde, seine Repräsentanz mit Herabsetzung, Banalisierung bedrohte."[35]

Gebote sind nur die abgemilderte, zivilisierte Form der Verbote. Wird hier am Ende das poetische Inzest-Tabu umschrieben? Es ist an der Zeit, die schon erwähnte Liebe Thomas Manns für Leverkühn genauer zu betrachten: „Ich ging aber weiter und gestand..., daß ich nie eine Imagination, weder Thomas Buddenbrook, noch Hans Castorp, noch Aschenbach, noch Joseph, noch den Goethe von 'Lotte in Weimar' – ausgenommen vielleicht Hanno Buddenbrook – geliebt hätte wie ihn."[36] Nachdem wir im 'Buddenbrook'-Kapitel das Geheimnis der Identität von Hanno und dem Dichter Kai, das gerade nichts mit der sonst immer gegenwärtigen Homoerotik zu tun hat, aufgedeckt haben, wird begreiflicher, warum es den Erzähler der 'Entstehung' drängt, seinem Liebesbekenntnis noch hinzuzufügen: „Ich sprach die Wahrheit". Es hängt nicht mit der ohnehin durchsichtigen Philistrosität des Serenus zusammen, daß in keinem Moment, nicht einmal, wenn er auf Schildknapp oder Schwerdtfeger eifersüchtig ist, auch nur die leiseste Vermutung einer homoerotischen Neigung des Chronisten zu seinem 'Freunde' sich regt. Thomas Mann verrät, er habe „buchstäblich", also gänzlich und eben so, wie es im Buche selber steht, „die Empfindungen des guten Serenus" für Leverkühn geteilt: „war sorgenvoll in ihn verliebt..., vernarrt in seine 'Kälte', seine Lebensferne, seinen Mangel an 'Seele'..., in sein 'Unmenschentum' und 'verzweifelt' Herz', seine Überzeugung, verdammt zu sein".[37] Wie kann man darein vernarrt sein? Wohl nur in der Art eines zur verschließenden Einsamkeit und Hybris gesteigerten Narzißmus.

Der mythisch-psychologische Ausdruck dafür ist ein ambivalenter Sündenhochmut, kraft dessen die Verschlossenheit wiederum in der Kunst durchbrochen wird.

Das Geheimnis der Identität im Roman selbst aufzudecken, wäre einer Selbstzerstörung der Komposition gleichgekommen. Hingegen konnte es bei Wahrung der Fiktion eines Biographen und seines Helden in immer neuen Abwandlungen vorgeführt werden. Ein Vergleich dieser Variationen ergibt, daß es sich um die angemessene figurale Darbietungsform des Grundthemas handelt, das im Schlußteil des XXXIV. Kapitels bei der Analyse der Apokalypse das „tiefste Geheimnis der Musik, welches ein

Geheimnis der Identität ist", genannt wird (502). In diesem dreigeteilten Kapitel mit der Zahl eines magischen Quadrats wird auch der den Roman bestimmende Parallelismus von Kunst und Geschichte bzw. Politik in seiner Verbindung mit dem Geheimnis der Identität sichtbar.[38] Das Verständnis des Buches ist abhängig von der Einsicht in die mit dem Problemkomplex der Identität verknüpfte Parallelität, und alle Mißverständnisse, zumal die globalen, pauschalen, weil ideologisch bedingten, entspringen einer Vereinfachung dieses Komplexes.

Nähme man Zeitblom als Figur im Sinne des realistischen Romans, so wäre er schon allein wegen des stilistischen Reichtums, der ihm zur Verfügung steht, unglaubwürdig. Glaubwürdig wird er nicht so sehr, weil er bis in die Schreibart hinein auch eine Selbstparodie des bürgerlichen und von Pedanterie bedrohten Thomas Mann ist, sondern weil er selbst dies immer nur sein kann durch einen Leverkühn, der samt seiner Werke allein im Kunstwerk der Lebenserzählung Existenz gewinnt. Nicht nur Zeitblom wird wesenlos, sobald man ihn von dem trennt, was er seine Aufgabe nennt und was den Inhalt seines fingierten Lebens ausmacht. Auch Leverkühn zerfällt in einem nicht nur oberflächlichen Sinn, wenn man ihn hypothetischerweise einmal aus der Form seiner Präsentation herauszunehmen versucht, in die amorphen Bestandteile von Quellen und ideologiehaltigen Materialbrocken. Deshalb erscheint er in manch einer Interpretation nur wie ein vom weltanschaulichen Maschendraht des Auslegers zusammengehaltener Golem.

In Zeitblom lediglich eine Art Wagner dieses anderen Faust zu sehen, hieße, das Geheimnis der Identität gänzlich zu verfehlen. Und es geht natürlich auch nicht an, ihn als die Thomas Mannsche Variante des Goetheschen Mephistopheles zu betrachten. Dazu könnte immerhin die Identität in Verbindung mit der umkehrenden Zurücknahme nebst der Überlegung verlocken, daß ebensoviel Goethe in Mephisto wie in Faust steckt. Denn das läßt sich ja auch von Thomas Mann im Hinblick auf Leverkühn und Zeitblom sagen. Doch wird eine solche Auslegungsmöglichkeit schon durch das zentrale Teufelsgespräch des XXV. Kapitels brüchig. Denn wie verhält sich die geheime Identität von Chronist und Held zu der Beziehung, die zwischen Leverkühn und dem Besucher im steinernen Saal von Palestrina besteht? Das ist die schon gestellte Frage nach dem Verhältnis der Identität zur Parallelität, doch nun auf die Figurenkonstellation bezogen.

195

Im Mittelstück des XXI. Kapitels, dessen Unterteilung auf die Dreiteilung des XXXIV. vorausweist, beteuert Zeitblom wieder einmal sein kompositorisches Unvermögen. Seine Entschuldigung sei „immer dieselbe". In der scheinbar so naiven Exkulpationsformel steckt, da es sich ums immer Selbe handelt, auch eine Umschreibung der Identität: „Allzusehr fehlt es hier wohl überhaupt an dem Gegensatz, dem bloßen Unterschied von Stoff und Gestalter" (235). Weil es zur Funktion der Chronistenfigur gehört, den düsteren Stoff zu durchheitern,[39] kann der Autor mit Zeitblom auch seinen Scherz über den Ernst der Kunst treiben. Denn wenn es hier am Unterschied von Stoff und Gestalter fehlt, und zwar wegen der Nähe des Gegenstandes, fällt ein Gegensatz weg, den es beim Kunstwerk eigentlich gar nicht geben darf. Um aber Schillers Forderung, daß der Stoff von der Form vertilgt werde, hier einzubringen, spricht Thomas Mann nicht, wie zu erwarten, von der Aufhebung des Gegensatzes von Gestaltung, also Form, und Stoff, sondern läßt seinen Zeitblom scheinbar von sich selber als dem Gestalter reden. Unterm Vorwand des Dilettantismus, das Wort im Sinne der leidenschaftlichen Liebe verstanden, wird hier nicht nur das Geheimnis der Identität vorgeführt, sondern auch die gewählte Form als die dem 'Stoff' allein angemessene ironisch legitimiert: „Habe ich nicht mehr als einmal gesagt, daß das Leben, von dem ich handle, mir näher, teurer, erregender war als mein eigenes?" (235) Direkt gelesen, widerspräche das strikt der klassischen Forderung, wie sie in Schillers Ästhetik als Primat der Form erscheint und von Thomas Mann immer akzeptiert, weil nicht als banales l'art pour l'art verstanden worden ist. Wer so sehr wie Zeitblom vom „Gegenstand" aufgeregt und affiziert ist, wird von ihm überwältigt und kann ihn nicht gestalten, denn ihn beherrscht der Stoff-, nicht aber der Formtrieb. Nichts als der Ausdruck sinnlicher Erregung, der nur wieder das sinnliche Gefühl erregt, wäre zu erwarten. Mit dieser klassischen Ästhetik im Hintergrund treibt es Thomas Mann hier buchstäblich auf die Spitze[40]: „Das Nächste, Erregendste, Eigenste ist kein 'Stoff'; es ist die *Person* – und nicht danach angetan, eine künstlerische Gliederung von ihr zu empfangen. Fern sei es von mir, den Ernst der Kunst zu leugnen; aber wenn es ernst wird, verschmäht man die Kunst und ist ihrer nicht fähig" (235). Da das Leben, von dem gehandelt wird, dem Gestalter näher ist als sein eigenes, kann mit der Person, die ihm als das 'Eigenste' nicht Stoff zu werden vermag, nur Adrian Leverkühns Leben gemeint sein. Dies Leben aber ist, was es ist, allein durch die Kunst, denn es wird nur um der Kunst willen gelebt.

Im letzten Abschnitt des XXI. Kapitels ist, ehe noch einmal an „Adrians Reise nach Graz, die nicht um des Reisens willen geschah" (237), erinnert wird, von einem Fehler die Rede, „dessen grobe Offenkundigkeit auf seine Freiwilligkeit schließen lassen mag" (236). Der Hinweis gilt nicht nur für den speziellen Fall, daß hier der Leser mit Namen bombardiert werde, mit denen er noch nicht das geringste anzufangen wisse; wobei es sich natürlich bei Marie Godeau, Rudi Schwerdtfeger und Nepomuk Schneidewein um alles andere als nur zufällig herausgegriffene Namen handelt. Thomas Mann weist schon darauf hin, indem er die Namen im Druckbild hervorhebt, und er läßt es seinen Zeitblom direkt verraten, wenn dieser die Freiwilligkeit der Wahl bezweifelt. Er sei sich wohl bewußt, „diese leerverfrühten Namen unter einem Zwange hierher gesetzt zu haben" (237). Um Zeitblom als Figur hier noch glaubhaft erscheinen zu lassen, darf der Autor ihn nur bis an die Grenze der psychologischen Selbsterkenntnis führen. Für seine eigene Chronik mußte ihm der Autor die fiktionale Authentizität des Nicht-Kunstwerks verschaffen, innerhalb derer allein auch ein Zeitblom über die Scheinhaftigkeit des Kunstwerks und die besonderen historischen Bedingungen seiner Herstellung mitreden kann. Auf seine Weise freilich, die man eher ein Mithören nennen möchte. „Es fragt sich dies, sage ich, das heißt: ich lernte, mich so zu fragen, durch den Umgang mit Adrian... Meiner eigenen Gutmütigkeit lagen von Hause aus Einsichten fern, wie er sie gesprächsweise, als hingeworfene Aperçus, äußerte, und sie taten mir weh...um seinetwillen" (241). Nicht erst beim Teufelsgespräch, sondern schon in diesem XXI. Kapitel werden die Herstellungsbedingungen des Werkes die schwierigsten genannt, weil „Schein und Spiel... heute schon das Gewissen der Kunst gegen sich" haben (242).

Zwar borgt sich Thomas Mann bei Adorno die moderne Diktion aus, aber insoweit es sein eigenes und von früh an traktiertes Problem ist, liegen ihm Schillers und Nietzsches Spekulationen über Kunst, also Werk, Schein und Wahrheit, näher. Wie Kunst als Erkenntnis leben wolle, fragt Zeitblom, um sich (!) gleich noch ein zweites Mal „mit tiefer Sorge" zu fragen, „welche Anstrengungen, intellektuellen Tricks, Indirektheiten und Ironien nötig sein würden", die Kunst zu retten, „sie wiederzuerobern und zu einem Werk zu gelangen, das als Travestie der Unschuld den Zustand der Erkenntnis einbekannte, dem es abgewonnen sein würde" (242). Eben hier wird auf das Teufelsgespräch verwiesen, und die Vorwegnahme des Grundthemas erfolgt auf eine Weise, deren Beziehungsreichtum verrät, wie Thomas Mann mit seiner an Wagner geschulten Kunst es derjenigen von Leverkühn gleichtun möchte. Zeitblom fährt nämlich fort: „Mein armer Freund hat sich eines Tages, eines Nachts vielmehr, aus fürchterlichem Munde, von einem entsetzlichen Helfer über das hier Angedeutete Genaueres sagen lassen" (242). Am Anfang des Romans bereits wurde Leverkühns Tod mit dem versteckten George-Zitat als ein Hinweggehen aus tiefer Nacht in die tiefste Nacht umschrieben. Erst am Ende wird erkennbar, warum aus der langen und längsten Nacht Georges im 'Doktor Faustus' die tiefe und tiefste geworden ist. Die Umnachtung Nietzsches und sein endgültiges irdisches Erlöschen wird in Georges Gedicht zu einem Entschwinden in einen lichtlosen Äon. Nach dieser Zeit, in der „das getier das ihn mit lob befleckt" erst „verendet" sein muß, ist ihm die Auferstehung gewiß: „Dann aber stehst du strahlend vor den zeiten/Wie andre führer mit der blutigen krone." Ein Schimmer solcher Hoffnung liegt noch über dem Ende des 'Zauberberg'.[41] Aus der mythischen Nachtzeit Georges wird im 'Doktor Faustus' der mythische Abgrund, die Zeit wird so zum Raum. Die Nachricht vom „Erlöschen der Reste seines Lebens, das meinem eigenen Leben ... seinen wesentlichen Inhalt gegeben hat", erreicht Zeitblom, während Deutschland – man schreibt das Jahr 1940 – „die Wangen hektisch gerötet,... auf der Höhe wüster Triumphe" taumelt, „im Begriffe, die Welt zu gewinnen kraft des einen Vertrages, den es zu halten gesonnen war, und den es mit seinem Blute gezeichnet hatte" (676). Berichtet aber wird dies im letzten Abschnitt des Buches, zur Zeit des endenden Krieges, während Deutschland, „von Dämonen umschlungen,... hinab von Verzweiflung zu Verzweiflung" stürzt. Dann spricht ein „einsamer Mann" das Gebet, in dem jene Entsprechung aufschimmert, die weder mit dem Begriff der Identität noch mit dem der Parallelität allein zureichend zu erfassen ist: „Gott sei euerer armen Seele gnädig, mein Freund, mein Vaterland" (676). Wird so dem armen Freund und dem noch ärmeren Vaterland e i n e Seele zugesprochen, und zwar von dem, dessen Leben nur in der „Zeugenschaft" (668) besteht? Deutschland selbst, „das unselige", sei ihm, sagt Zeitblom, „fremd, wildfremd geworden, eben dadurch, daß ich mich, eines grausigen Endes gewiß, von seinen Sünden zurückhielt, mich davor in Einsamkeit barg" (669). Die Frage, ob er mit solcher Zurückhaltung recht getan, vertieft sich dahin, *ob* er's eigentlich getan habe. Die Antwort stellt die gewagteste Verknüpfung des Identitäts- und Parallelitätsproblems mit der Rechtfertigung dar, wie sie Zeitblom kraft seiner geheimen Identität mit Leverkühn für sich selbst leisten kann. Es ist die Rechtfertigung, die auch für Leverkühn gilt, also die durch das Werk: „Ich habe einem schmerzlich bedeutenden Menschen angehangen bis in den Tod und sein Leben geschildert, das nie aufhörte, mir liebende Angst zu machen. Mir ist, als käme diese Treue wohl auf dafür, daß ich mit Entsetzen die Schuld meines Landes floh" (669).

Da Zeitbloms 'Werk' die Erzählung vom Leben des deutschen Tonsetzers Adrian Leverkühn ist, und da Leverkühns Werk allein im Scheinwerk dieser Biographie existiert, müssen des Komponisten Skrupel „wegen des Schicksals der historischen Lage der Kunst selbst, des autonomen Werkes" (243), vor allem Zeitbloms 'Werk' bestimmen, und man darf deshalb als Thomas Manns eigenstes Bekenntnis lesen, was er dem Chronisten als tiefe Sorge über die um der „Travestie der Unschuld" (242) willen nötigen intellektuellen Tricks und Indirektheiten in die Feder gibt.

Kunst – Eschatologie

In der 'Entstehung' wird von Leverkühn gesagt, er „sei sozusagen eine Idealgestalt, ein 'Held unserer Zeit', ein Mensch, der das Leid der Epoche" trage.[42] Am Leid hat auch Thomas Mann sein Teil getragen. Aber das Leid der Epoche ganz zu tragen und nicht nur daran teilzuhaben, hätte bedeutet, die Grenze der Imagination gegen eine Realität hin zu überschreiten, hinter der der Weg der Erlösung oder der Wahn beginnt. Wie kann ein Held unserer Zeit als ein Mensch dargestellt werden, der das Leid der Epoche trägt? Wie kann vermieden werden, daß die Zeit zur Bühne wird, auf der ein Theaterchristus erscheint? Allein durch einen Erzähler, dessen Ecce-homo-Gebärde glaubhaft ist.

Thomas Mann hat den 'Doktor Faustus' auch seinen 'Parsifal' genannt.[43] Nicht nur, weil er im 'Doktor Faustus' sein Spätwerk sah, mit dem die lebenslang geübte, auch seine Goethe-Imitation noch leitende Wagner-Konkurrenz würdig abschließt, sondern in anderem Sinne noch ist das zutreffend: weil in beiden Werken das Mythische als das Religiöse direkt erscheint und sich unmittelbar als Kunst gibt. Die Eucharistie auf die Bühne zu bringen ist nicht nur eine extreme ästhetische Provokation. Beim Schöpfer des 'Parsifal' war da ein Wille am Werk, zu glauben, daß allein die Kunst noch zu geben vermöchte, was einst die Religion zu gewähren versprach. So bemächtigte sich die Kunst, nachdem sie sich zuvor schon psychologisierend des Mythos bedient hatte, am Ende des Kultes als des gelebten Mythos selbst. Damit drohte der Kunst die falsche Unmittelbarkeit, also der Schwindel, der Kitsch. Was Wagners 'Parsifal' davor bewahrt hat, in pompöser Trivialität unterzugehen, war nicht so sehr seine Fähigkeit, Mythen psychologisch zu durchdringen, als vielmehr seine Gabe, die psychologisch zubereiteten Mythen ganz ins Reich der Töne zu transponieren; kurz, sein musikalisches Genie. Wenn aber einer mit der Sprache statt mit Tönen arbeitet, gerät er dort an die Grenze seiner Kunst, wo das Religiöse mit dem Ästhetischen unmittelbar zusammentrifft, wo also die Kunst als das Religiöse nach Ausdruck verlangt. Das ist der Fall, wenn es mit der Kunst zu Ende geht, wenn sie gezwungen wird, sich radikal auf sich selbst zu besinnen: da wird das Werk als Werk in Frage gestellt, weil mit dem Ernst einer Endzeit Rechenschaft gefordert wird über alle Werke.

Rechenschaft im Sinne jenes Poetenwortes, daß Dichten heiße, über sich selbst Gerichtstag zu halten, kann auf dieser Stufe des Bewußtseins nicht mehr bedeuten, daß man verborgene Winkel des Ich ausleuchtet. Es meint vielmehr, daß, nach der Seite des Künstlertums, noch einmal, und nun mit anderer Schwere als zu Tonio Krögers Zeiten, danach gefragt wird, warum der Künstler der „Bruder des Verbrechers und des Verrückten" ist, und woher denn diese fragwürdige Künstlerexistenz das Recht zum „Trost der Träume" im „Tal der Tränen" nimmt.[44] Nach der Seite der Kunst hin bedeutet diese Rechenschaft, daß das Spiel aufgegeben wird, das Thomas Mann in 'Buddenbrooks' noch ganz unschuldig, im 'Zauberberg' und im 'Joseph' aber mit immer wachsender ironischer Subtilität zu spielen vermocht hat. Es ist, formal ausgedrückt, das Spiel mit dem allwissenden Erzähler.

Nach Thomas Manns Überzeugung hat das neunzehnte Jahrhundert zwei große Kunstleistungen hervorgebracht: den Roman, vor allem ein Werk der Franzosen und Russen, und Wagners Musikdrama. Als Erbe von beidem sah er sich, und Romane im zwanzigsten Jahrhundert nach der Art des neunzehnten zu schreiben, schien ihm nur möglich mit Hilfe einer Technik, die sich der Mittel Richard Wagners bediente. So hat Thomas Mann das Werk für sich selbst noch zu retten vermocht. Freilich mußte der Held, der ja zu solchem Werk gehört, die ganze Problematik des Künstlertums in sich aufnehmen, und in der vom intakten Werk geschützten ironischen Vermittlung gelang dies mit dem medialen Hans Castorp so gut wie mit Joseph, der als Künstler Politik zu treiben hat. Was wird unterm Zeichen des Endes aus dem Werk, was wird aus dem Künstler? Das Ergebnis einer vierhundertjährigen Entwicklung gibt im 'Doktor Faustus' der Teufel in der Sprache Adornos wieder: „Was der Kritik verfällt, ist der Scheincharakter des bürgerlichen Kunstwerks" (322). Daß, wie immer, so auch hier die Literatur gemeint ist, wäre selbst ohne den indirekten Hinweis zu erraten, auch die Musik habe an diesem Scheincharakter teil, „obgleich sie kein Bild macht". Das literarische bürgerliche Kunstwerk par excellence aber ist der Roman. Wenn dessen Scheincharakter der Kritik anheimfällt, bleibt nur noch übrig, eine ältere, archaischere Form der Präsentation von Realität zu imitieren, und das ist die Chronik. So wird Zeitblom nicht nur zum Biographen, sondern zum Chronisten. Damit ist auch noch ein letztes Mal der Erzähler gerettet, indem er in eine ältere Funktion wieder eingesetzt wird. Der fiktive Archaismus erlaubt es, unmittelbar von jenem Schicksal zu erzählen, das des Berichtens wert ist. Es ist das Schicksal des Künstlers. Im 'Tod in Venedig' war zwar ebenfalls unmittelbar vom Künstler erzählt worden, aber schon damals war es Thomas Mann nur mit Hilfe der parodistischen Imitation von Goethes Spätstil noch gelungen, den hochkomplizierten manieristischen Gegenstand, die Situation des Künstlers nämlich, der klassizistischen Form anzupassen. Hätte Thomas Mann freilich von Leverkühn wie von Aschenbach erzählt, dann wäre aus dem 'Doktor Faustus' nur ein schlechterer 'Tod in Venedig' geworden – statt der Kantate 'Dr. Fausti Weheklag' hätten wir Gustav Mahler als Kinomusik zu hören bekommen.

Die fiktive Biographie ist extrem realistisch und extrem künstlich zugleich; indem Thomas Mann die von früh an geübte Kunst der Verbindung des kraß Wirklichen mit dem nackt Symbolischen hier auf die Spitze treibt, schafft er sich die Möglichkeit, so ernst wie nie zuvor von der Kunst Zeugnis zu geben, das heißt, sie radikal in Frage zu stellen, ohne sie schmähen oder verleugnen zu müssen. Ernst und unmittelbar von der Kunst reden bedeutet aber für einen späten Künstler jener Epoche, in deren Zenit Goethe stand, daß er auf die ernsteste Art von sich selber spricht. So heißt es im 'Doktor Faustus': „Werk, Zeit und Schein, sie sind eins, zusammen verfallen sie der Kritik. Sie erträgt Schein und Spiel nicht mehr, die Fiktion, die Selbstherrlichkeit der Form, die die Leidenschaften, das Menschenleid zensuriert, in Rollen aufteilt, in Bilder überträgt.

Zulässig ist allein noch der nicht fiktive, der nicht verspielte, der unverstellte und unverklärte Ausdruck des Leides in seinem realen Augenblick. Seine Ohnmacht und Not sind so angewachsen, daß kein scheinhaftes Spiel damit mehr erlaubt ist" (321).

Die Wahrheit der Sätze wird weniger dadurch relativiert, daß sie von Adorno geborgt und dem Teufel in den Mund gelegt sind, als vielmehr dadurch, daß sie Aussagen innerhalb eines Werkes bleiben, in dem das subtilste Spiel mit der Schwierigkeit der Herstellung getrieben und die pure Fiktion als das rein Authentische dargeboten wird. Aber wollte Thomas Mann sich nicht selbst aufgeben und sein ganzes Dasein als ein verfehltes durchstreichen nach der Art jener russischen Dichter des neunzehnten Jahrhunderts, die der Kunst abschworen, um fortan Buße zu tun für die einstige Hingabe an die Kunst, – wollte er also nicht Tolstoi oder gar Gogol imitieren, sondern sich selber treu bleiben, so mußte er auch solcher Wahrheit den zwielichtigen Schimmer des Scheins belassen. Nur die Kunst, also das Werk, kann diesen Künstler retten. Darum sagt Leverkühn in seiner Abschiedsrede, die als das Ecce homo eines Wahnsinnigen alle Bürger in die Flucht schlägt, über sein letztes Werk, in dem ja Existenz und Kunst so vollständig zur Deckung kommen, daß die mythische Figuration entsteht, die da lautet: 'Doktor Faustus', – darum also sagt Adrian Leverkühn als Faustus: „... und vielleicht kann gut sein aus Gnade, was in Schlechtigkeit geschaffen wurde, ich weiß es nicht. Vielleicht auch siehet Gott an, daß ich das Schwere gesucht und mir's habe sauer werden lassen, vielleicht, vielleicht wird mir's angerechnet und zugute gehalten sein, daß ich mich so befleißigt und alles zähe fertig gemacht, – ich kann's nicht sagen und habe nicht Mut, darauf zu hoffen" (666). Die Kunst wird da gewiß nicht verleugnet.

Aber kann das Werk standhalten, wenn allein noch zulässig sein soll der nichtfiktive Ausdruck des Leides in seinem realen Augenblick? Indessen: was der Teufel hier dekretiert, ist nur die eine Seite der Wahrheit, und eben darum hat dieser Teufel auch noch zu sagen: „Die Leidenschaft des Christen da", er spricht von Kierkegaard, „für die Musik ist wahre Passion, als welche nämlich Erkenntnis und Verfallenheit ist in einem. Wahre Leidenschaft gibt es nur im Ambiguosen und als Ironie. Die höchste Passion gilt dem absolut Verdächtigen" (323).[45] Das Ambiguose, das Zweideutige, ist nicht ein Ingrediens, von dem Thomas Mann nur gelegentlich Gebrauch gemacht hätte. Vielmehr ist seine ganze Kunst fundamental zweideutig, ihre Entwicklungsstufen lassen sich als die fortschreitende Vertiefung und Verfeinerung der Zweideutigkeit demonstrieren. Die vielberufene Ironie samt dem dazugehörigen Pathos der Mitte sind Folgen dieser Zweideutigkeit, nicht ihre Ursache. Vielleicht wäre es weniger anstößig, anstatt von Zweideutigkeit von Ambivalenz zu reden, also von jener Doppelwertigkeit, mit der die Psychologie operiert, und die man als zum Wesen des Mythischen gehörig erkannt hat. Aber man sollte sich nicht scheuen, das Phänomen bei seinem Thomas Mannschen Namen, es also 'Zweideutigkeit' zu nennen. Thomas Mann konnte nur deshalb das psychologische und mythologische Ambivalenzmaterial, das ihm die zeitgenössische Wissenschaft bot, so überzeugend für sein eigenes Werk verwenden, weil Zweideutigkeit seine ureigenste und dauerndste Erfahrung war.

Daß diese Erfahrung wiederum mit der Situation des hochentwickelten künstlerischen Bewußtseins der Epoche übereinstimmte, darin ist Thomas Manns Repräsentanz begründet. Sie wurde ihm nicht erst durch die Öffentlichkeit, also durch Ruhm und Schmähung, klargemacht. Vielmehr war es Nietzsches Analyse der Zweideutigkeit der modernen Seele gewesen, die Thomas Mann zur Identifikation mit sich selbst und der Zeit verhalf. Aber Nietzsche war nicht nur sein psychologischer Führer, er war ihm auch der Geleiter bei der Erkundung des Mythischen, das, nicht anders als das Psychologische, für den Künstler Thomas Mann nur von Belang sein konnte, soweit es zum Werk taugte. Und Mythenpsychologie als Kunst – das ist ja Wagner: Thomas Manns 'Parsifal' mußte zum Nietzsche-Roman werden.[46]

Der 'Doktor Faustus' ist das Zeugnis einer Kunst-Eschatologie, das sich als der Versuch enthüllt, die Erkenntnis, daß allein noch der nichtfiktive, nicht verspielte, unverstellte Ausdruck des Leides zulässig sei, mit der wahren Leidenschaft für das Ambiguose zu verbinden. Da diese Leidenschaft Thomas Manns ganzes Leben erfüllt hatte, mußte sie sich endlich auch im unverstellten Ausdruck des Leides bewähren, mußte diesem Leid standhalten, wenn anders die lebenslange Leidenschaft für die Kunst sich am Ende nicht doch als das luxuriöse Laster erweisen sollte, als das sie so oft geschmäht worden war und noch wird, – und als das sie Thomas Mann übrigens selbst oft genug, von 'Tristan' bis zum 'Felix Krull', parodiert hat. Eben dort, wo der Teufel zu Recht behauptet, daß er wohl was von Musik verstehe, wird denn auch gründlich diese selbstparodistische Spielmöglichkeit Thomas Manns in Frage gestellt. Da sagt das Ich des Dialogs: „Man könnte das Spiel potenzieren, indem man mit

Formen spielte, aus denen, wie man weiß, das Leben geschwunden ist." Der 'Er', zu dem sich das Es der Josephs-Romane inzwischen weiter- oder wieder zurückentwickelt hat, dieser 'Teufel' antwortet: „Ich weiß, ich weiß. Die Parodie. Sie könnte lustig sein, wenn sie nicht gar so trübselig wäre in ihrem aristokratischen Nihilismus" (322).

Dennoch wird daran festgehalten, daß es die wahre Leidenschaft nur im Ambiguosen und als Ironie gäbe. Das Zweideutige als System, das Zweideutige als Kunst im Sinne jener totalen Organisation des Materials, bei der die Form das Ganze ist, weil es außer ihr nichts, keinen Rest von unaufgebrauchtem Material mehr gibt, diese Zweideutigkeit als Kunst heißt bei Thomas Mann Musik. Wenn also die Stunde der Not allein noch den unverstellten Ausdruck des Leids zuläßt, muß die Passion, die dem Verdächtigen gilt, sich zur höchsten Passion steigern, die dem absolut Verdächtigen gilt: die Musik ist damit nicht einfach nur mehr Paradigma der Kunst, wie schon in den 'Betrachtungen eines Unpolitischen'; in der 'Musik' kommt vielmehr das Leid in seinem realen Augenblick zum Ausdruck. Das Schicksal der Musik spiegelt das Geschick der Zeit, und die Passion wird vorgeführt als das Schicksal dessen, der sich dem absolut Verdächtigen anheimgegeben hat. Gerechtfertigt kann diese Hingabe allein durch das Werk werden, denn da sie total ist, wird mit dem Werk auch das Leben gewonnen oder verfehlt. Und soll das Werk nicht ein verfehltes sein, so muß das Leid der Zeit in ihm Ausdruck finden. Der da die Stimme erhebt, muß, wenn er sagt, was er leidet, sagen, was die Zeit leidet. Und wenn die Zeit des Teufels ist, dann muß der Teufel ihm die Stimme geben, zu sagen, was er leide.

Bekenntnis und Lebensopfer

Trotz aller ingeniösen Erfindungs- und Montagekunst wäre der 'Doktor Faustus' jedoch nur eine forcierte Allegorie der neuzeitlichen Künstlerproblematik geworden, nicht aber das Buch, das selbst ist, wovon es handelt[47], wenn Thomas Mann außer dem Paradigma Musik nicht noch das Medium gefunden hätte, kraft dessen er alles Essentielle seiner ureigensten künstlerisch-geistigen Existenz in das Werk einzubringen und so aus ihm eine radikale Autobiographie zu machen vermocht hätte. Das Medium, das zugleich die Form des Werkes bestimmt, ist nicht Zeitblom als Erzähler, sondern es ist die geheime Identität der Protagonisten Zeitblom und Leverkühn. Diese Doppelung ermöglichte es Thomas Mann, die Ambivalenz seines eigenen Daseins, aus der er sein ganzes bisheriges Werk bestritten hatte, und dessen durch Popularität banal gewordene Formel „Bürger-Künstler-Problematik" lautet, zur konstellativen Figuration zu machen, in die er auch die 'wahre' Geschichte seines Lebens einbringen konnte, ohne etwas von dieser Geschichte verleugnen oder das bloß Private preisgeben zu müssen.

Hochmut ist die eigentliche Sünde des Künstlers, aber wie sollte er ihr entgehen, wenn er ein Werk nur schaffen kann, indem er das Leben zum Material für die Kunst macht? Es ist ein altes Thema, und nicht nur eines von Thomas Mann, sondern ein Thema der ganzen neueren Literatur, dem bereits in der Romantik die Trivialisierung gedroht hatte. Dann rettete die Décadence das Thema für eine kurze Weile wieder vor dem Untergang in der Literaturpopularität. Thomas Mann hat an all dem teilgenommen und auch dem melancholischen Einsamkeitskult des Dichtertums seinen Tribut gezollt. Aber er trug das alte Bürger-Künstler-Thema so vor, als hätte er es erfunden, nur, weil gerade er es wieder einmal erfuhr und erlitt. Daß das Thema als Tonio-Kröger-Melodie einmal dazu taugen werde, den Gymnasiasten ein wenig das Singen beizubringen, hätte man zur Not noch voraussehen können, nachdem die Verfallsgeschichte einer Familie als Lieblingsbuch deutscher Familien Karriere zu machen begonnen hatte. Nicht vorauszusehen, noch nicht einmal nach dem 'Tod in Venedig', war freilich, daß die Sentimentalität des in die Kunst verirrten Bürgers schließlich einmal die weltliterarische Dimension des vom bürgerlichen Humanisten Zeitblom beschriebenen Künstlerlebens erreichen könnte. Denn Weltliteratur ist der 'Doktor Faustus', aber nicht nur in jenem Sinn, daß er deutsche Literatur des zwanzigsten Jahrhunderts repräsentiert, wie etwa schon 'Buddenbrooks', 'Zauberberg', 'Joseph', sondern auch noch in dem genaueren Sinn, daß er das Grundthema aller modernen Literatur, die Rechtfertigung der Kunst durch die Kunst selbst, in ihrer spezifisch deutschen Variante darbietet. Eine solche Präsentation konnte nur einem Schriftsteller gelingen, dem der Auserwähltheitsdünkel modernen Künstlertums nicht zum Dandytum geriet oder gar zur Bohème-Schauspielerei verflachte, der andererseits aber auch gefeit war gegen die Gefahr des Außenseitertums, der so viele im Schweigen, manche im Tod erlagen. Die beim jungen Thomas Mann zu beobachtende Koketterie des Künstlers mit einer Bürgerlichkeit, auf die er nicht verzichten und die er nicht der Verachtung preisgegeben wissen wollte, – diese selbstparodistische Haltung war so sehr mit Fin-de-siècle-Sentimentalität durchtränkt, daß nur der konzentrierte Kunstverstand ein Abgleiten in die Trivialität zu verhindern vermochte. Aber die Art, wie Thomas Mann die zu jener Zeit schon so gründlich ausgebeuteten Themen noch einmal sich ganz zu eigen zu machen verstand und ihnen mit der persönlichen auch noch eine spezifisch deutsche Färbung zu geben wußte, das gehörte zu jenen Überraschungen der Literatur, von denen weder die Wiener noch die Berliner Kaffeehausauguren etwas gemurmelt hatten. Doch auch nach solchem Beginn war kaum vorauszusehen, daß es diesem Autor, nachdem er seine eigensinnig deutsche Variante des Künstlerthemas ein ganzes Leben lang weiter variiert hatte, auch noch gelingen werde, in fortwährender Steigerung den heimlich-frühen Traum der Wagner-Konkurrenz bis dorthin zu treiben, wo aus Hamlet, den Tonio Kröger als den typischen Literaten erklärt hatte, ein Nietzsche als Hamlet der Zeitenwende mit Christus-Zügen würde, und wo, indessen Kaisersaschern, das Weltstadt werden wollte, in der Feuersbrunst zergeht, doch noch die heilige deutsche Kunst bleibt. Zwar nicht mehr als Meistersinger-Triumph, aber doch noch immer als die von meisterlicher Hand gesetzte Klage.[48]

Damit sie am Ende ertönen konnte, waren freilich Metamorphosen nötig, deren einige man Thomas Mann nicht nur als Hochmut, sondern auch als Irrwahn vorrechnen dürfte, wären sie stets nur Gedankenschemen geblieben. Aber sie sind in Werken lebendig geworden und daher allein vom Werk her zu rechtfertigen oder zu verurteilen. Der 'Doktor Faustus' erzählt von allen diesen Metamorphosen, und zwar so, daß die durch die beiden Protagonisten demonstrierte Entwicklungsgeschichte Thomas Manns als die Engfassung deutscher Seelen- und Geistesgeschichte erscheint, die bis ins späte Mittelalter zurückreicht. Auf diesen Hintergrund wird die Verwandlung des in die Kunst verirrten Bürgers in den unpolitischen Nationalisten projiziert, der ein Bürger der Welt werden wollte, indem er die Kultur als Summe von Leistungsethos und Musik dem Deutschtum gleichsetzte, um so die Mitte zu wahren zwischen einem Westen, der als bourgeoise Vernunftsgläubigkeit und fortschrittsvernarrte Literaturzivilisation beargwöhnt wurde, und einem mit Sympathie betrachteten seelenvollen, wenn auch barbarisch-chaotischen und damit die aufs Individuum gestellte Kultur bedrohenden Osten. Selbst an der Monarchie hielt Thomas Mann fest, solange es irgend anging, mit verdrängtem Unbehagen die reale Existenz des verhängnisvollen Operettenkaisers Wilhelm um der höheren, ein Jahrhundert zuvor schon poetisch verklärten Idee willen ignorierend, wozu freilich zu Anfang des zwanzigsten Jahrhunderts eine andere Art von Entschlossenheit gehörte als während der deutschen Romantik, als nicht die kleinsten Geister dafür plädiert hatten, entweder mit dem preußischen Königspaar Glauben und Liebe ätherisch zu verknüpfen oder in Napoleon die Weltseele zu erblicken.

In der zweiten Jahrhunderthälfte hatte man für Verklärungen die Wahl zwischen Ludwig II. von Bayern und Bismarck. Zur Symbolisierung des Künstlerschicksals eignete sich aber nur der Träumer von Linderhof mit seiner Wagner-Verehrung. Verlaine und der junge Stefan George hatten seinem Andenken gehuldigt. Zeitblom entdeckt diesen „Gegenstand", der ihn „beredt" macht, obgleich er ihn „bisher kaum beschäftigt hatte" (572).[49] Zwar verteidigt Zeitblom den weltflüchtigen König ausgerechnet gegen die spießbürgerlichen Angriffe des 'Künstlers' Schwerdtfeger mit dem Bewußtsein, „Mundstück" zu sein und statt Leverkühn zu sprechen. Aber gerade dieses Bewußtsein läßt ihn plötzlich stocken. In Leverkühns Miene macht sich nämlich „mit einem enigmatischen Lächeln, das fern davon war, mich in meiner Stellvertreterschaft unbedingt zu bestätigen", immerfort etwas lustig über die Hitze, die Zeitblom im Disput über die wahre Natur der königlichen Krankheit entwickelt. Dann sagt Leverkühn „schließlich", also den Disput beendend, ein Wort, dessen tiefere Bedeutung in auffälliger Weise zugedeckt wird, noch ehe der Leser Zeit gefunden hat, ihm nachzuhören. Zeitblom selbst, der sich ja als Humanist in den antiken Klassikern und in der Bibel gleichermaßen auskennt, gibt freilich keinen Kommentar, sondern berichtet nur: „'Was ist Wahrheit', sagte er schließlich. Und rasch fiel Rüdiger Schildknapp ihm bei, indem er aufstellte, daß die Wahrheit verschiedene Aspekte habe, und daß in einem Fall wie diesem der medizinisch-naturalistische Aspekt zwar vielleicht nicht der superiorste sei, aber doch auch nicht als ganz ungültig abgewiesen werden könne" (574). Leverkühns Satz ist aber die Frage des Pilatus.[50] Obwohl dieser nur im Johannes-Evangelium, vor der Forderung der Juden nach Freilassung des Barrabas, steht, rücken durch Bachs Passionen das Johannes- und das Matthäus-Evangelium so nahe zusammen, daß es nicht abwegig ist, an eine geheime Kombination zu denken: Zeitblom hat zuvor bei der Beschreibung von Leverkühns Apokalypse auf den „Antwort-Schlag 'Barrabam!' aus der Matthäus-Passion" als klassisch entferntes Vorbild einer Chorfigur hingewiesen (497). Dem Leser zwingt sich über Bachs Musik die Assoziation vom gegeißelten, mit Dornen gekrönten Jesus auf, den Pilatus mit dem Ausruf vorführt: sehet, welch ein Mensch! – was in der lateinischen Fassung lautet: Ecce homo! (Joh. 19,5)

Kein Zweifel, daß Thomas Mann mit der Leverkühnschen Pilatusfrage auch an den Nietzsche von 'Ecce homo' denkt, der schon in Georges Gedicht zu einem dornengekrönten König und somit zu einem Bruder Ludwigs II. wie Mallarmés geworden war.[51] Der Disput über den weltscheuen König ist eng in die mit Nietzsche gegebene Konstellation eingebunden, wie sich auch durch den Essay 'Nietzsche's Philosophie im Lichte unserer Erfahrung', einem nachgewachsenen Seitentrieb des 'Doktor Faustus', verrät. Da wird Nietzsches Schilderung der Inspiration so kommentiert: „Und dabei beschreibt er 'in Wahrheit' – aber was ist Wahrheit: das Erlebnis oder die Medizin? – einen verderblichen Reizungszustand, der dem paralytischen Kollaps höhnend vorangeht".[52]

Als von Leverkühn nicht unbedingt bestätigte Stellvertreterschaft bezeichnet Zeitblom seine Position in der Kontroverse um Ludwig II. – Leverkühn wird ebenda direkt von Zeitblom zugeschrieben, was in der 'Entstehung' „Symbolwürde" und „Repräsentanz" heißt:[53] „Man hatte in seiner Gegenwart stets das Gefühl, daß alle Ideen und Gesichtspunkte, die um ihn herum laut wurden, in ihm versammelt waren, und daß er, ironisch zuhörend, es den einzelnen menschlichen Verfassungen überließ, sie zu äußern und zu vertreten". (575) Der 'Doktor Faustus' ist „Bekenntnis und Lebensopfer durch und durch".[54] Das Indirekt-Autobiographische als Kunstform des Radikal-Autobiographischen gibt Thomas Mann die Möglichkeit, mit den beiden Protagonisten auch die unterschiedlichen Weisen von Repräsentanz so vorzuführen, daß sie trotz dieser Unterschiedenheit wieder in der geheimen Identität zusammenfallen. Damit wird auf die beiden Figuren verteilt, was sich in Thomas Manns Leben einerseits als Dienst an der Zeit, der auch Verfallenheit an den Zeitgeist sein konnte, andererseits als die Bewältigung im Werk beobachten läßt. Alle ideologischen Anfälligkeiten und Torheiten Thomas Manns gehen an Zeitblom. Leidend und hoffend nimmt dieser am Leben des Freundes wie an der Zeit teil, während Leverkühn abseits zu stehen oder überhaupt nichts zu bemerken scheint. Wenn Leverkühn sich aber äußert, dann eben wie einer, der den Dingen auf den Grund sieht, obwohl sie ihn unmittelbar nichts angehen. So, wenn der Wandervogel lange vor 1914 mit dem Wortschatz deutscher Intellektuellenjugend der frühen dreißiger Jahre studentisches Stroh drischt, wobei gerade durch diese Zeitenvermischung die Schlafstrohdispute jene zeitenüberdauernde Gültigkeit erhalten haben, von der schon die Rede war.[55] So beim Kriegsausbruch im August 1914, wo Zeitblom „in keiner Weise prätendieren kann", er habe sich „von der allgemeinen Ergriffenheit ausgeschlossen" (402). Auf seine törichten, 1914 im Novemberheft der 'Neuen Rundschau' veröffentlichten 'Gedanken im Kriege' anspielend, gibt Thomas Mann dem Chronisten in die Feder: „Es hat unsereiner ja seine Zweifel, ob jedermanns Gedanken die richtigen sind. Und doch ist es für das höhere Individuum auch wieder ein großer Genuß, einmal – und wo hätte dies Einmal zu finden sein sollen, wenn nicht hier und jetzt – mit Haut und Haar im Allgemeinen unterzugehen". (402) Leverkühns „persönliche Unberührtheit von dem Ganzen" ist Zeitblom „die selbstverständlichste Sache von der Welt" (404); und so fällt zunächst Schildknapp die Rolle des Widerspruchs zu, er „höhnte weidlich über den ideologischen Feuilletonismus, der den Unfug zur großen Zeit verklärte" (405). Es ist auch noch Gelegenheit, Zeitblom die Ideen der anderen Kriegsschrift, 'Friedrich und die große Koalition', einbringen zu lassen (405).

Auf Zeitbloms Peroration über das Schicksal, das den deutschen Durchbruch zur Weltmacht fordert, weil das im Tiefsten der Durchbruch zur Welt sein soll, prophezeit Leverkühn, daraus werde nichts. Aber als der vom Tonsetzer denn doch aufgenommene Diskurs ins Generelle geführt wird, verliert Zeitblom nach kurzem Intermezzo dann so plötzlich, daß man wiederum von einer Rücksichtslosigkeit des Autors gegenüber den Gesetzen der psychologisch-realistischen Wahrscheinlichkeit sprechen darf, seine zeitgebundene Inferiorität. Adrians Sache ist es zunächst, der Durchbruchsideologie eine geschichtsphilosophische Dimension zu verleihen: „Es gibt im Grunde nur *ein* Problem in der Welt, und es hat diesen Namen: Wie bricht man durch?" (410) Die Gesamtsituation sei beherrscht von dieser Frage. Mit Hilfe von Kleists Aufsatz über die Marionetten wird das Thema dort hinübergespielt, wo Thomas Mann es um der symbolischen Repräsentanz Leverkühns willen braucht. Der Durchbruch werde bei Kleist, doziert nun Adrian, „geradezu 'das letzte Kapitel von der Geschichte der Welt' genannt". Um dies herauszutreiben, muß Leverkühn zum Schein zurückweichen: „Dabei ist nur von Ästhetischem die Rede". So der Auftakt der knappen Paraphrase Kleists durch Leverkühn (410). Der humanistische Gymnasiallehrer, der Zeitblom ja auch ist, muß seinerseits darauf zunächst hereinfallen, freilich auf eine nicht nur psychologisch, sondern auch geistesgeschichtlich höchst trick-reiche Weise. Ganz recht tue Adrian, das von Kleist so herrlich Gedachte „in die Idee des Durchbruchs einzubeziehen. Sage aber nicht: 'Nur vom Ästhetischen handelt es', sage nicht: 'Nur'!" (411) Dann verknüpft er, ohne den Namen zu nennen, die Kleist'sche Idee mit der ästhetischen Utopie, deren Goethes Bundesgenosse Schiller zur Legitimierung der eigenen sentimentalischen Klassik ja weit eher bedurfte, als der Dichter des 'Faust' für die seine. Um das ganze Spiel zu durchschauen, muß sich der Leser hier klarmachen, daß Leverkühns Durchbruch diesem am Ende dazu verhilft, jenes Werk der Klage zu schaffen, mit dem Beethovens Neunte Symphonie, also auch Schillers Lied an die Freude, zurückge-nommen werden soll (634). Die Neunte Symphonie vertritt aber im Chiffresystem des Romans Goethes 'Faust'. Eben dort, wo dem Schöpfer von 'Dr. Fausti Weheklag' die Klage als Ausdruck gelingt, während beim Menschen Adrian Leverkühn bereits der Wahnsinn der imitierenden Identifizierung mit dem teufelsverschriebenen Doktor Faustus anzuhe-ben beginnt, erklärt Leverkühn, er habe gefunden, „es" solle nicht sein, es werde zurückgenommen, er werde „es" zurücknehmen. Und obwohl Leverkühn es für Zeitblom in der Sprache der deutschen Klassik umschreibt, muß der Humanist bekennen: „Ich verstehe dich, Lieber, nicht ganz" (634). So versteht er auch hier nicht ganz, daß Leverkühn, während er Kleist rekapituliert, nicht n u r vom Ästhetischen handelt, und daß der hochgebildete Tonsetzer es fürwahr nicht nötig hat, ausgerechnet anhand einer Interpretation belehrt zu werden, die Schillers ästhetischen Staat mit Kleists Begriff der Grazie verknüpft: das Ästhetische sei mehr als ein gesonderter Bereich des Humanen, ereifert sich nämlich Zeitblom, es sei „im Grunde alles in seiner gewinnenden oder befremdenden Wir-kung". Und nachdem er noch Kleists Begriff der Grazie den „allerweite-sten Sinn" attestiert hat, gibt er ein Bekenntnis, mit dem das Credo der deutschen Klassik unmittelbar in jenes übergeführt wird, das uns später als eine Art von *analogia artis* wiederbegegnen wird. „Ästhetische Erlöst-heit oder Unerlöstheit, das ist das Schicksal, das entscheidet über Glück oder Unglück, über das gesellige Zuhausesein auf Erden oder heillose, wenn auch stolze Vereinsamung" (411). Folgerichtig nimmt die Zeit-blomsche „Suada" nun die Wendung zum Grundthema des 'Doktor Faustus'. Es wird die noch der Durchbruchsideologie der 'Betrachtungen eines Unpolitischen' zugrundeliegende Metaphysik des Deutschtums mit Thomas Manns späterer, sich bis zum 'Doktor Faustus' immer nur verschärfenden, leidend-besorgten und die innerste Anteilnahme nie verleugnenden Diagnose verschmolzen und witzigerweise in dieses Amalgam auch noch das Wort „Philologe" eingeschmuggelt: man müsse nicht ein solcher sein, „um zu wissen, daß das Häßliche das Verhaßte ist. Durchbruchsbegierde aus der Gebundenheit und Versiegelung im Häßlichen, – sage mir immerhin, daß ich Schlafstroh dresche, aber ich fühle, habe immer gefühlt und will es gegen viel derben Augenschein vertreten, daß dies deutsch ist kat exochen, tief deutsch, die Definition des Deutschtums geradezu, eines Seelentums, bedroht von Versponnenheit, Einsamkeitsgift, provinzlerischer Eckenstеherei, neurotischer Verstrickung, stillem Satanismus…" (411). Leverkühn reagiert tief betroffen, sein stummer, verschleierter, kalt distanzierender Blick verrät es ebenso wie das spöttische Lächeln und das Sichabwenden. Aber die Figur Leverkühn, die mit dem „Deutschtum" so sehr verbunden ist, daß ihr Schicksal die tragische Würde der symbolischen Repräsentanz bekommen kann, ist nicht das Ganze, das da 'Doktor Faustus' heißt. Denn Leverkühns Schicksal läuft kraft Zeitblom gerade nicht auf die simple Kongruenz von Leben und Werk hinaus. Zwar vollzieht der Schöpfer von 'Dr. Fausti Weheklag' an der letzten Schwelle seines ganz aufs Werk gerichteten Lebens die mythische Identifizierung mit dem Klagewerk selbst. Doch wird damit nicht die von manchen Interpreten erwünschte Identifizierung mit dem Ende einer „fatal inspirierte(n) Politik" (336) demonstriert, sondern die Trennung davon. Dem Teufel fällt allein der durch das Gift zerstörte Mensch anheim, er wird, als ein ausgeglühtes Opfer, in die tiefe Nacht des Wahns gezogen, seine Seele indessen durch das beseelte Werk dem Teufel weggepascht.[56] Darum beschließt dieses ganz aufs Ende gestellte Schöpferdasein nicht das apokalyptische Werk. Doch jubelnd zu verkünden, daß der immer Strebende erlöst werden könne, frommt nicht mehr. Das Lamento verhallt dennoch nicht im Leeren, sondern endet in jenem Schweigen, in dem die Ahnung sich regt von der Erlösung dieses Tondichters, dem als einzigem noch die Stimme zur Klage gegeben ward.

Den Namen Zeitblom fand Thomas Mann nach eigener Aussage in Luthers Briefen. Daß er gewählt wurde wegen eines gleichnamigen schwäbischen Künstlers aus dem 15. Jahrhundert, der fromme, wenn auch nicht geniale Andachtsbilder malte, hat Thomas Mann später bestritten.[57] Auf jeden Fall dürfte der Name als ein sprechender gewählt worden sein, weil er auf die Zeit und damit auch die Zeitgebundenheit verweist, so wie Leverkühns Name, unbeschadet seiner Herkunft, die Assoziation des hochgefährdeten Daseins weckt.[58] Zeitblom bekommt auf diese Weise viel von dem Tribut zu tragen, den Thomas Mann selbst der Zeit in irrender und leidender Teilnahme gezollt hat. So wird Leverkühn ganz frei für das gefährliche Leben der Kunst. Doch bedeutet diese Freiheit nicht, daß der Erfinder Leverkühns sich damit einfach von seinen eigenen Irrtümern freispräche und so ins vermeintlich zeitlose, reine Reich der Kunst eskamotierte. Denn symbolische Kunst kann Leverkühns Werk nur als Kunst der Zeit sein, obwohl und gerade weil sie jede bequeme, als Anpassung geforderte Konzession verweigert. Diese Kunst wird von Thomas Mann ins Gericht geführt.

Es hieße freilich den Roman gründlich mißverstehen, sähe man in diesem Gericht eine Verurteilung der modernen Kunst. Georg Lukács folgend, neigten dazu manche Anhänger jener Kulturpolitik, die die avantgardistische Kunst als entartet, dekadent und formalistisch ablehnt oder gar verfolgt. Nur nach einer groben Vereinfachung kann der Thomas Mann des 'Faustus' als Kronzeuge einer solchen Verdammnis angeführt werden. In Wirklichkeit wird Leverkühns Kunst an keiner Stelle des Romans verurteilt, ja, mehr noch, diese Kunst wird von Zeitblom als die allein gültige, weil authentische gepriesen. Ihr allein gehört nach des Humanisten Überzeugung die Zukunft, falls die Menschheit nicht überhaupt in barbarischer Sklaverei versinken sollte. Wie auch anders, wo doch diese Kunst die ins Chiffresystem eingebrachte Kunst Thomas Manns ist, die hier in das Gericht einer Lebensbeichte geführt wird. Daß die zu erwartende Absolution nicht um der Reue willen, sondern des Werkes wegen erfolgt, macht aus dieser Kunst einen Bereich, der den Theologen Zweifel, wenn nicht gar Ärger erregen muß, solange sie noch ganz in den Kategorien denken, deren sich Thomas Mann bediente, als er seinen geliebten Leverkühn in die Reihe der großen Hochmütigen stellte, hinter denen die gefallenen Engel stehen.

So grotesk es wäre, die Stimmigkeit der geheimen, also chiffrierten Beichte in Zweifel zu ziehen, weil Thomas Mann kein syphilitisch infizierter und inspirierter Künstler war, so banal wäre es, gegen die komplizierten Identitäten mit der Tatsache zu argumentieren, daß Thomas Manns musikalischer Geschmack sich der modernen Musik verweigert hat. Was von Schönberg oder Alban Berg indirekt in den Roman einging, kann nämlich ebensowenig wie die Darlegungen über das Zwölftonsystem und die möglichen Anleihen bei Strawinsky oder selbst die Beschreibung der Werke Leverkühns darüber hinwegtäuschen, daß es sich bei aller Avantgardistik immer nur um eine Chiffre für Thomas Manns eigene, der Wagner-Passion abgewonnene Poetik, und damit um die zum System erhobene Zweideutigkeit handelt. Nicht einmal Thomas Mann hat seinen eigenen Werken jenen Grad von Modernität zugeschrieben, die Leverkühns Kompositionen haben mußten. In der 'Entstehung' ist er zwar bemüht, sich selber und die Leser von seiner Modernität zu überzeugen.[59] Doch geht es hier vor allem darum, den Vorwurf eines anachronistischen und somit falschen Traditionalismus abzuwenden, nicht aber um einen grundsätzlichen Zweifel an der eigenen Form, allenfalls um einen solchen am Roman überhaupt und damit freilich auch an der Thomas Mann angemessenen und von ihm lebenslang geübten Kunst. Daß solche Fragen den Verfasser des 'Doktor Faustus' stärker als früher beunruhigen, dürfte aber doch auch mit dem bei diesem Sujet gewählten Chiffresystem zusammenhängen. Da es sich bei Leverkühns Tongebilden um die technisch fortgeschrittenste Musik handelt, die Thomas Mann mit Adornos Hilfe theoretisch nachvollziehen und literarisch imaginieren konnte, hatte sie zwar den Vorteil, dem Grundthema – Durchbruch zur Freiheit des Ausdrucks kraft Bindung an den „selbstbereiteten Ordnungszwang" (257) – im Hinblick auf das nötige musikalische Material auf ideale Weise zu entsprechen. Da es sich jedoch bei der „Zwölfton- oder Reihentechnik" nicht einfach nur um „das geistige Eigentum eines zeitgenössischen Komponisten und Theoretikers" handelt, das Thomas Mann „auf eine frei erfundene Musikerpersönlichkeit, den tragischen Helden" seines Romans, übertrug,[60] da vielmehr in diesem 'Eigentum' die von keinem Traditionalismus widerlegte Legitimität der Moderne steckte, mußte das Gewicht der Echtheit, das die Zwölftontechnik für die fingierte Musik so brauchbar machte, wie die übrigen 'wirklichen' Ereignisse der Zeit für die Chronik eines d e u t s c h e n Tonsetzerlebens, sich auf die Grundprobleme von Thomas Manns eigener Produktion legen. Das heißt, all jene, das eigene Kunsthandwerk mitbetreffenden, in Jahrzehnten immer wieder ironisch überspielten Zweifel mußten noch einmal wie nie gelöste sich regen, wenn die Thomas Mann zuinnerst fremde neue Musik kraft geschichtsphilosophischer Dialektik in Wirklichkeit die allein authentische war. Denn damit erzwang diese Musik den Vergleich von Thomas Manns Werk mit einer konsequent modernen Literatur, deren rigoroser technischer Avantgardismus objektiv ihre Authentizität so bewies, wie die Leidenschaft, mit der ihre Schöpfer sich an ihrem Werk verzehrten, subjektiv für deren Notwendigkeit bürgte. Es genügte nicht mehr, mit Wagner zu konkurrieren, es galt plötzlich, sich an Joyce oder Proust zu messen. Dies um so mehr, als das radikale Künstlerwerk der Kunst auch die chiffrierte Werkgeschichte des „deutschen Schriftstellers" Thomas Mann enthält; enthalten muß, ist man versucht zu sagen, wenn man die in der 'Entstehung' so häufig variierte Formulierung vom Bekenntniswerk ernst nimmt.

Chiffrierte Werkgeschichte

Nur spitzfindig und für das Verständnis des Romans kaum hilfreich wäre es, wollte man für möglichst viele Werke Thomas Manns direkte Parallelen im Schaffen Leverkühns finden. Detailentdeckungen sollten nicht zu einer zwanghaften Systematisierung verführen, denn sie würden den 'Doktor Faustus' wiederum nur zu einer andern Art von 'Bilse-Roman' degradieren, nicht aber dazu verhelfen, die chiffrierte Werkgeschichte als notwendigen Bestandteil der radikalen Autobiographie zu entziffern. Vor allem ist zu beachten, daß es trotz einer größeren Anzahl genau beschriebener Kompositionen nur zwei Hauptwerke Leverkühns gibt, die 'Apokalypse' und 'Dr. Fausti Weheklag', die in der 'Entstehung' auch eigens so genannt werden. Daß es sich dabei auch um Chiffren für den 'Zauberberg' und den 'Doktor Faustus' selbst handelt, scheint evident zu sein. Aber was bleibt von der Hypothese der chiffrierten Werkgeschichte, wenn man bedenkt, daß Thomas Manns Schaffen nach allgemeiner und wohl auch nach des Autors eigener Schätzung neben den genannten noch die Hauptwerke 'Buddenbrooks' und 'Joseph und seine Brüder' umfaßt? Und muß man zu diesen vollendeten Romanen nicht auch wenigstens noch die Hochstapler-Memoiren hinzunehmen? Indessen finden sich im 'Doktor Faustus' Hinweise auf diese wie auch andere Werke, nur freilich versteckter und indirekter, als im Falle des 'Zauberberg' und beim 'Leben des deutschen Tonsetzers'.

Aller Goethe-Imitation zum Trotz hat Thomas Mann die obligatorische Sehnsucht des Nordländers nach dem Süden nie geteilt, nichts lag ihm ferner, als von seinem Italien-Aufenthalt an eine Wiedergeburt zu datieren. Noch Hans Castorps Arkadien, dem ohnehin im Taumel des drohenden Schneetodes das gräßliche Mordmahl korrespondiert, wird eher nach den Bildern Ludwig von Hofmanns geträumt als nach den Erinnerungen der eigenen italienischen Reise; von Venedig zu schweigen, das für Thomas Mann immer die Stadt Wagners und Nietzsches war und so zur Sterbestadt Aschenbachs werden konnte. Aber in Palestrina, wo im steinernen Saal auch das Teufelsgespräch des 'Doktor Faustus' stattfindet, verschrieb sich Thomas Mann mit 'Buddenbrooks' ganz der Literatur, indem er die Welt, der er entstammte und von der er sich nicht lösen konnte, weil er sich im Tiefsten nicht von ihr trennen wollte, der Kunst überlieferte. Sein Weg verläuft nicht wie der von anderen bedeutenden Autoren dieser Zeit. Man vergleiche Vergleichbares, also etwa die Entwicklung Thomas Manns mit der von Proust, Joyce oder Musil: sie alle schreiben ein Jugendwerk, in dem stofflich wie technisch bereits das spätere Meisterwerk steckt. Im 'Jean Santeuil', in 'A Portrait of the Artist as a Young Man', in den 'Verwirrungen des Zöglings Törless' sucht jeder dieser Autoren bereits die neue Form als die ihm allein eigene, wagt sich, von der Tradition kaum mehr geschützt, in ein Niemandsland, das dereinst einmal sein Leben werden und seinen Namen tragen sollte. Doch kann die Eroberung dieses Landes noch nicht gelingen, da erst einmal die Mittel zu seiner Erkundung geschaffen werden müssen. Thomas Mann hingegen greift mit 'Buddenbrooks' nach einem Thema, das längst unter die Dilettanten gefallen war, und er verschmäht sogar, diesem Thema auch nur eine neue exzentrische Wendung oder Diktion zu geben. Vielmehr betreibt er die Dekadenzanalyse ein weiteres Mal als Verfallsgeschichte einer Familie und erzählt sie in der traditionellen Manier des europäischen Romans. Und doch gelingt ihm ein Meisterwerk, das die Jahrzehnte und auch die späteren Werke dieses Autors unbeschadet zu überdauern vermochte. Dergleichen ist mit Talent allein nicht zu leisten. Es wurde nicht nur ein Stoff ausgeschöpft; der Tribut für das Gelingen war höher, es mußte Saatkorn vermahlen werden. Von 'Buddenbrooks' an ist Thomas Mann in die Leere einer aufgebrauchten Welt und so ganz auf sich selbst zurückgeworfen. Er holt nach, was andere bei Bewahrung ihrer heranreifenden Substanz zuvor geleistet hatten. Daher der Abfall von 'Buddenbrooks' zu 'Tonio Kröger', wobei nicht an die Seitenzahl zu denken ist, sondern an die zum Thema erhobene Problematik der modernen Künstlerexistenz, die diskursiv, subjektiv-sentimental behandelt wird und in solcher Überdeutlichkeit weit hinter der indirekteren Objektivierung desselben Themas im Chiffresystem der zum Verfall erwählten Buddenbrook-Familie zurückbleibt; daher das Falsche am Märchenton der 'Königlichen Hoheit', daher auch der Münchhausenzopf der wieder abgebrochenen Hochstaplermemoiren; und daher selbst noch die leicht sklerotisch anmutende Klassizismusreife des 'Tod in Venedig', die Thomas Manns psychische und artistische Labilität nur schlecht verbergen konnte. Es war eine Erschöpfungs- und Verdrängungslabilität, die ihn 1914 beim Kriegsbeginn zunächst dem weitverbreiteten und dreißig Jahre später an Zeitblom delegierten Durchbruchsrausch anheimfallen und im drohenden Erwachen Zuflucht beim absurden Selbstheilungsversuch, dem Monstrewerk des Grübelzwangs, den 'Betrachtungen eines Unpolitischen', suchen ließ.

Von 'Buddenbrooks' an lebt Thomas Mann zwanzig Jahre lang unter der Drohung der Sterilität, die weder mit der emsigen Tätigkeit der fortwährenden erzählerischen und essayistischen Übungen noch mit der Einbringung aller Zweifel in diese Übungen selbst zu bannen war. Aber in den zwei Jahrzehnten, in denen die Welt zugrunde ging, der noch 'Buddenbrooks' ihre Entstehung verdankten, wuchs Thomas Mann die neue Substanz zu, deren er für ein Werk bedurfte, das den Vergleich mit dem Jugendroman aushielt, und mit dem der drohende Bann der Sterilität endlich gebrochen wurde.

Mit dem 'Zauberberg' gelingt der Zeitroman im doppelten Sinn: da wird von der Zeit als Zeit im rein psychologischen Sinn gehandelt und zugleich von der Zeit in der geschichtlichen Bedeutung, indem mit der Zeitverlorenheit eines siebenjährigen Traumes die geistig-politische Gegenwart samt ihrer historischen Herkunft als die Bildungserfahrung des deutschen Sorgenkindes in der europäischen Mitte vorgeführt wird. Wie 'Buddenbrooks' das deutsche Meisterwerk des Verfalls, so ist der 'Zauberberg' das deutsche Spätwerk der Initiation durch Krankheit und Tod. Und wenn auch im einen wie im anderen Fall Zeichen der Hoffnung, der Verwandlung und Auferstehung gegeben werden, so soll doch über das Ende nicht hinweggetäuscht werden. Die Walpurgisnacht wird auf dem Zauberberg zur Allegorie des Totentanzes, weil hinter allen Festen, die da gefeiert werden, schon der Weltenbrand wetterleuchtet. Der apokalyptische Krieg, mit dessen Beginn der 'Zauberberg' endet, weckt den Siebenschläfer zwar unsanft, doch trifft es weder ihn noch gar den aufmerksamen Leser unvorbereitet. Denn nicht nur der wortmächtige Streit der Gegenspieler Naphta und Settembrini, der mit dem verzweifelten Selbstmord des todeslüsternen Dialektikers endet, sondern auch ein Ereignis wie Peeperkorns krönender Weltuntergang läßt sich nicht zutreffender als so beschreiben: „Das Gefühl, daß eine Epoche sich endigte, die nicht nur das neunzehnte Jahrhundert umfaßte, sondern zurückreichte bis zum Ausgang des Mittelalters, bis zur Sprengung scholastischer Bindungen, zur Emanzipation des Individuums, der Geburt der Freiheit, eine Epoche, die ich recht eigentlich als die meiner weiteren geistigen Heimat zu betrachten hatte, kurzum, die Epoche des bürgerlichen Humanismus; – das Gefühl, sage ich, daß ihre Stunde geschlagen hatte…" So aber spricht Zeitblom zu Beginn jenes dreigeteilten Kapitels (468), über dem die Zahl des magischen Quadrats steht, die, wie bereits erwähnt, schon durch den 'Zauberberg' geistert. Und in diesem XXXIV. Kapitel wird nicht nur Leverkühns 'Apocalipsis cum figuris' beschrieben, sondern dieses Werk wird auch in Parallele zur endenden Epoche gesetzt.

Im Frühjahr 1919 nimmt Thomas Mann die Arbeit am unterbrochenen 'Zauberberg' wieder auf, nachdem er die unsichere Zeit des Übergangs vom essayistischen Zeitwerk der 'Betrachtungen' zum „Musizieren" noch mit zwei poetischen Etüden, 'Herr und Hund' und 'Gesang vom Kindchen', gefüllt hatte.[61] Bedenkt man aber, wieviel vom Ideengehalt der Kriegsschriften schließlich in den 'Zauberberg' mit einging, so kann man die ganze Zwischenphase als die zwar leidensreiche, aber doch fruchtbare Inkubationsperiode des Romans betrachten.

Leverkühns Gesundheit kommt am Ende des Ersten Weltkrieges auf einen „Tiefpunkt" (454). Die Schilderung der Krankheitsanfälle hält sich einerseits an Nietzsches Beschreibung der qualvollen Zustände vor der 'Zarathustra'-Inspiration, andererseits ist sie als Stilisierung von Thomas Manns eigenen Erfahrungen jener Jahre erkennbar. Zwar versichert Zeitblom, es könne keine Rede davon sein, daß Leverkühns Leiden etwa auf seelische Ursachen, auf die torturierenden Erfahrungen der Zeit, die Niederlage des Landes und ihre wüsten Begleitumstände zurückzuführen gewesen wären (454). Dennoch hebt der Chronist seine unbesiegliche Neigung hervor, eine symbolische Parallele zwischen dem Absinken von Leverkühns Gesundheit und dem vaterländischen Unglück zu sehen. Bereits während des Krieges, als Leverkühn sich „die Wartezeit" mit der Komposition parodistischer Episoden der 'Gesta Romanorum' vertreibt, steht am Horizont seines schöpferischen Lebens die 'Apocalipsis cum figuris'. Zeitblom möchte deren geheimen Anfang sogar auf den Ausbruch des Krieges selbst legen, denn für eine „Divination", wie sie Leverkühn eigen ist, bedeutet dieser Ausbruch „einen tiefen Ab- und Einschnitt, die Eröffnung einer neuen, tumultuösen und grundstürzenden, mit wilden Abenteuern und Leiden überfüllten Geschichtsperiode"

(419). Im 'Vorsatz' zum 'Zauberberg' hieß es von der zu erzählenden Geschichte, sie spiele, „oder, um jedes Präsens geflissentlich zu vermeiden, sie spielte und hat gespielt vormals, ehedem, in den alten Tagen, der Welt vor dem großen Kriege, mit dessen Beginn so vieles begann, was zu beginnen wohl kaum schon aufgehört hat." Hinter alledem steht die seit 1914 sich aktualisierende Prophezeiung Nietzsches über die Zukunft als Heraufkunft des Nihilismus. Zeitblom spricht von „Vorwegnahmen und Überlagerungen", die „im creativen Leben ja häufig" vorkämen (425). Die Beispiele, die er dafür aus Leverkühns Schaffen nennt, wären auch ohne das „Kernstück" der 'Gesta Romanorum'-Suite, die Geschichte 'Von der Geburt des seligen Papstes Gregor' (422), die Thomas Mann selbst erst einige Jahre nach dem 'Doktor Faustus' schreiben wird, deutlich genug als Palimpsest eigener Vorwegnahmen und Überlagerungen zu entziffern: die 'Gesta' stellten tatsächlich „etwas wie eine Regression auf den musikalischen Stil von 'Love's Labour's Lost'" dar, „da doch die Tonsprache der 'Wunder des Alls' schon mehr auf die der 'Apokalypse', selbst schon auf diejenige des 'Faustus' hinweist" (425). Als humoristisches Gegenstück zum 'Tod in Venedig' war der 'Zauberberg' ursprünglich geplant, er wurde zum vielfach gebrochenen großen Vorläufer des 'Doktor Faustus' selbst, allein schon, weil im Spätwerk alle deutschen Themen der parodierten Bildungsgeschichte des deutschen Hänschens wieder aufgenommen werden mußten. Hingegen führt eine, freilich um den Problemkreis des Deutschtums verkürzte, direkte Linie vom Künstler Aschenbach zu Leverkühn. In diese Entwicklung schiebt sich immer wieder die Travestie von Thomas Manns Themen-Ensemble durch den 'Felix Krull', – als Verlockung und Unruhe auch, die durch den 'Joseph' nur gedämpft wird. Den künstlerischen Anreiz, der von den Gesta Romanorum-Stoffen auf den Freund ausgegangen sei, könne er sich wohl erklären, meint Zeitblom: „Es war ein geistiger Reiz, nicht ohne einen Einschlag von Bosheit und auflösender Travestie, da er dem kritischen Rückschlage entsprang auf die geschwollene Pathetik einer zu Ende gehenden Kunstepoche" (425).

Das mag, wie die Fortsetzung des Textes, zur Not auch noch auf einen fingierten Komponisten des zwanzigsten Jahrhunderts passen, es gilt jedoch vor allem für den Autor selbst. Wiederum zeigt sich, wie sehr es der schwer zu gewinnenden Authentizität Leverkühns zustatten kam, daß Thomas Mann auf seine Art die Auseinandersetzung mit Wagner zu leisten hatte, die keinem neuzeitlichen Komponisten erspart geblieben ist.

Mochte Thomas Mann als Musikliebhaber auch nie über Wagner hinausgekommen sein – sein Enthusiasmus für den Pfitzner des 'Palestrina' widerlegt diese Feststellung nicht, sondern bestätigt sie –, so entsprach doch seine literarische und geistige Auseinandersetzung mit Wagner der objektiven Ambivalenz, die nicht nur einen Mahler oder Strauss, sondern auch noch einen Debussy oder Schönberg an den Erzmagier gebunden hat. Zeitbloms Kommentar der 'Gesta Romanorum'-Suite, der wie das Musikstück selbst zu den Vorbereitungen für den 'Apokalypse'-Durchbruch des Frühjahrs 1919 zählt, wird deshalb auch zur Selbstdarstellung von Thomas Manns Konkurrenzkampf mit Wagner. Noch seine eigenen frühen Wagner-Parodien à la 'Tristan' oder 'Wälsungenblut', die eher von seiner Ohnmacht als von sieghaft konkurrierender Überwindung zeugen, können ihres burlesken Charakters wegen so im 'Doktor Faustus' mit untergebracht werden. Zwar nennt Zeitblom erst im übernächsten Abschnitt Wagner beim Namen, verwendet aber sogleich anstatt des von Wagner verpönten Wortes 'Oper' dessen Gegenbegriff 'Musikdrama' und verrät somit, worum es eigentlich geht: „Das musikalische Drama hatte seine Stoffe der romantischen Sage, der Mythenwelt des Mittelalters entnommen und dabei zu verstehen gegeben, daß nur dergleichen Gegenstände der Musik würdig, ihrem Wesen angemessen seien. Dem schien hier Folge geleistet: auf eine recht destruktive Weise jedoch, indem das Skurrile, besonders auch im Erotischen Possenhafte, an die Stelle moralischer Priesterlichkeit trat, aller inflationärer Pomp der Mittel abgeworfen und die Aktion der an sich schon burlesken Gliederpuppen-Bühne übertragen wurde" (425). Beim Sanatorium der 'Tristan'-Novelle mit dem wagnerisierenden Namen 'Einfried' handelt es sich, wie in 'Wälsungenblut' bei der Welt der jüdischen Neureichen mit dem travestierten germanischen Namen Arenhold, nicht nur um die boshaft verkleinernde Anwendung der von Nietzsche geforderten Transponierung Wagnerischer Mythen ins Bürgerliche, sondern auch um Übertragungen in eine Art von psychologisierender Marionettenwelt.

Im Roman selbst geht es nicht nur um die verteidigende Erklärung der Puppenspiel-Suite, sondern um das „Schicksal der Kunst", und wieder einmal heißt es deutlich, daß die Musik, von der ja vordergründig die Rede ist, „für alles" stehe (427). In der Romantik sei die „Vereinigung des Avancierten mit dem Volkstümlichen" einst gelungen gewesen, die Trennung des Fortschrittlichen vom „allgemein Genießbaren" aber nun das Schicksal. Es verlange die Musik mit wachsender Bewußtheit, dies

Schicksal wieder zu wenden, also „eine Sprache zu reden, die auch der musikalisch Unbelehrte verstand, wie er Wolfsschlucht, Jungfernkranz, Wagner verstanden hatte". Erinnert man sich jedoch an Leverkühns Bordell-Abenteuer in Leipzig, so kommt einem die Zusammenstellung von Freischütz und Wagner nicht recht geheuer vor. Im Kapitel XVI ist ja mitgeteilt worden, wie der mit den „Esmeralden" Konfrontierte an zwei, drei Akkorden Halt sucht, „Modulation von H- und C-Dur, aufhellender Halbton-Abstand wie im Gebet des Eremiten im Freischütz-Finale"; aber nicht, weil ihm, wie er behauptet, „das Klangphänomen gerade im Sinne lag", sondern in symbolischer Stimmigkeit, wie er selbst wohl erkennt und wie es auch ein Leser, der den 'Freischütz' wenig kennt, aus der psychologischen Wendung erschließen kann: „Weiß es im Nachher, wußte es aber damals nicht, sondern schlug eben nur an" (190). Doch vermochte die Musik nicht gegen die Berührung aufzukommen: „Neben mich stellt sich dabei eine Bräunliche... Esmeralda, die streichelt mir mit dem Arm die Wange". Bei der Beschreibung jener Flucht unterläuft dem Getroffenen ein Wort, das Zeitblom „schon bei erstem Lesen in die Glieder fuhr und ebenfalls nichts mit Humoreske zu tun hat, sondern ein ausgemacht mystisches, also religiöses Gepräge trägt: das Wort 'Lusthölle'" (194): „Kehr ich mich um ... und schlage mich über den Teppich zurück durch die Lusthölle" (191). Das erinnert an Nietzsches Wort für Wagners 'Tristan': „Wollust der Hölle".[62]

Beim Gespräch über das Schicksal der Musik, die wieder Gemeinschaft finden wolle, wirkt Adrian „leicht fieberhaft", und Zeitblom vermerkt, er habe ihn nie „so eloquent aus sich herausgetrieben gesehen" (428). Nicht Sentimentalität sei das Mittel, zu solcher Gemeinschaft zu kommen, „sondern weit eher die Ironie, der Spott", und vor allem gelte es, „falsche Primitivität, also Romantisches wiederum", zu vermeiden (427). Wovon Leverkühn schwärmt, ist nichts weniger als „eine Kunst ohne Leiden, seelisch gesund, unfeierlich, untraurig-zutraulich, eine Kunst mit der Menschheit auf du und du" (429). Wie bei der Zusammenstellung von 'Freischütz' und Wagner, so verbietet es sich hier in Anbetracht von Leverkühns Fieberhaftigkeit, die Hoffnung auf „eine neue Unschuld, ja Harmlosigkeit" der Kunst (429) für bare Münze zu nehmen. Zeitblom selbst erklärt sich zwar über diesen Ausbruch erschüttert und gerührt, zugleich aber in tiefster Seele unzufrieden. „Was er gesagt hatte, paßte nicht zu ihm, zu seinem Stolz, seinem Hochmut, wenn man will, den ich liebte, und auf den die Kunst ein Anrecht hat. Kunst ist Geist, und der

Geist braucht sich ganz und gar nicht auf die Gesellschaft, die Gemeinschaft verpflichtet zu fühlen ... Eine Kunst, die 'ins Volk geht', die Bedürfnisse der Menge, des kleinen Mannes, des Banausentums zu den ihren macht, gerät ins Elend, und es ihr zur Pflicht zu machen, etwa von Staates wegen ... ist schlimmstes Banausentum, und der Mord des Geistes". (429) Das sei noch einmal denen ins Stammbuch geschrieben, die glauben, die Kunst in Dienst nehmen zu müssen, und die sich ihr Unbehagen vor den Schwierigkeiten der Moderne noch durch den 'Doktor Faustus' bestätigen lassen wollen.

Doch erschöpft sich die Bedeutung der angeführten Stelle nicht darin, daß hier den Banausen, die im Schutze einer Ideologie die moderne Kunst als Formalismus oder l'art pour l'art denunzieren, eine immer gültige Abfuhr erteilt wird. Natürlich weiß nicht nur Zeitblom, sondern auch Leverkühn, daß es nicht des Tonsetzers Teil sein wird, was er, „mit einem verborgenen Beben im Ton", als die Zukunft beschreibt: „Die ganze Lebensstimmung der Kunst ... wird sich ändern, und zwar ins Heiter-Bescheidenere", die Kunst werde sich wieder als die Dienerin an einer Gemeinschaft sehen, „die weit mehr als 'Bildung' umfassen und Kultur nicht haben, vielleicht aber eine sein wird" (429). Eben damit streift Leverkühn die Nähe zu jenen Anschauungen, die dann als die „Redereien" (493) des Kridwißkreises in der Mitte des XXXIV. Kapitels vorgeführt werden und die so sehr an Zeitblom zehren, weil sie „den kaltschnäuzig-intellektuellen Kommentar" bilden „zu einem heißen Erlebnis der Kunst und der Freundschaft" – jenem Werk, das „fieberhaft schnell" entsteht und das „mit dem bei Kridwiß Gehörten in eigentümlicher Korrespondenz, im Verhältnis geistiger Entsprechung" steht (493). Vom zureichenden Verständnis dieser „Korrespondenz" hängt viel für die Interpretation des ganzen Romans ab. Es geht um das gewagteste Ineinander von geistiger Entsprechung und äußerster Distanz.

Zeitbloms Stellung zu den im Kridwiß-Kreis geäußerten Meinungen ist frei von Zweideutigkeit. Die „verworrenen Diskussionsabende" (469) verstören ihn. Er beteiligt sich daran „aus purer Gewissenhaftigkeit" (470), weil er spürt, daß hier der verhängnisvolle Geist der Zeit sich manifestiert. Aber mehrfach weist er auf die Verschränkung mit der 'Apokalypse' hin, diesem Werk, das er gewiß nicht verwirft, dessen Entstehung er aber „zugleich mit ganzer tief erregter und oft entsetzter Seele" beiwohnt. Das Entsetzen rührt daher, daß das Werk „gewisser kühner und prophetischer Beziehungen" zu den Erörterungen des Kridwiß-Kreises „nicht entbehrte"; doch wird sofort hinzugefügt, daß es diese Beziehungen „auf höherer, schöpferischer Ebene bestätigte und verwirklichte" (470). Die Bestätigung auf der Ebene der Kunst ist nicht die begeisterte oder gar zynische Anerkennung dessen, was heraufkommt, sonst wäre es keine höhere Ebene. Leverkühn schreibt nicht die Festmusik für künftige Reichsparteitage, sondern auf der Ebene seiner Kunst geht die Wahrheit der Geschichte voraus, und es wird bereits Ereignis, was der Tonsetzer seinen „testis, den Zeugen, den Erzähler" mit den Worten des babylonischen Exils verkünden läßt: „Das Ende kommt, es kommt das Ende, es ist erwacht über dich; siehe, es kommt. Es gehet schon auf und bricht daher über dich, du Einwohner des Landes" (474).

Am Anfang des XLI. Kapitels wird nach der Disputation über Ludwig II. und vor dem Bericht über Leverkühns letztlich mordschwangere „Idee", Schwerdtfeger als Brautwerber zu Marie Godeau zu schicken, – „ein Einfall, wie er einem beim Komponieren kommt" (581) – die Gegenwart gestreift, in der Zeitblom schreibt; über Deutschland schlage das Verderben zusammen, heißt es da, und die knappe Erwähnung der zerbombten Städte, des Vormarsches der Russen und des Rhein-Übergangs der Angelsachsen mündet unmittelbar in die Sätze aus dem Oratorium, daß das Ende komme (576). Die direkte und kommentarlose Verbindung signalisiert den zeitübergreifenden und damit symbolischen Charakter von Leverkühns erstem Hauptwerk.

Die bei Kridwiß versammelte „vergnügte Tischrunde" (488) konstatiert das Heraufziehen einer neuen Barberei nicht wie Zeitblom mit „Bangen und Grauen", sondern buchstäblich mit „heiterer Genugtuung" (486). Diese Gelehrten und Gebildeten haben „mit anerkennenswerter Fühlsamkeit die Finger am Pulse der Zeit" (492) und wahr-sagen nach diesem Pulse, doch reicht ihre mitläuferische Prophetie nur bis zu dem, was historisch dann das Jahr 1933 heißen wird. Denn so kann man benennen, was im Roman zunächst als das Gegenwort zum Wort des testis in verteufelter Heiterkeit sich gibt: „Das kommt, das kommt, und wenn es da ist, wird es uns auf der Höhe des Augenblicks finden. Es ist interessant, es ist sogar gut – einfach dadurch, daß es das Kommende ist, und es zu erkennen ist sowohl der Leistung wie des Vergnügens genug. Es ist nicht unsere Sache, auch noch etwas dagegen zu tun" (493). Daß diesen Herren „die demokratische Republik auch nicht einen Augenblick als ernstzunehmender Rahmen für das visierte Neue" vorkommt (485), versteht sich von selbst, denn auf „Diktatur, auf Gewalt" als Grundlage neuer Gemein-

schaft „lief ohnehin alles hinaus". Zeitblom ist bei der amüsierten Anbe-
tung der kommenden Gewalt „als dem siegreichen Widerspiel der Wahrheit" (487) zwar „unwohl... in der Magengrube", aber er darf nicht den
„Spielverderber machen" und sich von seinem „Widerwillen nichts
anmerken lassen" (488). Schließlich ist er der seiner Chronistenpflicht
genügende Zeuge, der getreu von den Anfängen der Weimarer Republik
berichten soll. Zudem wird durch seine Haltung auch demonstriert, wie
man ohnmächtig sich verstrickt, ohne schuldig zu sein. Das Versagen des
liberalen gebildeten Bürgertums allein soll Zeitblom wohl nicht symbolisieren, doch spielt das in seine Figur und Rolle herein auf dieselbe
abschattende Manier wie die sogenannte innere Emigration, mit der
Thomas Mann nach 1945 und also noch während der Genese und
Vollendung des Romans sich auseinanderzusetzen hatte. Zeitbloms
Widerstand beschränkt sich darauf, „wohl einmal" vorzuschlagen,
„'wenn wir einen Augenblick ernst sein wollten'... zu überlegen, ob
nicht ein Denker, dem die Nöte der Gemeinschaft sehr wohl am Herzen
lägen, dennoch vielleicht besser täte, sich die Wahrheit und nicht die
Gemeinschaft zum Ziele zu setzen, da dieser mittelbar und auf die Dauer
mit der Wahrheit, und selbst der bitteren Wahrheit, besser gedient sei als
mit einem Denken, das ihr auf Kosten der Wahrheit dienen zu sollen
meine". Aber nie habe er im Leben eine Bemerkung gemacht, „die
kompletter und widerhalloser unter den Tisch gefallen wäre" (489).
  Dem Leser stellt sich überm Stichwort 'mittelbar' eine Verbindung her:
eben dort, wo Zeitblom gegen Leverkühns Schwärmerei von einer mit der
Menschheit auf du und du stehenden Kunst das Eigenrecht der Kunst
gegen die Forderungen von Gesellschaft und Gemeinschaft verteidigt
hatte, hieß es von dem mit der Kunst identischen Geist, er könne „bei
seinen gewagtesten, ungebundensten, der Menge ungemäßesten Vorstö-
ßen, Forschungen, Versuchen gewiß sein, auf irgendeine hoch-mittelbare
Weise dem Menschen – auf die Dauer sogar den Menschen zu dienen"
(429). Leverkühns Oratorium verherrlicht nicht unter vergnügter Anteilnahme die heraufziehende Gewalt, an der sich, nicht zum ersten und nicht
zum letzten Mal, die Intellektuellen berauschen, um dann diesen Rausch
für die Gemeinschaft aller zu halten, weil für die Dauer der Trunkenheit
die Grenzen der Individualität samt deren Problemen beiseite geräumt
sind. Wenn Leverkühn im Andrang der Intuitionen, dem sich die rasche
Entstehung der 'Apokalypse' verdankt, eine Zeitblom „unwillkommene,
anwandlungshafte Röte" in die Wangen steigt, oder er gar „mit einer

Grimasse, deren Ausdrucksmischung ich nicht zu nennen versuche, die aber in meinen Augen die kluge und stolze Schönheit seines Gesichts entstellte", auf die entstehende Partitur blickt (478), so ist dies ein Zustand, der zwar mit dem von Leverkühn selbst verwendeten Bild des im Ölkessel gemarterten Johannes getroffen wird, der aber um mehr als nur den Höhenunterschied zweier Ebenen von dem getrennt ist, was Thomas Mann nach dem Zusammenbruch des Hitlerreiches mit dem Blick auf die einst vom „charismatischen Führer" Redenden „die betrunkene Bildung" genannt hat.[63]

In der 'Apocalipsis' geschieht zwar Gewalt, aber es ist die schreckliche des gewaltsamen Endes, die nicht nur anderen angetan, sondern die auch erlitten wird. Die „harte Chorfuge zu den Worten des Jeremias" ergreift „gleich bei erster Kenntnisnahme so tief" des Chronisten Herz, auch wenn er gewiß erst viel später, während der Abfassung der Lebensbeschreibung, also beim Triumph und Untergang des Dritten Reiches, ganz begreifen wird, was Leverkühn da anno 1919 bereits komponiert (478):

> Wir, wir haben gesündigt
> ....
> Du hast uns zu Kot und Unflat gemacht
> unter den Völkern.

Wie sehr es selbst hier noch auch um Kunst, und also um Thomas Manns eigene geht, verrät sich dadurch, daß Zeitblom unmittelbar nach dieser Stelle, die an die Beobachtung des grimassierenden Schöpfers anschließt, die Bezeichnung 'Fuge' einschränkt und in Wirklichkeit ein Merkmal von Thomas Manns Umgang mit tradierten Stilmitteln beschreibt: „...fugal mutet es an, doch ohne daß ehrsam das Thema wiederholt würde, sondern mit der Entwicklung des Ganzen wird dieses selber entwickelt, so daß ein Stil aufgelöst und gewissermaßen ad absurdum geführt wird, dem der Künstler sich zu unterwerfen scheint". Die Selbstdarstellung steht in orientierender Analogie nicht etwa zu der im Text noch angeführten Vor-Bachschen Zeit, sondern zu Wagner.

Leverkühns tönendes Gemälde habe viel von Dantes Gedicht und noch mehr von Michelangelos Jüngstem Gericht (476). Aus der Schilderung des Höllensturzes nimmt Zeitblom am Ende der Lebensbeschreibung das Bild vom Verdammten wieder auf, der, „über einem Auge die Hand und mit dem andern ins Grauen starrend, hinab von Verzweiflung zu Ver-

zweiflung" stürzt (676), und hier wird er unmittelbar „Deutschland"
genannt.

Analogia artis

Und doch rührt Zeitbloms Schrecken nicht allein von der Ahnung her,
in Leverkühns apokalyptischem Werk sei bereits eine Wahrheit verkündet, zu deren Heraufkunft sich die Geschichte noch eine trunkene
Teufelsweile Zeit lassen werde. Anders gesagt, die Authentizität der
Apokalypse-Komposition kann nicht allein daher rühren, daß sie durch
die Geschichte bestätigt wurde – ironisch bestätigt werden mußte, da
Thomas Mann den 'Doktor Faustus' ja erst von 1943 bis 1947 geschrieben
hat, und es sich bei der Leverkühnschen Prophetie allemal um eine
nachgereichte handelt. Ihre Echtheit, wenn sie denn postuliert werden
soll, muß in der ästhetischen Sphäre begründet sein, aber nicht in der
Ästhetik einer abstrahierten Kunstphilosophie, sondern in der
geschichtsphilosophischen. Die Entsprechung muß als notwendig und
folglich unausweichlich nachzuweisen sein, aber, um es mit dem nahelie-
gendsten Beispiel zu sagen, nicht nach der primitiveren Art von Lukács,
sondern nach der subtileren von Adorno. Doch versuchen wir, uns an den
bei aller Schwierigkeit immer noch einfacheren Thomas Mann selbst zu
halten. Die 'Apocalipsis cum figuris' ist wie der 'Doktor Faustus' ein
Werk der Kunst, also keine religiöse Prophetie. So sehr sich der Roman
wie das darin imaginierte tönende Gemälde der religiösen Sphäre annähert
und sich ihrer Sprache bedient, wird doch das Religiöse hier allegorisch
verwendet. Die Legitimation zu solcher Allegorisierung wird nur bestrei-
ten und dem Verfasser als säkularisierten Mißbrauch zum Vorwurf
machen, wer sich des Religiösen sicher wähnt und den Zweifel nicht
kennt, ob man in solcher Sicherheit am Ende nicht einer ähnlich falschen
Unmittelbarkeit aufsitze wie die Angehörigen der Kridwiß-Runde, wenn
sie von Gemeinschaft schwärmen. Auch wo es ums Ästhetische allein
geht, garantiert schon die Frage nach dessen geschichtlicher Stellung, daß
hier ein Autor mit dem ganzen Ernst, dessen die Kunst fähig ist, sein
eigenes Verhältnis als das eines Künstlers zur Welt und damit auch zum
Politischen zu bestimmen versucht.

In der 'Entstehung' zitiert Thomas Mann aus seinem Tagebuch: „Wieviel enthält der 'Faustus' von meiner Lebensstimmung! Ein radikales
Bekenntnis im Grunde."[64] Das Wort fällt im Zusammenhang der Vorbe-

reitungen des XXXIV. Kapitels, über dessen Schwierigkeiten wie entscheidende Bedeutung der Rückblickende sich breit ausläßt. Hier heißt es auch: „Um was sonst wäre es uns jemals zu tun, als unser Äußerstes zu geben? Alle Kunst, die den Namen verdient, zeugt von diesem Willen zum Letzten, dieser Entschlossenheit, an die Grenze zu gehen, trägt das Signum, die Wundmale des 'utmost'."[65] Mit den Absichten des ersten Leverkühnschen Hauptwerkes habe sich Adorno vollkommen vertraut gezeigt und mit seinen Anregungen und Vorschlägen genau auf das Wesentliche gezielt: „das Werk dem Vorwurf des blutigen Barbarismus sowohl wie dem des blutlosen Intellektualismus bloßzustellen".[66] Die Formulierung kehrt im Roman selbst mehrfach wieder, die abgewandelte Wiederholung läßt eine Schlüsselrolle vermuten. Aber erst im Schlußteil des Kapitels wälzt Zeitblom die Sache hin und her; solange hat er sie hinausgeschoben, obwohl es schon im ersten Teil an Anspielungen wie jener auf die „kreatürliche Furcht" vor der 'Apocalipsis' nicht fehlt (477), und obwohl im Mittelteil, bezogen zwar auf die „erzfaschistischen Unterhaltungen bei Kridwiß"[67], aber denn doch in Korrespondenz zu Leverkühns Unterfangen, von intentioneller Re-Barbarisierung die Rede ist (491).

Offenbar hat Thomas Mann Wert darauf gelegt, das „Verhältnis geistiger Entsprechung" möglichst sinnfällig vor Augen zu führen. Denn der allgemeinen Bemerkung, daß „dort am runden Tisch eine Kritik der Tradition auf die Tagesordnung" gesetzt wurde, die das Ergebnis der „Zerstörung von Lebenswerten war, welche lange für unverbrüchlich gegolten", folgt konkret die Feststellung, es sei „ausdrücklich die Bemerkung gefallen..., daß diese Kritik sich notwendig gegen herkömmliche Kunstformen und -gattungen" kehren müsse (493). Leverkühns 'Apocalypse', mit der die dramatische durch eine epische Form abgelöst werde, führt Zeitblom selbst als Beispiel jener „Gesinnung" an, in der die verantwortungslosen Plauderer mit dem einsamen Tonsetzer übereinstimmen: es ist das Desinteresse am Psychologischen, sprich Individuellen, das musikalisch unterm Namen der harmonischen Subjektivität schon in den Vorträgen von Leverkühns stotterndem Lehrer begegnete, und an das hier ebenso wieder erinnert wird wie an den Gegensatz, die polyphonische Sachlichkeit, die eine Bindung an die „Fessel prä-klassisch strenger Formen" auferlegt (494). Wenig später wird nach Leverkühns „Legitimität" gefragt, nach „seinem zeitlichen Anrecht auf die Sphäre, in die er sich versenkte und deren Recreation er mit den äußersten, entwikkeltsten Mitteln betrieb". Hier fällt das Wort vom „liebenden und angstvollen Verdacht" des Ästhetizismus (495).

Doch haben wir es nicht mit einem ethisch-ästhetischen Traktat zu tun, in dem die Kunst sich vor der Moral rechtfertigte, sondern mit jenem Roman, in dem Thomas Mann zugleich mit der Legitimationsfrage der Kunst das Raffinement seiner ästhetischen Mittel zum Äußersten treibt. So schiebt er vor Zeitbloms Erörterung des Ästhetizismus noch einen Scherz ein, der als Spiel im Spiel seine Traditionsrechtfertigung mit einer Anspielung auf Faust II erfährt. Heißt hier doch eine „Mummenschanz", was Wagner einst sich leistete, als er Nietzsche den Text des 'Parsifal' mit dem Zusatz 'Oberkirchenrat' hinterm Verfassernamen schickte und so seine Hinwendung zur christlich getönten Sphäre der Gralssage selber persiflierte. Im großen Wagner-Vortrag von 1933 bereits hatte diese Anekdote Thomas Mann dazu gedient, den Ernst des Künstlers gegen den Wahrheitsernst auszuspielen, um dabei auf die e i n e Wurzel hinzuweisen, aus der Tragödie und Posse kommen: „die Posse ist ein geheimes Trauerspiel, die Tragödie – zuletzt – ein sublimer Jux".[68] Natürlich wird jetzt im Roman nicht Nietzsche, sondern nur Wagner genannt, „der zur Zeit des 'Parsifal' seinem Namen unter einem Brief den Titel 'Oberkirchenrat'" hinzugefügt habe (495). Daran fühlt Zeitblom sich nun erinnert, weil Leverkühn einen Brief an ihn mit 'Perotinus Magnus' unterzeichnet hatte. Die „spielerische Identifikation voller Selbstverspottung" mit dem „Leiter der Kirchenmusik von Notre Dame" aus dem 12. Jahrhundert, „dessen kompositorische Anweisungen zur Höherentwicklung der jungen Kunst der Polyphonie" geführt hatten, weckt zwar bei Zeitblom nicht einen „tödlich-grämlichen", nämlich „absoluten" Wahrheitsernst, wie Thomas Mann im Vortrag von 1933 Nietzsches Stellung gekennzeichnet hatte.[69] Doch gerät der Freund mit seinem „Fragen, Sorgen und Bangen" immerhin in die Nähe Nietzsches – aber mit dem verqueren Ergebnis, daß er gegenüber Leverkühn, der jetzt ein anderer Wagner ist, die Position vertritt, die Thomas Mann dann in seinem späten Nietzsche-Vortrag von 1947 gegen den Philosophen selbst einnimmt. Dort wird ihm Nietzsche zum vollkommensten und rettungslosesten Ästheten. Daher verdichtet sich die Frage nach der Legitimität der Recreation, deren juxhafter Ausdruck die Identifizierung mit Perotinus ist, für Zeitblom zum „liebenden und angstvollen Verdacht eines Ästhetizismus, der meines Freundes Wort: das ablösende Gegenteil der bürgerlichen Kultur sei *nicht* Barbarei, sondern die Gemeinschaft, dem quälendsten Zweifel überlieferte"

(495). Der nachfolgende Satz schränkt Zeitblom so sehr in die Rolle des Freundes und Chronisten ein, daß man leicht der Fiktion einer zwar dienenden, aber doch selbständigen Figur aufsitzen und damit die Bedeutung des Problems im Zusammenhang des radikalen Bekenntnisses, das da 'Doktor Faustus' heißt, übersehen kann. Behält der Leser jedoch den Roman als Geheimwerk im Blick, so wird ihn gerade wieder einmal die Zeitblomsche Verschnörkelung stutzig machen: „Hier kann niemand mir folgen, der nicht die Nachbarschaft von Ästhetizismus und Barbarei, den Ästhetizismus als Wegbereiter der Barbarei in eigener Seele, wie ich, erlebt hat, – der ich diese Not freilich nicht aus mir selbst, sondern mit Hilfe der Freundschaft für einen teuren und hochgefährdeten Künstlergeist erlebte." (495)

In eigener Seele, aber nicht aus sich selbst – die Paradoxie löst sich nur durch die Identität der Protagonisten, und das meint in diesem Fall, daß die Verteilung der Rollen im Hinblick auf die Zeitgebundenheit wie -anfälligkeit noch verwickelter ist, als es zunächst der Fall zu sein schien, solange man nur Zeitblom mit Thomas Manns Kriegstorheiten beladen sah. Aber wäre es noch glaubhaft, allein dem anno 1914 ins Taumeln geratenen Gymnasialhumanisten Bekenntnisse folgender Art zuzuschieben: „Es ist wahr: der Krieg begünstigt, er erzwingt beinahe primitive Anschauungen, primitive Gefühle; aber sollte das einem Künstler unbedingt als Einwand gegen ihn gelten? Es ist wahr: die Völker als mythische Individuen anzuschauen ist eine primitiv-volkstümliche Anschauungsweise, und Patriotismus selbst möchte eine Ergriffenheit von eher mythisch-primitiver als politisch geistiger Natur bedeuten. Um einen Künstler aber, dem das Primitive ein durchaus fremdes Element, der jedes 'Rückfalls' ins Primitive durchaus unfähig geworden wäre, stünde es, glaube ich, nicht gut." Wäre ein Zeitblom solcher Anschauungen fähig, könnte er sie in eigener Seele 'erleben', so doch nur, weil sie von einem andern stammten, also von einem, der wirklich Künstler wäre, auf hochgefährdete Weise zum Durchbruch aus seiner Künstlereinsamkeit tendierte und deshalb daran glauben möchte, das Gegenteil der bürgerlichen Kultur, dieser Sphäre des gebildeten Individuums, sei Gemeinschaft und nicht Barbarei: „Ein Künstler ist vielleicht nur eben so weit Künstler und Dichter, als er dem Primitiven *nicht* entfremdet ist; und gesetzt selbst, er wäre ein 'Bürger', so ist er Künstler und Dichter vielleicht nur eben so weit, als er *Volk* ist und volkhaft primitiv zu schauen und zu empfinden nie ganz verlernte."[70] So der Thomas Mann jener Jahre, in denen er später Leverkühns 'Apokalypse' heranreifen läßt, und nicht seinen geheimen Tagebüchern hat er es anvertraut, sondern in den 'Betrachtungen' veröffentlicht, nach deren Erscheinen er sich dankbar die Zeugnisse ergriffener oder gar enthusiastischer Teilnahme aufgezeichnet hat.

Der Zeitblom in Thomas Mann hat dann, wenn auch etwas später als der des Romans, zur Vereinigung von Humanismus und Realpolitik in der Bejahung der Weimarer Republik gefunden. Aber der Leverkühn in ihm half ihm auch jenes Werk zu schreiben, in dem die Zweideutigkeit nicht Zubehör bleibt, sondern dessen Substanz die Zweideutigkeit selbst ist. Nicht nur von der 'Apokalypse', auch vom 'Zauberberg' schon gilt, was dann freilich durch das Doppelbeispiel von Faustus und Musik eine Verschärfung erfuhr: „Wie oft ist dieses bedrohliche Werk in seinem Drange, das Verborgenste musikalisch zu enthüllen, das Tier im Menschen, wie seine sublimsten Regungen, vom Vorwurf des blutigen Barbarismus sowohl wie der blutlosen Intellektualität getroffen worden! Ich sage: getroffen; denn seine Idee, gewissermaßen die Lebensgeschichte der Musik, von ihren vor-musikalischen, magisch-rhythmischen Elementar-Zuständen bis zu ihrer kompliziertesten Vollendung in sich aufzunehmen, stellt es vielleicht nicht nur partiell, sondern als Ganzes jenem Vorwurf bloß." (496) Im 'Zauberberg' wird nicht einfach Settembrinis Evangelium verkündet. Obwohl dieser Zivilisationsliterat sehr viel liebenswerter ist als sein von der Qual des Bruderzwistes haßvoll-leidend genährtes Vorbild in den 'Betrachtungen eines Unpolitischen', soll Settembrini nur die eine, von Thomas Mann während des Fortschreitens im Roman freilich immer mehr akzeptierte Seite so vertreten, wie sein Gegenspieler Naphta die andere. Unsympathischerweise und gleichsam gegen Thomas Manns moralischen Willen behält der geistige Terrorist wenigstens als Dialektiker meist recht. Unverkennbar ist dieser Apologet des barbarisierenden Terrors ein naher Verwandter jenes Chaim Breisacher, in dem die Kridwiß-Runde ihren scharfsinnigsten Vertreter finden wird. Unübersehbar ist aber auch, daß derselbe Naphta unter anderem die Idee der abstrusen inneren Verwandtschaft von Dämonie, Primitivität und Kultur geerbt hat, die in den 'Betrachtungen' mit dem Deutschtum gleich-, und der westlichen Zivilisation entgegengesetzt wird. Peeperkorn gar: ist er nicht wie ein Relikt jener Epochen, in denen, laut Zeitbloms 'Apocalipsis'-Analyse, die Musik „medizinmännischen, zauberischen" Zwecken gedient hatte, ein anachronistisches Überbleibsel von Zeiten mithin, in denen der „Verwalter überirdischen Dienstes, der Priester, noch Medizinmann und Magier war"? (495) „Rückkehr" in den „Urstand" (497) ereignet sich nicht nur in der 'Apocalipsis' des 'Doktor Faustus', sondern auch im 'Zauberberg', und hier finden sich auch Ankündigungen des Endes bei hochgesteigerter und bemessener Zeit, vor allem aber vexatorische Vertauschungen, wie jene der Topographie des Lustortes der Krankheit, diesem Unterreich im Hochgebirge. Und gilt nicht auch vom Verfasser des 'Zauberberg', was Zeitblom die Fähigkeit Adrians „zu spottender Nachahmung" nennt, „die tief in der Schwermut seines Wesens wurzelt"? (498) Sie werde produktiv „in der Parodie verschiedenster musikalischer Stile, in denen der insipide Übermut der Hölle sich ergeht" – und dies alles „über der Grundsprache des Hauptorchesters … die, ernst, dunkel, schwierig, mit radikaler Strenge den geistigen Rang des Werkes behauptet"? Nicht so sehr der Vorwurf des blutleeren Intellektualismus läßt Zeitblom nicht zur Ruhe kommen, als vielmehr der des Barbarismus, dessen „Erklärlichkeit" er zugibt, ohne seine Berechtigung anzuerkennen (499).

Er spricht von dem ihm so wehetuenden Vorwurf, den er zu erklären versuche, ohne ihm das geringste Zugeständnis zu machen (500); und schließlich kommt er zu dem Ende, es sei im Grunde „Seelenlosigkeit" (501), was diejenigen meinten, die das Wort Barbarismus gegen Adrians Schöpfung im Munde führten. Gerade hier wird Zeitbloms Widerlegung der behaupteten Seelenlosigkeit von Thomas Mann wieder einmal mit dem versteckten Hinweis verknüpft, daß die Musik nur paradigmatisch ist und es denn überhaupt um Literatur und folglich um die eigene gehe: „Haben sie je, sei es auch nur mit dem lesenden Auge, gewissen lyrischen Partien – oder darf ich nur sagen: Momenten? – der 'Apokalypse' gelauscht…"? Allenfalls ein noch sehr unerfahrener Leser wird sich hier mit der vordergründigen Erklärung zufrieden geben, daß in der fiktiven Realität des Romans das Werk 1926 seine „erste und vorläufig letzte Aufführung" erfahren habe (500), und daß somit jeder, der damals nicht unter den Frankfurter Zuhörern war, die Triftigkeit von Zeitbloms Argumenten nur lesenderweise anhand der Partitur verfolgen könne. Die lyrischen Momente seien „wie eine inständige Bitte um Seele". So lautet jetzt die Umschreibung für den blutlosen Intellektualismus, der hier noch einmal auftaucht, und erneut wird der Leser darauf hingewiesen, den Kommentar als Chriffreschrift zu lesen: „Man verzeihe mir die gewissermaßen ins Blaue gerichtete Polemik", hebt Zeitblom an, was ja heißt, daß es sich um eine Polemik handelt, die sehr gezielt ist und ins Schwarze treffen soll. Hier reagiert Thomas Mann noch einmal spät auf all das, was nicht erst von 1933 an und nicht nur von der völkischen Front, sondern auch schon in den zwanziger Jahren aus der christlichen wie der fortschrittsgläubigen Ecke heraus ihm vorgeworfen wurde: die Passion für das Krankhafte und für den Verfall in einer ästhetizistischen Verbindung mit der bloßen, den Mangel an Seelenhaftigkeit nur schlecht verdeckenden Intellektualität; und alles zum Beweis, daß er kein Dichter, sondern nur ein Literat sei... Zeitblom kehrt die Polemik um, und so wird sie den Kritikern zurückgeschoben, die es ja alle auf die eine oder andere Weise mit der Seele, vor allem der deutschen, gegen den Geist zu halten pflegten. So wird verständlicher, warum Zeitblom Barbarei und Unmenschlichkeit darin sieht, „ein solches Verlangen nach Seele..., Seelenlosigkeit zu nennen!" (501)

Dergestalt wird zum letzten und größten Beispiel aus der 'Apokalypse' übergeleitet, welches Zeitblom selbst „auf eine das Herz stockenlassende Weise" das „Geheimnis der Musik" geoffenbart hat (502). Es ist das Höllengelächter. Und da dies „Pandämonium des Lachens" (501) sein Gegenstück in dem „so ganz und gar wundersamen Kinderchor" hat, enthüllt sich das Geheimnis der Musik als „ein Geheimnis der Identität". Das Höllengelächter nennt Zeitblom eine „Episode" (502), was wiederum auf Literatur verweist. Diese Episode wird als „Windsbraut infernalischer Lachlust" bezeichnet. „Windsbraut" ist aber schon das Wort, das im 'Zauberberg' Hans Castorps gefährliches Schnee-Abenteuer mit der Walpurgisnacht des 'Faust' verbindet, wodurch die geheime Beziehung gestiftet wird zwischen der Walpurgis- und Liebesnacht des Zauberberg und dem höchsten Aufstieg des Adepten in die Winterwildnis; dem liegt wiederum als Muster Fausts tiefster Abstieg, der Gang zu den Müttern, zugrunde. Keine „Neuerungssucht und kein Anbinden mit der Windsbraut" sei zulässig, so meditiert der benommene Schneegänger, ehe ihn die lebensbedrohliche Vision von einem mittelmeerischen Arkadien umfängt, in bewährter romantischer Synästhesie, wie sie noch den Liebestodgesang der Isolde im 'Tristan' bestimmt hat. Das goldene Zeitalter, von Castorp als ein „Wiedererkennen" im Sinne der in der 'Italienischen Reise' beschriebenen Anamnesis Goethes erfahren, fordert Thomas Manns ganze Kunst der deskriptiven lyrisierenden Prosa, bis schließlich diesem Traumbild das andere des äußersten Barbarismus der zottelhaarigen Hexen folgt, die „in wilder Stille mit den Händen" ein Kind zerreißen und verschlingen, um danach den in grausender Eiseskälte gebannten Beobachter zu beschimpfen, die blutigen Fäuste schüttelnd, „stimmlos, aber mit letzter Gemeinheit, unflätig, und zwar im Volksdialekt von Hans Castorps Heimat". Fürwahr eine Höllenepisode. Dem Träumenden wird davon „so übel wie noch nie".[71] Dem Höllengelächter der 'Apokalypsis', diesem „sardonischen Gaudium Gehennas", gilt Zeitbloms zwiespältigstes Gefühl. So sehr verabscheut er gar die Episode, „an und für sich genommen" (502), daß er sich kaum überwunden hätte, „sie hier zur Sprache zu bringen" (!), wenn es nicht eben ums Geheimnis der Musik ginge, wodurch wiederum die Episode und damit das Geheimnis sich als ein solches der Sprache enthüllt.

Der Kinderchor wird eine kosmische Sphärenmusik genannt, von einer „ich möchte sagen: unzugänglich-überirdischen und fremden, das Herz mit Sehnsucht ohne Hoffnung erfüllenden Lieblichkeit des Klanges" (502). Dieses „Stück", das auch „Widerstrebende gewonnen, gerührt, entrückt" habe, sei aber „nach seiner musikalischen Substanz das Teufelsgelächter noch einmal".

Solche Einsicht wird nur dem zuteil, „der Ohren hat, zu hören, und Augen, zu sehen" (502). Auch hier ist nur vordergründig das technische Entziffern einer Partitur gemeint. Überall sei Leverkühn groß in der Verungleichung des Gleichen, aber nirgends so tief, geheim und groß wie hier, und als genau sei jedes Wort zu begrüßen, „das die Idee des 'Hinüber', der Verwandlung mystischen Sinnes, also der 'Wandlung' anklingen" lasse. Die beiden Begriffe, die Zeitblom für die angemessensten hält, sind „Transformation" und „Transfiguration". Der Berg des Zaubers wird für den Neophyten Hans Castorp zur Stätte der Einweihung in die Geheimnisse der Transfiguration, und die Parodie, die dem späten Bildungsroman angemessen ist, ermöglicht in der ironischen Vermittlung, zu der die Belehrung des bildungswilligen Adepten gehört, noch eine Erzählmanier, deren Traditionalität das witzige Spiel mit der Erzähltradition selbst einschließt. Da es sich bei Leverkühns „Musik" um bloß fingierte, aber literarisch vermittelte handelt, konnte sie gleichsam unmittelbar vorgeführt werden; ihr Erfinder Thomas Mann brauchte die Gefahr der falschen Unmittelbarkeit daher nicht zu befürchten. Leverkühn entgeht dieser Gefahr durch die konsequente Modernität, die Kompromisse mit jenem Geschmack verweigert, der nicht nur den Massen und ihren Diktatoren gemeinsam ist, sondern dem ebenfalls, wenn auch auf subtilere Art, die in Fragen der Kunst sich modernistischer gebärdenden intellektuellen Mitläufer verhaftet sind und dem sie sich ganz anpassen, sobald es ernst wird mit der modernen Kunst, diese also verfemt und verfolgt wird. Vom Schicksal und der Haltung der Kridwiß-Runde nach 1933 berichtet Zeitblom allerdings nichts, die Gegenwärtigkeit des Hitlerreiches wird nur sehr allgemein behandelt und fängt ohnehin erst mit dem Jahr der beginnenden Arbeit an der Biographie an, also 1943. Die erwähnten Fakten sind deshalb vor allem militärischer Art. Daß Leverkühns Musik unter die entartete Kunst zählt und somit verboten ist, wird zwar gesagt, gilt aber als so selbstverständlich, daß dem Leser zunächst die Lücke zwischen 1930, als Leverkühns Wahnsinn ausbricht, und dem Jahr seines leiblichen Todes kaum auffällt.[72] Für die große Allegorie des 'Doktor Faustus' wäre es nur hinderlich gewesen, die historische Entwicklung sowohl von 1930 bis 1933 wie die der darauffolgenden Jahre sich im Schicksal der modernen Kunst spiegeln zu lassen. Zeitweise vergißt der Leser, daß Leverkühns Gesamtwerk nicht als geheimer Manuskriptenschatz vom vereinsamten Freisinger Gymnasialprofessor gehütet wird, sondern in der für die avantgardistische Musik international führenden Universaledition gedruckt ist, wie ihm auch die Frage gleichsam verwehrt bleibt, warum die nichtdeutschen Bewunderer von Leverkühns Kunst – die Eingeweihten der zwanziger Jahre werden ausdrücklich als international bezeichnet – in den dreißiger und vierziger Jahren nicht mehr existent sind.

Genügt aber die imaginierte radikale Modernität der 'Apokalypse' wirklich, um die höhere Ebene zu garantieren und damit die Vermeidung der falschen Unmittelbarkeit, wenn die dem Werk zugrundeliegende Gesinnung mit der der „Interlokutoren in der Martiusstraße" – wie die katastrophenlüsterne Kridwiß-Runde einmal vielsagend benannt wird – in einem so wesentlichen Punkt wie dem des fehlenden psychologischen Interesses übereinstimmt? Daß man „am Psychologischen nicht länger interessiert" ist (494), muß das Zentrum des 'Doktor Faustus' um so mehr berühren, als Thomas Mann im 'Joseph' die Adaption des Mythischen gerade angesichts der schauerlich direkten Mythenusurpation des Faschismus – dieser nacktesten falschen Unmittelbarkeit – im Vertrauen auf die konsequente Psychologisierung gewagt hatte. Und dieses Wagnis war die Weiterführung des virtuosen 'Zauberberg'-Experimentes einer ironischen Verbindung des Mythologischen mit dem Psychologischen gewesen. Das Post- und Präpsychologische, um das es im 'Doktor Faustus' geht, authentisch und glaubhaft, und also wiederum psychologisch darzustellen, gehörte zu den Komplikationen, die Thomas Mann zeitweise am „unmöglichen" Buch verzweifeln ließen. Es erwies sich, daß die 'Josephs'-Aufgabe, dem Faschismus den Mythos aus den Händen zu nehmen und ihn „umzufunktionieren", sich noch einmal, und jetzt weit schwieriger, gestellt hatte.[73]

Nachdem Thomas Mann für Leverkühns erstes Hauptwerk die allzuenge Bindung an Dürers Holzschnittfolge und damit an die Geheime Offenbarung des Johannes als einzigen Text aufgegeben hatte, bot sich die Möglichkeit, die „apokalyptische Kultur, die den Ekstatikern bis zu einem gewissen Grade feststehende Gesichte und Erlebnisse überliefert" (475), mit einzubringen.[74] Das Wort Kultur wird hier gewiß nicht zufällig gebraucht; undenkbar, daß es Zeitblom dazu dienen könnte, den Geist der frivolen Gewaltverherrlichung jener Herren zu bezeichnen, die sich in der nach dem Kriegsgott genannten Straße treffen. Und ebensowenig dürfte es ein Zufall sein, daß der Vorgang, der aus den apokalyptischen Überlieferungen eine Kultur macht, ausgerechnet eine „psychologische Merkwürdigkeit" genannt wird (475). Damit ist umschrieben, was in der 'Josephs'-Tetralogie als das mythische Schema, das In-Spuren-Gehen immer wieder abgewandelt wird. Was dort in all seinen Entwicklungsstufen, von der archaischen, präindividuellen Imitation bis zum bewußten, ja gelenkten Spiel des Helden mit dem Doppelsegen, vorgeführt wird, das lautet für den Bereich des Eschatologischen so: „daß einer nachfiebert, was andere vorgefiebert, und daß man unselbständig, anleiheweise und nach der Schablone verzückt ist" (475). Leverkühn habe „jenes ganze seherische Herkommen" in sein Werk hineingenommen, es laufe „auf ein Résumé aller Verkündigungen des Endes" hinaus. Doch wird diese Summe die „Creation einer neuen und eigenen Apokalypse" genannt (475). An diese vorweggenommene positive Bestimmung gilt es sich zu erinnern, wenn Zeitblom später mit Sorgen und Bangen nach der Legitimität von Leverkühns Tun, „seinem zeitlichen Anrecht auf die Sphäre" fragt, „deren Recreation er mit den äußersten... Mitteln betrieb" (495). Wir hatten die Stelle eben dort schon zu zitieren, wovon unsere Betrachtung ausging: bei Zeitbloms skrupulöser Erwägung des Verhältnisses von Ästhetizismus, Intellektualismus und Barberei. So wird deutlich, daß allein in der Creation, der Neuschöpfung, die Rechtfertigung der Recreation liegen kann.

Noch einmal zurück zum 'Zauberberg', doch nun mit erweitertem Gesichtswinkel. War zunächst, unterm Aspekt der geheimen Werkgeschichte als einem Teil der radikalen Autobiographie, danach gefragt worden, in welcher Weise Thomas Mann den eigenen Roman der Weltkriegs-Wende allegorisierend in der 'Apokalypse' verrätselt hat, so soll nun das tiefere Verständnis der Leverkühnschen Endzeit-Figuration auf den 'Zauberberg' zurückgespiegelt werden; weniger um jenes Romans willen, sondern um von hier aus einen weiteren Zugang zum 'Doktor Faustus' zu finden, der, wie angedeutet, zum 'Zauberberg' in einem analogen Verhältnis steht wie 'Dr. Fausti Weheklag' zu der 'Apocalipsis'.

Auch der 'Zauberberg' ist das Résumé des Bildungsromans in Gestalt einer neuen Schöpfung, worin aufgenommen wurde, was zur Sphäre der Bildung samt ihrer Entstehung und Überlieferung gehört. Wenn Zeitblom als Idee der 'Apocalypse' die „Lebensgeschichte der Musik" selbst ausmacht (496), so läßt sich dies ohne Gewaltsamkeit auf den 'Zauberberg' übertragen. Denn es wird hier alles versammelt, was zu jener Form des Humanismus geführt hat, dem sich Thomas Mann nach dem Beispiel Goethes immer entschiedener als der deutschen Form von Weltbürgerlichkeit verpflichtet fühlte. Daß es sich bei ihrer literarisch sinnfälligsten Ausdrucksform, dem Bildungsroman, um etwas ebenso charakteristisch Deutsches handle wie im Falle der Romantik, war Thomas Manns bleibende Meinung. Doch hielt er in den zwanziger Jahren den sich in der Wilhelm Meister-Nachfolge bewegenden Initiationsweg für die rechte Weise, die in der tiefen Zweideutigkeit der todverhafteten Romantik liegenden Gefahren zu überwinden. Aber tiefer noch als 'Wilhelm Meister' ist Goethes 'Faust' im 'Zauberberg' leitend. Daß 'Faust' das teils offenliegende, zum größeren Teil aber raffiniert verschlüsselte, mit der Kraft einer Entelechie wirkende mythopoetische Urmuster für den 'Zauberberg' ist, dies bestimmt zuinnerst die Korrespondenz zwischen dem Roman und der 'Apocalipsis'. Und diese Korrespondenz ist wiederum ein Teil des übergreifenden Beziehungsgewebes, das den 'Doktor Faustus' als Résumé mit dem Gesamtwerk Thomas Manns verbindet. Das enthüllt sich ganz erst bei der Lösung des Paradoxons, wie die Neunte Symphonie als Chiffre der in Goethes 'Faust' kulminierenden Klassik zurückgenommen wird: in der Gestalt einer Recreation des vorgoetheschen Faust-Mythos nämlich. In dieser Wiedererschaffung wird gerade die Klage zum Ausdruck des Gnadenaktes, wenn auch „als leiseste Frage nur", als Transzendenz der Verzweiflung (651). Wodurch wiederum die Zurücknahme sich als die von der Zeit und der Geschichte nicht allein erzwungene, sondern auch noch einmal ermöglichte Recreation der Rettung von

Faustens Unsterblichem enthüllt. So gewährt Thomas Mann Erlösung dem unseligen Erlöser.[75]

Die Lebensgeschichte der Bildung ist von der Entwicklung der Literatur nicht zu trennen, und es hat nichts mit Wissensprunkerei zu tun, wenn im 'Zauberberg' die große Literatur von Homer an begegnet, so daß gleich zu Beginn der Kömmling zitathaft darüber aufgeklärt wird, wo er, der wähnt, er sei fünftausend Fuß hoch hinaufgestiegen, sich wirklich befindet: in der „Tiefe..., wo Tote nichtig und sinnlos wohnen".[76] Von Leverkühn vernehmen wir, daß er „für Leute, die 'niedergestiegen' sind, was übrig habe. Ich meine: niedergestiegen zur Hölle. Das schafft Familiarität zwischen so weit auseinanderstehenden Figuren wie Paulus und dem Äneas des Vergil. Erinnerst du dich, daß Dante sie brüderlich zusammen nennt, als zweie, die drunten gewesen?" (473). Die denn doch etwas saloppe Rede von der Familiarität hat die Färbung des Perotinus-Scherzes. Und wie hinter diesem, so steckt auch hinter der Dante-Reminiszenz mehr vom Grundthema, als Zeitblom offenlegt. Klingt doch mit an, daß Christus niedergestiegen ist zur Hölle und am dritten Tage wieder auferstanden von den Toten. Daß die Wiederauferstehung das Geheimnis der Geheimnisse ist, um das die Mysterien des Grabes kreisen, und daß der durch die Schrecknisse der Nacht zum Licht führende Weg des Mysten Tod und Auferstehung symbolisiert, und daß damit wiederum die alchimistischen Geheimnisse der Stoffverwandlung und der gesuchte Stein der Weisen zusammenhängen, lernt Hans Castorp in seinem hermetischen Kursus. Doch erst in der Todesbedrohung des winterlichen Irrgangs, wo er im Kreis – der mythischen Urfigur – herumgeführt wird, und wo keine Unterscheidung mehr ist zwischen Auf- und Niederstieg, erwächst ihm aus dem Wissen die Erkenntnis, daß der Mensch der Herr der Gegensätze ist. Mit dieser Erkenntnis ist auch die Einsicht verbunden, daß „Tod oder Leben – Krankheit, Gesundheit – Geist und Natur" keine Widersprüche sind und daß „des Homo Dei Stand" in der Mitte ist, „wie auch sein Staat ist zwischen mystischer Gemeinschaft und windigem Einzeltum".[77] Es bleibt aber bei der Erkenntnis, die zwar nicht gänzlich vergessen, aber doch nicht zu einer Folgen zeitigenden Erfahrung wird. Die Geschichte der Bildung durchläuft mit Hans Castorp den ganzen Weg und endet erst im „Weltfest des Todes", dieser Apokalyse, mit der des Helden wahrer Abstieg zur Hölle beginnt, weil er in das „arge Tanzvergnügen" hineingerissen wird, das „noch manches Sündenjährchen" dauert und dem zu entkommen der

Erzähler seinem Helden keine Chance zu geben braucht, weil dessen Geschichte nicht um seinetwillen erzählt wurde und Hans Castorps Schicksal deshalb nur bis zum Zeitpunkt der schlimmen „Fieberbrunst" interessiert, die den „Abendhimmel" entzündet. So endet der 'Zauberberg' mit einer direkten Anspielung auf den drohenden Untergang des Abendlandes, dieser neuesten Götterdämmerungs-Variante. Wie die Tagebücher von 1918–21 zeigen, las Thomas Mann zu der Zeit, in der er die Arbeit am 'Zauberberg' wieder aufnahm, Oswald Spengler mit fast kritikloser Hingabe und vermutete, er könnte in seinem Leben Epoche machen wie Schopenhauer während der Entstehung von 'Buddenbrooks'. Die Faszination war längst vorbei, als der 'Zauberberg' dann zu Ende geführt wurde; da zählte Spengler für Thomas Mann bereits zu jener Widerwelt, die sich dereinst bei Kridwiß versammeln sollte. Deshalb stellt der Autor, der nun nicht mehr vom Erzähler der Geschichte Hans Castorps zu trennen ist, zuletzt noch die Frage, ob auch aus diesem Weltfest des Todes einmal die Liebe steigen werde. Daraus wird dann später Zeitbloms „leiseste Frage". Und hier erst findet die bei der 'Apocalipsis' aufgebrochene Paradoxie des tiefsten Geheimnisses der Musik – „welches ein Geheimnis der Identität ist" (502) – ihre Lösung. Der katholische Humanist Zeitblom, der sich nicht der Kunst zu verschreiben brauchte, weil er das Leben des Tonsetzers zu schreiben vermochte, wagt es hier, die vom Teufel beschriebene Lage der Kunst in eine *analogia artis* zu verwandeln: „Aber wie, wenn der künstlerischen Paradoxie, daß aus der totalen Konstruktion sich der Ausdruck – der Ausdruck als Klage – gebiert, das religiöse Paradoxon entspräche, daß aus tiefster Heillosigkeit, wenn auch als leiseste Frage nur, die Hoffnung keimte?" (651)

Der eigentliche Durchbruch

Für Leverkühn gibt es solche Hoffnung nur als die Konsequenz einer Aesthetica negativa, und selbst Zeitblom darf sie nur als die „Hoffnung jenseits der Hoffnungslosigkeit" benennen, als die „Transzendenz" der Verzweiflung (651). Denn anders droht der „Verrat" dieser Verzweiflung. Nur so kann ihr der tiefste Ernst verliehen werden, dessen die Kunst mächtig ist. Doch geschieht das erst am Ende von Leverkühns zweitem Hauptwerk. In der 'Apocalipsis' hingegen galt es, jene fundamentale Zweideutigkeit der Kunst zu dokumentieren, derzufolge das musikalische Material des Höllengelächters in strenger Korrespondenz zum „Engelsgetön" (503) steht. Denn nur so kann das Geheimnis der Musik als Geheimnis der Identität bis zu der Schärfe herausgetrieben werden, daß diese Musik „ganz" diejenige ist, die Leverkühn „repräsentiert". Wenn solche Repräsentation noch zur „Stimmigkeit" erklärt wird, die „als Tiefsinn die zum Geheimnis erhobene Berechnung" sei, ist damit Thomas Manns Kunst als solche bestimmt und nicht nur der 'Doktor Faustus', auch wenn in diesem Roman das artistische Vermögen des Verfassers sich am extremsten entfaltet.[78] Zu beachten ist, daß diese Bestimmung als Abschluß von Zeitbloms Analyse der 'Apokalypse' gegeben wird. Zwar ist dann bei der Beschreibung von 'Dr. Fausti Weheklag' ebenfalls von der „Identität des Vielförmigsten" die Rede, und diese wird ausdrücklich auf jene Identität bezogen, „die zwischen dem kristallenen Engelschor und dem Höllengejohle der 'Apokalypse' waltet" (646). Doch wird eben hier eine Gradation vorgenommen, die auch den Interpreten zur Unterscheidung zwingt. Die Identität sei nun „allumfassend" geworden, zu einer „Formveranstaltung von letzter Rigorosität"; es heißt gar, sie diene „jedoch nun einem höheren Zweck" (646). Wie sehr Thomas Mann an dieser Differenzierung liegt, wird schon daraus ersichtlich, daß es sich bei der neuerlichen Umschreibung um eine zugespitzte Wiederholung handelt. Im Abschnitt davor ist nämlich bereits bei der Erinnerung an die „innere Einerleiheit des Engelskinder-Chors mit dem Höllengelächter" von der substanziellen „Identität des Seligsten mit dem Gräßlichsten" die Rede (645).

Bei der Beschreibung der 'Apokalypse' hieß es, das Geheimnis hätte sich „auf eine das Herz stockenlassende Weise offenbart" (502). Auf diese geheime ästhetische Offenbarung wird nun noch einmal angespielt: es sei da, „zum mystischen Schrecken des Bemerkenden, eine formale Utopie von schauerlicher Sinnigkeit verwirklicht" (645). Auch wird schon auf die Transzendierung der in der 'Apokalypse' leitenden formalen Utopie hingewiesen, wenn es von eben dieser Utopie heißt, sie werde „in der Faust-Kantate universell". Und obwohl der Erzähler noch einmal auf die Ähnlichkeit der Werke abhebt bei der Erwähnung der wilden „Idee des Niedergeholtwerdens" von Faust als einem „Tanz-Furioso", das noch am meisten an den Geist der 'Apocalipsis cum figuris' erinnere (648), dient auch dieser Vergleich der Feststellung, daß Leverkühns Spätwerk wenig gemein habe mit dem Werk seiner dreißig Jahre. Wenn die Kantate für „stilreiner" und „dunkler im Ton" erklärt wird als die 'Apokalypse', so erfährt diese zunächst vage wirkende Unterscheidung nicht nur die 'musikalische' Ergänzung, daß hier mehr Kontrapunkt als Polyphonie vorliege, insofern nämlich die Nebenstimmen in ihrer Selbständigkeit mehr Rücksicht nähmen auf die Hauptstimme; vielmehr wird vor dieser kompositorischen Erklärung noch gesagt, die Kantate sei „ohne Parodie" (648)! Damit wird zum einen noch einmal, auch wenn Zeitblom nichts darüber vermerkt, aufgenommen, was im Teufelsgespräch als der aristokratische Nihilismus der Parodie gegenüber dem höheren Ambiguosen und der Ironie abgewertet worden war: eben darum ist das Spätwerk stilreiner. Zum anderen rückt das Verhältnis von 'Zauberberg' und 'Doktor Faustus' aufs neue in Analogie zu der zwischen Leverkühns Hauptwerken herrschenden Beziehung. Denn im Unterschied zum 'Zauberberg' ist der im Ton so viel dunklere 'Doktor Faustus' desgleichen ohne Parodie.

Eine „Formveranstaltung von letzter Rigorosität" soll die Kantate sein, in der „die Ordnung des Materials total wird" (646). Schon die Sprache verrät, daß erst hier das letzte Wort über Barbarei und Ästhetizismus zu finden ist. Zwar hat Zeitblom bei der 'Apokalypse' den Vorwurf als solchen zumindest in seiner primitiveren Fassung abgelehnt und so im vorhinein getan, was Thomas Mann dann nach Erscheinen des Romans selbst sehr wohl hätte tun sollen, aber aus schwer entschuldbarer Lässigkeit und wohl auch aus diplomatischer Berechnung n i c h t getan hat: die Schiefheit der vereinfachenden Parallelisierung als eine ideologische Voreingenommenheit der Simplifikateure unter den 'Faustus'-Interpreten beim Namen zu nennen. Doch ist Zeitblom selbst mit dem Problem zunächst nicht zu Ende gekommen. Denn daß er es in den Bereich der „Verungleichung des Gleichen", wo Leverkühn „groß" sei (502), transferiert, bedeutet ja nur, daß das Problem im Ästhetischen deponiert wird, mag dieses auch mit Begriffen wie Transformation und Transposition benannt sein. Doch liegt Zeitbloms Inkonsequenz die Logik der Romankomposition zugrunde, und nicht ein 'Unvermögen' des Chronisten. Denn erst in der 'Faustus'-Kantate kann das Geheimnis der Kunst als ein solches der Identität sich ganz offenbaren, während zugleich der Träger dieses Geheimnisses in die wahnhafte Identifizierung mit seinem 'Stoff' verfällt, aber gerade dadurch als das Opfer gezeigt wird, das für das Gelingen des Äußersten zu erbringen war.

Über die Formveranstaltung von letzter Rigorosität sagt Zeitblom aber nicht nur, daß in ihr die Ordnung des Materials total werde, sondern auch, daß sie nichts Unthematisches mehr kenne (646). Leverkühns Wahnsinnsausbruch erfolgt bezeichnenderweise vor dem paralytischen Choc und der „zwölfstündigen Bewußtlosigkeit", aus der er nicht „zu sich kam", sondern sich wieder fand „als ein fremdes Selbst, das nur noch die ausgebrannte Hülle seiner Persönlichkeit war und mit dem, der Adrian Leverkühn geheißen, im Grunde nichts mehr zu tun hatte" (670). Manches spricht dafür, daß die zwölf Stunden auch ein Verweis auf die zwölf Jahre von Hitlers Herrschaft sind, und daß sich damit endgültig trennt, was einmal in Graz die Wege gekreuzt haben mochte nach einer Anreise aus entgegengesetzten Richtungen. Aber selbst wenn man diese Wegkreuzung in jenem nicht geheuren Zwielicht beläßt, in dem sie schattenhaft im Roman auftaucht, gilt es nun aufs neue und nachdrücklicher, als es durch Zeitblom bei der Analyse der 'Apokalypse' geschah, nach dem Verhältnis von Ästhetizismus und Barbarei zu fragen. Denn erst 'Dr. Fausti Weheklag' enthüllt ganz, was es mit dem paradigmatischen Geheimnis der Musik auf sich hat. Das heißt, es muß geklärt werden, in welcher Beziehung die vom Wahn der Identifizierung beschattete Abschiedsrede Leverkühns als letzter Akt seines doch immer noch denkfähigen, wenn auch nicht mehr mit sich identischen, sondern der Kontrolle bereits fast unfähigen Ich zum Werk der totalen Materialorganisation steht.[79]

Die Kantate wird als des Tonsetzers „strengstes" Werk, als eine Schöpfung von „äußerster Kalkulation" bezeichnet; zugleich sei das Werk „rein expressiv". Kraft des „vororganisierten" Materials könne sich ihr Schöpfer „hemmungslos, unbekümmert um die schon vorgegebene Konstruktion, der Subjektivität überlassen" (647). Hemmungslos meint hier den positiven Aspekt der durch den Teufelspakt garantierten Enthemmung. Sie hilft in der Tat die objektiven Widerstände zu überwinden, welche der einsamen Hervorbringung eines Kunstwerkes in der nachsubjektivistischen Epoche entgegenstehen, wo Gemeinschaft doch nur als rauschhafter barbarischer Schwindel möglich ist. Im Spätstil Leverkühns kehren damit, zur letzten Konsequenz gesteigert, jene Züge wieder, die einst der Organist von Kaisersaschern getreu nach den Anweisungen von Thomas Manns musikalischem Mentor Adorno als die Charakteristika des späten Beethoven am Beispiel des zweiten Satzes der Klaviersonate opus 111 zu demonstrieren hatte. Als handle es sich schon in dieser frühesten Zeit um Dr. Fausti Abschied von den Freunden und Schülern, ruft Kretzschmar zu Beginn seines Vortrages über die „harte ästhetische Nuß", die Beet-

hoven mit der Sonate in c-moll zu knacken gegeben habe: „wie denn …
diese Freunde und Bewunderer dem Verehrten über den Gipfel hinaus",
den er in der klassischen Zeit mit der Vollendung der Sonate und Sinfonie
bereits erreicht, „schlechthin nicht hätten folgen können und bei den
Werken der letzten Periode schweren Herzens vor einem Prozeß der
Auflösung, der Entfremdung, des Entsteigens ins nicht mehr Heimatliche
und Geheure, vor einem plus ultra eben, gestanden hätten". In einer
Vorwegnahme, die sich vom musikalischen Ende des Romans her, der
Kantaten-Analyse, als raffinierteste Verschränkung erweist, wird Beethovens Spätwerk in der Sicht der Zeitgenossen zu einem „Exzeß an
Grübelei und Spekulation", zu einem „Übermaß an Minutiosität und
musikalischer Wissenschaftlichkeit" (72). Unverkennbar ist die Entspre-
chung zur Kantate, die ein „ungeheures Variationenwerk der Klage"
genannt wird (645), wenn es von der exzessiven Grübelei gar heißt,
Beethoven habe sie „bisweilen auf einen so einfachen Stoff wie das
Arietta-Thema des ungeheuren Variationensatzes" angewandt, der den
zweiten Teil der Sonate opus 111 bilde (72). Zwar wird das Werk der
Klage unmittelbar bezogen auf das Finale der 'Neunten Symphonie' „mit
seinen Variationen des Jubels", deren Zurücknahme hier als negative
Verwandtschaft erscheint (645). Hingegen gibt es eine Art positiver
Verwandtschaft – im Sinne eines plus ultra anstatt der Zurücknahme –
zum Variationensatz der Sonate. Daß diese Korrespondenz nicht von
Zeitblom ausgesprochen wird, sondern vom Leser entdeckt werden muß,
macht ihre Annahme noch nicht zur bloßen Spekulation.

Das Entsteigen ins Nicht-mehr-Geheure beschreibt Kretzschmar dann
als einen Vorgang, mit dem durch die Parallelisierung von Werk und
Leben bereits am Beispiel Beethovens signalisiert wird, was sich später
mit der Kantate und durch diese als das Schicksal der Musik wie das
Schicksal Leverkühns offenbart. Nimmt man noch die „schauerliche
Geschichte" hinzu, die Kretzschmar im nächsten Vortrag von Beethoven
als dem „heimgesuchten Schöpfer" erzählt, diese Geschichtes des Meisters, der mit den Worten des Herrn am Ölberg: „Könnt ihr denn nicht
eine Stunde mit mir wachen?" zur Postfiguration Christi und zur Präfiguration des Schöpfers von 'Dr. Fausti Weheklag' gerät (80) – nimmt man
dies hinzu, so enthüllt sich der Sinn der literarisierenden Analyse der
Arietta-Variationen: „Ja, ebenso, wie das durch hundert Schicksale,
hundert Welten rhythmischer Kontraste gehende Thema dieses Satzes
sich selbst überwachse und endlich in schwindelnden Höhen, die man

jenseitig nennen mochte oder abstrakt, sich verliere, – ebenso habe Beethovens Künstlertum sich selbst überwachsen" (72). In 'Deutschland und die Deutschen' hat Thomas Mann eben dort, wo Faust als Repräsentant der deutschen Seele und daher als musikalisch apostrophiert wird, die Musik als christliche Kunst mit negativen Vorzeichen, als „berechnetste Ordnung und chaosträchtige Wider-Vernunft zugleich" und als „abstrakt und mystisch" bezeichnet.[80] Im Roman wird nicht erst von Leverkühns, sondern schon von Beethovens Künstlertum gesagt, es sei aus „wohnlichen Regionen der Überlieferung... vor erschrocken nachblickenden Menschenaugen in Sphären des ganz und gar nur noch Persönlichen aufgestiegen" (73). Die Verbindung des an Christus gemahnenden nächtlich verlassenen Schöpfers der 'Missa solemnis' mit dem Bild des Aufstiegs erzwingt die assoziative Analogie zur Himmelfahrt des zur Hölle niedergefahrenen und wiederauferstandenen Christus.[81] Dadurch wird das Bild dessen, der in die Sphären des nur noch Persönlichen aufgestiegen ist, zur Provokation des Religiösen durch das Künstlertum. „Die Musik ist dämonisches Gebiet", sagt Thomas Mann im Vortrag 'Deutschland und die Deutschen' unter Berufung auf den ins Teufelsgespräch eingebrachten Kierkegaard.[82] Und daß es bei der im Aufstieg liegenden Provokation um die Evokation des Dämonischen durch den präfigurierenden Beethoven geht, verraten die Variationen dessen, was da so abstrakt zunächst das nur noch Persönliche heißt: „ein in Absolutheit schmerzlich isoliertes, durch die Ausgestorbenheit seines Gehörs auch noch vom Sinnlichen isoliertes Ich, der einsame Fürst eines Geisterreichs, von dem nur noch fremde Schauer selbst auf die willigsten Zeitgenossen ausgegangen seien" (73). Die weiteren musikphilosophischen Erläuterungen des zweiten Satzes der letzten Beethoven-Sonate nehmen unverkennbar die Merkmale vorweg, die später zur stilistischen Unterscheidung der Faust-Kantate von der 'Apokalypse' dienen. Zurückgewiesen wird die allzu direkte und vereinfachende Verbindung der Idee des „nur Persönlichen" mit der Idee der „schrankenlosen Subjektivität und des radikalen harmonischen Ausdruckswillens im Gegensatz zur polyphonischen Objektivität" (73). Wenn hier hinzugefügt wird, Kretzschmar habe gewünscht, „wir möchten uns den Unterschied einprägen: harmonische Subjektivität, polyphonische Sachlichkeit", so ist dies wieder einmal ein Appell an die Aufmerksamkeit des Lesers. Dort soll er sich diesen Unterschied ja nicht einprägen, weil er ihn zum Verständnis der 'Apokalypse' und folglich auch für eine Antwort auf die Frage nach der Beziehung von Ästhetizismus und

Barbarei benötigt, in der ja auch das Problem von Subjektivität und Objektivität, von Individuum und Gemeinschaft steckt. Sondern der Leser muß sich bei Leverkühns letztem Werk daran erinnern, daß „diese Gleichung, dieser Gegensatz" bei der letzten Beethoven-Sonate „wie beim meisterlichen Spätwerk überhaupt" nicht stimmen wolle (73). Die Unterscheidung des Beethovenschen Spätstils von dem der mittleren Zeit nimmt spiegelbildlich diejenige vorweg, die Zeitblom zwischen dem apokalyptischen Oratorium und der Kantate vollziehen wird. Spiegelbildlich heißt hier spiegelverkehrt, denn beim mittleren Beethoven spielt die radikale Subjektivität die Rolle, die in der 'Apokalypse' gerade der Objektivität zukommt. Und dies trägt dem Werk den doppelten Vorwurf des Intellektualismus und der Barbarei ein, obwohl kraft solcher Objektivität die 'Apokalypse' zu einem so prophetischen wie gnadenlosen Zeitdokument wird!

Warum Beethoven in seiner Mittelzeit weit subjektivistischer gewesen sei, wird von Kretzschmar damit erklärt, daß der Komponist damals viel eher als beim Spätwerk darauf bedacht war, „alles Konventionelle, Formel- und Floskelhafte, wovon die Musik ja voll sei, vom persönlichen Ausdruck verzehren zu lassen, es in die subjektive Dynamik einzuschmelzen" (73). Daß dies zunächst einmal genau umgekehrt werden muß, damit der späte Leverkühn den späten Beethoven wieder einholen kann, hängt an Thomas Manns eigenwilliger Verknüpfung der von Adorno gelieferten geschichts- und musikphilosophischen Thesen mit der allegorisierenden Wiederaufnahme der lebenslang nur immer abgewandelten eigenen Themen. Das Antithesen- und Vermittlungsspiel ist nicht eine von mehreren Konstanten, sondern das konstituierende Element von Thomas Manns Welt. Die vielen Gegensatzpaare dieser Privatmythologie, in der nun so spät noch der Widerstreit von Subjektivität und Objektivität auftaucht, sind alle nur Ausformungen einer Ambivalenz. In Thomas Manns Auslegung des Apollinischen und Dionysischen oder des Romantischen und Klassischen steckt schon, was im 'Faustus' in der Chiffre der harmonischen Subjektivität und polyphonischen Objektivität vorgeführt wird. Überdies dient das ein weiteres Mal dazu, sich gegenüber der spießbürgerlichen Unterscheidung von Gesundheit und Krankheit zu verwahren – welche Reserve die ironische, nämlich distanzierende und einschränkende Anerkennung von Goethes Definition des Romantischen als des Kranken und des Klassischen als des Gesunden keineswegs ausschließt. Denn Thomas Mann wollte dieses Dictum nicht mit der schlichten Entgegensetzung von Gesundheit als Normalität und Krankheit als Abweichung von der Normalität verwechselt haben. Daß in der Geschichte von der dämonisch entfesselten und gesteigerten Krankheit gerade der bürgerliche Chronist als so besorgter wie unbürgerlicher Anwalt der Krankheit auftreten kann, zeigt, wo die Verwandtschaft von Zeitblom und Settembrini endet und läßt ahnen, um wieviel komplizierter die vertrackte Kalkulation des 'Doktor Faustus' im Vergleich zu derjenigen des 'Zauberberg' ist. Darum muß, was der 'Zauberberg' noch als die Überwindung der Romantik durch Nietzsche vorführt, der Nietzsche-Roman der Musik als Selbstkreuzigung und Selbsthenkertum in der Wahnsinnsidentifikation Leverkühns mit 'Doktor Faustus' zeigen. Ein solches Opfer wird demjenigen abverlangt, dem es als einzigem gegeben ist, das Werk der Erlösung zu schaffen, diese „Klage des Höllensohns, die furchtbarste Menschen- und Gottesklage, die, ausgehend vom Subjekt, aber stets weiter sich ausbreitend und gleichsam den Kosmos ergreifend, auf Erden je angestimmt worden ist" (643). Anderthalb Jahrzehnte, also von 1930 bis 1945, habe das „in Schmerzen und Schauern" geliebte Werk „als ein toter, verpönter und verheimlichter Hochwert dagelegen". Wenn es dann heißt, das „Aufleben" möge „durch die vernichtende Befreiung, die wir erdulden, herbeigeführt werden" (643), so meint das nur vordergründig, daß nach dem bereits absehbaren Ende der Hitler-Diktatur die Uraufführung von Leverkühns letztem Werk zu erwarten ist. Vielmehr wird auch schon durch Worte wie 'daliegen' und 'Auferstehung' die Vorstellung vom Grab des Gekreuzigten und von dessen Auferstehung suggeriert.

Im 'Zauberberg' erfährt das Spiel mit der Grabessymbolik seine geistesgeschichtliche Kulmination im Musik-Kapitel. Da hier für Musik die Romantik steht, wird mit dem Urteil über letztere auch der Spruch über die erstere gefällt. Das paradigmatische Lindenbaumlied ist eine frische und prangend gesunde, aber auch zur Zersetzung neigende Frucht, „reinste Labung des Gemütes, wenn sie im rechten Augenblick genossen wurde, vom nächsten unrechten Augenblick an Fäulnis und Verderben in der genießenden Menschheit" verbreitend.[83] Die Unterscheidung nach rechtem und unrechtem Augenblick zielt auf den Anachronismus der mythisierenden Identifikation. Wir haben ihn die falsche Unmittelbarkeit genannt und damit jene so fatal zeitgemäße wie geschichtlich unzeitgemäße Recreation einer vergangenen Bewußtseinsstufe und Seelenschicht gemeint. Im 'Zauberberg' wird die vom Tode gezeugte und todesträchtige

Lebensfrucht der Romantik, für die das holde „Heimwehlied" steht, „ein Wunder der Seele" genannt. Zugleich aber wird bereits hier auf die latente Gefahr der Verbindung des Ästhetischen mit der tödlichen Nostalgie hingewiesen. Denn dieses Wunder der Seele ist „das höchste vielleicht vor dem Angesicht gewissenloser Schönheit und gesegnet von ihr, jedoch mit Mißtrauen betrachtet aus triftigen Gründen vom Auge verantwortlich regierender Lebensfreundschaft, der Liebe zum Organischen". Als solches ist es „Gegenstand der Selbstüberwindung nach letztgültigem Gewissensspruch". Die sich anschließende Auslegung der „Selbstüberwindung" der Liebe zum „Seelenzauber mit finsteren Konsequenzen" zieht die gerade Linie von Schubert zu Wagner, der als Triumphator der Romantik von Nietzsche überwunden wird. So hatte Thomas Mann im 'Zauberberg' die Linie der Hoffnung vom Selbstüberwinder der todesträchtigen Romantik in eine vage Zukunft gezogen. Hingegen frommt „uns", den Deutschen, die wie Zeitblom den Zusammenbruch des Dritten Reiches überleben, nur die „immerwährende, unerschöpflich akzentuierte Klage von schmerzhaftester Ecce-homo-Gebärde" (644). Die Selbstüberwindung kann nur noch als gebrochenes Echo, „Selbstbefreiung", widerhallen: „Es gab Jahre, in denen wir Kinder des Kerkers uns ein Jubellied, den 'Fidelio', die 'Neunte Symphonie', als Morgenfeier der Befreiung Deutschlands – seiner Selbstbefreiung – erträumten" (643). Da dem Vaterland die Selbstbefreiung nicht gelang, wird allein das „De profundis ... ohne Beispiel" uns „aus der Seele gesungen sein" (643). Die lyrischen Partien der 'Apokalypse' sind eine „inständige Bitte um Seele" (501). Der letzte Satz des Romans ist Zeitbloms Fürbitte, und die gilt „euerer" armen Seele, die, als des Freundes und des Vaterlandes Seele, auch die unsere ist. Zwischen der Bitte und der Fürbitte aber ertönt die Klage, in der das „Umschlagen kalkulatorischer Kälte in den expressiven Seelenlaut und kreatürlich sich anvertrauende Herzlichkeit Ereignis" wird (643). Zwar bedient sich Zeitblom dafür der Frageform, doch hat er von der Bitte um Seele auch nur fragend, in suggestiver Behutsamkeit also, gesprochen. Das ist keine Bezweifelung, sondern eine erkennbare Form der Verhüllung, denn Zeitblom spricht davon, daß er in Fragen „kleide", „was nichts weiter als die Beschreibung eines Tatbestandes" sei, „der seine Erklärung im Gegenständlichen sowohl wie im Künstlerisch-Formalen" fände (643).

Erst im Umschlag der Kälte in den Seelenlaut geschieht der eigentliche Durchbruch, nicht schon in jenem Inspirationsrausch, der die 'Apokalypse' zeitigt. Darum 'fragt' Zeitblom, sich selbst und den Leser an das Grundthema erinnernd, eben hier, ob es mit dem De profundis „nicht dennoch, unter dem schöpferischen Gesichtspunkt, unter dem musikgeschichtlichen wie unter dem persönlicher Vollendung gesehen, eine jubilante, eine höchst sieghafte Bewandtnis" habe (643); und ob nicht das Werk dieser Klage den „Durchbruch" bedeute, „von dem zwischen uns, wenn wir das Schicksal der Kunst, Stand und Stunde derselben, besannen und erörterten, so oft als von einem Problem, einer paradoxen Möglichkeit die Rede gewesen war" (643). Zwischen uns: damit sind nicht nur die Gespräche zwischen Leverkühn und Zeitblom gemeint, sondern die Erinnerung gilt allen Disputen, die über dieses Problem geführt wurden, also auch den bodenlos leichtfertigen im Kridwiß-Kreis, hinter denen schließlich ebenfalls der Disput steht, den Leverkühn mit dem Teufel geführt hat. Wenn die Verschreibung jene Recreation ermöglichte, durch die sich die Creation von Leverkühns erstem Hauptwerk als Summe des apokalyptischen Fieberns erwies, so ist die jubilante Bewandtnis nichts weniger als die „Rekonstruktion des Ausdrucks" (643).

Damit wird der Schöpfer der Faustus-Kantate zum wahren Erben des späten Beethoven, in dessen Gebilden „das Subjektive und die Konvention ein neues Verhältnis" eingingen. Es ist „ein Verhältnis, bestimmt vom Tode" (74). Erst die Bestimmung dieses neuen Verhältnisses enthüllt ganz den präfiguralen Charakter des späten Beethoven, dessen letzte Klaviersonate für den 'Doktor Faustus' die Rolle übernommen hat, die Schuberts 'Lindenbaum' im 'Zauberberg' spielte. „Wo Größe und Tod zusammenträten,... da entsteht eine der Konvention geneigte Sachlichkeit, die an Souveränität den herrischsten Subjektivismus hinter sich lasse, weil darin das Nur-Persönliche, das doch schon die Überhöhung einer zum Gipfel geführten Tradition gewesen sei, sich noch einmal selbst überwachse, indem es ins Mythische, Kollektive groß und geisterhaft eintrete" (74). Hans Castorp taumelt am Ende „bewußtlos singend"[84], das alte Lied auf den Lippen, übers Schlachtfeld. Leverkühn setzt sich, um sein neues Werk aus der Partitur vorzuspielen, mit Tränen am Klavier nieder, einen „stark dissonanten Akkord" anschlagend. „Dabei öffnete er den Mund, wie um zu singen, aber nur ein Klagelaut... brach zwischen seinen Lippen hervor". Wie er dann zusammenbricht, um in den zwölfstündigen Schlaf zu versinken, das ruft das Bild eines Opfertieres herauf, das geschlachtet wird: „... und fiel plötzlich, wie gestoßen, seitlich vom Sessel hinab zu Boden" (667).[85]

Kretzschmar doziert in sein Klavierspiel hinein, der Schein der Kunst werde abgeworfen, und er wiederholt das Adorno'sche Dictum, es dahin generalisierend, daß zuletzt immer die Kunst den Schein der Kunst abwerfe. Und wenn er auch „Trillerketten", „Fiorituren und Kadenzen" als Reste „stehengelassener Konvention" benennt, ist doch die Literatur gemeint. Denn ausdrücklich ist wieder von der Sprache die Rede, deren „Floskel – vom Schein – ihrer subjektiven – Beherrschtheit" gereinigt werde (75). Die Sonate als Gattung, als überlieferte Kunstform, „sei hier zu Ende, ans Ende geführt, sie habe ihr Schicksal erfüllt,... sie hebe und löse sich auf, sie nehme Abschied" (77). Das gilt desgleichen für die Sinfonie, auch wenn es hier nicht eigens gesagt wird, und damit für den Roman als Gattung.

Das Arietta-Thema ist „auf ein Motiv reduzierbar, das am Schluß seiner ersten Hälfte, einem kurzen, seelenvollen Rufe gleich, hervortritt" (75). Daraus wird in Leverkühns 'Apokalypse' einmal das Verlangen, also der Ruf *nach* Seele werden. Kretzschmar skandiert das Motiv, und die Worte, die er im Halbgesang unterlegt, geben Thomas Mann nicht nur Gelegenheit, mit einem „Wiesengrund" Adorno spielerisch die fällige Reverenz zu erweisen.[86] Wichtiger sind die am Ende auftauchenden Transfigurationen der Skandierung, weil in ihnen das Ende der Faust-Kantate präfiguriert ist und damit die beiden Werke aufeinander bezogen werden. Thomas Mann schiebt ein Wort in Zeitbloms Referat, das Schöpfer und Schöpfung, Künstler und Werk, schicksalhaft zusammenbindet – „Vermenschlichung": „Es ist wie ein schmerzlich liebevolles Streichen über das Haar, über die Wange, ein stiller, tiefer Blick ins Auge zum letzten Mal. Es segnet das Objekt, die furchtbar umgetriebene Formung mit überwältigender Vermenschlichung, legt sie dem Hörer zum Abschied, zum ewigen Abschied so sanft ans Herz, daß ihm die Augen übergehen" (76). Daß auch hier Wagner aufklingt mit Wotans Abschied von Brünnhilde, ist mehr als nur ein assoziatives Spiel, und es ist ferner kein Zufall, daß Kretzschmar in seine Vorträge – „es war wieder Wagner, von dem er sprach" (87)! – den Großmeister ebenso einbringt, wie dieser durch Zeitbloms Erinnerung an den 'Tristan' unauffällig am Anfang der Beschreibung von Leverkühns Kantate steht.[87]

Das furchtbare Umgetriebenwerden der „Formung" des Arietta-Themas wird etwas genannt, das „geschieht", und das Geschehen erhält die Namen „Ingrimm, Persistenz, Versessenheit und Verstiegenheit" (76). Die gewählten Ausdrücke passen vor allem zu jenem Beethoven, den

Thomas Mann sich als Präfiguration zubereitet hat. Das Geschehen erfährt als die dem Ende der Sonate voraufgehende Handlung ihr Gegenstück in der Kantate, dem „Lamento" Leverkühns. Es wird riesenhaft genannt (645), wodurch sich noch einmal die geheime Analogie von Schubert-Wagner im 'Zauberberg' und Beethoven-Leverkühn herstellt.[88] Dem entspricht die Verflechtung, die hier zwischen der 'Apokalypse' und der Kantate aufgezeigt wird. Vom 'Lamento' wird zweimal betont, es sei „ohne Drama" (645)! Zu erinnern ist, wie bei der 'Apokalypse' die Ablösung der dramatischen Form durch die epische festgestellt und interpretiert wurde. Jetzt heißt es: „– es gibt kein Solo im 'Faustus' –" (646). Der in Parenthese gestellte Satz wäre schon allein deshalb wichtig, weil der Titel der Kantate in die Titelabkürzung des Romans umgeändert worden ist. Thomas Mann hat es aber dem Leser überlassen, daraus jene Schlußfolgerungen zu ziehen, die er in seinen Notizen noch als Absicht festgehalten, jedoch nicht in den Text übernommen hat: „Kein Solosänger des Faust. Auch was er etwa spricht, durch Chor-Gruppe vorgetragen. Dies verstärkt das Undramatisch-Epische, das schon in der Form des Ganzen liegt."[89] Auf die 'Apokalypse' und die Kantate bezogen bedeutet dies, daß erst im Endwerk die Transformation des Tragischen als dessen vollkommene epische Integration gelungen ist. Mit der Symbolsprache der Präfiguration könnte man das so ausdrücken: Faust ist hier groß und geisterhaft ins Mythische, Kollektive eingetreten.[90]

'Dr. Fausti Weheklag' ist ohne Drama, weil die tragischen Handlungen alle schon geschehen sind, die der Kunst wie die der Geschichte. Und auch jene sind vorüber, die Leverkühns Geschick ausmachen. Die Geschichte, die die Deutschen und die Welt dann einholen wird, hat Leverkühn in der 'Apokalypse' durch eine Art von Wiederholung der Geschichte der Kunst und durch die Summierung des endzeitlichen Fieberns vorweggenommen. Die Tragödie seiner Krankheit, die mit dem paralytischen Choc nicht beginnt, sondern endet, ist durch Echos Krankheit und Tod auf jenen Höhepunkt gekommen, auf dem das Nur-Persönliche ins Mythische umschlägt. Der Absturz aus dieser Höhe entbindet in einem den bereits ahnbaren Wahnsinn der Identifikation mit dem Thema des Werkes und das Werk des eigentlichen Durchbruchs selbst.

Dafür steht noch einmal die Chiffre der Zwölfton-Technik, die bei der Beschreibung der Kantate wieder aufgegriffen und kommentiert wird und in dieser letzten Variation erst ihren ganzen Sinn enthüllt. Zeitblom nennt den „Umschlag von strengster Gebundenheit zur freien Sprache des Affekts" einen „dialektischen Prozeß" (644). Die hegelianisierende Redeweise stellt nur einen übernommenen Hilfsbegriff bereit für die Thomas Mannsche *coincidentia oppositorum*, die hinter der Steigerung des inspirativen Durchbruchs der 'Apokalypse'-Stufe zum eigentlichen, die Einheit der Gegensätze erst wirklich vollendenden Durchbruch steckt. Daher trifft besser als der geborgte Begriff des Dialektischen die andere, an Nietzsche erinnernde Charakterisierung des Umschlags: „Geburt der Freiheit aus der Gebundenheit".

Der junge Nietzsche wollte die Wiedergeburt der antiken Tragödie im Musikdrama Wagners feiern, indem er die Geburt der attischen Tragödie aus dem Geiste der Musik zu beweisen versuchte. Dem dionysischen Kunsttrieb entstammt der Chor als Keim der Tragödie, der Dialog ist ihr apollinischer Teil. Da der tragische Mythos mit der Musik und dem Dionysischen korrespondiert, ist das Dionysische das Ursprüngliche, obwohl die Tragödie aus dem Kampf des Gegensatzpaares entsteht. Nicht am Apollinischen geht die Tragödie zugrunde, sondern am Geist des theoretischen, auf die Vernunft gegründeten Optimismus, der bei den Griechen unter den Namen von Sokrates und Euripides auftritt. Wagners Kampf gegen die Oper aufnehmend, erklärt Nietzsche die Entstehung dieser Gattung zu Beginn der Neuzeit als die moderne Form des Sokratismus, der im übrigen auch den Roman hervorgebracht habe. Selbst solchen Helden wie Schiller und Goethe gelang es nicht, die Pforte zu erbrechen, die in den Zauberberg führt, der zunächst der olympische und dann der hellenische genannt wird. Erst unter dem mystischen Klang der wiedererweckten Tragödienmusik, dem Musikdrama, für das in der 'Geburt' vor allem der 'Tristan' als Beispiel dient, öffnet sich diese verschlossene Pforte. Mit der Wiedergeburt der untergegangenen Tragödie geht diejenige des verlorenen Mythos einher. Der mächtige Sonnenlauf der deutschen Musik, der von Bach zu Beethoven, von Beethoven zu Wagner führt, verbürgt nicht nur die Wiedergeburt der Tragödie, sondern auch andere selige Hoffnungen für das deutsche Wesen. Die Macht, die aus dem dionysischen Grund des deutschen Wesens emporstieg, die deutsche Musik nämlich, hat mit der sokratischen Kultur nichts gemein und wird von ihr als das Schrecklich-Unerklärliche, als das Übermächtig-Feindselige empfunden. Dieser Dämon steigt aus denselben unerschöpflichen Tiefen empor wie schon die deutsche Reformation: aus dem Abgrund der in ungeheuren Momenten sich bewegenden und dann wieder einem zukünftigen Erwachen entgegenträumenden innerlich gesunden, uralten Kraft. Daher ist im Choral der Reformation die Zukunftsweise der deutschen Musik zuerst erklungen. Tief, mutig und seelenvoll, überschwenglich gut und zart tönte Luthers Choral, als der erste dionysische Lockruf. Allein im Glauben an eine noch bevorstehende Wiedergeburt des hellenischen Altertums, an das dionysische Leben und die Tragödie, finden wir unsere Hoffnung für eine Erneuerung und Läuterung des deutschen Geistes durch den Feuerzauber der Musik, denn überall ist nur Staub, Sand, Erstarrung, Verschmachten. Kein besseres Symbol gibt es für den trostlos Vereinsamten in solcher Wüste als Dürers Ritter mit Tod und Teufel.

So lassen sich die wichtigen, wenn auch von Thomas Mann nicht stets gleich bewerteten Programmpunkte der von ihm immer wieder gelesenen 'Geburt der Tragödie' in Nietzsches eigenen Wendungen zusammenfassen. Obwohl Thomas Mann, unerachtet seiner zwar schwankenden, aber nie nachlassenden Wagner-Faszination auch die Wagner-Kritik des späteren Nietzsche bewundert und zum Teil akzeptiert hat, war ihm zumindest während der Entstehungszeit der 'Betrachtungen eines Unpolitischen' die deutsch-ästhetische Weltanschauung der 'Geburt der Tragödie' willkommene Bestätigung. Leverkühns 'Apokalypse' und Zeitbloms nationales Engagement während der Inkubationszeit, wie sein Leiden während der Entstehung des Oratoriums mußten daher auch mit Materialien bestritten werden, die Thomas Mann selbst so gut wie dem jungen Nietzsche gehörten. Wie früher erwähnt, hatte sich in Bertrams 'Nietzsche', dem Zwillingswerk der 'Betrachtungen', die Ablösung des Faust-Mythos durch den Nietzsche-Mythos als Paradigma der deutschen Seele bereits geoffenbart. Darum galt es, beim Untergang Leverkühns die Korrespondenz zu jenem Nietzsche herzustellen, der sich so inbrünstig dem Choral Luthers als dionysischer „Zukunftsweise der deutschen Musik" hingegeben hatte,[91] daß er sich in eine Rhetorik verstieg, deren Fatalität durch den 'Versuch einer Selbstkritik' von 1886 nicht gemindert, sondern im weiteren Verlauf der deutschen Geschichte nur noch gesteigert wurde. In der 'Geburt' schrieb Nietzsche, auf den Krieg von 1870/71 und den deutschen Sieg als einer äußerlichen Vorbereitung und Ermutigung für die Rückbesinnung des deutschen Wesens anspielend: der Deutsche müsse die „innerliche Nötigung" zu solchem Kampf in dem Wetteifer suchen, „der erhabenen Vorkämpfer auf dieser Bahn, Luthers ebensowohl als unserer großen Künstler und Dichter, stets wert zu sein.

Aber nie möge er glauben, ähnliche Kämpfe ohne seine Hausgötter, ohne seine mythische Heimat, ohne ein 'Wiederbringen' aller deutschen Dinge, kämpfen zu können! Und wenn der Deutsche zagend sich nach einem Führer umblicken sollte, der ihn wieder in die längst verlorne Heimat zurückbringe, deren Wege und Stege er kaum mehr kennt – so mag er nur dem wonnig lockenden Rufe des dionysischen Vogels lauschen, der über ihm sich wiegt und ihm den Weg dahin deuten will."[92] Im 'Versuch einer Selbstkritik' sagt Nietzsche zwar, inzwischen habe er „hoffnungslos und schonungslos genug von diesem 'deutschen Wesen'" denken gelernt, „insgleichen von der jetzigen *deutschen Musik*, als welche Romantik durch und durch ist"; aber den Vorwurf, daß sein eigenes Buch „selbst ein Stück Antigriechentum und Romantik, selbst etwas 'ebenso Berauschendes als Benebelndes', ein Narkotikum jedenfalls, ein Stück Musik sogar, *deutscher* Musik" sei – diesen Vorwurf wehrt er ab mit der Berufung auf eine Textstelle der 'Geburt', in der die Vision einer heranwachsenden Generation von Siegfrieden „mit dieser Unerschrockenheit des Blicks, mit diesem heroischen Zug ins Ungeheure" gemalt wird: „denken wir uns den kühnen Schritt dieser Drachentöter, die stolze Verwegenheit, mit der sie allen den Schwächlichkeitsdoktrinen des Optimismus den Rücken kehren, um im Ganzen und Vollen 'resolut zu leben': *sollte es nicht nötig sein,* daß der tragische Mensch dieser Kultur, bei seiner Selbsterziehung zum Ernst und zum Schrecken, eine neue Kunst, *die Kunst des metaphysischen Trostes,* die Tragödie als die ihm zugehörige Helena begehren und mit Faust ausrufen muß:

> Und sollt' ich nicht, sehnsüchtigster Gewalt,
> Ins Leben ziehn die einzigste Gestalt?

'Sollte es nicht *nötig* sein?' ... Nein, dreimal nein! ihr jungen Romantiker: es sollte *nicht* nötig sein! Aber es ist sehr wahrscheinlich, daß es so *endet,* daß *ihr* so endet, nämlich 'getröstet', wie geschrieben steht, trotz aller Selbsterziehung zum Ernst und zum Schrecken, 'metaphysisch getröstet', kurz, wie Romantiker enden, *christlich* ..." Damit meint Nietzsche, ohne es direkt zu sagen, so enden hieße, wie Wagner enden, der, abgefeimtester Romantiker, mit dem 'Parsifal' zu Kreuze kroch. Dem ruft Nietzsche sein Nein! entgegen, seine jungen Freunde sollten vorerst die Kunst des diesseitigen Trostes lernen, sie sollten lachen lernen. Was er damit meint, sagt er „in der Sprache jenes dionysischen Unholds, der *Zarathustra* heißt". Das Zitat aus dem vierten Teil des 'Zarathustra' nimmt den letzten

'Ecce-homo'-Aufschrei „Dionysos gegen den Gekreuzigten…" vorweg als die Parodie des gegeißelten Jesus, dem die höhnenden Kriegsknechte eine Dornenkrone auf sein Haupt gesetzt haben: „Diese Krone des Lachenden, diese Rosenkranz-Krone: euch, meinen Brüdern, werfe ich diese Krone zu! Das Lachen sprach ich heilig: ihr höheren Menschen, *lernt* mir – lachen!"[93]

Die Neigung zu Lachanfällen hat Leverkühn unmittelbar von Thomas Mann geerbt. Doch dient die Verwertung dieser psycho-physischen Besonderheit nur dazu, das motivische Ideengeflecht sinnlich wahrnehmbar zu machen. In der 'Entstehung' wird das Lachen „eines der *kleinen* Motive" genannt, mit denen zu arbeiten ihn immer am meisten gefreut habe.[94] Wobei die Freude natürlich der Arbeit als solcher gilt und daher von der Unheimlichkeit des Motivs selbst nicht beeinträchtigt wird. Um aus der Anfälligkeit zum Gelächter ein wirkliches Motiv zu machen, hätte es freilich nicht genügt, diese Neigung als Ausdruck der anderen Seite von Leverkühns Einsamkeitsdünkel und -schwermut, als „eine Art von Zuflucht und leicht orgiastische", Zeitblom „niemals ganz liebe und geheure Auflösung der Lebensstrenge" (115) aufklingen zu lassen. Auch wenn das Gelächter an bedeutendsten Stellen eingesetzt wird: erst das Höllengelächter der 'Apokalypse' macht aus dem Motiv wirklich ein Leitmotiv, das Nietzsches forcierten Lobpreis des Lachens verschärft, in dem Thomas Mann seine eigene Neigung als grausige Verzerrung wiedererkennen mußte.[95]

Der Durchbruch der 'Apokalypse' führte zur Verwirklichung der formalen Utopie von schauerlicher Sinnigkeit, in der sich die „substanzielle Identität des Seligsten mit dem Gräßlichsten, die innere Einerleiheit des Engelskinder-Chores mit dem Höllengelächter" offenbarte. Der Durchbruch der 'Weheklag' aber ist die Geburt der Freiheit aus der Gebundenheit jener Utopie, die dem jungen Leverkühn zum ersten Mal bei Kretzschmars letztem Vortrag aufschimmert. Der Vortrag handelt von der „Idee des Elementaren, des Primitiven, des Uranfänglichen" (86) in der Musik, und er leitet von Wagners Ring-Anfang über Bruckners Hingabe an die Dreiklänge (87) zu einer Art Wiedergeburt der Musik aus dem Geiste der Prophetie, die der Sektenführer Beißel im 18. Jahrhundert in Pennsylvania nach neuer „Eingebung und Heimsuchung" (90) bewerkstelligte, indem er „dekretierte, daß 'Herren' und 'Diener' sein sollten in jeder Tonleiter" (90). Der junge Serenus hält das für ein „absurdes Ordnungsdiktat", während Adrian trotz ironischer Distanzierung die

Erfindung des Winkel-Diktators verteidigt. „Stelle dir vor, wie diese Beißel-Hymnen geklungen haben" (94), lehnt Serenus sich gegen Adrians Anerkennung auf und provoziert damit ein Lob des streng Gesetzmäßigen, das nicht sentimental sei.[96] Dabei braucht der Leser weder des einen noch des anderen Kommentar, um sich jene Hymnen zu imaginieren, hat er doch, was die Disputanten befremdlicherweise, aber gewiß nicht auf Grund einer Nachlässigkeit Thomas Manns, vergessen haben, unmittelbar davor diese Musik bereits erklingen hören. Denn eine „leicht sagenhafte Erinnerung daran habe sich doch durch die Jahrzehnte erhalten" (92), erzählt Kretzschmar und rekonstruiert dabei so genau, daß man Beißels Musik nicht minder eindringlich zu vernehmen glaubt als später die Kompositionen von Leverkühn.

Zu Beginn seines Vortrages doziert Kretzschmar, unter allen Künsten habe gerade die Musik, „zu einem wie hochkomplizierten...Wunderbau von historischer Creation" sie auch emporgewachsen sei, „niemals sich einer frommen Neigung entschlagen, ...ihrer anfänglichsten Zustände pietätvoll zu gedenken", und er nennt das feierliche Beschwören der Anfänge die Zelebration der Elemente (86/87). Diese Elemente seien „gleichsam die ersten und einfachsten Bausteine der Welt". Schopenhauers Musikphilosophie spiegelt sich hier wider, und das ’gleichsam’ deutet auf den paradigmatischen Charakter der Musik hin, was noch dadurch verstärkt wird, daß von „Parallelismus" die Rede ist. Es bleibt nicht bei der abstrakten Feststellung, vielmehr wird die das Grundthema des Romans umspielende Beobachtung ganz in die Komposition des Buches einbezogen, indem Kretzschmar vom philosophierenden Künstler jüngst vergangener Tage spricht, der sich diesen Parallelismus „klug zunutze gemacht habe, indem er die Grundelemente der Musik in seinem kosmogonischen Mythos vom ’Ring des Nibelungen’ sich mit denjenigen der Welt habe decken lassen". So habe er, geistreich in großem Stil, „den Mythos der Musik zugleich mit demjenigen der Welt gegeben". Daß auch hier der Fürst eines Geisterreiches am Werk ist, und im großen Stil dazu, gehört noch zu der Analogie, mit der die ’Zauberberg’-Linie von Schubert zu Wagner im ’Faustus’ ihre Fortsetzung findet. Zugleich wird auf Leverkühns letztes Werk hingedeutet. Denn von der Zelebration der Elemente, die sich auch Wagner klug zunutze gemacht habe, heißt es, die Musik feiere damit „ihre kosmische Gleichnishaftigkeit" (87), woraus Wagner wiederum, indem er mit dem Mythos der Musik den der Welt gibt, einen „Apparat sinniger Simultaneität geschaffen" habe (87).[97] Die formale Utopie, die sich in der 'Apokalypse' vorbereitet, ist eine solche von schauerlicher Sinnigkeit, die in der Kantate universell wird (645) – dieser Menschen- und Gottesklage, die „gleichsam (!) den Kosmos" ergreift (643).

Wagners Apparat, so Kretzschmar, sei „wohl ein wenig zu gescheit im Vergleich mit gewissen Offenbarungen des Elementaren in der Kunst reiner Musiker, Beethovens und Bachs" (87). Wenn „zum Exempel" dann etwas von Bach angeführt wird, mag dies unter anderem wohl auch damit zusammenhängen, daß selbst Adorno bei Beethoven kein ähnlich treffendes Beispiel finden konnte, wie es das „Präludium der Cello-Suite" von Bach darstellt: „auch einem Es-Dur-Stück und aufgebaut auf primitive Dreiklänge" – und somit direkt vergleichbar dem „Es-Dur-Dreiklang der strömenden Rheinestiefe" und den sieben Primitiv-Akkorden, aus denen „die Burg der Götter sich aufbaue" (87). Die Linie läuft vom Meister des 'Rings', diesem Herrscher im Zauberreich der mythischen Imagination, zum späten Beethoven als dem Fürsten eines Geisterreiches zurück und weist damit wiederum auf Leverkühn voraus. Doch dient die Erwähnung Wagners nicht anders als die Nennung von Beethoven, Bach und Bruckner an dieser Stelle der Vorbereitung des eigentlichen Exemplums, mit dem die „Neigung der Musik, ins Elementare zurückzutauchen und sich selbst in ihren Grundanfängen zu bewundern" (87), demonstriert werden soll.[98] Beißels System der Herren- und Dienertöne ist eine Vorwegnahme von archaischerer Art als die Präfiguration des späten Beethoven, und daher kündet sich in Beißels Hymnen unmittelbarer als im Abschied der Sonate an, was bei Leverkühn dann zur Geburt der Freiheit aus der strengsten Gebundenheit führen wird.

Über die Rolle, die Luthers Kirchengesang als Vorwegnahme der in Wagners Musikdrama wiedergeborenen Tragödie beim jungen Nietzsche spielt, stellt sich zudem die Korrespondenz zwischen der Beißel'schen Hymnik und dem Choral Luthers her. Wie des Waldvogels Stimme den Helden Siegfried zu Brünnhilde führte, lockte Luthers Choral, sich als dionysischer Vogelruf über den suchenden Deutschen wiegend, diese in eine nicht nur musikalische Zukunft. Die Wirkung von Beißels eigenwilliger Tonsetzung rührt unter anderem von einer Behandlung des Chores her, die derjenigen ähnelt, die Leverkühn in der Kantate durch die Art erreicht, wie er Chor- und Orchesterpartien aufeinander bezieht. Bei Beißel hätten die vom Chor dringenden Töne „zarte Instrumental-Musik nachgeahmt und den Eindruck einer himmlischen Sanftmut und Frömmigkeit in dem Hörer hervorgerufen" (92). Von der wundersamsten akustischen Wirkung des Falsett-Gesangs weiß Kretzschmar zu berichten, es habe geschienen, als ob die Töne von der Decke des Betsaals „herabgestiegen wären und engelhaft über den Köpfen der Versammlung geschwebt hätten" (92). Daß für den jungen Nietzsche mit Wagners Musikdrama nicht nur die von Luthers Choral verheißene Wiedergeburt der Tragödie Ereignis wird, sondern daß mit Wagner auch die nicht deutsche, katholische Sakralmusik ihre Wiedergeburt erfährt, ist dem Frühwerk des philosophierenden Wagnerjüngers ebenfalls zu entnehmen. Denn nach Nietzsche gibt erst Wagner der Musik wieder, was ihr durch die Oper einst geraubt worden ist. Sei es glaublich, fragt Nietzsche, „daß die gänzlich veräußerlichte, der Andacht unfähige Musik der Oper von einer Zeit mit schwärmerischer Gunst, gleichsam als die Wiedergeburt aller wahren Musik, empfangen und gehegt werden konnte, aus der sich soeben die unaussprechbar erhabene und heilige Musik Palestrinas erhoben hatte?"[99] Ganz unbeschreiblich sei es gewesen, so gibt Kretzschmar die Erinnerung seines Vaters an die „mit nichts anderem auf dieser Welt" zu vergleichende Musik des Sektenführers wieder. Er, der Vater, habe doch „in englischen, französischen und italienischen Opernhäusern gesessen; das aber sei Musik für das Ohr gewesen, die Beißels aber ein Klang tief in die Seele und nicht mehr noch minder als ein Vorgeschmack des Himmels" (93). Nie habe Kretzschmars Vater den Seinen davon berichtet, „ohne daß sich ihm die Augen genäßt hätten" (92). So gehen beim Abschied des vermenschlichten Arietta-Themas dem Hörer die Augen über. Tränen werden Leverkühns Wangen hinunterrinnen, wenn er nach seiner Abschiedsrede noch einmal in das Werk, das vollbracht ist, zurückzufinden versucht, um mit diesem Werk seine Einsamkeit zu durchbrechen, indem er durch die Klage von ihr Kunde gibt. Es sind die Tränen, die jenen „Tränenstrom des Glücks" wegwaschen, den der Teufel als Begleitsymptom der Inspiration verheißen hat (317).

Das Kunstgeheimnis

In der 'Entstehung' zitiert Thomas Mann aus dem eigenen Tagebuch, er habe „mit Leide" am Kapitel über Echos Todeskrankheit gearbeitet. Als müsse er nicht nur vor dem Leser, sondern vor sich selbst verteidigen, daß das engelhafte Wesen auf so gräßliche Weise zu Tode kommt, beruft er sich auf jene höhere Notwendigkeit, die dem Schöpfer der erfundenen Welt kein Ausweichen vor der Logik seiner Komposition erlaubt: „Das 'göttliche Kind' sollte dem, der nicht lieben durfte, dem Mann der 'Kälte', genommen werden, das war längst verhängt und beschlossen."[100] Die Anspielung auf eine Schrift Karl Kerényis, des mythologischen Mentors der Josephs-Romane, ist nicht nur eine Arabeske. Im Roman selbst wird die „Erscheinung *des Kindes*" (619) so beschrieben, daß der von Kerényi aufgewiesene Archetypus des göttlichen Kindes erkennbar ist; doch zeichnet sich bereits hier die Vermischung mit der Ariel-Figur ab und damit die Linie, die über Shakespeare zu Faust II verläuft. Es handelt sich dabei um eine jener kühnen Vermengungen, wie sie Thomas Mann schon im 'Zauberberg' etwa in der Gestalt Peeperkorns mit den wechselnden dionysischen und christlichen Zügen gewagt und im Teufelsbündler Leverkühn, der Christuszüge trägt, fortgesetzt hat. Wieviel er im Falle Echos durch solche vermischende Überlagerung für den Roman gewinnt, wird erst abschätzbar, wenn die ganze über Echo gewonnene Motivverknüpfung sichtbar geworden ist.

Schon ehe der Hinweis auf d a s K i n d gegeben wird, ist der Archetypus an seiner Wirkung erkennbar. Die „Leute", zu denen auch der Pfarrer gehört, der dem Kind voller Ergriffenheit sogleich „ein buntes Bild des Lammes" schenkt, oder auch der Lehrer, dem „ganz anders" wird (615), die Leute des Volkes anerkennen sogleich, was Leverkühn weiß und wogegen der vernünftige Pädagoge Zeitblom sich wenigstens nach außen hin zunächst sperrt. Während die Frauen „meist eine Neigung merken" lassen, „bei Nepomuk niederzuknien" (615), ist Zeitblom „gewillt zu der Feststellung, daß hier alles mit recht und schlechten Dingen zugehe" (616). Im Nachhinein versucht er gar nicht, die Lächerlichkeit seiner Pädagogenrolle abzumildern. Denn nicht nur, daß Thomas Mann hier seinen Chronisten als Pädagogen parodiert, vielmehr tut dieser es selbst, indem er seine anfängliche Haltung gegenüber dem Kinde beschreibt: „Zu diesem Behuf legte ich mein Gesicht in barsche Falten, machte mir eine recht tiefe Stimme" (616). Die Verstärkung, daß er sich dabei „unsäglich lächerlich" vorgekommen sei, wäre eine überflüssige Wiederholung, wenn sie nicht dazu diente, in Form von Zeitbloms krampfhaftem Sich-Verhören das groteske Gegenstück zu dem zu produzieren, was zuvor als die „Verfehlung" des Kindes bezeichnet wurde: „Nepomuk, oder 'Nepo', wie die Seinen ihn riefen, oder 'Echo', wie er, schon seit er zu lallen begonnen hatte, in wunderlicher Verfehlung der Mitlaute sich selber nannte" (611). Es ist nicht einfach nur eine seltsame, sondern eine wahrhaft wunderbare Verfehlung, die dem Kind zu jenem Namen verhilft, dessen ganze symbolische Valenz sich erst im Zusammenhang mit Leverkühns Lamento entfalten wird. Zeitblom hat allen Grund, in starken Tönen von seiner eigenen Lächerlichkeit zu reden. In einem nachgeschobenen Nebensatz – er steht in Klammer, also gilt es aufzumerken – scheint Zeitblom sich nur noch einmal zu wiederholen: er habe das Kind immer Nepomuk genannt „und nicht 'Echo', was mir idiotischerweise als poetische Verweichlichung erschien" (617). Selbst hier hat Zeitblom sich noch einmal aufs Sinnvollste zu vergreifen. Denn gerade ums Poetische, und damit ums eigentliche Kunstgeheimnis, geht es bei Echo.

Echos Tod, die Marterung des Opferlammes, entreißt dem am Kreuz des Mitleidens hängenden Tonsetzer sein 'Eli, Eli, lama asabthani'.[101] Es wird im Munde des Teufelsverschriebenen zu einem De profundis der Rebellion gegen den Satan und so zum negativen Jubilate. Denn es verkündet, daß dem Bösen die Seele des Opfers für immer entrissen ist. Er habe gedacht, so vertraut Leverkühn sich dem Freunde an[102], das „Scheusal" (632) werde „dies vielleicht doch" zulassen, die Liebe zu dem göttlichen Kind nämlich: „...aber nein, woher soll der Gnade nehmen, der Gnadenferne, und gerade dies wohl mußt' er in viehischer Wut zertreten. Nimm ihn, Auswurf! schrie er auf und trat wieder zurück von mir, wie ans Kreuz. –" (632) Als ein anderer Nietzsche muß dieser Faustus auch die Selbstkreuzigung vollziehen. In der Kantate wird Nietzsche nicht nur durch die Ecce-homo-Gebärde der Klage präsent sein, sondern auch durch die Umkehrung seiner triumphierenden Verkündigung der ewigen Wiederkunft des Gleichen. Sie löst die in der 'Apokalypse' dominierende Heraufkunft des Nihilismus ab: wird doch in der Kantate das entwicklungslose Drama mit dem Bild der konzentrischen Kreise verdeutlicht, „die sich vermöge eines ins Wasser geworfenen Steins, einer um den anderen, ins Weite bilden, ...und immer das gleiche sind" (645). Aber wie im letzten Werk des Komponisten Nietzsches Triumph in die Klage, so ist bei der Rebellion Leverkühns angesichts von Echos Leiden Nietzsches Spott über den verfänglichen Gott als „Dichter-Erschleichnis", die Parodie des Chorus Mysticus von Faust II also, in die Verkündigung der geretteten Seele zurückverwandelt. 'An Goethe' hatte Nietzsche das erste Lied des Prinzen Vogelfrei gerichtet.[103] An den Teufel wendet sich Leverkühn, und mit Worten, in denen die Prometheus-Rebellion des jugendlichen Goethe anklingt. Die Anerkennung von dem da droben geschieht hier als die Verhöhnung von dem da drunten: eine weitere Umkehrung in diesem an Spiegelungen, Umwendungen, Rücknahmen so reichen Buch. Und auch das ist noch eine Umkehrung mit anspielungsreichen Brechungen, denn in die Auflehnung dieses anderen Prometheus tönt ein Echo von Wagners 'Parsifal' wie von Fausts letzten Worten herein: „Nimm seinen Leib, über den du Gewalt hast! Wirst mir seine süße Seele doch hübsch zufrieden lassen müssen, und das ist deine Ohnmacht und dein Ridikül, mit dem ich dich ausspotten will Äonen lang. Mögen auch Ewigkeiten gewälzt sein zwischen meinen Ort und seinen" – also zwischen die Hölle, an die sich dieser Faust verloren glaubt und das Paradies, wo Echos Seele weilt – „ich werde doch wissen, daß er ist, von wo du hinausgeworfen wurdest, Dreckskerl, und das wird netzendes Wasser sein für meine Zunge und ein Hosianna dir zum Hohn im untersten Fluch!" (632f.)

Der Satz: „Denn ich sterbe als ein böser und guter Christ", bildet mit seinen zwölf Silben, in denen „alle zwölf Töne der chromatischen Skala" gegeben sind, das „Generalthema" der Kantate (646). Der Satz wird zuvor in indirekter Rede der Abschiedsoratio des Volksbuches entnommen, wie auch der Kommentar von dort stammt. Er sterbe als ein guter Christ „kraft seiner Reue, und weil er im Herzen immer auf Gnade für seine Seele hoffe, ein böser, sofern er wisse, daß es nun ein gräßlich End mit ihm nehme und der Teufel den Leib haben wolle und müsse" (646). Nur der Leib ist des Teufels Beute! Darum wird Fausti Höllenfahrt zu einem rein orchestralen Galopp, einem Tanzfurioso, das „noch am meisten an den Geist der 'Apocalipsis cum figuris'" erinnert, dem aber „unter ungeheueren Kontrastwirkungen" der Chor-Einsatz a capella folgt, dieser überwältigende „Klage-Ausbruch nach einer Orgie infernalischer Lustigkeit" (648). Hinwiederum „verliert" sich (650) der letzte Chorsatz in den orchestralen Schlußsatz mit der bekannten Transzendenz der Verzweiflung.

Erst von dem „nachschwingend im Schweigen" hängenden Ton, der „als ein Licht in der Nacht" steht (651), erhellt im nachhinein sich das „in seiner Milde und Güte" völlig Unerwartete und Ergreifende, als das der Leser schon früh den Abschied des vielerfahrenen Arietta-Motivs der letzten Beethoven-Sonate kennengelernt hat. Die „leichte Veränderung" und „kleine melodische Erweiterung", dieses „hinzukommende cis" wird „die rührendste, tröstlichste, wehmütig versöhnlichste Handlung von der Welt" genannt (76). Die „Handlung", die dann in Leverkühns Kantate im

Entschwinden des letzten Tones, also bereits jenseits der vernehmbaren Musik, vor sich geht, geschieht bei Beethoven noch als Musik: das Motiv wird, indem es Abschied nimmt, „dabei selbst ganz und gar Abschied" (76). Deshalb erfahren jetzt die skandierenden Wortunterlegungen ihre Transformation ins Bedeutsame. Lauten sie doch: „Nun ver-giß der Qual!", „Groß war-Gott in uns.", „Alles-war nur Traum.", „Bleib mir-hold ge-*sinnt*" (76). Nicht nur dem Motiv soll die holde Gesinnung, das bewahrende Erinnern gelten, sondern dem, wofür es steht. Daß eben dies zu Bewahrende „nur" ein Traum war, ist keine Minderung, sondern ein Trost, denn „Alles", das ist nicht weniger als die Kunst selbst.

Es ist jene Kunst, die unterm Zeichen Apollons steht. Von apollinischer Kunst wird wie selbstverständlich gesprochen, seitdem der junge Nietzsche unter Wagners unmittelbarem, auch seine Philologie veränderndem Einfluß in der beredten Schrift über die Geburt der Tragödie den antagonistischen Kunstgewalten die Namen von Apollon und Dionysos gegeben hatte. Da Apollon auch als Gottheit des Traumes und der visionären Schau wie des plastischen Vermögens dem rauschhaften Dionysos entgegengestellt wurde, konnte Thomas Mann Nietzsches ästhetische Konstruktion mit jener älteren Spekulation verschmelzen, die in der deutschen Klassik, zumal von Schiller, mit dem Schein und der Kunst als der Wahrheit des Scheins getrieben worden war. Aber gerade weil Thomas Mann die Kunst seiner Protagonisten Aschenbach und Leverkühn wie seine eigene unter das Zeichen Apollons gestellt hat, müssen die tragischen Helden seiner Imagination für den apollinischen Kunsttraum mit der dionysischen Niederholung bezahlen. Der Schutz des Hermes, der den untragischen Helden des 'Juxes' in so reichlichem Maße zuteil wird, mußte ihnen versagt bleiben. Um der Strenge der Form willen ist die apollinische Kunst eine klassische. Nicht sowohl die schrankenlose Subjektivität, als vielmehr die in der erlebten und gefüllten Form sich vollendende Bildung ist die Vorstellung, mit der in der deutschen Klassik die Recreation eines entleerten, bereits von der Aufklärung ins Bürgerliche und Allgemein-Menschliche übertragenen höfischen Bildungsideals versucht wurde. Dem entsprach im Bereich der Kunst die Recreation der antiken Fomen, die durch Schillers paradox ausgedrückte Forderung vom Primat der Form zu einem theoretischen Ästhetizismus verschärft wurde. Dem 22. der Briefe über die ästhetische Erziehung zufolge besteht das eigentliche Kunstgeheimnis des Meisters darin, „daß er den Stoff durch die Form vertilgt; und je imposanter, anmaßender, verführerischer der

Stoff an sich selbst ist, je eigenmächtiger derselbe mit seiner Wirkung sich vordrängt, oder je mehr der Betrachter geneigt ist, sich unmittelbar mit dem Stoff einzulassen, desto triumphierender ist die Kunst, welche jenen zurückzwingt und über diesen die Herrschaft behauptet."

Die in der Kantate universell gewordene formale Utopie, die durch die substanzielle Identität des Seligsten mit dem Gräßlichsten in der 'Apokalypse' vorbereitet wurde, soll das Gesamtwerk der Klage ergreifen, „und es, wenn ich so sagen darf, vom Thematischen restlos" verzehrt sein lassen (645). Auf den ersten Blick scheint damit gerade das Gegenteil dessen beschrieben zu sein, was Schiller das eigentliche Kunstgeheimnis des Meisters nennt. Man darf annehmen, daß Thomas Mann hier, wo er an die Paradoxie der formalen Utopie rührt, nicht nur unbewußt sich in die von der Sache her naheliegende Auseinandersetzung mit der klassischen Ästhetik begibt, sondern als Kenner Schillers seine Formulierungen („wenn ich so sagen darf") mit dem Blick auf die Wendungen des philosophierenden Dichters gewählt hat.[104] Bedeutet ein vom Thematischen verzehrtes Werk aber nicht den Triumph des Stoffes über die Form? Ist die Kunst da nicht doch nur zur Handlangerin des niedrigen Affektes geworden? Dem widerspricht alles, was wir über Leverkühns Kunstverstand erfahren, und so muß es sich um anderes handeln als um die von Schiller so verachtete Wirkung des bloßen Stoffes, die den Menschen durch den Affekt versklavt, anstatt ihm jene Freiheit zu geben, die mit der Herrschaft der Form angeboten wird. Leverkühns Kalkulationsvermögen zielt in der Tat nicht auf den Effekt, die Abkühlung des bloßen Affekts dient vielmehr der Strenge der Form. Selbst ohne diese Erinnerung wäre schon aus Zeitbloms Ausdruck, die Verwirklichung der formalen Utopie lasse das Gesamtwerk vom Thematischen restlos verzehrt sein, die Folgerung zu ziehen, in solcher Aufzehrung geschehe eben dasselbe, was Schiller die Vertilgung des Stoffes durch die Form genannt hat. Denn die Restlosigkeit schließt aus, daß es in diesem Werk noch Teile gäbe, bei denen es nicht zur vollkommenen Deckung von Stoff und Form gekommen ist. Das Werk ist das Thema und das Thema ist das Werk. Mit Grund referiert Zeitblom bei der Erinnerung an die Funktion des fünftönigen Grundmotivs, des „Buchstabensymbols h e a e es" (645), das frühe Gespräch über die formale Utopie. Und hier treibt er durch eine doppelte Verneinung die Dominanz des Thematischen bereits so weit, daß sie absolut wird. Da es sich dabei aber nicht um die Beschreibung eines bestimmten Werkes und dessen 'Thema' handelt, sondern ganz abstrakt um Musik, erscheint die Utopie als die denkbar strengste, gleichsam als die absolute Form. Leverkühn habe ihn damals „das 'magische Quadrat' eines Stils oder einer Technik" erblicken lassen, „die noch die äußerste Mannigfaltigkeit aus identisch festgehaltenen Materialien entwickelt und in der es nichts Unthematisches mehr gibt" (645).[105] Beim Thematischen als Material handelt es sich um Töne als solche. Deren Indifferenz wird, sobald man das Paradigma 'Musik' in den Mythos der Kunst übersetzt, zur substanziellen Identität, die sich am Ende universell zum immer Gleichen ausweitet. Daher schließt Zeitbloms Rekapitulation von Leverkühns frühem Entwurf der formalen Utopie mit dem Hinweis, es gäbe da „nichts, was sich nicht als Variation eines immer Gleichen ausweisen könnte" (645). Unmerklich wird in dieser Rekapitulation aus einer Möglichkeit die Wirklichkeit: aus einem Stil, einer Technik wird nämlich sofort dieser Stil, diese Technik. Sie ließen keinen Ton zu, „der nicht in der Gesamtkonstruktion seine motivische Funktion erfüllte, – es gäbe keine freie Note mehr" (645). Daß schon hier von Konstruktion die Rede ist, läßt ahnen, Zeitblom werde nicht mehr lange vom Thematischen reden. Kaum hat er das Thematische mit dem zwölfsilbigen Satz aus dem Volksbuch als das „Generalthema" literarisch benannt und somit in die mythisierende Allegorie eingepaßt, wiederholt er noch einmal die doppelte Verneinung, es gäbe nichts Unthematisches mehr, steigert aber nun den Begriff der formalen Utopie zur „Formveranstaltung von letzter Rigorosität". Das Generalthema schaffe die Identität des Vielfältigsten, in der die in der Apokalypse waltende Identität allumfassend geworden sei. Diese Formveranstaltung, „in der die Ordnung des Materials total wird", dient nun aber „einem höheren Zweck, denn, o Wunder und tiefer Dämonenwitz! – vermöge der Restlosigkeit der Form eben wird die Musik als Sprache befreit" (646).

Schon in der 'Apokalypse' hatte dem „Résumé aller Verkündigungen des Endes" (475) musikalisch die Idee entsprochen, „gewissermaßen die Lebensgeschichte der Musik" von den „magisch-rhythmischen Elementar-Zuständen bis zu ihrer kompliziertesten Vollendung in sich aufzunehmen" (496). Diese Korrespondenz wiederholt sich in der Kantate, aber mit einer bemerkenswerten Veränderung. Die Rekonstruktion des Ausdrucks „in seiner Erst- und Urerscheinung, des Ausdrucks als Klage" (647), führt jetzt nur thematisch in den Bereich des Ersten und Uranfänglichen, nicht aber musikalisch-formal. Zwar kann man „kühnlich sagen, daß aller Ausdruck eigentlich Klage" sei und die „Enthüllung" des

Menschenlautes als Naturlaut wesentlich Klage (644). Aber wenn auch solcher Anfang des Ausdrucks an den Exempla der mythischen Klagen der Nymphen, der Ariadne und des Orpheus demonstriert wird, handelt es sich bei diesen Reminiszenzen nicht wie bei der 'Apokalypse' um einen Rückgriff auf den noch vor der ästhetisch faßbaren Musik liegenden Urzustand, sondern ausdrücklich um ein „Zurückgehen auf Monteverdi und den Stil seiner Zeit" (647).[106] Monteverdi aber steht für die Epoche, die im Roman die emanzipatorische genannt wird (647). Sie nimmt ihren Anfang mit der Renaissance. Und wenn auch in der Luft von Kaisersaschern etwas hängengeblieben ist „von der Verfassung des Menschengemütes in den letzten Jahrzehnten des 15. Jahrhunderts" (51), einer Verfassung, die als „Hysterie des ausgehenden Mittelalters" und latente seelische Epidemie gekennzeichnet wird (52), so trifft dies, auf den Doktor Faustus des Volksbuchs übertragen, doch nur dessen spätmittelalterliche Seite. Die andere Seite weist Faust als einen aus, der zur beginnenden Neuzeit gehört. Alle Ausdrucksmittel jener emanzipatorischen Epoche werden in der Kantate aufgeboten (647), und wenn das Echo als ein besonders charakteristisches herausgehoben wird, dann auch, weil in dem „durchaus variativen, gewissermaßen stehenden Werk … jede Umformung selbst schon das Echo der vorhergehenden ist".

Nicht der antike Orpheus ist gemeint, dessen Sage noch den Poeten des neunzehnten Jahrhunderts von Novalis bis Mallarmé für die Recreation des Mythos der Dichtung gedient hatte, sondern der in der Renaissance wiedergeborene Orpheus. Monteverdis Orpheus und der Dr. Faustus des Volksbuches werden als eine Art Zeitgenossen repräsentative Gestalten der emanzipatorischen Epoche, und als Klagende rücken sie am Ende dieser Epoche, im resümierenden Werk Leverkühns, wieder zusammen: „Orpheische Klage-Akzente sind leise erinnert, die Faust und Orpheus zu Brüdern machen als Beschwörer des Schattenreichs" (647). Damit ist zunächst einmal jene „Episode" gemeint, „wo Faust Helena heraufruft, die ihm einen Sohn gebären wird" (647). Bedenkt man jedoch, daß mit der Begegnung von Faust und Helena im Volksbuch für jeden späteren Leser das Zentrum von Goethes Faust II berührt wird, und bedenkt man ferner, wie für den Leverkühn der Abschiedsrede Echo an die Stelle von Goethes Euphorion tritt, so hört man den Satz, der jenem voraufgeht, in dem Faust und Orpheus zu Brüdern erklärt werden, mit schärferem Ohr: „Es fehlt nicht an widerhallartigen Fortsetzungen, der weiterführenden Wiederholung der Schlußphrase eines hingestellten Themas in höherer Lage" (647).

Im Zenit der emanzipatorischen Epoche, die, um es im Paradigma der Musik zu sagen, mit Monteverdi beginnt und mit Leverkühn endet, steht Beethoven. Er ist der Klassiker, der die Sonate zur Vollendung und ins Ende ihres großen Abschieds führt, – eben dorthin, wo durch das Zusammentreten von Größe und Tod das emanzipierte Subjekt ins Mythische und Kollektive eintritt. Der Abschied gilt fürwahr Großem, und ehe er sich ereignet, für immer, ehe das „Leb' – mir wohl", das „Leb' mir – ewig wohl" erklingt, passiert das emanzipatorische Subjekt den Zenit: den Gedanken an das schöpferische Individuum, das Religion hat und deshalb keine braucht, weil es Wissenschaft und Kunst besitzt. In dieser Subjektivität ist das Göttliche nah und groß, wie es in der voremanzipatorischen Epoche groß als Gott gewesen ist. Davon gilt es nun Abschied zu nehmen: „Groß war – Gott in uns". Groß ist Gott in uns dem Arietta-Thema zu unterlegen, das klänge ebenso falsch wie das Lied an die Freude als Hymne nach der erzwungenen Befreiung von der Teufelsdiktatur.

Faustus und Faust

Für die Zeitgenossen kam der späte Beethoven zu früh. Nietzsche läßt in der Parabel vom Tod Gottes den tollen Menschen verkünden: „Gott ist tot! Gott bleibt tot!". Aber nicht jubilierend spricht er davon, daß es nie „eine größere Tat" gegeben habe, sondern er fragt, wie wir, „die Mörder aller Mörder", uns trösten, denn: „Kommt nicht immerfort die Nacht und mehr Nacht?" Er komme zu früh, sagt er dann, er sei noch nicht an der Zeit. „Dies ungeheure Ereignis ist noch unterwegs und wandert – es ist noch nicht bis zu den Ohren der Menschen gedrungen".[107]

In Nietzsches Erzählung erregt der tolle Mensch mit seinem unaufhörlichen „Ich suche Gott! Ich suche Gott!" zunächst ein großes Gelächter, und nicht nur, weil er am hellen Vormittag eine Laterne anzündet, sondern weil auf dem Markt „gerade viele von denen zusammenstanden, welche nicht an Gott glaubten". Zwischen den sich amüsierenden Atheisten und dem Verkünder des ungeheuren Ereignisses, der schließlich in die Kirchen eindringt und darin sein *Requiem aeternam deo* anstimmt, gibt es eine Entsprechung, die jener ähnelt, die den Kridwiß-Kreis und den Schöpfer der 'Apokalypse' zusammenbindet. Die wenigen Zuhörer

Kretzschmars hingegen amüsieren sich nicht, sondern singen „beim Verlassen des Hauses die Einprägung des Abends, das themabildende Motiv des zweiten Satzes... benommen vor sich hin, und noch längere Zeit hörte man aus entfernteren Gassen..., nächtlich stillen und widerhallenden Gassen der Kleinstadt, das 'Leb' – mir wohl', 'Leb' mir – ewig wohl', 'Groß war – Gott in uns' echohaft herüberschallen" (77).

Widerhallen – herüberschallen: es hätte kaum noch des 'echohaft' bedurft, um mit den verhallenden Skandierungen das Arietta-Thema als Vorklang des riesenhaften Lamentos einzuprägen, jenes Werkes, mit dem alle ausdruckstragenden Momente der Musik zur Rekonstruktion des Ausdrucks aufgeboten werden; wird doch die Klage als Urerscheinung des Ausdrucks bestimmt. Darum ist das Echo nicht eines unter anderen Momenten, sondern das zuerst genannte (644) und wiederaufgenommene (647), demgegenüber die anderen noch erwähnten zurücktreten. Am Beginn ihrer modernen Geschichte begreift sich die Musik als Ausdruck. Die Renaissance-Beispiele, so die Klage der Ariadne und der „leis widerhallende Klagegesang von Nymphen" (644), dienen nur dazu, den Zusammenhang von Echo und Naturlaut zu erweisen, denn das Echo ist „wesentlich Klage", weil es den Menschenlaut als Naturlaut zurückgibt und ihn als Naturlaut enthüllt (644). Das Echo ist kraft dieser Identität die letzte Antwort auf jene die 'Apokalypse' beherrschende substanzielle Identität des Seligsten mit dem Gräßlichsten.

Das tönende Gemälde von Leverkühns 'Apokalypse' hat viel von Dantes Gedicht (476). Der Vers, mit dem die Terzinen der Höllentor-Inschrift enden, verkündet nicht die Hoffnung jenseits der Hoffnungslosigkeit, sondern die ewige Hoffnungslosigkeit für alle, die hier eintreten. Dies umschreibt schon der Teufel im Gespräch mit Leverkühn, wenn er schildert, was der Neuankömmling dort zuerst erfahre. Es sei „unglaublich zum Kreideweißwerden", womit nebenbei auch im vorhinein dem Kridwiß-Kreis das Urteil gesprochen ist. Unglaublich sei es, „obgleich es einem gleich zur Begrüßung in bündig nachdrücklichster Form eröffnet wird, daß 'hier alles aufhört', jedes Erbarmen, jede Gnade, jede Schonung, jede letzte Spur von Rücksicht auf den beschwörend ungläubigen Einwand 'Das könnt und könnt ihr doch mit einer Seele nicht tun': Es wird getan, es geschieht, und zwar ohne vom Worte zur Rechenschaft gezogen zu werden, im schalldichten Keller, tief unter Gottes Gehör, und zwar in Ewigkeit" (327). So lautet die vom Entsetzen des Autors über die Folterstätten des Dritten Reiches geschärfte Übertragung von Dantes „Lasciate ogni speranza, voi ch' entrate". Das ist der 'Apocalipsis' so eingeschrieben wie das „Lasciatemi morire" der Kantate 'Dr. Fausti Weheklag'. Zeitblom zitiert den Anfang der Ariadne-Klage, jenen Höhepunkt der verlorenen Oper Monteverdis, der in der Madrigalfassung erhalten geblieben ist und ein ganzes Lamento-Genus hervorgebracht hat. Die leise Erinnerung orpheischer Klage-Akzente mache Faust und Orpheus zu Brüdern (647). In Monteverdis Favola in Musica 'L'Orfeo' kommt Orpheus mit der Hoffnung als Begleiterin und Führerin zur Grenze des trostlosen, finsteren Reiches, das kein Sonnenstrahl erreicht. Am Tor wünscht die Hoffnung, ein großes Herz und ein schöner Gesang, *bel canto*, mögen ihm weiterhelfen, denn das in den Stein des Tores gemeißelte Gesetz erlaube ihr nicht, weiterzugehen. So *La Speranza*, und gerade aus ihrem Munde vernimmt der Orpheus der Oper Dantes Inschrift, die Worte mit dem furchtbaren Sinn. Nachdem Orpheus Eurydike zum zweiten Mal verloren hat, wendet er sich, da ihm keine Hoffnung mehr bleibt, sein verlorenes Glück zurückzuerhalten, an die Natur. Einst haben die Berge und Wälder Thraciens mit ihm geweint, nun will er mit ihnen weinen, leiden und klagen. Hier antwortet *Eco*, und in diesem Widerhall klingt die Sage jener Nymphe Echo auf, deren Schicksal Ovid im dritten Buch der Metamorphosen erzählt und so den antiken Mythos künftigen Zeiten überliefert hat: wie sie vergeblich Narcissus geliebt, der ihre Liebe floh und verschmähte, um dann sich über seinem eigenen Spiegelbild so zu verzehren, wie Echo an ihm:

> ultima vox solitam fuit haec spectantis in undam,
> 'heu frustra dilecte puer!' todidemque remisit
> verba locus, dictoque vale 'vale' inquit et Echo.

Das doppelte, weil von Echo zurückgegebene 'Leb wohl!' dieses Ovid-Verses ist eine der weiteren geheimen Verbindungen zwischen der letzten Beethoven-Sonate und Leverkühns Klagewerk.[108]

Das Chiffresystem des Romans ist nicht starr. Zwar vertritt Beethoven die Klassik, doch steht er nicht einfach für Goethe. In der 'Entstehung' sagt Thomas Mann, daß er sich dem klassischen Dichter viel näher als dem Komponisten fühle. Die Erwähnung, daß ihm ein Band mit Faksimile-Reproduktionen von Briefen Beethovens geschenkt wurde, bietet Anlaß zur Überlegung, wie sich die durch den Tonsetzer und den Dichter repräsentierten Welten unterscheiden: „Ich sah sie lange an, diese hingewühlten und -gekratzten Züge, diese verzweifelte Orthographie, diese ganze halbwilde Unartikuliertheit – und konnte 'keine Liebe' dafür finden in meinem Herzen. Goethes Ablehnung des 'ungebändigten Menschen' war wieder einmal mitzufühlen, und wieder einmal legten Grübeleien über das Verhältnis von Musik und Geist, Musik und Gesittung, Musik und Humanität sich nahe."[109] Wenn diese Überlegungen sich gar zu der Frage zuspitzen, ob das musikalische Genie überhaupt nichts mit Humanität und „verbesserter Gesellschaft" zu tun habe, ist trotz der veränderten Wertung einmal mehr die Problematik der 'Betrachtungen eines Unpolitischen' berührt. Ihre künstlerische Aufarbeitung auf der Stufe des 'Doktor Faustus' geschieht nicht als die Widerlegung, sondern als die Anerkennung Goethes. Der schmerzüberwältigte Leverkühn antwortet zwar auf des Humanisten Frage, was nicht sein solle: „Das Gute und Edle, ... was man das Menschliche nennt, obwohl es gut ist und edel" (634). Doch ist das ein vom Leiden so legitimierter wie von der Empörung verzerrter Widerhall des Glaubensbekenntnisses der deutschen Klassik. Erst das Werk, das als Hauptchiffre für den Roman selbst steht, findet zur Reinheit der Klage.

Wohl wird durch das Klagelied das Lied an die Freude zurückgenommen, doch meint solche Zurücknahme nicht die Widerlegung von Goethes Faust. Dafür zeugt unter anderem, wie Thomas Mann noch das von dem „in der höheren Atmosphäre" schwebenden Engelschor verkündete

> Wer immer strebend sich bemüht,
> Den können wir erlösen.
>
> (11936)

in den Roman verwebt. Das Engelsfazit, an dem sich seit je zwar die simplifizierenden Deuter festgehalten haben, dessen Einfachheit aber dennoch nicht als Banalität abzutun ist,[110] darf in der Kantate selbst nicht anklingen, sondern erst vernehmbar werden, nachdem deren letzter Ton verklungen ist. Deshalb bringt Thomas Mann dieses Grundthema von Goethes Faust als eine Art von Echo in die Abschiedsrede Leverkühns ein, also dort, wo mit der wahnhaften Identifikation von Tonsetzer und Dr. Faustus die mythische Bahn der Figur sich zum Kreis schließt und so vollendet: „Aber welch ein Sünder ich war, ... so hab ich dem ungeachtet mich immerfort emsig befleißigt als ein Werker" (664). Und er darf sich, ohne daß ihm dies zur Blasphemie geriete, auf das Apostelwort berufen, wer schwere Dinge suche, dem werde es schwer. Er habe nicht geruht noch geschlafen, sondern sichs „sauer werden lassen und Schweres" vor sich gebracht (664 f). Wohl verkündet Leverkühn, daß für ihn kein Erbarmen sei, weil er ein jedes Erbarmen im voraus zerstöre durch Spekulation. Aber sein überdeutliches: „da seht ihr, daß ich verdammt bin" (666), weckt die Vermutung, gerade hier werde das spekulative Kunstspiel von Thomas Mann auf die Spitze getrieben. Dieses Ecce – „Da seht ihr" – verweist nämlich nicht nur in einem auf Christus, den Erlöser, und auf Nietzsche; vielmehr respondiert dieses Wort Leverkühns noch seinem unmittelbar davor ausgesprochenen „ich weiß es nicht" (666): vielleicht könne gut sein aus Gnade, was in Schlechtigkeit geschaffen wurde. Hier ist bei Leverkühn keine Spekulation mehr im Spiel, und darum wird dem schon vom Wahn Umfangenen die Hoffnung auf das Werk erlaubt. Auch das ist Hoffnung jenseits der Hoffnungslosigkeit; wenig später legt Leverkühn nämlich dar, seine Sünde sei größer, denn daß sie ihm könne verziehen werden. Diese seine große Sünde ist die Gnadenspekulation. Viermal ist im Sündenbekenntnis vom Spekulieren und von der Spekulation die Rede. Aber zuvor war ebenfalls viermal ein demütiges „Vielleicht" zu hören. Einmal gilt es dem Werk, und dreimal, in sich steigernder Verhaltenheit, wie sie der äußersten Hoffnungslosigkeit entspricht, gilt das „Vielleicht" dem Schöpfer der Tonwerke: „Vielleicht auch siehet Gott an, daß ich das Schwere gesucht und mir's habe sauer werden lassen, vielleicht, vielleicht wird mir's angerechnet und zugute gehalten sein, daß ich mich so befleißigt und alles zähe fertig gemacht, – ich kann's nicht sagen und habe nicht Mut, darauf zu hoffen" (666). Nur noch wenige Sätze, und einer der Zuhörer wird erklären, dieser Mann sei wahnsinnig. Der Leser freilich, der 'Fausti Weheklag' bereits verklingen hörte, der also „das letzte Wort" (!), in der Chiffrierung als „das hohe g eines Cellos", diesen letzten verschwebenden Laut, „in pianissimo-Fermate langsam vergehend" (651) vernommen hat, – der Leser wird diesen „Ausklang der Trauer", der den Sinn wandelt und „steht als ein Licht in der Nacht" (651), als den Widerhall jenes „vielleicht, vielleicht" zu erkennen vermögen.

Allein die Treue zum Werk kann die im voraus verspekulierte Gnade noch zurückgewinnen, und so wird denn dem Teufel die Seele durch eben diese Kunst, die er ermöglicht hat, weggepascht. In der Tat bringt Thomas Mann die Treue zum Werk in eine paradoxe Unmittelbarkeit zur Vertragstreue des Teufels. Leverkühn läßt nämlich dem ersten „vielleicht" vorausgehen: „So hat der Böse seinen Worten Kraft geben in

Treuen durch vierundzwanzig Jahr, und ist alles fertig bis aufs Letzt, unter Mord und Unzucht hab ich's vollendet, und vielleicht kann gut sein aus Gnade…" (665).

Wie verhält sich aber die Zähigkeit der Werkvollendung zur Teufels-inspiration, die dem Komponisten nicht allein bei der 'Apokalypse' zum Durchbruch, sondern bei diesem wie bei anderen Werken zu einem geisterhaften Schaffenstempo verholfen hat? Die Inspirationsschübe sind den syphilitischen Modellen, vor allem Nietzsche und Hugo Wolf, abgenommen. Die Befleißigung und Zähigkeit stammt von Thomas Mann selbst; seit Thomas Buddenbrook und Gustav von Aschenbach kennt man dieses Leitthema. Ist aber die in Leverkühn verkörperte Verbindung des dämonischen Enthusiasmus mit dem bürgerlich-künstlerischen Lei-stungsethos nicht doch in sich selbst so widersprüchlich, daß davon die Glaubwürdigkeit der Figur bedroht wird? Mit einem raschen, verurtei-lenden 'Ja' auf die Frage antworten, hieße, sich nach langen Mühen zuletzt noch selber um die tieferen Einblicke in das Chiffresystem der radikalen Autobiographie zu bringen.

Die Fragwürdigkeit des Künstlers ist für Thomas Mann nicht nur ein von Nietzsche übernommenes und artistisch immer wieder ausgebeutetes Motiv. Das Thema berührt vielmehr das Zentrum seiner Existenz. Der Rechtfertigungszwang, unter dem die Kunst seit langem steht, wird von Thomas Mann lebenslang als sein eigenstes Problem erfahren. In der 'Entstehung des Doktor Faustus' findet sich ein Bekenntnis, das man nicht als Koketterie abtun sollte. Es ist veranlaßt durch die Operation, die die Vollendung des Romans unterbrach und den bis zuletzt Zweifelnden darin bestärkte, das Buch werde sein Vermächtnis werden: „In kritischer Lebenslage umgeben von so viel Liebe, Teilnahme, Fürsorge, fragt man sich, womit man sie verdient hat – und tut es ziemlich vergebens".[111] Der durch die direkte Mitteilung gebotene Takt verbot es hier wie im Roman vom Zusammenhang der Kunst mit dem Dämonischen zu reden. Doch wählt der Verfasser der 'Entstehung' einen Ersatz für das beladene und pathetische Wort 'Dämonie': Ob „je einer, dem der Kobold des Hervor-bringens im Nacken saß", ein erfreulicher Mitmensch gewesen sei, fragt Thomas Mann und scheut sich nicht, den vom Jahr- und Tag-Werk immer Versorgten auch einen Besessenen und Präokkupierten zu nennen. Und eine „'Spekulation', verrucht genug, um sie Adrian Leverkühn zuzu-schreiben", schließt sich der zweifelnden Frage an: „Kann das Bewußt-sein einer auf Konzentrationszerstreutheit beruhenden Unmenschlichkeit, kann etwa die Tönung der Existenz durch dieses Schuldbewußtsein selbst für mangelnde Leistungen aufkommen und versöhnend, ja Zuneigung gewinnend wirken?"[112]

Dies zur Erinnerung daran, wieviel Thomas Mann vom Eigensten dem neuen Faust beigegeben hat, der um des Werkes willen von der Möglichkeit der Gnade sprechen darf, auch wenn er nicht den Mut haben kann, darauf zu hoffen. Aber sowenig es dem Autor erlaubt war, am Ende der Kantate, wo es „nach all der Finsternis um die Hoffnung, die Gnade geht", „zu viel Licht anzuzünden, den Trost zu dick" aufzutragen,[113] so wenig durfte die Korrespondenz zwischen dem Ende des 'Doktor Faustus' und der Erlösung von Goethes Faust das für den Roman gewählte mythische Schema des älteren Faustus übertönen. Die Zurücknahme der Zurücknahme – und eben darum geht es bei dieser Korrespondenz – konnte nur in der behutsamsten Transzendierung des Schemas gelingen. Die Erinnerungen an Faust II mußten daher so verfremdet werden, daß sie sich ganz in die ans Volksbuch angelehnte Abschiedsrede Leverkühns einfügen. Und sie wären kaum als solche erkennbar, wenn ihnen nicht anderes voraufginge, was die Beziehung zwischen dem Faust-Werk des Klassikers und demjenigen seines späteren Erben knüpfte.

Dixi et salvavi animam meam

Nachdem im XIX. Kapitel von Leverkühns Reise nach Graz und Preßburg, also von seiner Ansteckung berichtet wurde, erzählt Zeitblom im zwanzigsten, wie er nach Absolvierung der einjährigen Militärzeit wieder mit Leverkühn in Leipzig zusammentrifft: „Du kommst gerade recht, ... Das Schaffgosch-Quartett spielt Opus 132 heute abend" (212). Zeitblom, der sofort verstanden hat, daß Leverkühn „von Beethovens Spätwerk, dem Streichquartett in a-moll" gesprochen hat, erwidert, wie er da sei, gehe er mit: „Es wird gut sein, den lydischen Satz, den 'Dankgesang eines Genesenen' nach langer Zeit einmal wieder zu hören" (212).[114] Auf den vorangegangenen Seiten ist der Leser über Leverkühns Heilungsversuche bei den zweifelhaften Ärzten unterrichtet worden, auch darüber, daß Dr. Zimbalist, der zweite Arzt, ein Schnurrbärtchen trägt, „wie es damals in den oberen Klassen Mode geworden war und später zum Attribut einer welthistorischen Maske werden sollte" (210). Warum aber Zeitblom in Leipzig gerade recht kommt, um den 'Dankgesang' zu zitieren, erhellt sich durch das Zitat, mit dem Leverkühn antwortet: „Den Becher ... leer' ich jeden Schmaus. Die Augen gehen einem über!" (212) Vom König in Thule und dem goldnen Becher singt Gretchen, „indem sie sich auszieht". Am Ende des Liedes öffnet sie dann den Schrein, „ihre Kleider einzuräumen, und erblickt das Schmuckkästchen", das Mephisto zu ihrer Verführung hineingeschmuggelt hat. Von hier aus nimmt das teufelsgelenkte Verhängnis seinen Lauf, das Faust mit der Schuld nicht nur am Wahnsinn und am schrecklichen Tod der Margarethe und ihres Bruders belädt, sondern ihn auch mitschuldig werden läßt am Mutter- und Kindesmord des verführten Mädchens. Doch ertönt am Ende des ersten Teils der Tragödie, des Mephisto „Sie ist gerichtet" echohaft verkehrend, die Stimme von oben, die schon hier verkündet: „Ist gerettet!" Als eine der geretteten Büßerinnen wird Gretchen dann am Ende des zweiten Teils ihr Glück preisen und Faustens vom neuen Tag noch geblendetes Unsterbliches zu höhern Sphären führen dürfen. Und sie verkündet auch das frische Leben des nun für die Ewigkeit Genesenen:

> Sieh, wie er jedem Erdenbande
> Der alten Hülle sich entrafft
> Und aus ätherischem Gewande
> Hervortritt erste Jugendkraft!
> (12091)

Das vorwegnehmende Gegenstück zu der von Engelschören begleiteten Errettung Fausts ist dessen vom Elfengesang beschützter Schlaf der Szene 'Anmutige Gegend' zu Beginn des zweiten Teils. Ariel, der von Shakespeares 'Sturm' übernommene hilfreiche Luftgeist, dem die Musik zu Diensten steht, ruft der kleinen Elfen Geistergröße heran:

> Ob er heilig, ob er böse,
> Jammert sie der Unglücksmann.
> (4620)

Mit der Elfen Hilfe wird Fausts Schlaf zum Heilschlaf:

> Besänftiget des Herzens grimmen Strauß!
> Entfernt des Vorwurfs glühend-bittre Pfeile,
> Sein Innres reinigt von erlebtem Graus!
> (4625)

Der genesene Faust preist dann die Erde, weil sie „ein kräftiges Beschließen", also den Entschluß regt und rührt, „Zum höchsten Dasein immer fortzustreben". Ariels Gesang beginnt mit dem Preis des Blütenregens und des grünen Segens der Felder. In Fausts Monolog wird dies aufgenommen mit der Rühmung der neu erquickten Erde, was durch das „frisch erquickt" der Zweig' und Äste noch einmal verstärkt wird (Vers 4690). Leverkühn wandert mit dem Kind, bei dem „Elfenreiz" (620) und Engelhaftigkeit eins sind, durch „die feuchte Sättigung der Jahreszeit, in der Echo gekommen war" (621), und „der Kleine" bekundet seine Genugtuung, „daß der 'Rein' dieser Nacht das Erdrich 'erkickt' habe" (622).[115] Zeitblom kann dann den Freund „darüber belehren, daß in unserem Mitteldeutsch 'Rein' oder 'Reigen' Jahrhunderte lang, bis ins fünfzehnte, das Wort für 'Regen' gewesen sei, und daß übrigens 'erkikken' oder 'erkücken' im Mittelhochdeutschen neben 'erquicken' bestanden habe" (622). Wenn daraufhin Adrian „mit einer gewissen benommenen Anerkennung" feststellt: „Ja, der ist weither", kann auch der Leser anerkennend über Thomas Manns Kunstverstand nicken, besonders, wenn er zwei Seiten später mit dem Kind „Einblick" nehmen darf in die Partiturskizze von Ariels Liedern aus dem 'Tempest', an denen Leverkühn „damals heimlich arbeitete" (623). Da Leverkühn die Welt auch sonst nicht von seinen entstehenden Werken in Kenntnis zu setzen pflegt, sondern in der Stille daran arbeitet, Zeitblom jedoch ohnehin kraft seiner allgegenwärtigen Vertrautheit immer Bescheid weiß, muß dieses „heimlich" wohl etwas anderes zu bedeuten haben, als was es auf den ersten Blick zu sagen scheint. Wer diese Känge vernehme, „sie auch nur mit seines Geistes Ohr, beim Lesen", vernehme, möge wohl mit dem Ferdinand von Shakespeares 'Sturm' fragen: „Wo ist wohl die Musik? In der Luft? auf Erden?" (624)

Im Volksbuch hebt D. Faustus sein Gaukelspiel an, also daß die am Aschermittwoch zu Gast geladenen Studenten „in der Stuben allerley Seitenspiel hörten, und doch nit wissen kundten, woher es kame. Dann so bald ein Instrument auffhörete, kam ein anders".[116] Es folgt die Instrumentenaufzählung, die sich fast wörtlich deckt mit jener anderen aus einem früheren Kapitel, die Thomas Mann in Leverkühns Abschiedsrede übernommen hat: „Denn oft erhob sich bei mir ein lieblich Instrument von einer Orgel oder Positiv, dann die Harfe, Lauten, Geigen, Posaunen, Schwegel, Krummhörner und Zwergpfeifen, ein jegliches mit vier Stimmen, daß ich hätte glauben mögen, im Himmel zu sein, wenn ich's nicht anders gewußt hätte" (665). Im Volksbuch heißt es, hier sei zu sehen, wie der Teufel so ein „süß Geplerr" mache: „also daß D. Faustus nicht anderst gedachte, dann er wer im Himmel, da er doch bey dem Teufel war."[117] Als Mephisto am Ende von Faust II zusammen mit den herbeigerufenen Dick- und Dürrteufeln an der Leiche Fausts auf das Entweichen der Seele lauert, ertönt der Gesang der himmlischen Heerschar.[118] Für Mephisto sind „Mißtöne" und „garstiges Geklimper", was da „von oben" kommt. Das „bübisch-mädchenhafte Gestümper" der geschlechtslosen Engel ist für ihn nichts anderes als das „Schändlichste, was wir erfunden" – womit er wohl die Kastratenchöre der päpstlichen Kapelle meinen dürfte. Was zu Anfang von Faust II mit dem Gesang des schwebend bewegten Geisterkreises der anmutigen kleinen Elfengestalten als deren schönste Pflicht begann, „Gebt ihn zurück dem heiligen Licht", beginnt sich so nun zu vollenden unter den Tönen der himmlischen Musik, die der schon bald geprellte Teufel vergeblich als Perversion höllischer Erfindung denunziert.

Zwar scheint sich Zeitblom mit den folgenden Sätzen ganz auf die Wiedergabe von Shakespeares Elfenatmosphäre durch Leverkühns Musik zu beschränken, wenn er sagt: der, der sie fügte, habe „in sein spinnweb-feines, wisperndes Gewebe nicht nur die schwebende, kindlich-hold-verwirrende Leichtigkeit Ariels – of my dainty Ariel –, sondern die ganze Welt der Elfen von Hügeln, Bächen, Hainen eingefangen" (624). Aber das weist über Prosperos Beschreibung vom Wirken der schwachen Meister-lein hinaus zur Elfenszene von Faust II. Echo habe bei Betrachtung der Handschriften des Onkels sich erklären lassen, „wovon etwa mit all den Zeichen die Rede war" (623); und Zeitblom verdeutlicht, daß, „unter uns gesagt", von ihm, Echo selbst, mit diesen Zeichen gesprochen werde, „und ich möchte wohl wissen, ob er das ahnungsweise schloß, ob es in seinen Augen zu lesen war, daß er es schloß aus des Meisters Erläuterun-gen" (623). Erst durch diese Gleichsetzung von Echo und Ariel, die wiederum auf den Ariel von Faust II verweist, wird die lebensgeschicht-liche Episode der liebenden Begegnung Leverkühns mit dem Kind ganz in das mythopoetische Gewebe des Romans eingeknüpft. In der Abschieds-rede gar sieht Leverkühn in Echo das „Söhnchen", das ihm Hyphialta „gezehlt" (663), die „Schwester und süße Braut", die „Er" ihm zu Bette geführt habe (663): Helena als Succuba des D. Faustus wird so mit der kleinen Seejungfrau verschmolzen, und aus dem Justus Faustus des Volksbuches, dem Kind Fausts und Helenas, wird Echo als ein anderer Euphorion.[119]

Die singenden Engel werden dem in seiner Begierde getäuschten

Mephisto zu „schönen Kindern" von Luzifers Geschlecht, zu „wahren Hexenmeistern", die Mann und Weib verführen. In Leverkühns Oratio folgt deren Rückverwandlung in die Einbläser des Satans – „und das zum Teil die verschmitzten Kinder mir vorgesungen" (666) – unmittelbar der Aufzählung der Instrumente, von der wohl auch die Instrumentation der Ariel-Lieder mitbestimmt wurde: „Oft waren auch gewisse Kinder bei mir im Zimmer, Buben und Mädchen, die mir von Notenblättern eine Motette sangen, lächelten sonderlich verschmitzt dabei und tauschten Blicke. Es waren gar hübsche Kinder" – freilich Teufelskinder: „Aus ihren Nasenlöchern ringelten sich manchmal gelbe Würmchen, liefen zur Brust hinab und verschwanden –" (665). Leverkühns letzte Worte sind die Ankündigung, er wolle nach seinem Bekenntnis zum Abschied „ein weniges aus dem Gefüge spielen" (666). Da erst wird ganz einsichtig, warum Zeitblom bei der Beschreibung von Ariels Liedern die Worte „fügen" und „Gewebe" verwendet hat (624). Aber gerade die in der Umkehrung erkennbare Beziehung verhilft dem Leser dazu, in Echo das Lamm zu erkennen, das geopfert werden mußte. Zu den letzten Worten des Kindes zählen die Hilferufe: „Helft! Helft!". Wie dann durch Leverkühns Abschiedsrede die Geschichte vom deutschen Tonsetzer ganz in die alte Faust-Mythe zurückgetragen wird, so wird hier die „Cerebrospinal-Meningitis" (629) durch den Mund des torturierten Kindes selbst zu einem den älteren Schichten entstammenden „O Hauptwehe! Hauptwehe!" (629). Leverkühns eigenes Hauptweh, als Disposition zur Migräne ererbt und durch die luetische Infektion sich bis zum zerstörerischen paralytischen Kollaps steigernd, bedingte, um der fatalen Entsprechung willen, daß Echo durch eine Gehirnerkrankung dahingerafft wird.

In die Beschreibung der schrecklichen Krankheit ist ein Wort eingeschoben, das noch einmal die Motivverbindung zur letzten Sonate Beethovens aufnimmt. Schwer sei es gewesen, zu sehen, wie Echo, „sein Heil suchend, von einem, der ihn liebte, zum anderen ging und ihn umhalste, um bald wieder ungetröstet von jedem abzulassen" (628). Vom Arietta-Thema hatte es geheißen, wenn es zu Ende gehe, begebe sich „etwas nach so viel Ingrimm, Persistenz, Versessenheit und Verstiegenheit in seiner Milde und Güte völlig Unerwartetes und Ergreifendes": die kleine melodische Erweiterung. Es heiße nun nicht mehr „Him-melsblau", sondern „O – du Himmelsblau" (76). Das hinzukommende cis wird nicht nur als die versöhnlichste Handlung von der Welt bezeichnet, sondern diese Handlung als Streichen übers Haar und die Wange wie als stiller, tiefer

Blick ins Auge, zum letzten Mal, beschrieben (76). Es ist jetzt noch einmal an diese schon oben erwähnte Stelle zu erinnern, weil das Himmelsblau mit Echos „Augen von klarstem Blau" (611) korrespondiert, und weil ferner die auch „rührendste" wie „tröstlichste" Handlung (76) des Motivs in engster Verbindung zu dem vergeblich sein leibliches Heil suchenden Kind steht; was wiederum in Beziehung zum Schicksal von Fausts Leib und Seele zu setzen ist. Die Entsprechung kommt zur stimmigsten Höhe, wenn Echo sich an des Onkels Brust drängt und, „auf seinen sanften Zuspruch lauschend", schwach lächelnd zu ihm aufblickt. Dann läßt Echo das Köpfchen in Abständen tief und tiefer sinken und murmelt „'Nacht!'" (628). Zuvor hat Zeitblom schon mitgeteilt, daß dies Echos „Abschiedsgruß überhaupt" gewesen sei: „statt 'Adieu', 'Lebewohl' sagte er „'Nacht!'" (620). Diese Verbindung zwischen Echo-Ariel und dem späten Beethoven weckt noch einmal die Erinnerung an die Gethsemane-Episode des mit der Fuge des Credo ringenden Meisters. Wenn Beethoven dabei die Mägde andonnert: „Könnt ihr denn nicht eine Stunde mit mir wachen?" (80), so ist das zunächst einmal im Hinblick auf Leverkühns letztes Werk bedeutsam, wo Dr. Faustus, dem Volksbuch folgend, die Gesellen der letzten Stunde bittet, sich zu Bette zu begeben und mit Ruhe zu schlafen. „Schwerlich wird man umhinkönnen, im Rahmen der Kantate diese Weisung als den bewußten und gewollten Revers zu dem 'Wachet mit mir!' von Gethsemane zu erkennen" (650). Das weist nicht nur auf das dem Volksbuch nachgestellte Motto aus dem ersten Petrusbrief hin: „seid nüchtern und wachet...", das wiederum von Leverkühn in seiner Abschiedsrede zitiert wird (662), – es ist dies auch noch eine Beschwörung von Bachs Matthäuspassion. Bedenkt man, welche Rolle diesem Hauptwerk Bachs als Hintergrunds- und Gegenmusik zu Leverkühns 'Apokalypse' zukommt, so darf man mit einigem Recht auch Echos Abschiedsformel, diese Abkürzung für 'Gute Nacht', mit dem Ende der Matthäus-Passion assoziieren. Dem Schlußchor „Wir setzen uns mit Tränen nieder..." folgt ja das von vier Stimmen alternierend vorgetragene Rezitativ, dem der Chor jeweils mit den Worten „Mein Jesu, gute Nacht!" respondiert.

Einzig Echo-Ariel kann für die Erlösung sprechen, die die Verzweiflung nicht verrät, sondern transzendiert. Diese Erlösung wird in den Ariel-Liedern nach Shakespeares 'Sturm' so vorweggenommen, wie in Faust II der vom Elfengesang behütete Schlaf den Unglücksmann genesen läßt, indessen erst die Engelschöre die Bergung und Rettung seines

274

Unsterblichen ins Werk setzen helfen. Deshalb wäre es verfehlt, wenn man in Leverkühns Ariel-Liedern das direkte Pendant zum Ende von Faust II sähe, das etwa der Autor vorgezogen hätte, weil dafür am Ende des großen Faust-Lamento schicklicherweise kein Platz wäre. Gegen Ende des Kantate-Kapitels heißt es denn auch: „Nein, dies dunkle Tongedicht läßt bis zuletzt keine Vertröstung, Versöhnung, Verklärung zu" (651). Aber ehe dann doch die Rede ist vom Schweigen, das den Sinn der Trauer wandelt und als ein Licht in der Nacht steht, wird ein Hinweis auf die Zurücknahme der Zurücknahme gegeben. Der Hinweis kommt nicht unvorbereitet, wird doch kurz zuvor mehrfach von „Umkehrung" und „Sinnverkehrung", schließlich gar von einer „letzten, wahrhaft letzten Sinnesverkehrung" gesprochen (650). Auch dieser Hinweis muß sich, soll er nicht so falsch wirken wie ein zu dick aufgetragener Trost, der äußersten Behutsamkeit befleißigen, und um so mehr, als er das Credo des Künstlers enthält, der mit dem 'Doktor Faustus' eine Beichte ablegt, in der die Absolution schon einbeschlossen ist. Es wird da die Übertragung des Religiösen ins Ästhetische gewagt, und so offenbart sich noch einmal, warum Thomas Mann im 'Faustus' seinen 'Parsifal' sehen konnte: „Aber wie, wenn der künstlerischen Paradoxie, daß aus der totalen Konstruktion sich der Ausdruck – der Ausdruck als Klage – gebiert, das religiöse Paradoxon entspräche, daß aus tiefster Heillosigkeit, wenn auch als leiseste Frage nur, die Hoffnung keimte?" (651) Dergestalt ist aber bereits im Echo-Kapitel das Ästhetische mit dem Religiösen verschränkt worden. Denn auf die Ariel-Lieder folgen die „absonderliche(n) Segen", jene Abendgebete nämlich, die Echo, „das himmlische Blau seiner Augen zur Decke aufgetan, höchst ausdrucksvoll rezitierte" (625). Daß das Kind die Gebete rezitiert, meint nicht, es trage sie in schauspielerhafter Manier vor, vielmehr wird damit der mythische Rollencharakter Echos betont, in dem das Religiöse freilich nicht vom Ästhetischen zu trennen ist. Gerade in dieser Ununterscheidbarkeit der Sphären spielt das göttliche Kind den eigentlichen Gegenpart zur pseudomythischen Rebarbarisierung, deren frivolste Vertreter im Kridwiß-Kreis zu Wort kommen, wenn sie für die Zukunft die prähumanistische Einheit von Kunst und Kult als Vollzug einer totalitären Organisation fordern. Die Begierde dieser pervertierten Intellektuellen, Freiheit und Individualität für eine Gemeinschaft hinzugeben, deren Massencharakter nur das Über-Ich eines Diktators entsprechen kann, steht wiederum im Gegensatz zur Erlösungssehnsucht, der in dieser Zeit des Endes allein die Klage als expressiver Seelenlaut angemessen ist, –: die Musik also, die wahrhaft erst im Schweigen endet. Durch dieses Schweigen tönt das letzte von Echos Gebeten hindurch:

> Merkt, swer für den andern bitt',
> Sich selber löset er damit.
> Echo bitt' für die ganze Welt,
> Daß Got auch ihn in Armen hält. Amen.

(626)

Nicht nur die formale Utopie von schauerlicher Sinnigkeit wird in der Kantate universell, sondern hier wird die Klage zur Klage der ganzen Welt. Leverkühn, der die Klage in Töne setzen, ihr also zum Ausdruck verhelfen, ihr eine Stimme geben wird, sinniert vor Zeitblom über Echos letztes Gebet. Er entdeckt darin eine „theologische Spekulation". Wir haben es also mit der Parallele zur Gnadenspekulation zu tun: Echo bitte „gleich für die ganze Schöpfung, ausdrücklich um selbst mit eingeschlossen zu sein. Sollte der Fromme eigentlich wissen, daß er sich selber dient, indem er für andere bittet? Die Uneigennützigkeit ist doch aufgehoben, sobald man sich merkt, daß sie nützlich ist" (626). Zeitbloms Antwort verrät, daß auch dies noch eine Chiffre für die Rolle des Künstlers ist: „'So weit hast du recht... Er wendet die Sache aber doch ins Uneigennützige, indem er nicht für sich selbst nur bitten mag, sondern es für uns alle tut'" (626). Die Antwort des Betroffenen wiederum nimmt Zeitbloms letzte Bitte am Ende des Buches vorweg: „'Ja, für uns alle', sagte Adrian leise."

Eben dort, wo Zeitblom die 'Weheklag' ein „Lied an die Trauer" nennt und versichert („Kein Zweifel"!), dies Lied sei mit dem Blick auf Beethovens 'Neunte', „als ihr Gegenstück in des Wortes schwermütigster Bedeutung", geschrieben worden (649), und wo sich die Begriffe der Umkehrung und Sinnverkehrung häufen, wird das Lamento ein „religiöses Werk" genannt (650). Die darin herrschende „Negativität des Religiösen" dürfe nicht mit dessen Verneinung verwechselt werden. Damit solche Negativität aber nicht als Ästhetisierung erscheint, muß Thomas Mann am Ende des Romans noch einmal zu jenem äußersten Mittel greifen, das auch die Fiktion des Romans als einer Biographie zu tragen hat. Die Kunst muß den vollen Schein der Wahrheit, des Wahrheitsernstes erhalten. Deshalb vollzieht Leverkühn, anstatt ein weniges aus dem Gefüge seines Endwerkes zu spielen, die vollkommene Identifizierung mit dem Gehalt des Werkes selbst. Die Abschiedsrede wird so gleichsam zur Apokalypse der Kunst. Die Kantate erst ist Leverkühns geheime Offenbarung, wie der 'Doktor Faustus' diejenige Thomas Manns.

Die letzte Sinnesverkehrung berühre am Schluß des Werkes „leise, der Vernunft überlegen und mit der sprechenden Unausgesprochenheit, welche nur der Musik gegeben ist, das Gefühl" (650). Es ist der Abschied der Musik selbst, der hier umschrieben wird, ihr Zurücktreten ins Schweigen. Nach den ersten Enthüllungen Leverkühns herrscht im Saal „peinlich gespannte Stille", denn schon hat er die Verschreibung preisgegeben, ohne seine Worte durch Lächeln und Blinzeln „als Künstlermystifikation zu kennzeichnen", vielmehr „in bleichem Ernst" (659). Daß als Künstlermystifikation „noch halbwegs alles gut gewesen" wäre, ist eine die Zuhörer vernichtend charakterisierende Ironie. Sie dient der Vorbereitung für die letzte Explikation jenes Themas, das einst als die Nachbarschaft von Ästhetizismus und Barbarei den Kommentator der 'Apokalypse' torturiert hatte. Der Kridwiß-Kreis, dessen Angehörige auch diesmal mit von der Partie sind, repräsentiert eine Gesellschaft, die sich zwar an der Vorstellung der Gewalt als dem „Widerspiel der Wahrheit" ergötzt (487), die „Versorgung der Massen mit mythischen Fiktionen" propagiert (486) und die kulturelle wie künstlerische „intentionelle Re-Barbarisierung" (491) betreibt. Wenn aber nun die Re-Barbarisierung nicht als Massenrausch begegnet, sondern als das Verzweiflungsleiden dessen, der die Schuld der Zeit auf sich geladen hat, – dann weiß diese Gesellschaft sich nur „mit kaltem Grauen" (661) abzuwenden. Leverkühns Geständnis „hatte nichts zu tun mit Dichter Zur Höhe's steilem Jux von Gehorsam, Gewalt, Blut und Plünderung der Welt, es war stiller und bleicher Ernst, war Bekenntnis und Wahrheit" (661). Zwar kommentiert dieser Pseudopoet die Oratio des anderen Faust mit den aus dem 'Apokalypse'-Kapitel bekannten Formeln, es sei schön, es habe Schönheit, und eine Dame fällt ihm bei, man glaube „Poesie zu hören". Aber die alberne Beruhigung, das Gehörte „unter einen beruhigenden und anerkannten Gesichtswinkel, den ästhetischen nämlich" (660), gerückt zu sehen, hält nicht lange vor. Freilich klammert sich selbst Zeitblom für einen Augenblick daran, und am Beispiel der Not dieses mitleidenden Freundes gibt Thomas Mann einen Einblick in das Spiel, das er im Roman mit der Authentizität der Kunst, der Wahrheit des Scheins, treibt; er verrät damit etwas vom Zwiespalt, in den der Moralist als Künstler gestellt ist: „Nie hatte ich stärker den Vorteil der Musik, die nichts und alles sagt, vor der Eindeutigkeit des Wortes empfunden, ja, die schützende Unverbindlichkeit der Kunst überhaupt, im Vergleich mit der bloßstellenden Krudheit des unübertragenen Geständnisses" (659). Das eindeutige Wort ist aber das nicht-künstlerische, unironische, und was da die Unverbindlichkeit der Kunst genannt wird, ist identisch mit deren Zweideutigkeit, die als System 'Musik' heißt.

Nach der Vorstellung der gemeinschaftslüsternen Intellektuellen würde die für notwendig erklärte Re-Barbarisierung auch den Unterschied zwischen Kunst und Kult wieder aufheben. Die romantische Schwärmerei von der Kunst als neuer Religion verkehrte sich so am Ende in eine „Religion der Gewalt".[120] Nicht deren Verherrlichung, sondern ihr vorweggenommenes Gericht verkündet die 'Apokalypse', weil nur ein solches Gericht in der Sprache der Kunst den leeren Wahn der künstlichen, durch Re-Barbarisierung geschaffenen Mythen zureichend auszudrücken vermag. Die extreme Modernität von Leverkühns erstem Hauptwerk ist so im vorhinein auch die künstlerische Widerlegung der vom Geschmack der Diktatoren bestimmten Massenkunst. Der verordnete Kitsch ist aber auch das Gegenteil von jenem „schönen Werk", das allein auf geordnetem „Lebensgrund" gedeihen kann (662). Von solch schönem Werk, das ihm selbst versagt bleiben mußte, spricht Leverkühn in seiner Abschiedsrede. Hier ist daran zu erinnern, wie Zeitblom einst dem Freund Widerstand entgegengesetzt hat, als dieser den sentimentalischen Blick auf eine Kunst ohne Leiden, eine Kunst mit der Menschheit auf du und du zu richten schien. Aber wie der Dr. Faustus der Kantate „den Gedanken der Rettung als Versuchung zurückweist, ... weil er die Positivität der Welt, zu der man ihn retten möchte, die Lüge ihrer Gottseligkeit, von ganzer Seele verachtet" und sich „gegen falsche und matte Gottesbürgerlichkeit" wendet (650), um sich so treu zu bleiben und als ein böser und guter Christ zu sterben, bleibt auch der Faustus der Musik sich treu und schafft so jenes letzte Werk, von dem es nicht mehr angeht, es nur als Poesie zu betrachten: das Klagewerk, in dem „die letzte Verzweiflung Ausdruck geworden" ist (650). Eben dort, wo der Titel der Kantate in den des Romans selbst umgewandelt wird, findet der Leser den Wink: „es gibt kein Solo im 'Faustus'" (646). Das meint, daß in der Klage dieser Chorgruppen dem Weh der Zeit selbst Ausdruck gegeben wird, dieser Zeit, in der „alles zu schwer worden ist und Gottes armer Mensch nicht mehr aus und ein weiß in seiner Not" (662). Aber dem, „der zeiht seine Seel und nimmt die Schuld der Zeit auf den eigenen Hals" (662), ist gegeben, alle einstige Fülle des Wohllauts in die Klage zu verwandeln, in der die tiefste Fülle unserer Not sich ausdrückt. Fausts poetischer Bruder Tasso durfte noch wahnbedroht ausrufen:

Nein, alles ist dahin! – Nur eines bleibt:
Die Träne hat uns die Natur verliehen,
Den Schrei des Schmerzens, wenn der Mann zuletzt
Es nicht mehr trägt – Und mir noch über alles –
Sie ließ im Schmerz mir Melodie und Rede,
Die tiefste Fülle meiner Not zu klagen:
Und wenn der Mensch in seiner Qual verstummt,
Gab mir ein Gott zu sagen, wie ich leide.

Leverkühns 'Faustus' darf „bis zu seiner letzten Note" keinen andern Trost bieten als den, „der im Ausdruck selbst und im Lautwerden, – also darin liegt, daß der Kreatur für ihr Weh überhaupt eine Stimme gegeben ist" (651).

Goethes 'Faust' und Wagners 'Ring' waren für Thomas Mann die deutschen Weltgedichte. Mit beiden hat er konkurriert, indem er sie umkehrte. Nicht um Zurücknahme im Sinne einer Widerlegung ging es dabei, sondern um den Versuch einer schöpferischen Antwort, wie sie dem Spätgeborenen auf die Herausforderung einer solchen Tradition noch möglich war. Die Umkehrung des 'Rings' führte zum heiteren Mythenspiel, dessen Held Joseph als ein Anti-Siegfried der Welt zum ernährenden Retter wird. Hier ist zwar alles Spiel, doch nicht nur Traum, vielmehr wird der schönste Traum vorgeführt, den die Kunst zu träumen vermag: den Traum vom segensreichen Wirken eines künstlerischen Menschen, dem die Tat zum erfüllten Träumen statt zum Verhängnis wird. In der radikalen Autobiographie, die der 'Doktor Faustus' auch ist, konnte Thomas Manns drittes Hauptwerk nur indirekt, als die Sehnsucht des tragischen Helden, aufschimmern; als ein Werk des Tonsetzers hätte jedes schöne Zeugnis dafür, wie „Ordnung sich herstelle" unter den Menschen (662), die Konfiguration des Verhängnisses zerstört. Und nur als eine solche konnte der Faust-Mythos im zwanzigsten Jahrhundert der 'Tragödie' Goethes noch tragisch respondieren.

Vom Erscheinen des Romans an ist immer wieder der Vorwurf wiederholt worden, Thomas Mann habe sich mit diesem Werk übernommen, die Allegorie zerbreche unter dem Gewicht der Parallelkonstruktion von Künstlerschicksal und deutschem Verhängnis. Dem Vorwurf gesellte sich oft der weitere hinzu, daß hier die Geschichte als deutsches Schicksal mythisiert werde. Wiegen solche Bedenken nicht um so schwerer, als Thomas Mann sie selbst bereits in der 'Entstehung' formulierte, auch wenn er sie gerade mit diesem Begleitbuch im vorhinein zu entschärfen versucht hat?[121] Doch reichen die Zweifel nicht hin, das Werk zu widerlegen, sowenig wie es zu seiner Deutung genügen würde, alle darin verborgenen Rätsel zu lösen. Man sollte freilich zur Verteidigung des Romans, wenn er denn eine solche nötig hätte, sich nicht auf eine Interpretation stützen, die die gewagte Konstruktion gelten läßt, weil darin angeblich der verhängnisvolle Weg der bürgerlichen Kultur am Beispiel der modernen Kunst demonstriert wird. Thomas Mann verurteilt mit dem 'Faustus' diese Kunst so wenig wie jene, die er paradigmatisch als Leverkühns Werk vorführt, und in der so viel von seiner eigenen steckt. Wohl aber stellt er mit dieser Kunst alle Kunst samt ihrem repräsentativen Anspruch, zu dem auch der deutsche Mythos gehört, vor ein Gericht. Es ist ein Selbstgericht. Daß dies Gericht auf einer Bühne tagt, weil da die Kunst über die Kunst zu Gericht sitzt, und daß folglich die Rechtfertigung durch das Werk prädestiniert ist, – daraus wird Thomas Mann nur einen Vorwurf machen, wer der Kunst die Wahrheit, dem Spiel den Ernst abstreitet. Wie ernst es ihm mit der Kunst war, hat Thomas Mann durch den 'Doktor Faustus', seine geheime Offenbarung, bewiesen. Das *dixi et salvavi animam meam*[122] dieser Lebensbeichte ist frei von der Selbstgerechtigkeit jener Propheten und Bekenner, die der schützenden Unverbindlichkeit der Kunst nur Verachtung gezollt haben. Der Bericht über die Entstehung des Romans ist eine *captatio benevolentiae*, durch die der Leser vom Ernst überzeugt werden soll. Wenn Thomas Mann in diesem Bericht manches über die Quellen und weniges über die Wurzeln verriet, so lag in dieser Preisgabe auch die Aufforderung, die Chiffreschrift des Buches zu entziffern. Sie ist eine Provokation und Aufgabe für die Deutungskunst geblieben. Die Zweifel, die sich dabei regen, sollten nicht dazu verführen, das leichte Urteil über das Werk an die Stelle der so viel schwierigeren Lesekunst zu setzen:

> Io cominciai: „Poeta che mi guidi,
> guarda la mia virtú s'ell'è possente,
> prima ch'all'alto passo tu mi fidi.[123]

Exkurs: Das Geheimnis der Identität

In der 'Entstehung des Doktor Faustus' heißt es, daß nur die dem Zentrum ferneren Erscheinungen Romanfiguren im pittoresken Sinn sein dürften, „alle diese Schildknapp, Schwerdtfeger, Roddes, Schlaginhaufens etc. etc.".[124] Die Namensaufzählung kann dazu verführen, über das Gewicht der Bekundung hinwegzulesen. Denn wer eigentlich gehört, außer den beiden Protagonisten, n i c h t zu den „etc. etc."? Noch Leverkühns Eltern werden mit einer Genauigkeit beschrieben, die weit über die Nachzeichnung der zugrunde liegenden Porträts aus der Reformationszeit hinausgeht. Und da auch angedeutet wird, was von diesen Eltern auf den Sohn vererbt wurde, rückt die Gefahr der physischen Individualisierung bis an das Zentrum selbst heran. Doch wird in der Tat das Tabu nur eben angerührt, nicht verletzt. Denn selbst dort, wo Leverkühns Physiognomie schließlich anschaulich zu werden scheint, hat das Gesicht rein mythische Züge und ist der Wirklichkeit schon entrückt: der im ausbrechenden Wahnsinn sich mit dem Doktor Faustus der letzten Komposition identifizierende Tonsetzer hat die Züge des leidenden Christus angenommen; nur deshalb versieht ihn der Autor mit einem Bart, nicht umgekehrt eignet ihm wegen des Bartes die Christusähnlichkeit. Als etliche von den angewurmten und so zweifelhaft fidelen alten Münchener Bekannten Leverkühn nicht wiedererkennen, bietet Zeitbloms realistisch vordergründige Erklärung dem Autor noch einmal eine Gelegenheit, mit der geheimen Identität zu spielen: „Aber mehrere der Gäste fragten mich, wer der Herr dort sei... Wie sehr mußte er sich unter meinen Augen [!] verändert haben, daß dies geschehen konnte! Viel machte gewiß der Knebelbart aus, und das sagte ich denen auch, denen es nicht hatte beikommen wollen, daß er es sei" (655). In der 'Entstehung' verrät Thomas Mann nicht, ob er die Seinen wirklich über das Tabu aufgeklärt habe. Aber indem er kundtut, daß die Vertrauten ihm versucherisch in den Ohren lagen, gibt er dem Leser einen Wink, wo das Zentrum und damit das Geheimnis der Entschlüsselung zu suchen sei.

Nachdem am Ende des XVII. Kapitels das Bordell-Abenteuer bereits ein Trauma genannt wurde, äußert Zeitblom die komisch anmutende Bitte, bei seiner Darstellung, seinen Berichten „möge der Leser nicht fragen, woher denn das einzelne mir so genau bekannt ist, da ich ja nicht immer dabei, dem verewigten Helden dieser Biographie nicht immer zur Seite war" (199). Es sei richtig, daß er wiederholt durch längere Zeiträume von Leverkühn getrennt gelebt habe; und er zählt die Trennungszeiten im einzelnen auf. Aber wenn er hinzufügt, daß er ab 1913 wieder in die Nähe des Jugendfreundes gekommen sei, „um dann freilich sein längst verhängnishaft tingiertes Leben, sein zunehmend erregtes Schaffen siebzehn Jahre lang, bis zur Katastrophe von 1930, ohne – oder so gut wie ohne – Unterbrechung" unter seinen Augen sich abspielen zu sehen, so ist dies natürlich keine Erklärung dafür, daß er über Dinge Bescheid weiß, bei denen er nicht dabei war. Die Spur scheint ins Leere zu führen, denn es ist dann im weiteren Verlauf des Kapitels von den frühen Kompositionen die Rede. Aber damit führt die Spur geradewegs ins Zentrum, weil die Protagonisten nur durch Leverkühns Werk existieren.

Das Thema der geheimen Identität wird im Roman in immer neuen Abwandlungen vorgeführt. Doch darf es natürlich nicht direkt erscheinen. Sehr oft besteht die Verhüllung in der Kontrastierung der ans Komische streifenden Art Zeitbloms mit derjenigen Leverkühns. Dessen Hochmut ist zwar danach angetan, „Sorge um sein Seelenheil einzuflößen", kann aber andererseits „auch wieder sehr eindrucksvoll für den Kameraden von schlichterer Geistesform" sein. Hier treten die beiden Protagonisten als Figuren sehr weit auseinander. Aber Thomas Mann läßt den Chronisten unmittelbar fortfahren: „...und [!] da ich ihn liebte, liebte ich seinen Hochmut mit – vielleicht liebte ich ihn um seinetwillen. Ja, es wird schon so sein [!], daß diese Hoffart das Hauptmotiv der erschrockenen Liebe war, die ich Zeit meines Lebens für ihn im Herzen hegte" (94).

Leverkühns Berufswahl, die über die Theologie zur Musik führt, nennt Zeitblom „charakteristisch", und er findet dafür den Namen „Kaisersaschern" als Erklärung schon beinahe zureichend: „Oft rief ich diesen [Namen] zu Hilfe, wenn die Problematik von Adrians Studiengebiet mich plagte" (124). Der Nennung eines Namens kommt im Josephsroman eine außerordentliche Bedeutung zu, daher gilt es auch hier aufzumerken, wenn ein Name zu Hilfe gerufen wird, und zudem noch so: „Ich sagte mir, daß wir beide uns als rechte Kinder des Winkels deutscher Altertümlichkeit erwiesen, worin wir aufgebracht worden waren: ich als Humanist und er als Theolog" (124). Das archaisierende Wort aufbringen weckt mythische Assoziationen, etwa an die Wölfin, die Romulus und Remus ernährte. Daß der Humanismus, den Zeitblom vertritt, ebensosehr wie die Theologie, und mit dieser die Musik, zu Kaisersaschern gehört, befremdet allenfalls, bis man mit Hilfe der geheimen Identität wie der Genealogie von Thomas Manns spezifischem Humanismus sich über das Selbstverständnis seines Künstlertums klar geworden ist. „Siehe, es ward dir das trunkene Lied zur sittlichen Fabel", heißt es schon im 'Gesang vom Kindchen' über den 'Tod in Venedig', und ebenhier wird auch mit der „Sache der Prosa" der Anspruch auf das Dichtertum eines Prosaisten verteidigt: „Das Gewissen des Herzens und das des verfeinerten Ohres. / Ja, sie schien mir Moral und Musik, – so übt ich sie immer".[125] Die Betrachtung über die gemeinsame Herkunft des Zeitblomschen Humanismus und der Theologie Leverkühns endet im Hinweis auf die Fortwirkung: „und wenn ich mich umsah in unserem [!] neuen Lebenskreis, so fand ich, daß der Schauplatz sich zwar erweitert, aber nicht wesentlich verändert hatte" (124).

Als Zeitblom wie Nietzsche nach Naumburg zum Militärdienst einrückt, Leverkühn aber schon nach Leipzig geht, um dort die Theologie mit der Musik zu vertauschen, wird der Abschied durchsichtig genug als ein nur scheinhafter beschrieben: „... wir trennten uns auf der Straße, wie wir uns hundertmal getrennt hatten, – wir wandten uns eben nach verschiedenen Seiten" (183). Trickreich wird aber durch eine zitathafte Anspielung auf die letzte Beethovensonate die subtile Motivverflechtung hergestellt und dies auch noch eigens angedeutet: „Ich konnte nicht umhin, mein Lebewohl [!] mit der Nennung seines Namens [!] zu betonen... Er tat das nicht. 'So long', sagte er nur, – er hatte die Redensart von Kretzschmar übernommen und benutzte sie auch nur spöttisch-zitatweise, wie er überhaupt für das Zitat, die erinnernde wörtliche Anspielung auf irgend etwas und irgend jemanden einen ausgesprochenen Geschmack hatte" (183). Zwar fügt Zeitblom noch hinzu, wie er diese Trennung „mit einer gewissen erregten Wehmut" als das Ende einer ganzen Lebensepoche und den Beginn einer neuen empfunden habe, und diese Betrachtung gipfelt in der Behauptung vom je eigenen Leben beider in dieser Epoche. Doch ist das leicht als Spiel des Autors zu durchschauen: „Erst jetzt, so schien es mir [!], lösten sich unsere Existenzen von einander ab". Eine bildhafte Wendung steigert diese vermeintliche Selbständigkeit ins Groteske. Was nur aufs Konto von Zeitbloms Stil zu gehen scheint, ist der geheimen Absicht des Verfassers zuzuschreiben: „... von einander ab, begann für jeden von uns das Leben auf den eigenen zwei Beinen" (184).

Rein rhetorisch, weil durch die ganze Lebensbeschreibung als solche widerlegt, ist die nachgestellte Klage: „nicht mehr sollte ich wissen, was er tat und erfuhr, nicht mehr mich neben ihm halten können, um auf ihn acht-, ein unverwandtes Auge auf ihn zu haben, sondern mußte ihm von der Seite gehen gerade in dem Augenblick, wo mir die Beobachtung seines Lebens... am allerwünschenswertesten schien..." (184). Schon der nächste Abschnitt, der den Übergang zur Mitteilung des Leverkühnschen Bekenntnisses der Tangierung durch die Hetaera Esmeralda bildet, hebt den Inhalt dieser Klage auf.

Dem Brief schließt sich Zeitbloms Rechtfertigung an, warum er Leverkühns „kategorische Weisung", das Schreiben sofort zu vernichten, nicht befolgt hat. Daß Zeitblom dieses Gebot nicht befolgen würde, mußte Leverkühn klar sein. Zeitblom selbst sagt das so: „Ich gehorchte der Zumutung anfangs darum nicht, weil ich das Bedürfnis hatte, das... Schriftstück wieder und wieder – nicht sowohl zu lesen, als es stilkritisch und psychologisch zu studieren, und mit der Zeit schien mir dann der Augenblick, es zu zerstören, versäumt" (192). In der Schlußfolgerung wird freilich die vorgespielte Eigenständigkeit der Protagonisten gleichsam durchleuchtet vom Geheimnis ihrer Identität bis zur Auflösung des Figurenumrisses. Sagt Zeitblom doch, er habe gelernt, den Brief „als ein Dokument zu betrachten, von dem der Vernichtungsbefehl ein Bestandteil war, so daß er eben durch seinen dokumentarischen Charakter sozusagen sich selber aufhob" (193). Wenn in der dann nachgereichten psychologischen Kommentierung des Briefes durch Zeitblom statt des Namens das „Kennwort 'Kaisersaschern'" fällt (197), weiß der Leser auch, daß das im Brief erwähnte, „auf Delacroix' Freundschaft für Chopin gemünzte Beiwort 'tief aufmerksam'" (192) wortwörtlich zu nehmen ist, ihn also selbst zur angespannten Aufmerksamkeit gemahnt. Er begreift auch, daß das beste Beispiel „für das Zitat als Deckung, die Parodie als Vorwand" (194) nicht nur für den Brief gilt, der gerade analysiert wird. Rhetorisch heißt es: „Wenige werden sich durch die Kühlheit der Analyse, der ich soeben und damals gleich Adrians Brief unterzog, über die wirklichen Gefühle haben täuschen lassen, mit denen ich ihn wieder und wieder las" (194). Das alles zielt darauf, der Leser möge „durch meine Gefühle Adrians Sein und Wesen gekennzeichnet finden" (195). Darum sieht Zeitblom Leverkühn nicht nur „auf der

Schwelle des Freudensalons" stehen, sondern: „Tagelang spürte ich die Berührung ihres Fleisches auf meiner eigenen Wange und wußte dabei mit Widerwillen, mit Schrecken, daß sie seither auf der seinen brannte" (198). Der Leser wird also nicht mehr für Ernst nehmen, wenn Zeitblom fortan seine „Unsicherheit" wie sein gleichgroßes „Verantwortungsgefühl" beteuert, weil er „Gedanken in Worte zu kleiden" sucht, die nicht primär seine eigenen sind, sondern die ihm nur durch seine Freundschaft für Adrian eingeflößt wurden (203). Und was für die Berührung gilt, gilt auch für das Weitere. Von der Ansteckung zu berichten, kommt Zeitblom „wie ein schweres persönliches Geständnis" an (204). Darum erklärt er jetzt nicht einmal mehr, woher er wisse, was nur Leverkühn wissen kann und was dieser selbst dem Freund kaum erzählt haben dürfte: daß die Dirne ihn vor ihrem kranken Körper gewarnt habe. Zeitbloms „Ich weiß es von Adrian" (206) klingt, solange man das realistisch nimmt, ganz unglaubwürdig, es wird aber sinnvoll, wenn man darin ein Zeichen für das Spiel des Autors mit dem Geheimnis der Identität sieht. Dem entspricht, daß schon auf der nächsten Seite die geheime Klang-Chiffre h e a e es preisgegeben wird, „von niemandem wahrgenommen als von mir" (207).

Da das Geheimnis der Musik überhaupt ein Geheimnis der Identität ist (502), muß auch die geheime Identität der Protagonisten so runenhaft das Werk durchgeistern, wie jene Klangchiffre Leverkühns Kompositionen. Schon im XXI. Kapitel hat Zeitblom daher zu versichern: „Habe ich nicht mehr als einmal gesagt, daß das Leben, von dem ich handle, mir näher, teurer, erregender war als mein eigenes?" Das wäre freilich nur eine schwächende Wiederholung, wenn ihr nicht der Satz folgte, der durch den Roman als Kunstwerk selbst aufgehoben wird und daher im gegenwendigen Sinn zu verstehen ist: „Das Nächste, Erregendste, Eigenste ist kein 'Stoff'; es ist die *Person* – und nicht danach angetan, eine künstlerische Gliederung von ihr zu empfangen" (235).

Die Brentano-Gesänge sind das erste Werk, in dem keimhaft all das steckt, was dann in den beiden Hauptwerken sich voll entfaltet. Die „Original-Ausgabe" von Brentano's Gedichten hat Zeitblom dem Freund als Geschenk aus Naumburg nach Leipzig mitgebracht. Es ist die treffendste Gabe, was in der rhetorischen Umkehrung ausgedrückt aber so lautet: „Ein unstimmiges Geschenk, so wird der Leser finden" (246). Und es heißt dann auch, daß die Auswahl der dreizehn Gesänge „selbstverständlich" ganz Leverkühns Sache war: „ich nahm nicht den geringsten Einfluß darauf. Aber ich darf sagen, daß sie fast Stück für Stück meinen

Wünschen, meinen Erwartungen entsprach" (246). Selbstverständlich auch, daß solche Übereinstimmung nicht die psychologische Einfühlung meint, sondern diese nur eine Chiffre für die Identität ist. Und das gilt auch für die mannigfachen Beteuerungen der Liebe des Chronisten zum Helden, die einmal so umschrieben wird: „Aber Bewunderung und Trauer, Bewunderung und Sorge, ist das nicht beinahe die Definition der Liebe?" (290). Als Leverkühn sich über das „Du" des Teufels erregt, antwortet dieser: „Ach, du meinst, weil du niemandem Du sagst, nicht einmal deinem Humoristen, dem Gentleman, außer allein dem Kindgespiel, dem Getreuen, der dich mit Vornamen nennt, du aber nicht ihn?" (298). Als dann statt der Zeit der Kunst die Zeit der „fatal inspirierte(n) Politik" (336) gekommen ist, wird die Identität in der Stellvertretung verhüllt: „Es ist mir, als stände und lebte ich für ihn, statt seiner, als trüge ich die Last, die seinen Schultern erspart geblieben, kurz, als erwiese ich ihm ein Liebes, indem ich's ihm abnähme zu leben". Zeitblom sagt nicht einmal, dies sei eine absurde Vorstellung; der Schleier wird vielmehr vom Autor um ein weniges wieder vor das Geheimnis gezogen: „Und diese Vorstellung, so illusorisch, ja närrisch sie sei [!], tut mir wohl, sie schmeichelt dem stets gehegten Wunsch, ihm zu dienen, zu helfen, ihn zu schützen" (337).

„Es sei noch einmal", und also gewiß nicht zum letzten Mal, „gesagt…, daß ich mein eigenes Leben, ohne es gerade zu vernachlässigen, immer nur nebenbei, mit halber Aufmerksamkeit, gleichsam mit der linken Hand führte, und daß meine eigentliche Angelegentlichkeit, Spannung, Sorge dem Dasein des Kindheitsfreundes gewidmet war". Wenn das „eine einfache Feststellung" genannt wird (415), haben wir wieder nur das komplizierte Geheimnis in jener Parodie vor uns, wie sie kraft der Chronistenfigur sich durch das Werk zieht. Darum ist es nicht nur witzig und psychologisch-figural motiviert, daß Zeitblom, als wäre er eifersüchtig, zu sagen hat: „An Adrians Stelle – aber es ist freilich unsinnig, mich an seine Stelle zu versetzen – hätte ich mehreres nicht geduldet von dem, was Rudolf äußerte. Es war entschieden ein Mißbrauch des Dunkels" (467). Das kann auch so lauten: „Er hätte sprechen sollen, – und doch war es besser, daß ich es tat" (574). Bei den beiden Aufführungen des Violinkonzertes treten Leverkühn und der Geiger „Hand in Hand" vors Publikum: „Dies zweimalig-einmalige Vorkommnis also, das persönliche Sichpreisgeben der Einsamkeit vor der Menge, habe ich versäumt". Deutlicher noch: „Ich war davon ausgeschlossen" (553f.).

Ein Gegenstück dazu, wie der Teufel Leverkühns Kindgespiel ins Gespräch bringt, ist die komödienhafte Art, in der die geheime Identität in der Fitelberg-Episode behandelt wird: „...und obgleich Adrian mich zuerst eintreten ließ, richtete sich die ganze Aufmerksamkeit des Mannes sogleich auf jenen... Natürlich ist es kein Kunststück, zwischen einem vom Genius Gezeichneten und einem schlichten Gymnasialprofessor zu unterscheiden; aber die rasche Orientierungsfähigkeit des Mannes, die Fixigkeit, mit der er... meine Nebensächlichkeit erkannte und sich an den Rechten hielt, hatte trotzdem etwas Eindrucksvolles" (528). Als Parodie des Verführers, der gekommen ist, „die Reiche dieser Welt und ihre Herrlichkeit... zu Füßen zu legen" (530)[126], muß diese höchst pittoreske Figur so gut wie der Teufel des nächtlichen Dialogs das Geheimnis kennen und auf die der Situation angemessene Weise wie im Lustspiel von dieser Kenntnis Kunde geben. Gerade noch, daß Zeitblom es unterläßt, selber den sofort erkannten Gymnasialprofessor physiognomisch zu beschreiben!

Als Leverkühn Schwerdtfeger zum Brautwerber erwählt, ihn so zum Verräter macht und ihn über diesen Verrat in den Tod schickt, wird die Verhüllungsformel der Identität – die innigste Vertrautheit – ein weiteres Mal abgewandelt: „Nein, ich war nicht dabei. Aber heute ist seelische Tatsache, daß ich dabei gewesen bin, denn wer eine Geschichte erlebt und wieder durchlebt hat, wie ich diese hier, den macht seine furchtbare Intimität mit ihr zum Augen- und Ohrenzeugen auch ihrer verborgenen Phasen" (576). Das wird noch zur Travestie gesteigert, indem Leverkühn dem sich sträubenden Schwerdtfeger sagt: „In meinem Leben war einer, dessen beherztes Ausharren – man kann beinahe sagen: den Tod überwand; der das Menschliche in mir freimachte, mich das Glück lehrte. Man wird vielleicht nichts davon wissen, es in keiner Biographie schreiben" (579f.). Dies soll ein Verdienst sein, „von dem die Nachwelt vielleicht nicht wissen, vielleicht auch wissen wird" (581; und noch einmal 584). Zu diesem „Liebesdienst" hat Leverkühn denjenigen, der ihn „zum Du bekehrte" (579), ausersehen, „weil du dabei weit mehr in deinem Element bist als, sagen wir, Serenus Zeitblom" (584). Einen Augenblick nur, ehe Schwerdtfeger in der Straßenbahn von der verlassenen Geliebten erschossen wird, sehen wir den Geiger den Mann ignorieren, „den er als Adrians anderes Ich betrachten mochte" (595).

Sehr spät, bei der Beschreibung der Leere, die den letzten Inspirationsschüben vorausgeht, wird Zeitblom zum Empfänger klagender Bekenntnisse, wie sie ihm allein, dem Jugendgespiel, und sonst niemandem, vorbehalten bleiben (603). Dem korrespondiert, daß Leverkühn beim neuen Durchbruch sagt: „Zwischen Glück und Marter sollte man als Busenfreund eines Humanisten wohl jederzeit säuberlich unterscheiden können..." (608). Für den Rest tritt Leverkühn mit seinem Endwerk ganz in die mythische Identifizierung ein, und da er so zum Faustus wird, kann Zeitblom ganz zum Freund werden, der des deutschen Tonsetzers Leben erzählt.

ANMERKUNGEN

Thomas Mann wird zitiert nach: Gesammelte Werke in dreizehn Bänden, Frankfurt am Main 1974.

DIE WELT IN DER NUSS
THOMAS MANNS ANFÄNGE

1. Thomas Mann, Briefe an Otto Grautoff und Ida Boy-Ed, Frankfurt 1975. Im folgenden zitiert als BrG.

2. BrG 106

3. BrG 8

4. BrG 97

5. BrG 101

6. Schon im Februar 1896 heißt es: „Neulich las ich auch Fontanes neuen Roman 'Effi Briest', der ganz vortrefflich ist" (69). Im Oktober 1898 wird „der wundervolle alte Fontane" erwähnt, „dessen Romane wir uns jetzt abends immer im Familienkreise vorlesen" (106). – „Mythus und Psychologie": IX, 32. – Hans R. Vaget, Thomas Mann und Theodor Fontane – Eine rezeptionsästhetische Studie zu 'Der kleine Herr Friedemann', in: Modern Language Notes 1975, gibt durch die Konzentration auf den Fontane-Einfluß detaillierte Hinweise, die für eine starke Wirkung auf den jungen Thomas Mann sprechen. Das verrät einmal mehr den von Anfang an ausgeprägten Alexandrinismus Thomas Manns: auch in nuce ist diese Welt vor allem eine Welt der Literatur.

7. BrG 31

8. BrG 96

9. BrG 110

10. BrG 31. Der Anlaß der Erwähnung: „Der 'Akadem. dramat. Verein' veranstaltet... unter der Regie des Herrn Ernst von Wolzogen in einem hiesigen Theater die Aufführung eines modernen Stückes vor einem exquisiten Publikum, der Bluts-, Geld- und Geistesaristokratie Münchens". In der 'Wildente', dem Stück, „das ich selbst im Verein sehr warm befürwortet habe", spielte Thomas Mann den Großhändler Werle.

11. BrG 140

12. BrG 96

13. BrG 96

14. XI, 303

15. BrG 90

16. So etwa BrG 40: „Die Wahrheit zu sprechen gehört zum 'guten Geschmack', den ein kluger Mann an die Stelle der Moral gesetzt hat!" – Noch deutlicher ist die Nietzsche-Paraphrase, anhand derer Thomas Mann den Jugendfreund moralisch belehrt; vgl. u. 35f.

17. Doch ist vor überzogenen Interpretationen zu warnen. Gegen J. Northcote-Bade, Die Wagnermythen im Frühwerk Thomas Manns, Bonn 1975, wendet schon Werner Frizen, Zaubertrank der Metaphysik, Frankfurt 1980, 473, ein: „Gerdas Epiphanie mit der Lohengrins zu vergleichen, ist aufgrund der offensichtlichen 'mythischen' Grundsituation ohne Sinn. Alles andere, das Northcote-Bade, 15–22, anzieht, um den 'Kleinen Herrn Friedemann' als Parodie und Travestie des 'Lohengrin' nachzuweisen, sind abliegende Assoziationen, die in keinem Fall einen mit der Vorlage identischen Stellenwert innehaben".

18. VIII, 77. Alle folgenden Seitenzahlen im Text beziehen sich auf Band VIII.

19. Zuletzt noch einmal ausführlich von W. Frizen, a.a.O. 54ff., wo auch die früheren Nachweise des Nietzsche-Einflusses vermerkt und ergänzt sind.

20. Vgl. 'Leiden und Größe Richard Wagners': „Man findet in wagneroffiziellen Werken allen Ernstes die Behauptung, der 'Tristan' sei unbeeinflußt von Schopenhauerscher Philosophie. Das zeugt von sonderbarer Uneinsichtigkeit" usw. (IX, 399). Im Schopenhauer-Essay wird demonstriert, wie „Künstler mit einer Philosophie" umgehen, „sie 'verstehen' sie auf ihre Art", und als Beispiel dient wiederum der 'Tristan' (IX, 562).

21. Wenn es in der Abhandlung über die asketischen Ideale heißt: „wir Nußknakker der Seele" und: „wie als ob Leben nichts andres sei, als Nüsseknacken" (Nietzsche, ed. Schlechta, II, 855), dann erscheint das auf den ersten Blick frappierend. Doch läßt sich ein sachlicher Bezug nur in mühsamer Spekulation herstellen. Das schließt natürlich eine assoziative Anregung durch dieses Bild nicht aus.

22. Das entspricht – sit venia verbo – Nietzsches: „das asketische Ideal entspringt dem Schutz- und Heil-Instinkte eines degenerierenden Lebens" (Nietzsche II, 861). Oder auch: „Ein noch geschätzteres Mittel im Kampf mit der Depression ist die Ordinierung einer *kleinen Freude,* die leicht zugänglich ist und zur Regel gemacht werden kann" (Nietzsche II, 875). Doch ist Entsprechung gewiß ein zu hoch greifendes Wort. Alle Hinweise auf die Anregungen, die von Nietzsche ausgegangen sein dürften, sollen nur dazu dienen, das schon auf dieser Stufe alle typischen Merkmale enthaltende Verfahren Thomas Manns zu zeigen.

23. Da gerade in der 'Genealogie der Moral' die „merkwürdige und für manche Art Mensch selbst faszinierende Stellung Schopenhauers zur *Kunst*" (Nietzsche II, 844) untersucht wird („denn sie ist es ersichtlich gewesen, um derentwillen *zunächst* Richard Wagner zu Schopenhauer übertrat") –, spielt es hier keine Rolle, ob Thomas Mann die schopenhauersche Philosophie der Kunst aus den originalen Texten kannte oder nicht.

24. Herbert Lehnert zeigt die Anwendung des „Dualismus des Apollinischen und Dionysischen" bereits im 'Friedemann' auf und betont die leitende Anregung der Abhandlung über die asketischen Ideale. Eine Notiz aus 'Jenseits von Gut und

Böse' habe ebenfalls ganz sicher mitgewirkt: „'Die Dichter sind gegen ihre Erlebnisse schamlos: sie beuten sie aus.' Friedemann genoß den Schmerz um den Tod seiner Mutter ästhetisch 'und beutete ihn aus als sein erstes starkes Erlebnis' (VIII, 81)." (Thomas Mann – Fiktion, Mythos, Religion, Stuttgart 1968[2], 47)

25. Nietzsche II, 846: „Hören wir zum Beispiel eine der ausdrücklichsten Stellen unter den zahllosen, die er [Schopenhauer] zu Ehren des ästhetischen Zustandes geschrieben hat…, hören wir den Ton heraus, das Leiden, das Glück, die Dankbarkeit, mit der solche Worte gesprochen worden sind. 'Das ist der schmerzlose Zustand, den Epikuros als das höchste Gut und als den Zustand der Götter pries; wir sind, für jenen Augenblick, des schnöden Willensdrangs entledigt, wir feiern den Sabbat der Zuchthausarbeit des Wollens, das Rad des Ixion steht still'… Welche Vehemenz der Worte! Welche Bilder der Qual und des langen Überdrusses!" – In Thomas Manns 'Schopenhauer' klingt das noch so nach: „Das Glück? Es wäre die Ruhe. Aber sie eben ist nicht möglich für das Subjekt des Wollens. …und so liegt das Subjekt des Wollens immerdar auf dem drehenden Rade des Ixion, schöpft immer im Siebe der Danaiden, es ist der ewig schmachtende Tantalus. Gehäufte Bilder der Qual…" (IX, 542).

26. Nietzsche, II, 846. Auch das wird von Thomas Mann mehrfach, und ohne Nennung Nietzsches, herangezogen. So etwa wiederum im Schopenhauer-Essay: „Schopenhauer ist recht etwas für junge Leute, – gewiß aus dem Grunde, weil seine Philosophie die Konzeption eines jungen Mannes ist" (IX, 559).

27. Gerhard Loose, Der junge Heinrich Mann, Frankfurt 1979, hat mit vielen aus zweiter Hand stammenden Vorstellungen aufgeräumt. Bei Loose findet sich auch (156ff.) ein thematischer Überblick über Heinrich Manns Novellistik der Jahre 1894–1898.

28. „Er nahm alle seine Empfindungen und Stimmungen bereitwilligst auf und pflegte sie, die trüben so gut wie die heiteren: auch die unerfüllten Wünsche, – die *Sehnsucht*. Er liebte sie um ihrer selbst willen und sagte sich, daß mit der Erfüllung das Beste vorbei sein würde . . . Ja, er war ein Epikureer, der kleine Herr Friedemann!" (VIII, 81).

29. Nietzsche II, 845

30. Noch im 'Doktor Faustus' wird Jesu Aufschrei am Kreuz: „mein Gott, mein Gott, warum hast du mich verlassen?" (Matthäus 27, 46) nachhallen. Man darf aber schon hier den direkten Anklang vermuten. Die Formel wird auch im 'Zauberberg' verwendet.

31. W. Frizen, a. a. O. 58

32. Vgl. VIII, 84–85

33. Öfter wird zur Interpretationshilfe Thomas Mann mit einem Brief vom 28. IV. 1909 an Frau Willy Wolff angeführt: „Ich kann keiner der beiden streitenden Parteien völlig recht geben. 'Frau von Rinnlingen' ist keine Kokette: von der gesellschaftlichen Kritik der Stadt wird ihr ausdrücklich alle weibliche Koketterie abgesprochen. Sie ist aber auch keine 'natürliche, gesund denkende und fühlende Frau': dagegen spricht schon ihr fremdes Verhältnis zu ihrem

gesunden und natürlichen Mann. Sie ist eine Leidende, eine problematische Natur, die in dem körperlich Mißgebildeten einen Leidensgenossen erkennt, im letzten Augenblick aber zu stolz ist, diese Zusammengehörigkeit wahrhaben zu wollen." (Briefe I, 75) Daß hier aber keine echte Selbstinterpretation beabsichtigt ist, sondern daß der Verfasser nur durch eine reichlich vage Antwort der Höflichkeit Genüge tun wollte, geht schon aus dem kurzen Schreiben selbst ziemlich eindeutig hervor. („Ihre freundliche Zuschrift beantworte ich notgedrungen mit einiger Verspätung" – „Mit verbindlichstem Dank für Ihr gütiges Interesse...") Thomas Mann gibt noch weit weniger preis, als er behauptet: „Dies ist, sehr kurz gefaßt, ihr Verhältnis zum kleinen Herrn Friedemann". So gefaßt, führt die ad-usum-Interpretation zu einer Vereinfachung, die man eine Verfälschung nennen müßte, sollte man sie ernst nehmen.

34. VI, 202

35. Die selbstverfertigte Vorlage für die Krull'sche Unterschriftenfälschung in: Bild und Text bei Thomas Mann, hrsg. von Hans Wysling, Bern München 1975, 82. – Im 'Doktor Faustus' treibt Thomas Mann sein Spiel mit der „Unterscheidung zwischen den Typen des Augen- und des Ohrenmenschen" (VI, 236), indem Leverkühn sich selbst à la Nietzsche zum Ohrenmenschen macht, dies aber von Zeitblom wieder mit Berufung auf Goethe infrage gestellt wird.

36. Nietzsche II, 905f. ('Der Fall Wagner', 1. Aph.)

37. Schiller, Unterdrückte Vorrede zu den 'Räubern' (Nationalausgabe 3, 245)

38. Nietzsche, II, 850

39. BrG 68

40. Richard Wagner, Die Walküre, 1. Aufzug, 2. Szene

41. Nietzsche II, 900 bzw. 839

42. V, 1085

43. V, 1086

VOM FATUM DER DEKADENZ UND VON DER FREIHEIT
DER KUNST: BUDDENBROOKS

Die Seitenangaben im Text und in den Anmerkungen dieses Kapitels beziehen sich auf Band I der Gesammelten Werke.

1. In seiner am 20. Mai 1955 in Lübeck gehaltenen Ansprache sagt Thomas Mann über seinen Vater: „Wie hätte ich 'Buddenbrooks' schreiben können, während er noch da war? Undenkbar. Aber während ich's dennoch denke, erinnere ich mich, wie er am Travemünder Strand durch sein goldenes Pincenez ein französisches Buch las, einen Roman von Zola, am Ende war es gar 'Nana'. Das durfte niemand sehen, daß Senator Mann Zola las, und darum hatte er das Buch in eine dichte, gestickte Schutzhülle gesteckt, die es unkenntlich machte." (XI, 536) – Peter de Mendelssohn zitiert (Der Zauberer, Frankfurt 1975, 424) aus dem Notizbuch 7

(1901 bis etwa 1905): „Lesen: Zola, die Rougon-Maquart. Unverkürzte Ausgabe. Übers. von Armin Schwarz." P. de Mendelssohn sieht darin „eine Bestätigung von Thomas Manns Angabe, daß er zur Zeit der Niederschrift von *Buddenbrooks* Zola noch nicht kannte", gibt aber selbst ('Der Zauberer', 45) die zitierte Erinnerung des alten Thomas Mann an die Zola-Lektüre des Vaters ebenfalls als Tatsache wieder. Ein stichhaltiger Beweis, wann nun Thomas Mann Zola wirklich gelesen oder noch nicht gekannt hat, ist aber weder aus dem einen noch dem andern Zeugnis abzuleiten. Zu vermuten bleibt jedenfalls, daß er zumindest durch Rezensionen und Aufsätze schon früh über die Intention und den Aufbau von Zolas Romanzyklus informiert war.

2. XI, 380. Ebd. auch: „Nicht Zola also, wie man vielfach angenommen hat – ich kannte ihn damals gar nicht –, sondern die sehr viel artistischeren Goncourts waren es, die mich in Bewegung setzten...".

3. XI, 381

4. XI, 380

5. XI, 398

6. VIII, 338

7. VI, 615

8. Der Satz hat einen Hintersinn, der von Tony natürlich nicht begriffen wird. Als der Senator starb, lebte Hanno noch, und wäre Gerda unmittelbar nach Thomas Buddenbrooks Tod abgereist, so hätte sie ja den letzten Buddenbrook entweder der 'Familie' entführen oder ihn ihr überlassen müssen.

9. Thomas Mann hat dies mit der ihm eigenen und keineswegs durch des Bewußtseins Blässe je angekränkelten Naivität direkt in den Roman eingeführt: „War der verstorbene Konsul, mit seiner schwärmerischen Liebe zu Gott und dem Gekreuzigten, der erste seines Geschlechtes gewesen, der unalltägliche, unbürgerliche und differenzierte Gefühle gekannt und gepflegt hatte, so schienen seine beiden Söhne die ersten Buddenbrooks zu sein, die vor dem freien und naiven Hervortreten solcher Gefühle empfindlich zurückschreckten (259).

10. Eine in ihrer Trivialität scheinbar unwichtige, in Wirklichkeit aber hochbedeutsame Figur der Sanatoriumspopulation, die ordinäre Frau Stöhr, hat im 'Zauberberg' die Funktion, auf der untersten Ebene alle großen Themen des Romans zu parodieren. Davon darf die Stöhr selbst nichts ahnen. Aber der Leser, der dies erkennt, wird aufhören, sich simplerweise an den Kalauern zu ergötzen oder an ihnen nur einen weiteren Gegenstand zu finden, mit dessen Hilfe er sich um so kräftiger über Thomas Mann ärgern kann.

11. Bei der Verhandlung über den Verkauf des Hauses in der Mengstraße hält der Makler Gosch „einen Vortrag über das erdrückende Risiko, das er übernähme", und gerät dabei unversehens in Faust II: „...damit sitzenbleiben werde er, und dann sei er ein geschlagener, ein endgültig vernichteter Mensch, der nicht mehr die Zeit haben werde, sich zu erheben, denn seine Uhr sei abgelaufen, sein Grab sei geschaufelt, geschaufelt sei es... Und da diese Wendung ihn fesselte, so fügte er noch etwas von schlotternden Lemuren und dumpf auf den Sargdeckel fallenden Erdschollen hinzu" (593).

Zu Helena: Herbert Singer hat schon 1963 in seinem Aufsatz „Helena und der Senator" als die Urbilder Gerda Buddenbrooks Melusine, Aphrodite und die Helena von Faust II vermutet. Dieser „Versuch einer mythologischen Deutung von Thomas Manns 'Buddenbrooks'" ist wiederabgedruckt in: Thomas Mann, hrsg. von Helmut Koopmann, Darmstadt 1975, Wege der Forschung. Übrigens dürfte weder die Art der Präsentation noch das Repertoire der Festmusik zum hundertjährigen Jubiläum der Firma Buddenbrook ein Zufall sein: „Und nun beginnt in dieser unmöglichen und maßlosen Akustik, in der die Töne zusammenfließen, die Akkorde einander verschlingen und sinnlos machen, und in der das überlaut knarrende Grunzen der großen Baßtrompete, in welche ein dicker Mann mit verzweifeltem Gesichtsausdruck stößt, alles übrige dominiert, das Ständchen, das man dem Hause Buddenbrook zu seinem Jubiläum bringt – es beginnt mit dem Chorale 'Nun danket alle Gott', dem alsbald eine Paraphrase über Offenbachs 'Schöne Helena' folgt, worauf zunächst ein Potpourri von Volksliedern erklingen wird... Es ist ein ziemlich umfangreiches Programm" (490).

12. Wie die ganze Liebesgeschichte vom Abschied her in den kurzen Dialog hereingenommen wurde, macht aus dieser Szene eine der subtilsten und zugleich in ihrer Schlichtheit ergreifendsten Passagen des Romans.

13. Schiller, Don Carlos, II, 8:

PRINZESSIN: Prinz, diese Hand hat noch
Zwei kostbare Geschenke zu vergeben –
Ein Diadem und Carlos' Herz – und beides
Vielleicht an e i n e Sterbliche? An e i n e?
Ein großes, göttliches Geschenk! – Beinahe
für e i n e Sterbliche zu groß! – Wie, Prinz?
Wenn Sie zu einer Teilung sich entschlössen?
Die Königinnen lieben schlecht – ein Weib,
Das lieben kann, versteht sich schlecht auf Kronen:
Drum besser, Prinz, Sie teilen, und gleich jetzt...

14. Zunächt heißt es noch: Anna „folgte dem Fräulein Jungmann über die Haupttreppe, indem sie stumme Blicke in das glänzende Treppenhaus hinaufgleiten ließ". Dann: „Sie wurde in den Salon eingelassen, denn dort lag Thomas Buddenbrook aufgebahrt". Zwar könnte das Folgende zur Not noch in die vom strengen Realismus geforderte Perspektive der betrachtenden Anna passen: „Er lag in mitten des weiten und lichten Gemaches, dessen Möbel fortgeschafft waren, in den weißseidenen Polstern des Sarges". Aber unmöglich kann Anna den segnenden Christus zu Häupten des Toten als denjenigen von Thorwaldsen erkennen (689). Dasselbe gilt von der Schilderung von Thomas' zerschundenem Gesicht, wo sich ebenfalls der Erzähler in die Perspektive einschiebt: „Aber sein Haupthaar war wie im Leben frisiert, und der Schnurrbart, von dem alten Herrn Wenzel noch einmal mit der Brennschere ausgezogen" usw. (690).

15. Faust II, Am unteren Peneios:

CHIRON: Wie war sie reizend! jung, des Alten Lust!
FAUST: Erst zehen Jahr! ...

CHIRON: Ich seh, die Philologen,
        Sie haben dich so wie sich selbst betrogen.

16. Ebd. auch die Verflechtung des Liebesunglücks der Geschwister: „Sie liebte und verehrte diesen Bruder, der ja auch damals bei der Abreise von Travemünde ihren Schmerz gekannt und gewürdigt hatte... 'Ja, ja', sagte er, 'wir beide haben schon allerhand durchgemacht, Tony...' Dann zog er die Braue empor, ließ die russische Zigarette in den anderen Mundwinkel wandern und dachte wahrscheinlich an das kleine Blumenmädchen mit dem malaischen Gesichtstypus, das vor kurzer Zeit den Sohn ihrer Brotgeberin geheiratet hatte und nun auf eigene Hand das Blumengeschäft in der Fischergrube fortführte" (253f.).

17. „Aber das bläuliche, allzu sichtbare Geäder an seinen schmalen Schläfen... sowie eine leichte Neigung zum Schüttelfrost... deutete an, daß seine Konstitution nicht besonders kräftig war" (236).

18. Zum Einfluß von Brandes vgl. Uwe Ebel, Rezeption und Integration skandinavischer Literatur in Thomas Manns 'Buddenbrooks', Neumünster 1974, S. 33 ff. und Sandberg, Hans-Joachim, Thomas Mann und Georg Brandes. Quellenkritische Beobachtung zur Rezeption (un-)politischer Einsichten und deren Integration in Essay und Erzählkunst. In: Thomas Mann 1875–1975, hrsg. von Bludau, Heftrich, Koopmann, Frankfurt 1977, S. 285 ff.

19. Ein Beispiel für die Übertragung solcher von Nietzsche diagnostizierter Symptome ist Thomas Buddenbrooks wachsender Hang zur Pedanterie.

20. Die Gestalt Permaneders wird beschrieben nach einer Simplicissimus-Abbildung. Vgl. Bild und Text bei Thomas Mann. Eine Dokumentation, hrsg. v. Hans Wysling, Bern, München 1975, S. 31.

21. Die Wiederholung wird noch weitergetrieben und dabei zugleich gesteigert. Auch Thomas verzichtet darauf, durch einen Prozeß den finanziellen Schaden wieder wettzumachen: „Es ist, wie es ist. Meint ihr, ich werde in die Gerichte laufen und gegen meine Mutter prozessieren, um dem internen Skandal einen öffentlichen hinzuzufügen?" (435)

22. Die Richtkrone stammt natürlich aus dem Blumenladen, und Anna, „ersichtlich in guter Hoffnung", ein Kind an der Hand und eines im Wägelchen, sieht mit ihrem Mann dem Richtfest zu. Anna betrachtet „aus ihren schwarzen, länglich geschnittenen Augen ruhig und aufmerksam die Senatorin..., die am Arme ihres Gatten auf sie zukam" (426).

23. Das Gespräch findet „zu Beginn des Juli" statt, „Senator Buddenbrook hatte seit etwa vier Wochen sein neues Haus bezogen" (426). Es ist nicht der einzige täuschende Sommer. Die Pöppenrader Hagelkatastrophe ereignet sich ebenfalls im Juli (476). Es ist der Tag, an dem die Firma ihr hundertjähriges Bestehen feiert. Aber noch sechs Jahre später wird das Schopenhauer-Erlebnis des Senators in den Hochsommer verlegt (653). Wenn so das Jahr auf dem Höhepunkt steht, während der Verfall weit fortgeschritten ist, wirkt die Zeit wie angehalten. Um so rascher neigt sie sich dann Mal für Mal dem Ende zu.

24. Im Gespräch über den Verkauf des Familienhauses gibt Thomas selbst als Grund an: „Ja, hätte ich nicht mein Haus in der Fischergrube! Aber ich habe es,

und wohin damit? Soll ich vielleicht lieber *das* verkaufen? Urteile doch selbst ...
an wen? Ich würde ungefähr die Hälfte des Geldes verlieren, das ich hineinge-
steckt" (583).

25. Noch ehe Tony die Frage zu stellen wagt – „Frau Permaneders Herz pochte
so voller Angst" – hat sie sich gefragt, ob Thomas nach dem Streit in der Stimmung
wäre, „Pietät und Milde walten zu lassen" (582).

26. „O Eitelkeit der Eitelkeiten! spricht der Prediger; o Eitelkeit der Eitelkeiten!
Alles ist eitel! Was für Gewinn hat der Mensch bei all seiner Mühe, womit er sich
müht unter der Sonne! Ein Geschlecht geht dahin und ein anderes kommt, aber die
Erde bleibt ewig stehn" (1, 2–4). „Alles hat seine Zeit und jegliches Vornehmen
unter dem Himmel hat seine Stunde. Geboren werden hat seine Zeit und Sterben
hat seine Zeit" (3, 1–2). „Was für Gewinn hat der Handelnde bei dem, womit er
sich abmüht?" (3, 9).

27. Dem entspricht, neben anderen Zügen, auch die differierende Auffassung von
der Natur bei beiden (32).

28. Daß die Gegenwart schon aus einem anderen Grund so fröhlich nicht ist,
weiß der Leser ohnehin, denn der Konsul trägt einen Brief seines Stiefbruders
Gotthold an den Vater in der Tasche, den er wohlweislich erst am Abend
aushändigen wird (46 f.).

29. Notizbuch II, 1897–1898, S. 22 f.
Zur Verwendung des Motivs im 'Zauberberg' vgl. vom Verf. 'Zauberbergmusik',
Frankfurt 1975, 149.

30. Möglicherweise verdankt der Organist Pfühl seinen Namen auch dem Kritiker und Komponisten Ferdinand Pfohl, der seit 1892 Musikredakteur der 'Hamburger Nachrichten' war und dessen 'Bayreuther Fanfaren' sich großer Bekannt-
heit erfreut haben.

31. Über die möglichen Modelle vgl. P. de Mendelssohn, Der Zauberer, 310.

32. VIII, 377

33. P. de Mendelssohn, a. a. O. S. 310: „Und den Vornamen des kleinen Grafen
Rantzau gab er seinem Hanno. Rantzau hieß Hans Kaspar. Hanno wird auf den
Vornamen Johann Justus Kaspar getauft, Johann nach den Mann'schen und
Buddenbrook'schen Vorvätern, Justus nach dem Onkel Justus Kröger, und
woher Kaspar? Der Vorname kommt weder bei den Manns noch bei den
Buddenbrooks und ihren Anverwandten vor". Woher Kaspar? Da die zum
Rufnamen gefügten Taufnamen gewöhnlich von Vätern oder Vorvätern genom-
men werden, dürfte Kaspar von Goethes Vater Johann Kaspar stammen.

34. Dichter über ihre Dichtungen Bd. 14/1: Thomas Mann, Teil I: 1889–1917,
hrsg. v. Hans Wysling, Passau 1975, S. 128.

EROS UND POLITIK – DIE TAGEBÜCHER 1918–1921

Die Seitenangaben im Text beziehen sich auf 'Tagebücher 1918–1921' (Tagebücher im folgenden abgekürzt TB), hrsg. von Peter de Mendelssohn, Frankfurt 1979.

1. Thomas Mann, Briefe an Otto Grautoff 1894–1901 und Ida Boy-Ed 1903–1928, Frankfurt 1975, 70.

2. Als er im April 1920 zu einer Lesung fährt, entdeckt er: „Ich hatte mein Schlüsselbund am Fachschrank links stecken lassen, was mich beunruhigte" (414). Im Frühjahr 1933 kehrt Golo Mann in das Münchener Haus zurück; er soll unter anderem auch die dort lagernden Tagebücher an sich nehmen und in die Schweiz schaffen. Der Vater ermahnt den Sohn eigens: „Ich rechne auf Deine Diskretion ... daß Du selber diese Hefte nicht liest." (Tagebücher 1933–1934, Frankfurt 1977, X).

3. Vgl. Peter de Mendelssohns Rekonstruktion der Einzelheiten in den 'Vorbemerkungen' zu TB 1918–21.

4. Ebd., VI

5. Goethe, Italienische Reise, Zweiter Römischer Aufenthalt, 12. September 1787.

6. Schon der unmittelbar folgende Satz streicht mit unfreiwilliger Ironie diesen Entschluß durch: „Allerlei Professoren schrieben und sandten Briefe und Schriften".

7. Hugo Friedrich, 'Montaigne', Bern 1967[2], 239, über Montaignes Reisejournal, das Goethe sehr geschätzt hat: „Sein Inhalt zeigt, daß es sich um mehr als um eine Bäderreise handelte. Zwar notiert er peinlich genau den Abgang der Steine sowie ihre Beschaffenheit und Größe, seine Konstipationen und Blähungen, die Wirkung der Bäder auf die Nierenfunktion – wofür er im übrigen selbst den nötigen Humor aufbringt: *C'est une sotte coustume de noter ce qu'on pisse.* Aber er notiert noch viel mehr..."

8. Brief vom 5. 12. 36 an Gottfried Bermann Fischer (Briefwechsel mit seinem Verleger) Frankfurt 1973, 132.

9. TB 1933–34, 346

10. Ebd. 319

11. Arno Schmidt, Eines Hähers: „TUE!" und 1014 fallend. In: Das Tagebuch und der moderne Autor. Hrsg. von Uwe Schultz. München 1965, S. 114.

12. Ebd. 116

13. Es ist ein Recht, das auch nicht vor der Behauptung Arno Schmidts zunichte wird: „ein TB *muß zwangsläufig* ungeordnet ausfallen: dem Kismet ist das ziemlich wurscht, ob Einer seine Freundin vor oder nach dem Examen, am 1. 8. oder am 17. 2. 'zu sich nimmt'". Ebd. 116

14. Robert Musil, Tagebücher, hrsg. v. Adolf Frisé, Reinbek b. Hamburg 1976, Bd. I, S. 693, die folgenden Zitate S. 695 u. 696.

15. Ebd. 717

16. In den „Vorbemerkungen" heißt es hierzu, der Band der Tagebücher 1918–21 „wurde nach denselben editorischen Grundsätzen gestaltet wie die vorangegange-

nen Bände. Der Text der Tagebuchhefte ist ungekürzt wiedergegeben. Der Herausgeber hat lediglich an ganz wenigen Stellen aus allerprivatesten Rücksichten einige Sätze oder auch nur einige Wörter entfernt und durch drei Punkte in eckigen Klammern ersetzt" (X). Ob Thomas Mann oder andere Personen wirklich auf diese Art geschont werden mußten, wird einmal der Vergleich mit dem nicht zensierten Text ergeben. Es ist zu befürchten, daß die Stellen, die ansonsten höchstens das psychologische Interesse geweckt hätten, nun, da sie erst aufgespürt werden müssen, schließlich eine Art von Aufmerksamkeit erfahren werden, die zu erregen der Herausgeber gerade verhindern wollte.

17. VIII, 456. Ausdrücklich wird vom Erzähler noch hinzugefügt: „Eine Tochter, schon Gattin, war ihm geblieben. Einen Sohn hatte er nie besessen". Nur ein Sohn hätte für Aschenbachs Existenz wie für das Weiterleben seines Namens in der gewöhnlichen Welt etwas bedeuten können. Die Dazwischenkunft des Weiblichen bleibt gleichsam ohne Folgen, die Tochter ist „Gattin" eines anderen, nicht einmal die Mutter von Enkeln. Schon 1905 schreibt Thomas Mann nach der Geburt der ältesten Tochter dem Bruder: „Es ist also ein Mädchen: eine Enttäuschung für mich, wie ich unter uns zugeben will, denn ich hatte mir sehr einen Sohn gewünscht und höre nicht auf, es zu thun. Warum? ist schwer zu sagen. Ich empfinde einen Sohn als poesievoller, mehr als Fortsetzung und Wiederbeginn meinerselbst unter neuen Bedingungen. Oder so. Nun, er braucht ja nicht auszubleiben. Und vielleicht bringt mich die Tochter innerlich in ein näheres Verhältnis zum „anderen" Geschlecht, von dem ich eigentlich, obgleich nun Ehemann, noch immer nichts weiß" (Thomas Mann – Heinrich Mann, Briefwechsel 1900–1949, hrsg. von Hans Wysling, 1968, 39).

18. Vgl. den eigens mit 'Hippe' überschriebenen Abschnitt im vierten Kapitel des 'Zauberberg'. Zur Verschränkung des Motivs mit anderen Leitthemen des Romans vgl. vom Verf. 'Zauberbergmusik', Frankfurt 1975.

19. So betulich drückt sich noch 'Der Große Brockhaus' anno 1929 beim Stichwort 'Barrison' aus, offenbar in Sorge, man könnte unter der erwähnten größeren Freiheit etwas von jener Art verstehen, die man zum Beispiel beim Cancan als Ausartung „zu obszönen Gebärden in rasendem Tempo" feststellte.

20. H. v. Hofmannsthal, Englischer Stil – Eine Studie, in: Prosa I, Ges. Werke, hrsg. von H. Steiner, Frankfurt 1956, 251.

21. III, 991

22. Thomas Mann hatte L. v. Hofmanns Bild 'Die Quelle' 1914 erworben. „Es hing im Münchner Haus…, wurde 1933 nach Zürich gerettet… und befindet sich heute im TM-Archiv der Eidgenössischen Technischen Hochschule, Zürich" (Tagebücher 1918–1921, 629).

23. 1927 lernt Thomas Mann den siebzehnjährigen Klaus Heuser kennen. Im September 1933 notiert er: „Nach menschlichem Ermessen war das meine letzte Leidenschaft, – und es war die glücklichste". (TB 1933–34, 185) Klaus Heuser lebte in Düsseldorf, und so hat man erst durch die Tagebücher erfahren, warum die späte Erzählung 'Die Betrogene' in dieser Stadt spielt.

24. III, 477 u. 478

25. Vgl. oben im Kapitel 'Die Welt in der Nuß'. S. 35f.

26. III, 476

27. Am 17. 1. 1906 sieht sich Thomas Mann gezwungen, dem Bruder gegenüber zu erklären und zu verteidigen, warum er, auf Drängen des entrüsteten Schwiegervaters, die bereits für die 'Neue Rundschau' ausgedruckte Novelle 'Wälsungenblut' zurückgezogen habe. Er müsse anerkennen, daß er „menschlich-gesellschaftlich nicht mehr frei" sei. Und, noch deutlicher: „Ein Gefühl von Unfreiheit, das in hypochondrischen Stunden sehr drückend wird, werde ich freilich seither nicht los, und Du nennst mich gewiß einen feigen Bürger. Aber Du hast leicht reden. Du bist absolut. Ich dagegen habe geruht, mir eine Verfassung zu geben" (Thomas Mann – Heinrich Mann, Briefwechsel, 1900–1949, 46).

28. Vgl. X, 116ff., wo Thomas Mann die Überschreitung der sächsischen Grenze durch Friedrichs Armee kommentiert: „Von dem Lärm, der sich über diesen unerhörten Friedens- und Völkerrechtsbruch in Europa erhob, macht man sich keine Vorstellung. Oder doch, es ist wahr, ja, neuerdings macht man sich wieder eine Vorstellung davon". Aber wir wollen „Friedrich hören, bevor wir Europa hören", und das klingt dann etwa so: „Eine wahre und redliche Neutralität gab es nicht zu verletzen. Mit dem Herzen, mit seinem bösen Willen stand Sachsen auf Seiten der Koalition, wenn auch Feigheit es gehindert hatte, solche Zugehörigkeit manifest werden zu lassen".

29. Unterm selben Datum schreibt sich Thomas Mann aus einem Huldigungs-brief Sätze ab, in denen von der Gefolgschaft einer Jugend die Rede ist, die „den Geist der Schönheit und der Menschenwürde nicht dem Götzen der Politik" geopfert habe. Dem folgt der verräterische Satz: „Es scheint, ich hätte die Betrachtungen garnicht zu schreiben brauchen?" (19).

30. XI, 129

31. Ähnlich schon 12 Tage zuvor: „In Dortmund hat man 'die Jungfrau v. Orleans' und den 'Prinzen von Homburg' vom Spielplan abgesetzt, um die Mehrheit des Publikums nicht in seinen politischen Empfindungen zu beleidigen. Ich freute mich schon längst auf die neue Censur. Es hatte unzweifelhaft mehr gesellschaftlichen Sinn, die 'Büchse der Pandora' nicht öffentlich zu spielen" (129).

32. Vgl. die Rede 'Von deutscher Republik': „Wenn sentimentaler Obskurantis-mus sich zum Terror organisiert und das Land durch ekelhafte und hirnverbrannte Mordtaten schändet, dann ist der Eintritt solchen Notfalles", durch den der eingefleischteste Romantiker zum politischen Aufklärer wird, „nicht länger zu leugnen, und die Stille, die sich, wie ich feststelle, bei dieser Anspielung im Saale verbreitet, ich weiß, junge Leute, was ich –, der fürchten muß, aus geistigem Freiheitsbedürfnis dem Obskurantentum Waffen geliefert zu haben –, was, sage ich, gerade ich dieser jetzt herrschenden Stille schuldig bin" (XI, 818).

33. Fünf Tage später wird noch einmal eigens vermerkt: „Hörte, daß eine Zeitung auf Heinrichs Pointe vom Civilisationsliteraten besonders aufmerksam gemacht habe" (176).

34. So schrieb Thomas am 11. XI. 1913 an Heinrich: „In meinen besten Stunden

träume ich seit Langem davon, noch einmal ein großes und getreues Lebensbuch zu schreiben, eine Fortsetzung von Buddenbrooks, die Geschichte von uns fünf Geschwistern. Wir sind es wert. Alle." (T.M./H.M. Briefwechsel 1900–1949, 104f.).

35. Im Drucktext (391) steht „Erlebnisse". Falls nicht ein Entzifferungsfehler vorliegt, muß man annehmen, daß Thomas Mann sich verschrieben hat. Denn es kann nur der objektiv rapide Ablauf der Ereignisse gemeint sein.

36. XII, 190f.

37. Drei Tage später, am 21. IX. 1918, schreibt Thomas Mann seinen Dankesbrief an Bertram, in dem er mit kleinen Änderungen diese Gegenüberstellung der beiden Werke wiederholt. Gewiß hat er, was die 'Betrachtungen' angeht, auf Bertrams tröstenden Widerspruch gehofft. Dafür spricht schon die Unruhe, mit der er auf Bertrams Antwort wartet. Thomas Mann an Ernst Bertram – Briefe aus den Jahren 1919–1955, Pfullingen 1960, 74ff.

38. Das Fehlen des Widerstandes gilt als Beweis, daß Revolutionen „natürlich und berechtigt sind" (65). Nur einen Tag später, am 10. XI. 1918, heißt es noch einmal: „Ich wiederhole mir u. anderen, daß der Mangel an Widerstand gegen eine Revolution ihre Legitimität und Natürlichkeit erweist" (67). Auch hier bemerkt Thomas Mann nicht, daß er nur eine Formel benützt, die längst ein beliebtes Klischee war.

39. Es bleibt nicht bei dieser Kennzeichnung. Schon in derselben Notiz ist von der „großstädtischen Scheißeleganz des Judenbengels" Herzog, eines „Mitregenten" von Eisner, die Rede, „der nur in der Odeonbar zu Mittag aß, aber Ceconi's Rechnungen für die teilweise Ausbesserung seines Kloakengebisses nicht bezahlte" (63). Zwar wird, während der „eigentliche Proletarier-Terrorismus" droht, der Eisnerschen Regierung attestiert, sie führe „einen verzweifelten Kampf gegen den Bolschiwismus und gegen 'Berlin'", aber: „Andererseits Pogrom-Stimmung in München, Widersetzlichkeit gegen das Judenregiment" (80f.).

40. Am Ostersonntag, 20. April 1919, wird die Wiederaufnahme des 'Zauberberg' „nach 4jähriger Unterbrechung" notiert (205). Schon am 17. April wird rekapituliert, warum jetzt der rechte Zeitpunkt für die Wiederaufnahme gekommen sei und warum damals aufgehört werden mußte (200). Das Studium der mittelalterlichen Weltanschauung wird zum wichtigen Hilfsmittel, der „Konflikt von Reaktion (Mittelalter-Freundlichkeit) und humanistischer Aufklärung" heißt jetzt „historisch-vorkriegerisch. Die Synthese scheint in der (kommunistischen) Zukunft zu liegen" (200). Aber das „Neue", nämlich eine neue „Konzeption des Menschen als einer Geist-Leiblichkeit", gilt dann doch auch als „vorkriegerische Konzeption". Wie sie hier tastend umschrieben wird, ist diese Konzeption nicht nur als die eigentlich Thomas Mannsche diejenige des 'Zauberberg', vielmehr läßt sich in ihr auch schon jene des Josephs-Romans ablesen: „Es handelt sich um die Perspektive auf die Erneuerung des christlichen Gottesstaates ins Humanistische gewandt, auf einen irgendwie transcendent erfüllten menschlichen Gottesstaat also, geist-leiblich gerichtet" (201). „Bunge", der Vorläufer Naphtas, „wie Settembrini haben mit ihren Tendenzen beide so recht wie unrecht. Die Entlassung

Hans Castorps in den Krieg also bedeutet seine Entlassung in den Beginn der Kämpfe um das Neue, nachdem er die Komponenten, Christlichkeit und Heidentum, erziehlich durchkostet" (201). Die weitere Lektüre des Buches über mittelalterliche Weltanschauung ist „anregend hauptsächlich darum, weil ich den asketischen Gottesstaat beständig der kommunistischen Weltkultur der Zukunft analog empfinde, deren absoluter Herrschaftsanspruch ebenfalls an der menschlichen Natur scheitern wird" (211). Die Verleumdungen und Apotheosen der tyrannisch-tendenziösen Geschichtsschreibung der Kirche werden wiederkehren, das proletarische Dogma, das politische Kriterium werde herrschen, aber es werde „unter dieser Tyrannei eine neue Freiheit, eine neue Wahrheitsliebe und Gerechtigkeit geben, weil es zunächst *aus* sein wird mit alldem". Für einen merkwürdigen Irrtum gilt, „daß jetzt die Freiheit angebrochen sei. Im Gegenteil, die Freiheit war das Ideal der 'bürgerlichen' Epoche" (211). Die Distanz des Betrachters nimmt gegenüber den politischen Realitäten in dem Maße zu, und damit die Heftigkeit der Reaktion ab, in dem der Roman in die Nähe rückt und für Stunden oder Tage greifbar bleibt. Thomas Mann kennt sehr wohl diese Wechselwirkung; dafür zeugt neben den Klagen über die Störungen durch die Politik die Bewältigung der politischen Thematik dieser Jahre im 'Zauberberg' und noch die Rollenverteilung der politischen Implikation der Protagonisten Leverkühn – Zeitblom.

41. Die Erregung des Tages – die Räte-Republik wird gerade niedergekämpft – schlägt sich auch in dieser kultur-politischen Hoffnung nieder. Drei Tage später (5. Mai 1919), nachdem „die Befreiung der Stadt im äußersten Augenblick" erfolgt ist, bespricht Thomas Mann mit Bertram „die geistige Lage, die Notwendigkeit einer Kulturfront gegen allen nicht nur unnationalen, sondern weltgefährlichen ekstatischen Extremismus. Man habe in einen Abgrund geblickt. Die Entente ist hassenswert, aber das Abendland ist vor den Greueln der Völkerwanderung von unten zu retten" (227).

DER VORSATZ ZUM ZAUBERBERG

Dieser Text wurde Oskar Seidlin zu Ehren im Februar 1981, kurz vor dessen 70. Geburtstag, an der Indiana University, Bloomington, vorgetragen.

1. Vgl. Oskar Seidlin, Das hohe Spiel der Zahlen, in: Klassische und moderne Klassiker, Göttingen 1972.
In Bd. VI der Gesammelten Werke sind die Unterteilungen nur durch ein Sternchen markiert, während die älteren Ausgaben jeweils drei aufweisen. Es ist nicht ersichtlich, warum das nicht beibehalten wurde, wo es doch im Kap. XXI, dessen Dreiteilung die spätere von Kap. XXXIV vorwegnimmt, ausdrücklich heißt: „Auch Sternchen sind eine Erquickung für Auge und Sinn des Lesers; es muß nicht immer gleich der stärker gliedernde Neu-Anhub einer römischen Ziffer sein" (VI, 234).
2. VI, 11 u. 12

3. Thomas Mann hat sich 1918 die unruhige Wartezeit bis zur Wiederaufnahme des 'Zauberberg' mit den beiden Idyllen 'Herr und Hund' und 'Gesang vom Kindchen' vertrieben. Der 'Gesang' beginnt mit einem 'Vorsatz', in dem der Autor sich als „metrischer Dichter" vorstellt und einen Rückblick auf sein bisheriges Schaffen mit der Verteidigung seines Dichtertums verknüpft. Daß er ein Dichter und nicht nur ein Schriftsteller sei, verteidigt er hier gerade wegen seiner Prosa (VIII, 1068 f.).

4. Gewiß ist Thomas Mann sich der wörtlichen Bedeutung von Im-perfectum bewußt gewesen, hat also auch an die sogenannte Mitvergangenheit als eine Zeit der unvollendeten Handlung in der Vergangenheit gedacht.

RADIKALE AUTOBIOGRAPHIE UND ALLEGORIE
DER EPOCHE: DOKTOR FAUSTUS

1. Alle im Text dieses Kapitels angegebenen Seitenzahlen beziehen sich auf Band VI der Gesammelten Werke.

2. Die Formel entstammt einer Schlüsselstelle der 'Entstehung des Doktor Faustus'. Thomas Mann scheint da nur zu erklären, warum er den Wunsch der Seinen, den Helden wie den Narrator sichtbar zu machen, „physisch individualisieren, anschaulich wandeln zu lassen", nicht nachkommen durfte: „Ein Verbot war hier einzuhalten – oder doch dem Gebot größter Zurückhaltung zu gehorchen bei einer äußeren Verlebendigung, die sofort den seelischen Fall und seine Symbolwürde, seine Repräsentanz mit Herabsetzung, Banalisierung bedrohte. Es war nicht anders: Romanfiguren im pittoresken Sinn durften nur die dem Zentrum ferneren Erscheinungen des Buches, alle diese Schildknapp, Schwerdtfeger, Roddes, Schlaginhaufens etc. etc. sein – *nicht* seine beiden Protagonisten, die zu viel zu verbergen haben, nämlich das Geheimnis ihrer Identität" (XI, 204). Vgl. auch die weiteren Ausführungen zur Identität im Exkurs. In den späteren Ausgaben der 'Entstehung des Doktor Faustus' findet sich der Druckfehler „physisch individualisieren", wohl bedingt durch die Trennung des Wortes „physisch". Die Formulierung in der Erstausgabe (S. Fischer 1.–10. Tsd., 1949, S. 81) „physisch individualisieren" dürfte zutreffend sein.

3. XI, 198

4. Thomas Mann hielt sein Leben lang Schillers Abhandlung über naive und sentimentalische Dichtung für d e n Essay, der alle späteren Versuche, die eigenen inbegriffen, im vorhinein überholt hatte, soweit sie dem Verhältnis von Produktivität und Bewußtsein gewidmet sind. Nicht nur in allen einschlägigen Essays und Reden Thomas Manns läßt sich jenes Urmuster ausfindig machen, auch in den erzählerischen Texten, in denen das Problem des Künstlertums direkt zum Thema wird, ist das Schema „Naiv-sentimentalisch" immer präsent. Am deutlichsten im 'Tonio Kröger'. Im gesteigerten 'Tonio Kröger', also im 'Tod in Venedig', überläßt der resignierende Thomas Mann Gustav Aschenbach auch die Abhandlung über 'Geist und Kunst'. Es ist dies bezeichnenderweise das letzte der

aufgezählten Meisterwerke der Reifezeit, und es wird „unmittelbar neben Schillers Raisonnement über naive und sentimentalische Dichtung" gestellt (VIII, 450). Gerade so erhält der Erzähler die Freiheit, den venezianischen Tod des Schriftstellers auf der Überlagerung des Schillerschen Grundmusters durch das apollinisch-dionysische Schema Nietzsches vorzuführen.

5. Während die Inschrift des Rings die Verbindung zum 'Tod in Venedig' herstellt, bedeutet der Ring als solcher auch die Faustus-Variante des Nibelungen-Reifmotivs. Der Besitz des Rings sollte Alberichs Weltherrschaft verbürgen, aber das Gold, aus dem er geschmiedet wurde, war nur um den Preis der Liebesentsagung zu gewinnen. Damit liegt auf dem Ring schon der Fluch, noch ehe er Alberich von Wotan abgenommen wird und diesem zugleich mit dem Ring den Fluch des betrogenen Rheingolddiebes einbringt. Als Symbol der Liebe zwischen Brünnhilde und Siegfried muß der Ring gerade dieser Liebe zum Verderben gereichen, bis der daran haftende Fluch im Feuer der Götterdämmerung zergeht. Wie der 'Götterdämmerung' Leverkühns 'Apokalypse', so entspricht dann dessen 'Faustus'-Kantate dem 'Parsifal'. Was im Roman als Zurücknahme vorgeführt wird, ist in Wirklichkeit die durch mythische Ambivalenz mögliche Umkehrung.

6. Daß das Geheimnis des kompositorischen Geisterwesens „runenhaft" genannt wird, verweist, wie die ganze Schilderung der Abwandlungen der motivischen „Grundfigur von eigentümlich schwermütigem Gepräge" (207), darauf, wie sehr Leverkühns Musik von den Anfängen der Brentano-Gesänge bis zum letzten Werk dem immer dominierenden Modell Wagner abgenommen wurde und daß die Anleihen bei der Zwölfton-Technik nur der vom Gegenstand geforderten kalkulatorischen Zuspitzung gedient haben.

7. Im Essay 'Nietzsche's Philosophie im Lichte unserer Erfahrung' erzählt Thomas Mann ausführlich die von Deussen überlieferte „sonderbare Geschichte" von Nietzsches Kölner Bordell-Erlebnis und spricht von dem sich daraus ergebenden Trauma (IX, 679 f.). Das Basler Klinikprotokoll und die Jenaer Krankengeschichte werden dabei von Thomas Mann unkritisch übernommen. Das im 'Doktor Faustus' auftauchende eine Jahr, in dem sich „der Stolz des Geistes gegen die empfangene Verwundung" behauptet (204), begegnet auch in der biographischen Konstruktion des Essays und wird zugleich in die Deutung à la 'Doktor Faustus' übergeführt: „Ein Jahr also, nachdem er aus jenem Kölner Hause geflohen, kehrt er, ohne diabolische Führung diesmal, an einen solchen Ort zurück und zieht sich – einige sagen: absichtlich, als Selbstbestrafung – zu, was sein Leben zerrütten, aber auch ungeheuer steigern wird –, ja, wovon auch teils glückliche, teils fatale Reizwirkungen auf eine ganze Epoche ausgehen sollen." Gerade hier im Essay, wo Thomas Mann die unbefragt übernommene Krankengeschichte mit dem vermengt, was bei ihm daraus im Roman geworden ist, scheint es ihm doch nötig, die Absichtlichkeit der Infizierung als eine These von dem abzuheben, was als Tatsache zu gelten habe. Zum ursprünglichen Plan vgl. Hans Wysling, 'Zu Thomas Manns „Maja"-Projekt', in: P. Scherrer/H. Wysling, 'Quellenkritische Studien zum Werk Thomas Manns' (Thomas-Mann-Studien, Erster Band), Bern 1967, 37 f.

8. Stefan Zweig, 'Die Welt von Gestern – Erinnerungen eines Europäers'. Hier zitiert nach der im „Suhrkamp Verlag vorm. S. Fischer Verlag" erschienenen Ausgabe von 1947, 423 f. Die deutsche Originalausgabe erschien 1944 bei Bermann-Fischer, Stockholm, und sie dürfte Thomas Mann von seinem Verleger sofort zugesandt worden sein. Überdies erschien die amerikanische Ausgabe bereits im April 1943, 'The World of Yesterday – An Autobiography, New York, The Viking Press'. Bedenkt man, wie Thomas Manns schon lange vor 1933 nicht eben von Sympathie geprägte Beurteilung von Richard Strauss sich durch dessen Haltung bei der Machtübernahme verschärfte, läßt sich unschwer ausmalen, wie er auf das von Zweig Mitgeteilte reagierte. Und nicht nur darauf, sondern auch auf die Schilderung, die der von ihm nicht eben geschätzte, wenn auch während der Emigration mit Höflichkeit und Komplimenten bedachte Stefan Zweig von den Zeitereignissen gibt. Über die „Konzessionen" des Komponisten, die Zweig „selbstverständlich im höchsten Maße peinlich" sein mußten, erzählt der Schriftsteller, der nach dem Tode von Hofmannsthal zum Librettisten von Strauss ausersehen worden war, dieser habe ihm, solange es ging, „kameradschaftliche Treue" gehalten, sich aber gleichzeitig den Machthabern genähert, denen seine offene Teilnahme in jenem Augenblick ungeheuer wichtig gewesen sei. Hitler „ehrte ihn demonstrativ; an allen festlichen Abenden wurden außer Wagner fast nur Strauß'sche Lieder vorgetragen". Straussens Anpassungswilligkeit wird von Zweig als „sacro egoismo" des Künstlers erklärt, dem jedes Regime „innerlich gleichgültig gewesen sei, und so habe er dem deutschen Kaiser mit der Instrumentierung von Militärmärschen ebenso gedient wie dem österreichischen als Hofkapellmeister, sei aber der österreichischen wie deutschen Republik persona gratissima gewesen (ebd. 424). Pikant, wenn nicht gar provokant mußte für Thomas Mann auch sein, was bei Zweig über den Arbeitsprozeß von Strauss zu lesen war: „Nichts vom Dämonischen, nichts von dem 'Raptus' des Künstlers, nichts von jenen Depressionen und Desperationen, wie man sie aus Beethovens, aus Wagners Lebensbeschreibungen kennt. Strauß arbeitet sachlich und kühl, er komponiert – wie Johann Sebastian Bach, wie alle diese sublimen Handwerker ihrer Kunst – ruhig und regelmäßig. Um neun Uhr morgens setzt er sich an seinen Tisch" etc. Doch gäbe es auch Sekunden, wo man spüre, „daß etwas Dämonisches in diesem merkwürdigen Menschen tief verborgen liegt, der zuerst durch das Pünktliche, das Methodische, das Solide, das Handwerkliche, das scheinbar Nervenlose seiner Arbeitsweise einen ein wenig mißtrauisch macht" (ebd. 421).

Ohne die eigentliche Bedeutung der Reise nach Graz zu erkennen, schreibt Patrick Carnegy, 'Faust as Musician', London 1973, 70, „A year later, guided by the fates, he [Leverkühn] seeks out this thame Esmeralda, follows her to Pressburg (on a journey taking in a visit to the Austrian première, at Graz, of Strauss's *Salome*)..." Mit Berufung auf Willi Reich merkt Carnegy an: „Leverkühn was in good company. The Graz première in 1906 (it had to be in Graz because the 'scandalous' text had meant that it could not be given in Vienna) was attended by, among other progressive musicians, Schoenberg, Mahler, Zemlinsky and Berg".

Eines ist die Glaubwürdigkeit von Hitlers Erzählung, die man nicht eben hoch veranschlagen möchte. Ein anderes aber ist die davon nicht betroffene Brauchbarkeit dieser Legende für eine der wichtigsten Heimlichkeiten des 'Doktor Faustus'. „Incipit Hitler": Stefan Zweig durfte annehmen, daß die Gebildeteren unter seinen noch immer sehr zahlreichen Lesern das 'Incipit tragoedia' mitgehört haben. So lautet ja der Titel des letzten Stückes vom vierten Buch der 'Fröhlichen Wissenschaft', in dem Nietzsche den Anfang von 'Also sprach Zarathustra' in Prosa abgedruckt hat.

Jonas Lesser (Thomas Mann in der Epoche seiner Vollendung. München 1952) vermerkt lediglich: „Adrians Reise zur Erstaufführung der 'Salome' von Strauß, im Mai 1906 in Graz [stammt] aus Alban Bergs Leben" (S. 467). In einem Brief vom 17. Jan. 1906 an Heinrich Mann berichtet Thomas Mann von einer Vorlesungstournée nach Prag, Dresden, Breslau. In Dresden hatte er „in der Hofoper Straußens 'Salome' gehört – eine tolle Zauberei! Aber das interessiert Dich nicht". Thomas Mann – Heinrich Mann Briefwechsel 1900–1949, S. 47.

9. XI, 316. Thomas Mann ist mit diesem Bekenntnis zur Wahrheit des Scheins und in der Abwehr von Lüge im Sinne der ordinären Unwahrheit Nietzsche weit näher, als es der Verfasser des späten Nietzsche-Essays wahrhaben wollte.

10. Vgl. Lieselotte Voss, 'Die Entstehung von Thomas Manns Roman "Doktor Faustus"', Tübingen 1975, 242. Hier wird Thomas Manns pauschale Stellenangabe („Goethe, Dichtung und Wahrheit") präzisiert: „Es stammt aus der unterdrückten Vorrede Goethes zum dritten Teil von 'Dichtung und Wahrheit'".

11. Brief an A. M. Frey, 19. Jan. 1952 (Briefe III, 240). Noch stärker ist die Bemerkung über Adorno gegenüber Jonas Lesser im Brief vom 15. 10. 1951 (ebd. 226): „Mit der 'Entstehung' habe ich einen recht starken Scheinwerfer auf ihn gerichtet, in dessen Licht er sich in nicht ganz angenehmer Weise bläht, so daß es bei ihm nachgerade ein wenig so herauskommt, als habe eigentlich er den 'Faustus' geschrieben. Ich sage das unter uns. Meine Bewunderung für seinen außerordentlichen Intellekt ist ungeschmälert".

12. Thomas Mann kann sich hier einer Auslegung des Adressaten seines Briefes bedienen: „...einer ums jeweilige Werk centrierten Autobiographie, wie Sie sagen" (Briefe III, 240).

13. XI, 303

14. XI, 302

15. XI, 147

16. 'Tagebücher 1937–1939', Frankfurt 1980, 517 (31. XII. 39): „Mit welcher Spannung sieht man dem kommenden verhängnisvollen Jahr entgegen! Was man treibt gewinnt mehr und mehr den Charakter des Zeitvertreibs. Möge er ehrenvoll sein."

17. XI, 147. Das große Wort dient schon im 'Zauberberg' dem an die Liebe verlorenen Sorgenkind des Lebens zur frivolen Rechtfertigung gegenüber den spöttischen Vorhaltungen der Angebeteten.

18. XI, 302

19. XI, 302

20. XI, 298

21. XI, 148

22. XI, 245

23. XI, 303

24. XI, 303

25. Der 1903 unter einem Pseudonym erschienene Schlüsselroman, mit dem ein Leutnant namens Bilse am Beispiel einer kleinen Garnison ein militärisches Zeitbild zu geben versucht hatte, führte zu einem Prozeß, der eine heftige Pressefehde nach sich zog. Bilse-Roman wurde so zu einem Synonym für Schlüsselroman. In einem Lübecker Prozeß um einen anderen Schlüsselroman wurde 1905 en passant auch 'Buddenbrooks' ein Bilse-Roman genannt: für Thomas Mann ein Anlaß, grundsätzlich Stellung zu nehmen zum Verhältnis von realem Ausgangsmaterial und Kunstprodukt. In diesem Aufsatz 'Bilse und ich' weist er die Ausflucht von sich, er habe allenfalls unbewußt abkonterfeit. Es gehe dem Dichter nicht um die Bloßstellung bestimmter Individuen, wohl aber stütze er sich „lieber auf irgendetwas Gegebenes, am liebsten auf die Wirklichkeit", anstatt frei zu erfinden (X, 13). Zu den Einzelheiten der Prozesse vgl. Peter de Mendelssohn, 'Der Zauberer', Frankfurt 1975, 668 ff.

26. In einem Brief an Efraim Frisch vom 18. X. 1921, in dem Thomas Mann einen Beitrag zur jüdischen Frage für die Zeitschrift 'Der Neue Merkur' wieder zurückzog, spricht er vom „autobiographischen Radikalismus, zu dem ich neige und der manchmal fehl am Ort ist und Anstoß erregen möchte" (XIII, 889). Daß mit diesem Radikalismus mehr gemeint ist als nur die von Rücksichten wenig gehemmte Verwendung biographischen Materials, versteht sich schon für die frühere Zeit von selbst, doch hat erst der 'Doktor Faustus' die wahre Dimension dieser Radikalität enthüllt. Ein Beispiel dafür, wie Thomas Mann den Oberflächenbereich des Biographischen auszuwerten verstand, findet sich im erwähnten Beitrag zur jüdischen Frage. Thomas Mann erwähnt hier sein Verhältnis zu „jüdischen Mitmenschen", und er nennt schon seine „frühesten Erinnerungen ... freundlich". Es sind die Erinnerungen an jüdische Schulkameraden: „In Quarta saß neben mir eine Weile ein Knäbchen Carlebach, Rabbinersöhnchen" (XIII, 467). Im Elternhaus des 'Faustus'-Chronisten, in der Zeitblom'schen Apotheke 'Zu den seligen Boten' verkehrt „neben unserem Pfarrer, Geistl. Rat Zwilling, auch der Rabbiner der Stadt, Dr. Carlebach mit Namen... was in protestantischen Häusern nicht leicht möglich gewesen wäre" (VI, 14). Im Artikel von 1921 verrät Thomas Mann, was er von Ephraim, dem Sohn des wirklichen Carlebach, für 'Buddenbrooks' abgenommen hat: „Was ich aber dem kleinen Ephraim namentlich nicht vergesse, war die unglaubliche Geschicklichkeit, mit der er mir beim Verhör einzublasen verstand, seinerseits aus dem Buche lesend, das er hinter dem Rücken seines Vordermannes aufgeschlagen hielt" (XIII, 467).

27. XI, 286

28. In einem Brief vom 26. Dezember 1947 an Maximilian Brantl heißt es etwa im Zusammenhang des Essays 'Nietzsche's Philosophie im Lichte unserer Erfahrung': „Anfangs glaubte ich tatsächlich, Sie wollten Nietzsche gegen mich in Schutz nehmen. Dann wurde mir klar, daß meine Kritik Ihnen bei Weitem nicht

radikal genug ist. Und doch kann man kaum radikaler vorgehen, als indem man sein Leben als die Geschichte einer inspiratorisch wirksamen Paralyse und die Entwicklung seiner Philosophie als die Verfallsgeschichte eines ursprünglich zeitkritisch berechtigten Gedankens darstellt. Ich schreibe ja immer 'Verfalls'- geschichten; mein erster Roman gleich war eine solche – herkommend vom Nietzsche-Erlebnis, und der 'Dr. Faustus', den Sie bald lesen werden, ist erst der richtige Nietzsche-Roman, gegen den jener Aufsatz nur small talk, ein kleines Geplauder ist." (Briefe 1937–1947. Herausgegeben von Erika Mann, Frankfurt am Main 1963, S. 580). Zu Thomas Manns Nietzsche-Erlebnis und Nietzsche-Bild vgl. E. Heftrich, 'Zauberbergmusik – Über Thomas Mann', Frankfurt am Main 1975, das Kapitel 'Nietzsche als Hamlet der Zeitenwende'.

29. Stefan George, Der Siebente Ring.

30. Paul Scherrer/Hans Wysling, 'Quellenkritische Studien zum Werk Thomas Manns', Thomas-Mann-Studien, Erster Band. Bern 1967, 340.

31. An Erich von Kahler, 20. 10. 1944 (Briefe II, 397).

32. Die Nachweise in E. Heftrich, 'Zauberbergmusik', 224 ff.

33. Zum Spiel mit der Identität der Protagonisten gehört auch die Verteilung von Nietzsche-Details an beide. So wird der kurzsichtige Altphilologe Zeitblom wie einst Nietzsche zum reitenden Artilleristen: „Trotz starker Myopie war ich zum Militärdienst für tauglich befunden worden und gedachte mein Dienstjahr jetzt einzuschalten; in Naumburg beim 3. Feld-Artillerie-Regiment wollte ich es absolvieren" (182). Bei Elisabeth Förster-Nietzsche, 'Der junge Nietzsche', Leipzig 1912, 193, garnisonierte in Naumburg freilich eine Abteilung des Feld-artillerie-Regiments Nr. 4. So auch bei C. P. Janz, 'Friedrich Nietzsche – Biographie', Erster Band, München 1978, 224.

34. XI, 204. Daß 'pittoresk' bei Thomas Mann dem Begriff des Charakteristi-schen nahekommt und keinesfalls nur das Malerische im Sinne des Ausschmük-kenden meint, zeigt eine andere Stelle der 'Entstehung'. Hier wird von den Schwierigkeiten berichtet, die die Gestalt Fitelbergs bereitete, bis Katia Mann den Suchenden an ein Modell aus dem Bekanntenkreis erinnert: „Eines Morgens... sprach ich... von dieser kleinen und doch beschwerenden Sorge, die mich an die fernen Tage in Bozen erinnerte, als ich ratlos war, wie aus Mynheer Peeperkorn etwas Pittoreskes zu machen sei" (XI, 279). Und nachdem das Modell gefunden: „Auf geistige, steigernde Art nach der Natur zu arbeiten, ist das Allervergnüglich-ste" (XI, 280). Das Primäre ist also die geistige Konzeption und die daraus resultierende Funktion einer Figur, doch bedarf es des Vorbildes, das ein Modell gewährt, damit das Urbild zum Leben findet.

35. XI, 204

36. XI, 203

37. Ebd.

38. Die Zahl 34 spielt schon im 'Zauberberg' eine bedeutende Rolle. In der 'Entstehung' wird über die Brauchbarkeit von Adornos Auslegung der Zwölf-Ton-Musik gesagt (XI, 174): „Was konnte sich besser fügen in meine Welt des

'Magischen Quadrats'?" Ein „arithmetischer Stich" begleitet Leverkühn während seiner Studentenzeit in Halle und Leipzig: „ein sogenanntes magisches Quadrat, wie es neben dem Stundenglase, dem Zirkel, der Waage, dem Polyeder und anderen Symbolen auch auf Dürers 'Melencolia' erscheint" (125). Wenn die Beschreibung dann so fortgeführt wird: „Wie dort" –, also wie auf Dürers Blatt, so heißt das, daß eigentlich Dürers Blatt gemeint ist. Aus Gründen des künstlerischen Taktes wurde hier wohl der Name jenes Künstlers, der beim Ineinanderblenden der Epochen eine so wichtige Rolle spielt, nur indirekt genannt. Vgl. auch Anm. 57. Zum magischen Quadrat vgl. Oskar Seidlin, Das hohe Spiel der Zahlen. In: Oskar Seidlin, Klassische und moderne Klassiker. Göttingen 1972, Anm. 10, S. 149.

39. XI, 164

40. In der 'Entstehung' postuliert Thomas Mann, das Buch müsse, so wenig die Aufzeichnungen das erkennen ließen, vom Beginn des Schreibens an übersichtlich vor ihm gelegen haben; so sei es möglich gewesen, sofort mit dem „Motiv-Komplex in toto zu arbeiten, den Anfängen gleich die Tiefenperspektive zu geben und den von seinem Gegenstand aufgeregt erfüllten, immerfort bedrängt ins Späte vorgreifenden und sich verlierenden Biographen zu spielen. Seine Erregung aber war die meine, ich parodierte die eigene Erfülltheit und empfand als sehr wohltätig die Rolle, das Schreiben-Lassen, die Indirektheit meiner Verantwortlichkeit bei so viel Entschlossenheit zum Direkten, zum Einsatz von Wirklichkeit und Lebensgeheimnis" (XI, 168). Die Genese des Faustus-Romans wird ausdrücklich gegen die aller anderen eigenen Romane gestellt, und die „das Pathos herabsetzende Selbstverspottung" (XI, 169), von der ja die 'Figur' des Biographen ihre Signatur erhält, erscheint hier als Schutz- und Hilfsmaßnahme gegen die möglicherweise zu groß geplante und selbst gestellte, jedenfalls aber von Anfang an klar gesehene und gewollte Aufgabe. Sie wird hier so bezeichnet: „nichts Geringeres als den Roman meiner Epoche, verkleidet in die Geschichte eines hoch-prekären und sündigen Künstlerlebens" zu schaffen. Dies einmal für die ganze Wahrheit genommen, läßt sich daraus zumindest ablesen, daß Thomas Mann es darauf ankam, beim Alterswerk nicht den sonst immer so gepriesenen Eigenwillen des Werkes, sondern den zum Höchsten auslangenden Willen des Autors hervorzukehren: Leverkühns allein vom Werk her gerechtfertigter Hochmut wird gleichsam von Thomas Mann selbst angenommen und durch die Parodie der Demutshaltung Zeitbloms kompensiert.

41. Die „Brandröte des trüben Himmels, der unaufhörlich von schwerem Donner brüllt" (III, 990), ist die Todeslandschaft, in der Hans Castorp mit dem Lindenbaum-Lied auf den Lippen dem Sühnetod entgegentaumelt, nachdem ihm in der letzten Offenbarung der Zauberberg-Initiation die Ahnung von der Selbstüberwindung einer vom Tod gezeugten Romantik durch deren besten Sohn zuteil geworden war. Da hinter Schuberts Lied das die Welt unterwerfende Lied mit Riesenmaßen (III, 907), also Wagner steht, ist der Überwinder Nietzsche: der „beste Sohn", der wohl derjenige sein mochte, „der in seiner Überwindung sein Leben verzehrte und starb, auf den Lippen das neue Wort der Liebe, das er noch nicht zu sprechen wußte" (III, 907). Stefan Georges 'Nietzsche' beginnt:

„Schwergelbe wolken ziehen überm hügel", Nietzsche wird der 'Donnerer' genannt, und das Gedicht endet mit der Paraphrase von Nietzsches Satz aus dem Vorwort zur Neuausgabe der 'Geburt der Tragödie' („Sie hätte *singen* sollen, diese 'neue Seele' – und nicht reden!"): „... so klagt: sie hätte singen/ Nicht reden sollen diese neue seele!" Nietzsche mit Georges 'Nietzsche' verbindend, läßt Thomas Mann dann Hans Castorps „ahndevolle Halbgedanken" in den Sätzen enden, die auch das 'Zauberberg'-Finale auf dem apokalyptischen Schlachtfeld vorwegnehmen und Georges „Dann aber stehst du strahlend vor den zeiten" in die behutsamere Hoffnung umdeuten: „Es war so wert, dafür zu sterben, das Zauberlied! Aber wer dafür starb, der starb schon eigentlich nicht mehr dafür und war ein Held nur, weil er im Grunde schon für das Neue starb, das neue Wort der Liebe und der Zukunft in seinem Herzen – –" (III, 907).

42. XI, 203

43. Eben dort, wo er sich in der 'Entstehung' der „langen Wurzeln" erinnert, sagt Thomas Mann im Rückblick auf den „Lebensplan": „Was da, vielleicht, eines späten Tages, zu machen sein würde, nannte ich im stillen meinen 'Parsifal'" (XI, 157). Und gegen Ende zitiert er direkt aus seinem Tagebuch: „Der Vergleich mit 'Parsifal', in seinem Verhältnis zu allem Vorhergehenden drängt sich mir immer wieder auf" (293). Dem entspricht, was Thomas Mann für ein noch frühes Stadium der Arbeit am Roman notiert; mit einer „gewissen Verwunderung", aber nicht ohne Rührung", lese er im Tagebuch wieder: „Ein schweres Kunstwerk bringt, wie etwa Schlacht, Seenot, Lebensgefahr, Gott am nächsten, indem es den frommen Aufblick nach Segen, Hilfe, Gnade, eine religiöse Seelenstimmung erzeugt" (XI, 187). Man sieht, wie nahe der Erfinder seinem Zeitblom gelegentlich kommt, wenn er aufs Parodistische verzichtet.

44. Brief an Hermann Hesse vom 14. 6. 1952 (Briefe III, 262).

45. Vgl. Heinz Gockel, 'Thomas Manns Faustus und Kierkegaards Don Juan', in: Akten des VI. Intern. Germanisten-Kongresses Basel 1980. Diese trotz der Kürze bisher zureichendste Analyse der Ein- und Umarbeitung der durch Adorno vermittelten Don Juan-Auslegung Kierkegaards kommt zu dem Fazit: „Die geheime Identität von Serenus und Adrian, der 'dämonisch angehauchte Professor', ist Thomas Mann selbst. Und das Werk dieser Identität, der 'Doktor Faustus', ist, was die Ästhetik betrifft, das Gegenstück zu Kierkegaards 'Entweder/Oder'. Das Werk des Endes ist auch das Werk der endgültigen Umkehrung der Kierkegaardschen Ästhetik. Es ist das spezifisch Thomas Mannsche Entweder und Oder."

46. Zum „Nietzsche-Roman" vgl. XI, 165 f.

47. Eben dort, wo Thomas Mann in der 'Entstehung' als das „Grundmotiv" seines Buches „die Nähe der Sterilität, die eingeborene und zum Teufelspakt prädisponierende Verzweiflung" benennt, spricht er auch vom „Form-Ideal" des musikalischen Konstruktivismus, das er von Anfang an in sich getragen hätte „und zu dem diesmal eine besondere ästhetische Nötigung bestand. Ich fühlte wohl, daß mein Buch selbst das werde *sein* müssen, wovon es handelte, nämlich konstruktive Musik" (XI, 187).

48. Hans Sachsens letzte Worte am Ende der 'Meistersinger' wird man nach 1945 gewiß mit anderen Ohren gehört haben als während des Dritten Reiches, obwohl man auch im braunen Dunstkreis nur schwer leugnen konnte, daß Wagner damit allein der Kunst, nicht aber dem Reich Dauerhaftigkeit prophezeit hatte:

> Drum sag' ich euch
> ehrt eure deutschen Meister,
> dann bannt ihr gute Geister!
> Und gebt ihr ihrem Wirken Gunst,
> zerging in Dunst
> das heil'ge röm'sche Reich,
> uns bliebe gleich
> die heil'ge deutsche Kunst!

49. Schon früh hatte Leverkühn selbst sich weltscheu genannt (177). Und da nun, beim Disput um Ludwig II., bereits von der Menschenscheu des weltflüchtigen Königs die Rede ist (570), weiß es der Leser sich zu deuten, warum Zeitblom, ehe er auseinandersetzt, daß Wahnsinn „ein recht schwankender Begriff" sei, seine Beredsamkeit so erklärt: „Ich fand jedoch, daß ich mir unterderhand eine dezidierte Meinung darüber gebildet hatte" (572). Unterderhand? Ist damit wirklich nur die kurze Zeit gemeint, die das Streitgespräch über den Bayernkönig dauert? Es findet statt zwischen Zeitblom und Schwerdtfeger, dessen so zutraulicher wie zudringlicher Werbung Leverkühn nicht zu widerstehen vermochte, und der schon bald nach diesem Diskurs über Gesundheit und Krankheit den Verrat am weltscheuen Freund begehen wird, der ihm selber zum tödlichen Verderben ausschlägt. Die Beredsamkeit verläßt Zeitblom, als er seiner Verwunderung Ausdruck zu geben versucht, daß gerade dem „Künstler" Schwerdtfeger das Verständnis fehlt: „Ich suchte nach Worten, warum ich mich über ihn wundern müsse, doch waren keine da." Sie sind ihm hier nicht nur versagt, weil es noch zu früh wäre, die Bedeutung der Verbindung Leverkühns mit dem Geiger ganz aufzudecken. Auch geht es gerade hier wieder um die geheime Identität, zu der das Spiel mit der Stellvertretung gehört: „Ich verwirrte mich aber auch darum in meiner Suada, weil ich die ganze Zeit das Gefühl hatte, es komme mir nicht zu, in Adrians Gegenwart so das Wort zu führen" (574). Gerade noch rechtzeitig wird abgebogen, und die Fiktion, als ob es sich um zwei wirklich voneinander trennbare Personen handelte, wieder gerettet. Der für die Fiktion schon fast gefährlich deutliche Satz lautet nämlich in seiner ersten Hälfte: „Er hätte sprechen sollen, – und doch war es besser, daß ich es tat"; aber das wird zurückgebogen: „denn die Besorgnis quälte mich, daß er imstande sein könnte, Schwerdtfegern recht zu geben". Erst dann darf in der ungefährlichen Form des reinen Zeitblom-Tones, also parodistisch entschärft, das wieder gleichsam direkt gesagt werden, was es soeben zu verbergen galt: „Dem mußte ich vorbeugen, indem ich statt seiner, für ihn, in seinem rechten Geiste sprach" (574).

50. Joh. 18, 37–38: Da sprach Pilatus zu ihm: So bist du dennoch ein König? Jesus antwortet: Du sagsts, ich bin ein König. Ich bin dazu geboren und in die Welt kommen, daß ich die Wahrheit zeugen soll. Wer aus der Wahrheit ist, der höret meine Stimme. Spricht Pilatus zu ihm: Was ist Wahrheit?

51. In Stefan Georges 'Nietzsche' heißt es:
   Dann aber stehst du strahlend vor den Zeiten
   Wie andre führer mit der blutigen Krone.
Damit ist nicht nur Nietzsche auf Christus bezogen. Im 'Siebenten Ring' folgt wenig später das Gedicht 'Franken'. Der Dichter erinnert sich hier an den „schlimmsten kreuzweg", der ihn zu seinem Heile weg vom eigenen armen und prahlenden Volk in den „Westen" führt. Nietzsches wird gedacht als des bereits Wahnsinnigen, dem „schon frost ums wirre haupt" weht, während es vom größten Dichter in der „heitren anmut stadt", Paris also, heißt: „Und für sein Denkbild blutend: Mallarmé".
Am Rande sei vermerkt, daß Thomas Mann, der das Werk Georges sehr gut kannte, in den Josephs-Romanen das Wort 'Denkbild', das George für 'Idee' gebraucht, in eben diesem Sinn vielfach verwendet (IV, 80; V, 1140; V, 1259; V, 1374).

52. IX, 682

53. XI, 204

54. XI, 203

55. Die Quelle hat aufgrund des Archivmaterials bereits 1963 Gunilla Bergsten ausfindig gemacht: G. B., 'Thomas Manns Doktor Faustus – Untersuchungen zu den Quellen und Strukturen des Romans', hier zitiert nach der 2. Auflage, Tübingen 1974, 48 ff. Es handelt sich um den Rundbrief Nr. 4 der 'Freideutschen Position'. 1970 meldete sich dann Hans-Joachim Schoeps zu Wort. Er hatte, wie er eingesteht, bis dahin den 'Doktor Faustus' nie gelesen und war durch einen Zufall zu der ihn „verblüffenden Feststellung" gelangt, daß das 14. Kapitel des Romans „das Plagiat eines von mir vor fast 40 Jahren herausgegebenen und im wesentlichen auch formulierten Rundbriefs der deutschen Jugendbewegung aus den Anfangsmonaten des Jahres 1931 darstellt". (Hier zitiert nach dem Wiederabdruck in H.-J. Schoeps, 'Ja – Nein – Und Trotzdem', Mainz 1974, 71 ff.) Bereits aus Bergstens Parallelzitaten war zu ersehen, in welcher Weise Thomas Mann Passagen des Rundbriefes übernommen hatte. Da Schoeps die ganze Quelle abdruckt, läßt sich die Montagetechnik leicht bis in alle Einzelheiten überblicken. Für Schoeps selbst ist die Wiederbegegnung mit dem Produkt seiner Studentenzeit freilich nur der Anlaß, Thomas Mann des Plagiats anzuklagen und ihm „einen beträchtlichen Fehlgriff" nachweisen zu wollen: „Die Verschmelzung der verschiedenen zeitlichen Ebenen und Milieus führte nämlich teils zu Anachronismen, teils zu Absurditäten schon im Vokabular, die geradezu lächerlich sind. Die unhistorische mutatio temporum, das Ineinander verschiedener Zeitsphären erregt Seekrankheit" usw. (112 f.) Für den „kritisch-methodisch" verfahrenden „Religions- und Geistesgeschichtler" soll wegen des Ineinanderschiebens verschiedener Zeitebenen und Bedeutungsschichten schon die „Josephstrilogie" (sic!) zu einer „großen Qual" werden, und die Lektüre des 'Doktor Faustus' gar hat, wegen der Verschmelzung von „Reformationszeitalter", „Jahrhundertwende" und der „Periode des Nationalsozialismus", Schoeps „physische Qualen" verursacht (99). Von einem solchen Leser, dem Zeitblom so wenig vertraut ist, daß gleich zweimal (100 u. 112) dessen sprechender Vorname zu „Andreas" wird,

ist ein Verständnis für die Studentengespräche des Romans nicht zu erwarten. Er spricht von den „seltsam wirren Verhältnissen des Kapitels 14" (100) und stellt fest, „daß dieses Kapitel für die Romanhandlung und ihren Fortgang unerheblich" sei und eher den Charakter eines Exkurses habe (111)! Der vermeintliche Plagiatsnachweis geht daher ebenso ins Leere („Es ist auch zu beachten, daß oft nur angedeutet und nicht immer wörtlich zitiert wird" etc!, 111), wie die Aufzählung von „Anachronismen und Ungereimtheiten" (114) den Sinn dieser Montage verfehlt. Bemerkenswert hingegen ist die Mitteilung von Schoeps, der Rundbrief Nr. 4 existiere „wohl nur noch in drei Exemplaren: eines ist in meinem Besitz, eines im Archiv der deutschen Jugendbewegung ... und eines ... im Besitz des Thomas-Mann-Archivs". Von letzterem erinnert der Verfasser sich, daß er es „im Frühjahr 1931 dem Dichter als Dankeszeichen für die Zauberberglektüre zugesandt habe. Damals schloß sich ein Briefwechsel über diesen Rundbrief an, der Fragen der Stilkritik und der Literaturästhetik betraf" (72). Der Briefwechsel ging verloren. Wir sind also auf Spekulationen darüber angewiesen, was wohl Thomas Mann über den Rahmen der bei ihm üblichen Höflichkeit hinaus veranlaßt haben könnte, sich mit dem Verfasser des Rundbriefes auf Stilkritik und Literaturästhetik einzulassen. Die Vermutung liegt nahe, daß ihm das krause theologisch und national eingefärbte existenzialdialektische Spätprodukt der Jugendbewegung in all seiner intellektuellen Gestelztheit nicht nur komisch, sondern signifikant erschienen sein muß. Während der vier Jahrzehnte andauernden Inkubationszeit dürfte dem Verfasser des 'Faustus' bei seiner permanenten Zeitungs- und Zeitschriftenlektüre unendlich viel Symptomatisches unter die Augen gekommen sein. Daß aber gerade dieser Rundbrief die vielen Umzüge der Emigration überdauert hat, spricht dafür, daß Thomas Mann seine Brauchbarkeit schon gespürt hat, als der Faustus-Roman noch eine dunkle Idee war.

56. Mephistopheles, Faust II, 11 829 ff.:

> Mir ist ein großer, einziger Schatz entwendet:
> Die hohe Seele, die sich mir verpfändet,
> Die haben sie mir pfiffig weggepascht.

57. 15. X. 1951 an Jonas Lesser: „Den Namen Zeitblom habe ich aus Luthers Briefen. Von dem Ulmer Maler wußte ich damals nichts, erst recht nichts von seinem Schwiegervater" (Briefe III, 226). Hier dürfte das Gedächtnis Thomas Mann im Stich gelassen haben. (Denn nur um einen Gedächtnisirrtum kann es sich handeln, nicht um eine willentliche Verbergung einer Spur, da die Frage, wie er an den Namen kam, nicht von wirklicher Bedeutung ist.) Wilhelm Waetzoldt, 'Dürer und seine Zeit', ist eine der wichtigsten Quellen gewesen, der Thomas Mann sehr viele Details entnommen hat. Hier wird Bartholomäus Zeitblom zweimal erwähnt (in der Ausg. Wien, 1935, 27 u. 91). Das erstemal steht der Name zwar nicht in innerem Zusammenhang, aber doch in unmittelbarer Nähe zu einer Schilderung Waetzoldts, die kaum der Aufmerksamkeit des 'Faustus'-Autors entgangen sein dürfte. Heißt es doch auf derselben Seite vom Bruder Dürers, dem Goldschmied Andreas: „Der hagere Mann taucht noch einmal als Profil mit eingedrückter Nase auf in der rätselhaften Eisenradierung Dürers von 1516: 'Der Verzweifelnde.'" Im Abbildungsteil ist 'Der Verzweifelnde' dann um

nur eine Nummer von der 'Melancholie' getrennt, und es folgt unmittelbar die Skizze jenes Dürerschen Traumgesichts, das auch Waetzoldt in seine Interpretation der Apokalypse mit hineinnimmt, nachdem es schon von Wölfflin „ein Stück Apokalypse" genannt worden war (Waetzoldt, 81). Die zweite Erwähnung von Bartholomäus Zeitblom stellt diesen in den deutschen Saal einer imaginären „Traumausstellung" der europäischen Kunst um 1500; einer von Zeitbloms Altären steht da „wie ein letzter Gruß des Mittelalters und schwäbischer Seelenruhe", worauf folgt: „Die Hansestädte des Nordens schickten"... In den Vitrinen dieser fingierten Ausstellung liegen natürlich auch „die großen Bogen zu Dürers Apokalypse" (91).

Im Arbeitsmaterial zum Roman finden sich Listen altdeutscher Namen, die sich Thomas Mann „im wesentlichen aus Luthers Briefen, aus Waetzoldts Dürer-Monographie und aus der Riemenschneider-Monographie von Karl Stein herausgeschrieben hat" (Voss, a. a. O., 74). Auf Blatt 61 taucht Bartholomäus Zeitblom auf und wird von Voss auf Waetzoldt zurückgeführt.

58. Die rein biographische Linie führt zurück zum offiziellen Vormund der minderjährigen Kinder des verstorbenen Senators Mann, zum Lübecker Amtsrichter August Leverkühn. Vgl. P. de Mendelssohn, a. a. O., 135. Ferner Lea Ritter-Santini, 'Das Licht im Rücken', in: 'Thomas Mann, 1875–1975, Vorträge in München–Lübeck–Zürich', hrsg. von Bludau/Heftrich/Koopmann, Frankfurt 1977, 367 u. 374 f., wo im Zusammenhang von Thomas Manns Dante-Rezeption auch die Dante-Bemühungen des Lübecker Amtsrichters gewürdigt werden.

59. XI, 205

60. So Thomas Mann in der Erklärung, die er schließlich an das Ende des Romans stellte, um so Schönberg Genüge zu tun, der sich in eine, nur mit viel psychologischem Aufwand noch zu erklärende, auf jeden Fall aber Schönbergs unwürdige polemische Gereiztheit wegen des angeblichen Plagiats der Reihentechnik durch den Dichter des 'Doktor Faustus' hineingesteigert hatte.

61. „Nur weiß ich, daß ich es mir eigentlich einfürallemal verbieten sollte, mich auf solche Dinge einzulassen, weiß aus mehrfacher Erfahrung, daß eine michselbst einigermaßen befriedigende Beantwortung solcher Fragen mich [Zeit?] und Nervenkraft kostet, daß ich bei meiner Musik bleiben sollte und daß ich bei der Schriftstellerei das peinvolle Gefühl nicht los werde, mich unnütz zu compromittieren. Aber es hilft nichts: ich werde, wie es scheint das Schriftstellern nie ganz lassen können. Ich werfe mich von Zeit zu Zeit mit einer Leidenschaft darauf, die ich beim 'Musizieren' einfach nicht kenne. Dafür ist dann die Ernüchterung, der Katzenjammer, das Gefühl der Entkräftung, ja die Reue nachher desto größer." Dieses Bekenntnis schrieb Thomas Mann 1907 an Moritz Heimann aus Anlaß seines 'Versuchs über das Theater'. Dichter über ihre Dichtungen, 14/I, 280 f., hrsg. v. Hans Wysling und Marianne Fischer, München 1975.

62. Nietzsche, 'Ecce homo', im 6. Abschnitt des Kapitels 'Warum ich so klug bin': Der 'Tristan' sei durchaus das *non plus ultra* Wagners. „Die Welt ist arm für den, der niemals krank genug für diese 'Wollust der Hölle' gewesen ist: es ist erlaubt, es ist fast geboten, hier eine Mystiker-Formel anzuwenden". Im

5. Abschnitt drückt Nietzsche seine Dankbarkeit für den intimeren Verkehr mit Wagner aus und rechnet ihn unter die tiefste Erholung seines Lebens; es ist die Erholung vom Deutschen beim Französischen, wohin Wagner gehöre und wo er seine „Nächstverwandten" habe: Delacroix, Berlioz, Baudelaire, Fanatiker des Ausdrucks, „mit einem *fond* von Krankheit, von Unheilbarkeit im Wesen". Als Thomas Mann sich (am 18. August 1920, Briefe I, 181 f.) für die Übertragung von Verlaines erotischen Gedichten bedankt (die ihn erschütternde Lektüre wird auch im Tagebuch am 11. 8. 1920 erwähnt: „Ungeheure Unzucht"), wird ihm dies zum Anlaß, ein Leitmotiv des 'Zauberberg' zu umschreiben, ohne den entstehenden Roman beim Namen zu nennen: „Was eigentlich das Sittliche, was das Moralische sei – Reinheit und Selbstbewahrung oder Hingabe, das heißt Hingabe an die Sünde, an das Schädliche und Verzehrende, ist ein Problem, das mich früh beschäftigte. Große Moralisten waren meistens auch große Sünder". Beispielhaft wird Dostojewski genannt: jeden Augenblick öffneten sich in den Werken „dieses Religiösen die Schlünde der Wollust". Dann das zweite Beispiel: „Wagners 'Tristan' ist ein überaus unzüchtiges Werk. Nietzsche, im 'Ecce homo', gebraucht dafür den Ausdruck 'Wollust der Hölle'" etc. – Leverkühn geht in seinem Brief unmittelbar von der Schilderung des Bordell-Erlebnisses, aber nach einem „Amen hiemit und betet für mich!" (191), zur Erwähnung des letzten Gewand-haus-Konzertes über. Doch ist die Ablenkung leicht als eine nur scheinhafte durchschaubar und besagt das Gegenteil von dem, als was sie Zeitblom in seiner nachgereichten Interpretation des Briefes charakterisiert: ein „gesprächiges Wie-derzudecken mit musikkritischen Aperçus, als ob nichts gewesen wäre" (193). Denn diese angeblichen „Aperçus" dienen dazu, die „Anekdote" (193), also die erste Begegnung mit der Hetaera Esmeralda, ganz in das Geflecht der Chiffren einzubinden, und raffinierterweise auch noch mit Hilfe versteckter Anspielungen auf die erwähnte 'Tristan'-Stelle und die Zuordnung Wagners zur französischen Spätromantik in 'Ecce homo'! Daß Leverkühn erzählt, „bis dato", seit seiner Ankunft in Leipzig also, habe er nur ein Gewandhaus-Konzert mit Schumanns Dritter gehört, dient dazu, von der „Standeserhöhung" zu sprechen, die Musik und Musiker der Romantik zu verdanken hätten. Sie habe die Musik aus der Sphäre eines krähwinkligen Spezialistentums emanzipiert „und sie mit der großen Welt des Geistes, der allgemeinen künstlerisch-intellektuellen Bewegung der Zeit in Kontakt gebracht". Eine solche Überhöhung der Literarisierung der Musik durch die Romantik paßte schlecht zur Musikphilosophie Leverkühns, wäre sie nicht einfach nur ein Ausdruck der Dialektik von Objektivität und Subjektivität, und so wird denn auch der drohende Widerspruch rasch geschlossen durch einen Sprung, der nur im ästhetischen Gefüge des Romans hinzunehmen ist, nicht aber im musikhistorischen Zusammenhang. Wenn wie hier die Entwicklung der Musik von der vorromantischen zur so spätromantischen wie vormodernen des 'Tristan' in einer Engführung vorgeführt wird, weil es um signalisierende Zuordnung der Bordell-Anekdote geht, muß die Präfiguration auftauchen, die da Beethoven heißt. Also behauptet Leverkühn: „Von dem letzten Beethoven und seiner Polyphonie geht das alles aus, und ich finde es außerordentlich vielsagend, daß die Gegner der Romantik, das heißt: [die Gegner] einer aus dem bloß Musikalischen

ins allgemein Geistige hinaustretenden Kunst, immer auch Gegner und Bedaurer der Beethoven'schen Spätentwicklung waren" (191). Von hier geht es zu Wagner, und zwar mit Hilfe von Chopin. Leverkühn, oder, wie man hier sagen muß, Thomas Mann, verschmäht das Klischee nicht, wenn er bekennt: „Ich liebe das Engelhafte seiner Gestalt", rettet sich aber aus der drohenden Banalität, indem er dieser Gestalt Leverkühnsche Züge verleiht. So kann Chopin Wagner „nicht nur harmonisch, sondern im Allgemein-Seelischen" mehr als nur antizipieren, nämlich gleich überholen. Kein Wunder also, daß das cis-moll-Notturno opus 27 No. 1 (so noch richtig in der Ausgabe von 1948; in VI, 192 ist daraus das falsche *M*oll geworden) „an desperatem Wohlklang alle Tristan-Orgien" übertrifft. In die Erklärung dieser Behauptung ist dann Nietzsches Mystikerformel von der Wollust der Hölle so eingeflochten: „... alle Tristan-Orgien – und zwar in klavieristischer Intimität, nicht als Hauptschlacht der Wollust und ohne das Corridahafte einer in der Verderbtheit robusten Theatermystik". Zeitblom hat dann noch zu bemerken, daß der Brief mit dem Ausruf schließe: „Ecce epistola!" – nicht ohne daß Leverkühn mit den zwei letzten Sätzen, die scheinbar nur dem antizipatorisch-überholenden Chopin gelten, die ganze Kunst Thomas Manns beim kürzesten Namen nennt: „Nimm vor allem auch sein ironisches Verhältnis zur Tonalität, das Vexatorische, Vorenthaltende, Verleugnende, Schwebende, die Verspottung des Vorzeichens. Es geht weit, belustigend und ergreifend weit..." (192)

Lea Ritter-Santini vermutet „auch in den ersten Übungen des Meisters der 'Apokalypse' jenen Willen zur paradoxen Umkehrung..., die das Prinzip seines Werkes ist: Er komponiert die Lieder aus dem VIII. Gesang des 'Paradiso' nach der ersten Begegnung mit Hetaera Esmeralda in der 'Lusthölle'. 'Dante: im Liebes-Himmel' ist die Überschrift, mit der Karl Vossler seine Übersetzung, die Adrian vertonte, in seine Anthologie eingliederte" (a. a. O., 364).

63. XII, 955 ('Warum ich nicht nach Deutschland zurückgehe'. Offener Brief an Walter von Molo im September 1945).

64. XI, 247

65. XI, 250

66. XI, 249

67. XI, 243

68. XI, 394

69. XI, 395

70. XII, 150f. ('Betrachtungen eines Unpolitischen', Kap. 'Gegen Recht und Wahrheit').

71. Alle Zitate im Abschnitt 'Schnee' des sechsten Kapitels des 'Zauberberg'.

72. Als Todesjahr erscheint im Roman 1940: „Noch einmal sah ich ihn 1939, nach der Besiegung Polens, ein Jahr vor seinem Tode, den seine Mutter als Achtzigjährige noch erlebte" (675). „Am 25. August 1940 traf mich hier in Freising die Nachricht von dem Erlöschen der Reste (s)eines Lebens" (675). Dem allerdings widerspricht, wie Zeitblom auf der ersten Seite des Romans den Beginn seiner Niederschrift am 23. Mai 1943 ergänzt: „Zwei Jahre nach Leverkühns Tode". Nietzsche starb am 25. August 1900. Die Verschiebung der Lebensdaten um

41 Jahre (Nietzsche 1844, Leverkühn 1885) ist mit dem Todesjahr 1941 eingehalten. Auf zwei von Lieselotte Voss teilweise zitierten Notizblättern ergibt sich ebenfalls das Datum. So heißt es u. a.: „Zeitblom beginnt Mai 1943, zwei Jahre nach Leverkühns Tod (1941 mit 56)" (Voss, a. a. O., 87).

73. „Längst bin ich ein leidenschaftlicher Freund dieser Kombination [Mythos plus Psychologie]; denn tatsächlich ist die Psychologie das Mittel, den Mythos den faschistischen Dunkelmännern aus den Händen zu nehmen und ihn ins Humane 'umzufunktionieren'." (Brief vom 18. 2. 1941 an Karl Kerényi; XI, 651)

74. Das wird ausführlich in der 'Entstehung', XI, 248, dargelegt und mit der eigenen, „gar nicht nur individuellen, wachsenden Neigung" in Übereinstimmung gebracht, „alles Leben als Kulturprodukt und in Gestalt mythischer Klischees zu sehen und das Zitat der 'selbständigen' Erfindung vorzuziehen". Schon G. Bergsten, a. a. O., 119 f., und nach ihr L. Voss, a. a. O., 186, haben aufgrund des Archivmaterials zeigen können, wie Thomas Mann wichtigstes Material aus einer Rezension des Werkes von A. Rüegg, 'Die Jenseitsvorstellungen vor Dante...' in der 'Neuen Zürcher Zeitung' bezogen hat.

75. Vgl. das Ende von Wagners 'Parsifal' in seiner vexatorischen Nähe zum 'Tristan'-Ende mit dem Schlußchor der „Stimmen aus der mittleren, so wie der obersten Höhe, kaum hörbar leise":
> Höchsten Heiles Wunder:
> Erlösung dem Erlöser!

Daß zwischen diesem Schluß und dem Ende von Faust II ebenfalls eine schon von Wagner wohl beabsichtigte Beziehung besteht, ist Thomas Mann gewiß so wenig entgangen wie die Verbindung, die von hier zu Stefan Georges 'Nietzsche' läuft, in dessen dritter Strophe die Tragödie des einstigen Wagner-Jüngers beschworen wird:
> Erlöser du! selbst der unseligste –
> Beladen mit der wucht von welchen losen
> Hast du der sehnsucht land nie lächeln sehn?
> Erschufst du götter nur um sie zu stürzen
> Nie einer rast und eines baues froh?
> Du hast das nächste in dir selbst getötet
> Um neu begehrend dann ihm nachzuzittern
> Und aufzuschrein im schmerz der einsamkeit.

76. III, 84

77. III, 685

78. L. Voss betont zwar zu Recht, im wahrsten Sinne treffe das, was Zeitblom über Leverkühns Musik sage, daß sie nämlich „die zum Geheimnis erhobene Berechnung" sei, auch auf den Roman zu (a. a. O., 221). Doch ist dies nicht auf die hier von L. Voss nachgezeichnete Koordination der Zeit- und Handlungsebenen aufgrund von „scheinbar trockenen Berechnungen" einzuschränken, Berechnungen, die gleichsam verteidigt werden, weil sie erst „den anspielungsreichen und vieldeutigen Charakter des Buches" möglich machten. Die zum Geheimnis erhobene Kalkulation erschöpft sich gewiß nicht darin, „die 24 Jahre, die der

Faust des Volksbuches vom Teufel erkauft, mit dem Ablauf der luetischen Erkrankung, mit Nietzsches Sterbedatum, mit der deutschen Geschichte" abzustimmen (ebd. 220).

79. Das Zeichen dafür, daß Leverkühn noch versucht, die Kontrolle zu behalten und sich der totalen und damit vernichtenden Identifikation zu entziehen, ist seine Bemühung, die vermeintlichen Sprachschnitzer zu verbessern. Aber nur für die uneingeweihten Zuhörer seiner Rede handelt es sich um sinnlose Versprecher. In Wirklichkeit schieben sich Leverkühn hier Formen jenes älteren Deutsch, dessen er sich bei der Kantate wie bei der Rede noch bewußt bedient, so unmittelbar unter, daß er die Freiheit der Verfügungsgewalt über das Material verliert. Damit nähert er sich auch im Sprechen, freilich von seiten der Verdammten, einer Region, wo Nepomuk sich von Himmels wegen mit seinem mittelhochdeutschen Idiom bereits befand.

80. XI, 1131

81. Apostelgeschichte 1,9: „Und da er dies gesagt, ward er unter ihrem Zuschauen in die Höhe gehoben, und eine Wolke nahm ihn auf vor ihren Augen weg."

82. XI, 1131

83. III, 906 (Ende des Kapitels 'Fülle des Wohllauts').

84. III, 993

85. Zu Recht weist L. Voss im Zusammenhang der Christus-Symbolik darauf hin, daß Frau Schweigestill am Schluß des Kapitels „in der Haltung der Pietà" erscheine (a. a. O., 213).

86. Daß kaum eine Generation später bereits eine der Tradition entfremdete junge Leserschaft das nicht mehr erkennt, weil sie das „W." in Adornos Namen für einen abgekürzten Vornamen hält, konnte Thomas Mann nicht ahnen. Er hätte aber das „Wiesengrund" wohl kaum, wäre solches vorhergesagt worden, verdeutlicht.

87. Im dritten seiner Vorträge behandelt Kretzschmar unter dem Titel „Die Musik und das Auge" das Verhältnis von Geistigkeit und Sinnlichkeit. Und wie dann beim vierten Vortrag über das „Elementare in der Musik" Wagners 'Ring' als Beispiel dafür dient, daß der Mythos der Musik zugleich mit demjenigen der Welt gegeben worden sei (87), so wird im dritten der „tiefste Wunsch der Musik", nämlich nicht gehört, sondern „in einem Jenseits der Sinne und sogar des Gemütes, im Geistig-Reinen vernommen und angeschaut zu werden", mit Wagners Hilfe verdeutlicht: „Allein an die Sinneswelt gebunden, müsse sie doch auch wieder nach stärkster, ja berückender Versinnlichung streben, eine Kundry, die nicht wolle, was sie tue, und weiche Arme der Lust um den Nacken des Toren schlinge" (85). Worauf in Kretzschmars Ausführung dann zum Schein auf die absolute, nämlich orchestrale Musik abgelenkt, in Wirklichkeit aber das 'Tristan'-Ende in den Text eingeführt wird: „Ihre mächtigste sinnliche Verwirklichung finde sie als orchestrale Instrumentalmusik, wo sie denn, durch das Ohr, alle Sinne zu affizieren scheine und das Genußreich der Klänge mit denen der Farben und Düfte opiatisch verschmelzen lasse". Hier so recht sei sie die „Büßerin in der

317

Hülle des Zauberweibes" (85). Mit einem etwas verblüffenden „aber" wird dann die Verbindung zum präfiguralen späten Beethoven hergestellt: „Es gebe aber", doziert der Stotterer, „ein Instrument, das heißt: ein musikalisches Verwirklichungsmittel, durch das die Musik zwar hörbar, aber auf eine halb unsinnliche, fast abstrakte und darum ihrer geistigen Natur eigentümlich gemäße Weise hörbar werde, und das sei das Klavier..." (86). In die Schilderung von 'Dr. Fausti Weheklag' wird Wagner u. a. dann so eingebracht: „Er sah Jeanette Scheurl, mit der er gewisse, von ihr beigebrachte Musiken des 17. Jahrhunderts durchging (ich denke an eine Chaconne von Jacopo Melani, die eine Tristan-Stelle wörtlich vorwegnimmt) ..." (642).

Aus den Notizen zum Roman geht hervor, daß Thomas Mann hier eine einzigartige Gelegenheit entgangen ist, denn er erwähnt Gesualdo, ohne offenbar eine konkrete Vorstellung mit dem Namen zu verbinden: „Anknüpfung ans 17. Jahrhundert. Gesualdo da Venosa, der die Tristan-Chromatik vorwegnimmt: Madrigalist Hinweis auf Ciaconne von Jacopo Melani (17. Jahrh.), die eine Tristan-Stelle wörtlich vorwegnimmt". (L. Voss druckt, a. a. O., 200 diese Notiz kommentarlos ab.) – Man muß annehmen, daß auch Adorno mit dem Namen nicht viel anzufangen wußte, sonst hätte er doch wohl Thomas Mann darauf hingewiesen, was es im Falle Gesualdos mit der Vorwegnahme der Tristan-Chromatik auf sich hatte. So hat Thomas Mann von jenem Komponisten keinen Gebrauch gemacht, der wie kein anderer in der gesamten Musikgeschichte, Beethoven eingeschlossen, vom Werk wie von der Lebenslegende her sich für seinen Roman angeboten hätte. Bedenkt man gar, was Thomas Mann außer mit den späten Madrigalen Gesualdos noch mit dessen Responsorien zur Karwoche zur Verfügung gehabt hätte, bedauert man, daß die von Strawinsky mitgetragene Wiederentdeckung Gesualdos erst so spät eingesetzt hat, daß sie trotz Adorno den Erfinder Leverkühns nicht mehr erreichen konnte.

88. Wagners Werk, vor allem der 'Ring', wird ohne Namensnennung, aber deutlich erkennbar im 'Zauberberg' am Ende des Kapitels 'Fülle des Wohllauts' apostrophiert: „Man brauchte nicht mehr Genie, nur viel mehr Talent als der Autor des Lindenbaumliedes, um als Seelenzauberkünstler dem Liede Riesenmaße zu geben und die Welt damit zu unterwerfen" (III, 907).

89. Zitiert bei L. Voss, a. a. O., 201

90. Womit ein weiteres Mal die innere Verbindung der 'Weheklag' mit Goethes Faust II sich erwiese. Denn mit seiner utopischen Vision vom freien Volke auf freiem Grund tritt der von der Sorge mit Blindheit geschlagene uralte Faust auf höchst zweideutige Art geisterhaft ins Mythische, Kollektive ein.

91. Nietzsche, 'Die Geburt der Tragödie...', 23. Abschnitt.

92. Ebd.

93. 6. und 7. Abschnitt vom 'Versuch einer Selbstkritik' der 'Geburt der Tragödie'.

94. XI, 191. Daß es mit der Kleinheit des Motivs nicht allzu ernst gemeint ist, verrät die Aufzählung der vergleichbaren Motive, die noch genannt werden: „etwa das erotische der blauen und schwarzen Augen, das Mutter-Motiv, der

Parallelismus der Landschaften oder das freilich schon ins Große und Wesentliche reichende, alles durchziehende und vielfach abgewandelte Motiv der 'Kälte', das mit dem des Lachens verwandt ist"!

95. Bereits im dritten Kapitel ist von einem Gelächter die Rede, das den Knaben „förmlich schüttelte und ihm Tränen erpreßte". Davon wird sogar Serenus angesteckt, freilich muß er nur „recht herzlich lachen" (25). Am Ende des Kapitels aber, als Vater Jonathan Tränen in die Augen bekommt und Adrian wiederum (auch schon S. 30) „von unterdrücktem Lachen" geschüttelt wird, urteilt der Chronist mit der Strenge des Humanisten, der dem Zweideutigen abgeneigt ist, er für sein Teil müsse „anheimstellen, ob dergleichen zum Lachen oder zum Weinen" sei (32). Dergleichen: damit sind die „Gespenstereien" gemeint, die „ausschließlich Sache der Natur" sind, und vor denen man im „würdigen Reiche der Humaniora" sicher ist (32). Dabei handelt es sich vor allem um die „vom Menschen mutwillig" versuchte Natur. Zeitblom hält für einen „Spuk", was da bei den Experimenten des fromm-versucherischen Spekulierers Jonathan Leverkühn buchstäblich zur Erscheinung kommt. Bei den motivträchtigsten Phänomenen hingegen ist nicht der Mensch versucherisch am Werk, sondern die Natur selbst, und der alte Leverkühn kann da nur „mit scheuer Andacht" (25) betrachten, und das heißt zugleich, die Chiffreschrift der Natur zu entziffern versuchen. Was Thomas Mann noch aus der 'Zauberberg'-Zeit her von seinen Romantik- und Alchemiestudien vertraut war, konnte er hier, durch neue Materialien angeregt, wieder einbringen. (Beispiele für die Verwendung der von A. Portmann eingeleiteten 'Falterschönheit' oder A. Masareys 'Kunstgebilde des Meeres' gibt schon Gunilla Bergsten, a. a. O., 61 ff.) Selbst ohne den im dritten Kapitel auftauchenden, Portmann entnommenen glasflügeligen Schmetterling Hetaera esmeralda, wäre unverkennbar, daß es sich bei des alten Leverkühns Spekuliererei um eine Vorwegnahme des Motivgeflechts handelt, wobei zu allem hin auch noch die parodistische Umkehrung oder Zurücknahme des in der deutschen Klassik postulierten Verhältnisses von Natur und Kunst mit einfließt. Zeitblom versichert, daß er das Mißtrauen „einer religiös-spiritualistischen Epoche gegen die aufkommende Leidenschaft, die Geheimnisse der Natur zu erforschen", immer verstanden habe, und zwar, weil auch ihm Natur und Leben „moralisch anrüchiges Gebiet" sind, – der Zweideutigkeit wegen. Wenn dann dies Zweideutige demonstriert wird an Hervorbringungen der Natur, die „vexatorisch ins Zauberische" spielen (22), ist das nötige Material vorhanden, um schon hier jene Ästhetik zu entwickeln, die dann als eine Art Thomas Mann'scher Philosophie der Musik breit ausgeführt wird. Mit jener Deutlichkeit, die Thomas Mann als ungehemmten Erben Richard Wagners ausweist, heißt es bereits in diesem Kapitel über den – wie schon der Vater von Goethes Faust – die Elementa spekulierenden alten Leverkühn: „Wie vieles berührt sich hier – Gift und Schönheit, Gift und Zauberei, aber auch Zauberei und Liturgie" (26). Wenn auch die Knaben, „Adrian und ich" (26), dergleichen so wenig „dachten", wie weiland Hans Castorp beim Anhören seiner Lieblingsplatten, so haben sie doch wie dieser „ahndevolle Halbgedanken", die ebenfalls höher gehen als der Verstand reicht (III, 907), und zwar, weil es auch diesmal wieder „alchimistisch gesteigerte Gedanken" (III, 907) sind; freilich muß

es hier, wo wir es noch mit den Knaben zu tun haben, harmlos formuliert werden: „Wenn wir es nicht dachten, so gaben Jonathan Leverkühns Kommentare es uns doch unbestimmt zu empfinden" (26). Unbestimmt, aber drängend genug, daß der Knabe Adrian mit Lachanfällen zu kämpfen hat.

Im Kapitel XV wird Adrians „abwehrendes Bekenntnis" (180) zur Musik mitgeteilt. Kretzschmars Zögling bietet da alles auf, um zu beweisen, daß er nicht für die Musik tauge, und er läßt seine zweideutigen Gründe in einem Gegenstück zur opus-111-Interpretation des Lehrers gipfeln. Der 'Entstehung' zufolge handelt es sich um die „undeklarierte Nachbildung des dritten Meistersinger-Vorspiels" (XI, 196). Beschrieben wird, wie es zugeht, „wenn es schön ist" (178), und bezeichnenderweise nimmt nicht nur gegen den Schluß zu die Choral-Hymne dominierend „das Wort an sich", vielmehr singt die Gefühlsschwellung der Melodie nach glorreichem Aufsteigen, „mit würdiger Genugtuung auf das Vollbrachte zurückblickend", sich „ehrsam zu Ende" (179). So gut hat vor Thomas Manns Leverkühn nur noch Nietzsche Wagnerische Musik paraphrasiert. Es ist dies zugleich die höchste Form der Parodie, weil in der konkurrierenden Imitation jede denkbare Verspottung im vorhinein von der tragischen Einsicht und der versteckten Sehnsucht überholt wird. Leverkühn fragt, ob man mit gewiegterem Gefühl das Schöne erzielen könne und hat dabei mit dem Lachreiz zu kämpfen: „Und ich Verworfener muß lachen, namentlich bei den grunzenden Stütztönen des Bombardons – Wum, wum, wum – Pang! –" (179). Wenn Leverkühn hier den kommentierenden Vortragsredner von einst parodiert, so dient dies dazu, dem Leser die Auslegung des zweiten Satzes der letzten Beethoven-Sonate in die Erinnerung zu rufen. Das Motiv des Lachens stellt dann direkt die Verbindung zur Spekulation des Vaters her, denn der vom Lachreiz geplagte Verworfene hat „vielleicht zugleich Tränen in den Augen" und konstatiert, daß er „verdammterweise von jeher bei den geheimnisvoll-eindrucksvollsten Erscheinungen" habe lachen müssen (179). Und dann natürlich die Fragen, die gerade dadurch, daß Leverkühn sie rhetorisch nennt, als die wesentlichen bezeichnet werden: „Warum müssen fast alle Dinge mir als ihre eigene Parodie erscheinen? Warum muß es mir vorkommen, als ob fast alle, nein, alle Mittel und Konvenienzen der Kunst *heute nur noch zur Parodie taugten?*" (180)

Daß wir im Teufelsgespräch wieder auf das Lachen stoßen, versteht sich danach von selbst. Bei der Erinnerung an Jonathans Experimente werden diese „Vatergeschichten" genannt, und auf Adrians Bemerkung zu den Tränen in seines Vaters Augen antwortet der Teufel: „Potz hundert Gift! Du hattest recht, ob seiner erbarmungsvollen Tränen zu lachen, – unangesehen noch, daß, wers von Natur mit dem Versucher zu tun hat, immer mit den Gefühlen der Leute auf konträrem Fuße steht und immer versucht ist, zu lachen, wenn sie weinen, und zu weinen, wenn sie lachen" (314). – Wie zu erwarten, verknüpft Zeitblom seine Beschreibung des Höllengelächters, das den Abschluß des ersten Teils der 'Apocalipsis' bildet, mit der Erinnerung an „Adrians Neigung zum Lachen", die er immer gefürchtet und der er „stets schlecht zu sekundieren" gewußt habe (501).

Im 'Zauberberg', wo auch schon makabre Lachanfälle vorkommen, spitzt sich „das große Kolloquium über Gesundheit und Krankheit" (III, 621) zur gegenwär-

tigen Beurteilung des Wahnsinns zu. Settembrini spricht von den Halluzinatio-
nen. Wer da etwa in der Dämmerung seinen verstorbenen Herrn Vater in der
Zimmerecke erblicken würde und, anstatt mit Entsetzen und Reißaus darauf zu
reagieren, die Erscheinung hinnähme, „als ob sie ganz in der Ordnung sei, und
sich in eine Konversation mit ihr" einlasse, der eben sei einfach geisteskrank.
Doch sei eine solche Krankheit sehr oft nur eine Form des Sichgehenlassens, eine
Flucht, der die Haltung unerbittlicher Vernunft entgegengesetzt werden müsse.
Das fordert natürlich Naphtas Hohn heraus, und er stellt dem die Szenen und
Bilder aus dem „Unruhigen Hause" gegenüber. „Dantische Szenen, groteske
Bilder des Grauens und der Qual"; und Naphta beschreibt auch das Ineinander
von Jammern und einem Gelächter, „worin alle Ingredienzien der Hölle sich
gemischt hatten" (III, 625 u. 626).
In der 1941 geschriebenen Einleitung zu einer amerikanischen Ausgabe von
Kafkas 'Schloß' bezeichnet Thomas Mann den Prager Dichter als einen „religiösen
Humoristen" (X, 773) und stellt diesen in Gegensatz zum Mystiker. Die „'Wol-
lust der Hölle', das Brautbett des Grabes und dergleichen Zubehör echter und
rechter Mystik war gewiß nicht seine Sache, und zweifellos haben weder Wagners
'Tristan' noch des Novalis' 'Hymnen an die Nacht'... ihm viel zu sagen gehabt"
(X, 772). Thomas Mann schließt seine 'Homage' (X, 960) für Kafka mit einer
Erinnerung an den biographischen Bericht, daß, „als Kafka einigen Freunden die
Anfänge des Romans 'Der Prozeß' vorlas, welcher speziell von der göttlichen
'Gerechtigkeit' handelt, während 'Das Schloß' sich mehr mit der 'Gnade' beschäf-
tigt, die Zuhörer Tränen gelacht hätten, und der Autor selbst so habe lachen
müssen, daß er augenblicksweise am Lesen gehindert gewesen sei. Das ist eine sehr
tiefgründige, verwickelte Heiterkeit" (X, 778). Woran Thomas Mann die Bemerkung anschließt, „das Lachen, das Tränen-Lachen aus höheren Gründen", sei das
Beste, was wir haben, was uns bleibe. Aus diesem Besten muß im Bannkreis der
Tragödie dann jene Neigung werden, die dem Humanisten unheimlich ist und die
vom Teufel als Zeichen der Auserwähltheit vereinnahmt wird. Der Teufel hätte
sich dabei auf eine lange Tradition berufen dürfen, die das Lachen zum dämonischen Erbteil des Menschen zählt und mit der Thomas Mann schon lange vor
Beginn des 'Doktor Faustus' bekannt geworden war.

96. Die Verteidigung des Beißelschen Unternehmens durch Leverkühn führt zu
einer Verschränkung der Hauptmotive, die in diesem Stadium natürlich noch in
einer einfachen, weil unentfalteten Gestalt auftauchen, wenn man von dem
absieht, was Zeitblom aus der Gegenwart seines Schreibens unmittelbar einfließen
läßt; so, wenn er aus dem Abstand der Jahrzehnte Leverkühns Hochmut betrachtet, dabei aber versteckterweise kundgibt, daß die Perspektivenverschiebung die
Engfassung nicht sprengen soll: spricht er doch davon, daß die Hoffart „das
Hauptmotiv der erschrockenen Liebe war, die ich zeit meines Lebens für ihn im
Herzen hegte" (94).
Im Kapitel über 'Buddenbrooks' wurde auf die Bedeutung des „Interesses"
hingewiesen, das Kai als ein zukünftiger Chronist der Dekadenz am Verfall dieser
Familie hat, unbeschadet seiner Liebe zu Hanno. Im Disput über Beißel unter-
stellt Leverkühn dem Musikdiktator eine besondere Form von Echtheit: auch bei

ihm habe die Musik „im voraus geistig Buße für ihre Versinnlichung" getan (95). Die „Strenge" der Musik, der „Moralismus ihrer Form" müsse immer herhalten für die „Berückungen ihrer Klangwirklichkeit". Zuvor schon hat Leverkühn die Abstraktheit der menschlichen Stimme, „die ungefähr wie der entkleidete Körper abstrakt" sei, als ein Exemplum angeführt, das „ja beinahe ein pudendum" sei. Hier schweigt der junge Serenus „betroffen", und es bleibt dem Leser überlassen, herauszufinden, warum die Gedanken den so Betroffenen „weit zurück in unserem, in seinem Leben" führen. Wenig später fühlt sich Zeitblom als der „Ältere, Reifere" gegenüber Leverkühn und verteidigt die ihm zugeschobene Musik („Da hast du sie, … deine Musik") als ein Lebens-, ja Gottesgeschenk, das man lieben solle. „'Hälst du die Liebe für den stärksten Affekt?' fragte er. 'Weißt du einen stärkeren?' 'Ja, das Interesse'" (95). So bereitet sich vor, was dann vom Teufel dahin zugespitzt wird, daß es wahre Leidenschaft nur im Ambiguosen und als Ironie gäbe, und daß die höchste Passion dem absolut Verdächtigen gälte. Das ist auch die späte Antwort auf den Vorwurf des sich reifer fühlenden Serenus, man solle einem „Gottesgeschenk" wie der Musik „nicht Antinomien höhnisch nachweisen, die nur von der Fülle ihres Wesens Zeugnis geben" (95).

97. Das Wort 'Apparat' dürfte hier wohl zweideutig sein. Man erinnere sich an das hintersinnige Spiel, das Thomas Mann im 'Zauberberg' mit dem Musikapparat des Sanatoriums treibt. Vgl. dazu vom Verf. 'Zauberbergmusik', 261 ff. Thomas Manns spätere Werke sind voller Anspielungen, oft kleinster und geheimster, auf Motive und Nebenmotive der früheren. Sie zu sammeln wäre eine lohnende, weil für die Interpretation hilfreiche Aufgabe, vor allem auch in Verbindung mit den Allusionen auf jeweils noch nicht geschriebene Werke!

98. Auch das ist in Beziehung zu setzen zum Ende der angeführten Paraphrase des dritten Meistersinger-Vorspiels, wo auf Vollbrachtes zurückgeblickt und ehrsam zu Ende gesungen wird (vgl. Anm. 95).

99. Nietzsche, 'Die Geburt der Tragödie', Kap. 19.

100. XI, 291. – Nach Helmut Jendreiek, 'Thomas Mann – Der demokratische Roman', Düsseldorf 1977, 416, hat der auf Dürers Stich „der Melancholie zugeordnete geflügelte Knabe… in dem 'Gotteskindlein' Nepomuk Schneidewein seine mythologisch-poetische Wiederholung". In Thomas Manns Quelle, Waetzoldts 'Dürer und seine Zeit', findet sich kein Anhaltspunkt für diese Auslegung. Waetzoldt erwähnt bei seiner Rekapitulation der Melancholie-Interpretationen mit Zustimmung Paul Webers 'Beiträge zur Weltanschauung Dürers' von 1900, wonach das gesamte Beiwerk der Melancholie als Attribute der sieben freien und der sieben mechanischen Künste zu erklären wäre: „Das Knäblein, das auf dem Mühlstein sitzt und sein Täfelchen kritzelt, repräsentiert die Grammatik, die elementarste unter den freien Künsten. Schon in mittelalterlichen Darstellungen hat die Figur der grammatica den ABC-Schützen zum Begleiter." (Waetzoldt, a.a.O., 121).

101. Das Klagewort des gekreuzigten Jesus: „Mein Gott, mein Gott, warum hast du mich verlassen", gehört so zu 'Dr. Fausti Weheklag', wie der Antwort-Schlag „Barrabam!" aus der Matthäus-Passion zur 'Apokalypse'. In dem kleinen Aufsatz

'Dürer' von 1928, wo Thomas Mann noch einmal Gedanken aus den 'Betrachtungen' wiederholt, stellt er Dürer und Nietzsche ganz nah zusammen und zitiert ein weiteres Mal Nietzsches Brief von 1868 mit der Begeisterung für die ethische Luft, den faustischen Duft, Kreuz, Tod und Gruft. „Das war um jene Zeit, als er zu Basel dreimal in der Woche – der Karwoche – die 'Matthäus-Passion' hörte" usw. (X, 231).

102. Wie so oft, schafft auch hier ein einzelnes Wort einen motivischen Zusammenhang. „'Ich hatte gedacht', wandte er sich plötzlich leise-vertraulich an mich, schritt vor und sah mich mit einem verlorenen Blicke an" (632); eben dort, wo der eigentliche Durchbruch als Rekonstruktion des Ausdrucks gelingt, wird er beschrieben nicht nur als „Umschlagen kalkulatorischer Kälte in den expressiven Seelenlaut", sondern zusätzlich als Umschlag in „kreatürlich sich anvertrauende Herzlichkeit" (643).

103. Die 'Lieder des Prinzen Vogelfrei' hat Nietzsche der 'Fröhlichen Wissenschaft' als 'Anhang' beigegeben.

104. Eine freilich ganz ins Gefüge der Situation und der Personenkonstellation aufgelöste Auseinandersetzung über die Ästhetik der deutschen Klassik ist in das Kapitel XXXVIII eingebaut (549f.).

105. Vgl. 254 ff.

106. Dem widerspricht nicht, daß es heißt: „Aufgeboten aber, im Sinne des Résumés geradezu, werden die erdenklichsten ausdruckstragenden Momente der Musik überhaupt" (647). Denn es handelt sich da um die a u s d r u c k s tragenden Momente, und zumindest deren „Ersterscheinung" (647) wird im Stil der Monteverdi-Zeit das Modell für Leverkühns Rekonstruktion. Die musikalische Idee der 'Apokalypse' geht nicht nur bis zu den magisch-rhythmischen Elementar-Zuständen, sondern sogar bis zu den „vor-musikalischen" (496). Hingegen heißt es vom Résumé der Momente in 'Dr. Fausti Weheklag': „nicht als mechanische Nachahmung und als ein Zurückgehen, versteht sich, sondern... wie ein allerdings bewußtes Verfügen über sämtliche Ausdruckscharaktere, die sich in der Geschichte der Musik je und je niedergeschlagen, und die hier in einer Art von alchimistischem Destillationsprozeß zu Grundtypen der Gefühlsbedeutung geläutert und auskristallisiert werden" (647). Gegenüber den Posaunen- und Pauken-Glissandi und gar dem Glissando der menschlichen Stimme in der 'Apokalypse', diesem „Geheul als Thema" und der Rückkehr in den „Urstand" (97), nun: ein tief aufholender Seufzer, die Bildung von Vorhalten als rhythmisches Mittel, „die melodische Chromatik, das bange Gesamtschweigen vor einem Phrasenanfang" (648).

107. Nietzsche, 'Die Fröhliche Wissenschaft', Nr. 125.

108. In Umkehrung der Heilschlaf-Szene vom Beginn von Faust II bewacht Leverkühn „Echo's Schlaf zu seinen Füßen" (620). Unmittelbar davor wird nicht nur berichtet, daß der „Abschiedsgruß" des Kindes überhaupt, und nicht nur vor dem Einschlummern „Nacht!" lautet, sondern es heißt ausdrücklich: „– statt 'Adieu', 'Lebewohl' sagte er 'Nacht!'" (620).

109. XI, 289

110. Laut Eckermann ist, Goethes Äußerung vom 6. Juni 1831 zufolge, in den Versen 11934–41 immerhin „der Schlüssel zu Fausts Rettung enthalten".

111. XI, 265

112. Ebd.

113. XI, 294

114. In älteren Ausgaben (so 8.–15. Tausend von 1948, S. 252) heißt es noch: „Dankgebet eines Genesenen". In Paul Bekker, 'Beethoven', einer der wichtigen Quellen Thomas Manns, steht die Fassung: „Heiliger Dankgesang eines Genesenen an die Gottheit in der lydischen Tonart" (hier zitiert nach der 2. Aufl., Berlin 1912, 538). Zu vermuten ist, daß bei der Verbesserung des 'Dankgebets' in den 'Dankgesang' der späteren Ausgaben dann fehlerhafterweise aus dem Genesenen der Genesende wurde.

115. Der „Felder grüner Segen" von Vers 4615 wird in der ersten Strophe des Geisterkreises auf eine Weise beschworen, die schon durch die konzentrierte Versinnlichung dem Leser des 'Doktor Faustus' die Assoziation zur feuchten Sättigung der Jahreszeit mit dem Düften „des Faulbaums und Flieders, sodann des Jasmins" (621) aufdrängt:

Wenn sich lau die Lüfte füllen
Um den grünumschränkten Plan,
Süße Düfte, Nebelhüllen
Senkt die Dämmerung heran. (4637)

116. 'Das Volksbuch vom Doctor Faust', hrsg. von Robert Petsch, Neudrucke deutscher Literaturwerke des 16. u. 17. Jahrhunderts, Halle 1911, 93 bzw. 23.

117. Ebd. 23

118. Verse 11676 ff.

119. Das von L. Voss, a.a.O., 204 kommentarlos abgedruckte Blatt 203 des Thomas Mann'schen Notizenkonvoluts enthält u. a. die Stichworte: „incubi oder Succubae, Ephialtä oder Hyphialtae".

120. Es sei erlaubt, hier einen der klarblickendsten Beobachter der Epoche zu zitieren, auch wenn seine Diagnosen nicht zu den Quellen des 'Doktor Faustus' gezählt haben. Bernhard Guttmann (1869–1959), bis 1933 der führende politische Kopf der 'Frankfurter Zeitung', schrieb am 19. Februar 1933 mit vollem Namen seinen letzten Leitartikel mit der Überschrift „Die Religion der Gewalt". Georges Sorel habe schon vor 1914 eine veränderte, eng mit der Verherrlichung der Gewalt verknüpfte Denkweise diagnostiziert. Heute, 1933, müsse sich die alte Generation eingestehen, daß sie diese Gegenkraft, die zuerst in Rußland sichtbar geworden sei, einfach nicht bemerkt habe. Die Religion der Gewalt sei keine nationale Angelegenheit. „Trotz der Todfeindschaft zwischen den zwei Lagern der Verehrer des Zwanges scheint ihre geistige Struktur weithin die gleiche zu sein, und eben weil sie nicht zufällig so ist, nicht nur Ergebnis politischer und wirtschaftlicher Zwänge, ... fällt es schwer, sich vorzustellen, das alles lasse sich wieder einrenken". Man solle sich „die banalen Tröstungen abgewöhnen, es werde alles nicht so schlimm sein, die Kultur sei zu weit fortgeschritten und ein Rückfall in überwunden geglaubte Perioden unmöglich, die Propheten der Barba-

rei würden schließlich selbst davon genug haben. Diese Denkweise verrät ungenügende Bekanntschaft mit der Geschichte, die von mehr als einem jammervollen Versinken humaner Zeitalter weiß". Um eine „Entwicklungskrankheit" handle es sich nicht: „Alte Nationen mit einer tausendjährigen Geistesgeschichte beten an den Altären primitiver Vorväter". Möglicherweise sei auch schon der Kriegsausbruch im Jahre 1914 diesem allgemeinen Willen zur Gewalt zuzuschreiben; jedenfalls habe er wie ein Ferment gewirkt: „Nach dem Kriege, nicht durch ihn geschaffen, aber nun völlig freigesetzt, tritt der junge Zeitgeist auf allen Gassen hervor. Unheimliche, schwüle Stimmungen erlangen Macht. Das Gefühl, automatisch Parierende unter sich zu haben, erzeugt einen Rausch der Befehlenden, dem bei den Beherrschten der Gehorsamsrausch entspricht."

121. Leonhard Franks „Anteilnahme am 'Faustus' war mir lieb, zugleich aber stimmte sie mich bedenklich und wollte als Warnung erfaßt sein – vor der Gefahr, mit meinem Roman einen neuen deutschen Mythos kreieren zu helfen, den Deutschen mit ihrer 'Dämonie' zu schmeicheln. Dem Lob des Kollegen entnahm ich die Mahnung zu geistiger Vorsicht und dazu, die allerdings sehr deutsch gefärbte Thematik des Buchs, eine Krisen-Thematik, so vollkommen wie möglich ins allgemein Epochale und Europäische aufzulösen." (XI, 181).

122. Ich habe gesprochen und meine Seele gerettet. Das Wort geht auf die Vulgata-Übersetzung von Hesekiel 3, 19 zurück (Tu autem animam tuam liberasti): Wo du aber den Gottlosen warnest, und er sich nicht bekehret von seinem gottlosen Wesen und Wege, so wird er um seiner Sünden willen sterben; aber du hast deine Seele gerettet.

123. Dante, Inferno II, 10–12. Die Verse schließen unmittelbar an jene an, mit denen Thomas Mann den Roman eröffnet hat. Motto ist vielleicht für einen solchen Introitus ein zu abgegriffenes Wort. In der von Thomas Mann schon für den 'Zauberberg' benützten Übersetzung von Otto Gildemeister lautet der Anfang des zweiten Gesangs:

> „Der Tag entschwand, und alle Kreatur
> Erlöste Dämmerung von Müh' und Treiben
> Des Tagewerks, und ich, der eine, nur
> Mußte für jenen Kampf gerüstet bleiben
> So mit dem Weg wie mit dem Herzeleid,
> Den mein Gedächtnis treulich wird beschreiben.
> O Musen, hoher Geist, seid hilfsbereit!
> Gedächtnis, das aufschrieb, was ich gesehn,
> Hier wird sich zeigen deine Trefflichkeit.
> So hob ich an: „Poet, vernimm mein Flehen
> Und sieh, ob meine Kraft auch wohlbestellt,
> Eh du mir zutraust solchen Weg zu gehen."

124. XI, 204

125. VIII, 1068

126. Matthäus 4,8

REGISTER

I. Schriften Thomas Manns

138f., 143, 145, 148, 153, 155f., 189f., 191f., 194, 198, 200f., 205, 214, 216–218, 229–237, 239, 244–246, 248, 253, 256, 291, 293, 296, 298, 300f., 305, 308f., 314f., 317–321, 325

Zum Tode von Eduard Keyserling 123

II. Personen

327

III. Sachen

ECKHARD HEFTRICH

Zauberbergmusik
Über Thomas Mann
1975. X, 383 Seiten, Das Abendland, Neue Folge Band 7

Nietzsches Philosophie
Identität von Welt und Nichts
1962. 300 Seiten

Hegel und Jacob Burckhardt
Zur Krisis des geschichtlichen Bewußtseins
1967. 42 Seiten, Wissenschaft und Gegenwart Heft 35

Stefan George
1968. X, 189 Seiten

Novalis
Vom Logos der Poesie
1969. 184 Seiten
Studien zur Philosophie und Literatur des 19. Jahrhunderts, Band 4

Lessings Aufklärung
Zu den theologisch-philosophischen Spätschriften
1978. 84 Seiten

VITTORIO KLOSTERMANN · FRANKFURT/MAIN

37 Jasmin